VESPASIANO DA BISTICCI

GROSSE MÄNNER UND FRAUEN DER RENAISSANCE

Achtunddreißig
biographische Porträts

Ausgewählt, übersetzt und eingeleitet
von Bernd Roeck

VERLAG C.H. BECK

Übersetzung aus dem Italienischen von Bernd Roeck unter
Mitarbeit von Monika Pelz und Marcella Tantardini

Mit 33 Abbildungen

Frontispiz: *Vespasiano da Bisticci, Porträtminiatur von Attavante Attavanti
in der Initiale eines Manuskripts der Vita Giannozzo Manettis.
Das Manuskript wurde 1506 von Alessandro da Verrazzano signiert.
London, British Museum (add. 9770. fol. 3)*

Die Deutsche Bibliothek – CIP-Einheitsaufnahme

Vespasiano ⟨da Bisticci⟩:
Grosse Männer und Frauen der Renaissance : 38 biographi-
sche Porträts / Vespasiano da Bisticci. Ausgew., übers. und
eingeleitet von Bernd Roeck. – München : Beck, 1995
Einheitssacht.: Vite di uomini illustri del secolo XV ⟨dt.⟩
ISBN 3-406-39683-6
NE: Roeck, Bernd [Hrsg.]

ISBN 3 406 39683 6

© C. H. Beck'sche Verlagsbuchhandlung (Oscar Beck), München 1995
Satz: Fotosatz Janß, Pfungstadt
Druck und Bindung: Ebner Ulm
Gedruckt auf alterungsbeständigem, säurefreiem,
aus chlorfrei gebleichtem Zellstoff hergestellten Papier
Printed in Germany

INHALT

ANHANG

VORWORT

«Nicht viel Zeit ist vergangen, seit ich mehrere Lebensbeschreibungen einzigartiger Männer, in der Weise eines kurzen Kommentars oder vielmehr eines *ricordo*, verfaßt habe. Der Grund, der mich bewog, dies zu tun, ist, damit die Erinnerung an so viele einzigartige Männer, wie sie die Stadt Florenz hatte, nicht vergehe, wie es unzähligen anderen widerfahren ist ...» – so beginnt der Florentiner Buchhändler Vespasiano da Bisticci seine Widmung eines Exemplars der ‹Vite›, das er dem *Gonfaloniere* seiner Vaterstadt, Lorenzo Carducci, übereignete. Das «in der angenehmen Einsamkeit von Antella» auf den 10. Juli 1483 datierte Schreiben – der Termin ist wichtig für die zeitliche Einordnung zumindest eines Teils der ‹Lebensbeschreibungen› – stellt die Bewahrung der *memoria*, der Erinnerung an «einzigartige Männer» *(uomini singulari)*, in den Vordergrund – und in der Tat wurde aus Bisticcis Bemühungen eine der bis heute wichtigsten Quellen zur Geschichte der italienischen Frührenaissance. Manche Passagen dieses Textes, den Jacob Burckhardt ebenso kannte und ausführlich benutzte wie viele nach ihm, haben – obgleich (oder gerade weil) sie weniger ‹Wirklichkeit› reflektieren als Idealbilder geben, Eingang gefunden in gängige Vorstellungen von der Epoche: Die Schilderungen des Hofes von Urbino oder die Anekdoten um Cosimo de' Medici zählen zu den festen Bestandteilen der Imagination von «Renaissance». Bisticcis ‹Lebensbeschreibungen› sind, mit anderen Worten, aufschlußreich nicht nur, was die Geschichte des Quattrocento anbelangt, sie sind auch eine bedeutsame Quelle, wenn man die Ursprünge des bildungsbürgerlichen Mythos der Renaissance reflektieren möchte.

All dies ließ Verlag und Herausgeber den Versuch einer neuen Übersetzung und erweiterten Auswahl der ‹Lebensbeschreibungen› als gerechtfertigt erscheinen. Wir wenden uns an ein Publikum, das die Orientierung in einer gut lesbaren deutschen Übersetzung dem Umgang mit dem gelegentlich spröden italienischen Original vorzieht, also nicht an den Spezialisten, sondern an weitere Kreise, die sich für die Geschichte und Kultur der italienischen Renaissance interessieren. Eine ausführliche historische Einführung möchte den Zugang zu Bisticcis Werk erleichtern und die Zusammenhänge skizzieren, in denen es gesehen werden muß.

Der Dank des Herausgebers gilt Monika Pelz (Pisa), die eine umfangreiche erste Rohübersetzung erstellt hat, und Marcella Tantardini (Bonn), die in zahlreichen Zweifelsfragen, was die Übersetzung anbelangte, kundigen Rat gab. Meinen Bonner Mitarbeiterinnen – Christine Tauber, Cordula Peters, Angela Rother-El Lakkis, Claudia Biententreu und Ruth Grütters – danke ich für ihre Hilfe auch im Semesteralltag. Auch danke ich dem Deutschen Kunsthistorischen Institut in Florenz und seinem Direktor, Prof. Dr. Max Seidel, für freundliche Unterstützung. Frau Dr. Karin Beth vom Hause C. H. Beck war dem Buch eine nervenstarke Betreuerin, der ich für die gute Zusammenarbeit besonders herzlich danken möchte.

Florenz, im Mai 1995   *Bernd Roeck*

EINLEITUNG

«. . . giù per Arno se ne va»

IE Kinder müssen das frische Grab zwischen der Porta alla Croce und der Porta alla Giustizia gleich gefunden haben; nur zwei Tage zuvor war es angelegt worden. In der noch lockeren Erde trafen die Spaten rasch auf etwas Weiches, einen halbverwesten Leichnam. Sie zerrten den Toten aus dem Loch, schleiften ihn, im Zwielicht des späten Sommerabends, durch die Straßen an einem verrotteten Henkerstrick, der noch den Hals umschlang; am Palast, den der Mann zu Lebzeiten bewohnt hatte, angekommen, wanden sie das Seil durch den Türring, zogen den Gehenkten wieder und wieder daran hoch, daß der Kopf dumpf ans Portal schlug, und schrien dabei: «Klopf an!» Als sie der Späße müde waren, warfen die Kinder die Leiche von der Rubaconte-Brücke in den Arno. *«Messer Jacopo giù per Arno se ne va»*, sangen sie dem Davontreibenden spottend hinterher.

«Und man hielt es für ein großes Wunder», kommentiert der Chronist Luca Landucci, «vorerst, weil die Kinder vor Leichen Furcht zu haben pflegen, zweitens war es, weil er roch, daß man sich ihm gar nicht nähern konnte; denke, vom 27. April bis zum 17. Mai, wie er da stinken mochte!» Alle Brücken seien voll gewesen, um den aufgedunsenen Leichnam den Fluß hinabtreiben zu sehen. Nochmals zieht man den Toten aus dem Wasser, knüpft ihn an einen Baum, schlägt ihn mit Stöcken; wirft ihn dann zurück in den Fluß. Er mag unter Pisas Brücken hindurch ins offene Meer hinausgetrieben sein . . .

Dieses gräßliche Spiel bewegte Florenz Mitte Mai 1478; Florenz, Hauptstadt der Renaissance, Kapitale der Kultur und Hort der Zivilisation! Das «Wundergeschehen» um den Toten führt in eine Stadt, die zeitweilig keineswegs nur im Glanz der Kunst leuchtete; in eine manchmal fremdartige Welt, die wenig gemein hat mit dem gängigen Bild einer Gesellschaft am Morgen der Moderne, die verfeinerte Lebensformen pflegt, sich zu Gesprächen voll sublimer Geistigkeit zusammenfindet. Der Leichnam scheint nicht ganz tot. Man kann ihn malträtieren, strafen, verspotten und mit dem Kadaver zugleich das in den Staub treten, was er im Leben war und tat.

Das Schicksal des Toten erscheint in Landuccis Text zugleich als mirakulös. Will nicht ein Höherer, daß es ihm so übel ergeht? Handeln die Kinder – wo Leichen sonst doch Furcht verbreiten und speziell Messer Jacopo erbärmlich stinkt – nicht als Werkzeuge göttlicher Gerechtigkeit?

Man muß jedenfalls auf Überraschungen gefaßt sein, wenn man sich in die Epoche des Vespasiano da Bisticci begibt. Die ‹Vite› des Florentiner Buchhändlers führen oft genug eine andersartige, merkwürdige Wirklichkeit vor, sofern man bereit ist, mit dem Ungewohnten, Abgelegenen zu rechnen – eine «andere» Renaissance als jene der Uffizien oder des Bargello. Eine überaus religiöse Gesellschaft, eine Welt, die für moderne Vorstellungen exotische Formen der Kriegsführung kennt, in der andere Maßstäbe für soziales Verhalten, andere Kriterien des Staunens und des Lachens gelten; in der Bilder mehr sind als nur Abbildungen; wo Tote nicht als völlig gestorben erscheinen und Blumen sprießen aus den Gräbern von Heiligen. Zugleich werden wir auf Vertrautes stoßen, Spuren einer Vorgeschichte der Moderne, aufgrund derer Jacob Burckhardt meinte, die italienische Renaissance als «Führerin unseres Weltalters» bezeichnen zu dürfen.

Bisticcis Lebensbeschreibungen zählen zu den wichtigsten Quellen, die aus der italienischen Renaissance überhaupt erhalten sind. Es gibt einige Indizien, die darauf hindeuten, daß insbesondere jene Ereignisse, deren schauerliches Ende wir gerade erzählt haben, einen wichtigen Hintergrund, ja eine Voraussetzung für die Entstehung von Bisticcis Werk bildeten.

Der Tote, den die Florentiner Kinder geschändet hatten, war Jacopo de' Pazzi, Zentralfigur einer Verschwörung gegen die Medici. Nach dem Scheitern des Umsturzversuches am 26. April 1478 hatte man ihn wie andere seiner Mitverschwörer an den Fenstern des Palazzo Vecchio aufgehängt. In der folgenden Zeit nutzte Lorenzo de' Medici die Gelegenheit, unter seinen Gegnern aufzuräumen. Er richtet ein Blutbad an: Gut sechzig durch die Ereignisse des 26. April kompromittierte Medici-Feinde werden in den ersten Tagen nach dem Putsch ermordet. Kein Geringerer als Botticelli erhält den Auftrag, die Hingerichteten zu konterfeien, zur Abschreckung aller, die es den Pazzi vielleicht gleichzutun gedächten. Und Lorenzo dichtet mahnende Verse, die als emblematische Beischriften zu Häupten der toten Verschwörer an die Mauern des Palazzo geheftet werden. Viele bekommen es mit der Angst zu tun, ziehen es vor, Florenz zu verlassen.

Auch Vespasiano da Bisticci zählt zu den Florentinern, die 1478 ihrer Stadt den Rücken kehren. Wohl zum Jahresende oder in den ersten Monaten des Jahres 1479 gab er seinen berühmten Buchladen neben dem Bargello auf. Man ging, offenbar nicht ohne Eile, daran, den Hausrat des Familiensitzes an der Via de' Bardi zu veräußern. Das Gebäude wird vermietet, wenige Jahre später – 1485 – um die schöne Summe von 900 Fiorini verkauft. Was noch an Einrichtung darin ist, und es kann nicht wenig gewesen sein, bringt weitere 500 Fiorini. Maultiere und Wägen werden beladen, man reist-nach Antella, einem kleinen Dorf zwölf Kilometer südöstlich von Florenz. Die Familie besitzt dort ein Landgut.

Nichts deutet darauf hin, daß Bisticci bis zu seinem Tod am 27. Juli 1498 nochmals länger in der Vaterstadt verweilt hätte. Der da so brach mit seinem – zweifellos geliebten – Florenz, war nicht irgendein kleiner *cartolaio*. Einer seiner Schreiber nennt ihn einmal «*princeps omnium librariorum florentinorum*», den Fürsten aller Buchhändler von Florenz. Und das hieß eigentlich: der Welt, denn war nicht dieses Florenz damals, im 15. Jahrhundert, das Zentrum der humanistischen Studien, der Künste und Wissenschaften schlechthin? Da war er nun auf seinem Landgut und konnte ein einzigartiges Leben überblicken, ein Leben – ja, so kann man sagen – im Glanz der Bücher. Bücher, mit leuchtenden Miniaturen geschmückt, in denen feine Ornamente, prächtige Initialen Buchstabenarchitekturen von kristalliner Klarheit umspielten; Bücher, in karmesinroten Goldbrokat gebunden, beschlagen mit Silber, wappengeschmückt; Bücher über heilige und ewige Dinge, Bücher von den Dingen der Welt, voller Erkenntnis und Weisheit, voller Poesie und Sprachgewalt. Sie bildeten die Objekte des Begehrens, die Gegenstände des Diskurses, um die sich erlauchte Geister und bedeutende Staatsmänner scharten, unter ihnen jene, deren Gedächtnis die ‹Vite› verewigen sollten. Kardinälen und mindestens einem Papst war Bisticci begegnet, nämlich Nikolaus V., einem der großen Bibliophilen seiner Zeit; er hatte Bischöfe, Heilige und Heiligmäßige kennengelernt, war Fürsten und Gelehrten gegenübergetreten; oft hatte er am Hof Federicos von Montefeltro geweilt, jenes genialen Condottiere, der es verstand, aus Eisen Gold zu machen, und der dann aus Gold die schönsten Kunstwerke werden ließ.

Gleichsam der Hof dieses Buchhändler-Fürsten war seine Bücherwerkstatt gewesen, ein Anziehungspunkt für alle Gebildeten der an Gelehrsamkeit so reichen Stadt und Anlaufstelle für alle an literarischen Dingen interessierten Fremden. Der spätere Bischof von Fünfkirchen und bedeutende ungarische Humanist Janus Pannonius hatte sich, als er mit Pferden und Dienerschaft um die Mitte des 15. Jahrhunderts in der Stadt am Arno eintraf, zuerst zu Vespasiano begeben: «. . . ich sollte ihm das Gespräch mit anderen gelehrten Männern vermitteln», und gleich begleitete er ihn zu Cosimo de' Medici nach Careggi. Bisticci erinnert sich auch daran, daß Leonardo Bruni die Gewohnheit hatte, jeden Morgen zu den Buchhändlern zu gehen, wo stets irgendein *oltramontano* oder Italiener darauf gewartet habe, ihn zu sehen.

Hier, bei den *cartolai*, war Neues zu erfahren von sensationellen Manuskriptfunden, die ein Humanist in irgendeiner modrigen Klosterbibliothek gemacht hatte; mochte sich immer ein kluger Kopf finden, der gut war für ein Gespräch über Gott und die Welt. In seinem Laden gegenüber der Florentiner Badia war Vespasiano da Bisticci eine öffentliche Figur gewesen, im Zentrum intellektueller Zusammenhänge.

Warum hat dieser Mann – wie es scheint, einigermaßen überstürzt – dies alles verlassen? Manche meinen, wirtschaftliche Gründe hätten ihn dazu bewogen, sein Geschäft aufzugeben; die Studien hätten nicht mehr geblüht wie einst, die großen Mäzene seien gestorben, die Buchdruckerkunst habe sich trotz vieler Widrigkeiten rasch verbreitet. Nun, das sind keine völlig überzeugenden Argumente. Noch erfreute sich, soweit wir wissen, Vespasianos wichtigster Auftraggeber, nämlich Federico von Montefeltro, bester Gesundheit; im Florenz Lorenzos des Prächtigen sollen die Studien an Bedeutung verloren, soll ein Buchhändler kein Auskommen mehr gefunden haben?

Interessanter klingt der Hinweis auf das Vordringen des «neuen Mediums», Gutenbergs bahnbrechende Erfindung. In der Tat: Bücher wurden billiger, der Weg, an dessen Ende das Buch als Massenartikel stehen würde, war beschritten. Wir wissen zudem aus Vespasiano da Bisticcis eigenem Mund, daß er der neuen Art, Bücher zu machen, skeptisch gegenüberstand. Federico von Montefeltro, bemerkt er in der Vita des großen Condottiere und Mäzens, hätte sich geschämt, ein gedrucktes Buch zu besitzen (übrigens ist dies eines der frühesten Zeugnisse – wenn nicht das früheste überhaupt – für eine kritische Einstellung gegenüber dem Buchdruck). Nun traf Bisticcis Beobachtung nicht zu, denn es befanden sich durchaus Druckwerke in des Herzogs Bibliothek. Als Hinweis auf seine eigene Einstellung gegenüber dem modernen Produkt läßt sich der Seitenhieb gleichwohl interpretieren. Und: Es lassen sich plausible Gründe für diese abschätzige Meinung denken. Man betrachte ein «Hauptwerk» aus der Werkstatt unseres *cartolaio*, die berühmte Bibel des Herzogs von Urbino, heute als Codex Urb. lat. 1/2 in der Vatikanischen Bibliothek – eine verschwenderisch ausgestattete Handschrift, ein Buch der Bücher fürwahr – nein, wer mit solchen Kunstschöpfungen zu tun hatte, der dachte nicht an vielleicht wirtschaftlicher herzustellende «Ware». Dieser Fürst seines Gewerbes muß gelebt haben in einer Bücherwelt. Bücher waren ihm nicht einfach Informationsträger, materialisiertes Wissen, Quellen der Meditation, des Glaubens oder auch Waffen im Kampf gegen die Langeweile. Das äußere Bild, das sie boten, muß er als Widerschein ihres Inhalts aufgefaßt haben: schöne Welten im Kosmos der wohlgeordneten Bibliothek, die ihrerseits Chiffre universaler Zusammenhänge sein sollte; freilich auch Prestigeobjekt und Herrschaftszeichen in einer Gesellschaft, deren Eliten verrückt waren nach Büchern.

Ganz ausschließen wollen wir nicht, daß Bisticci wirklich meinte, Gutenbergs Erfindung bedrohe diesen seinen Kosmos aus Pergament. Vielleicht fühlte er sich verbraucht, war nicht mehr willens oder in der Lage, sich den veränderten Entwicklungen anzupassen – als er sich auf den Weg nach Antella machte, näherte er sich dem sechzigsten Lebensjahr, und das war, gemessen an den Verhältnissen des 15. Jahrhunderts, ein ziemlich hohes Alter. Der Eremit von Antella war aus der Perspektive seiner Zeit nahezu ein Greis. Aber all das erklärt weder den Zeitpunkt des Rückzugs aufs Land noch die Eile, die dabei an den Tag gelegt wurde, und auch nicht die Vollständigkeit, mit der die Zelte in Florenz abgebrochen wurden. Ist das zeitliche Zusammentreffen der Abreise unseres Autors aus Florenz mit dem Krisenjahr der Medici-Herrschaft mehr als ein Zufall?

Nicht, daß wir Vespasiano da Bisticci mit dem Dolch im Gewande unter den unfrommen Teilnehmern der Messe in S. Maria del Fiore vermuteten, die nach dem Willen der Verschwörer zum Requiem für Lorenzo den Prächtigen hätte werden sollen: Die Zeiten waren nicht mehr danach, daß er eine solche Verstrickung hätte überleben können, und offen gestanden macht uns Vespasiano eigentlich nicht den Eindruck eines aktiven *homo politicus*. Wir vermuten eher, daß er gewisse, aus der Perspektive Lorenzo de' Medicis nicht ganz unbedenkliche Sympathien für untergegangene «republikanische» Verhältnisse hegte, sich Freiheiten nahm, was seinen Umgang anbelangte – und was der berühmte *cartolaio*, eine öffentliche Institution in Florenz, dessen Buchladen eine Nachrichtenbörse war, dachte oder sagte, war den Herrschenden gewiß nicht völlig gleichgültig.

Merkwürdig, was er über die Pazzi-Verschwörung schreibt; allein in der Vita Donato Acciaiuolis begegnen einige Sätze über die dramatischen Vorgänge. Der Toten und Gehängten seien es am Ende um die fünfzig gewesen, meint Bisticci, und fährt fort, es sei nicht seine Sache, hier von so grausamen Ausschreitungen zu erzählen. «*A me non è di narrare questo si crudele excesso*»: Das sind wahrlich offene Worte über das Strafgericht, das Lorenzo der Prächtige über die Putschisten verhängte. Daß ihm auch der Anschlag im Florentiner Dom als *excesso* erscheint, relativiert diese Äußerung nur um ein Weniges.

Dann lassen sich Beziehungen erschließen, die Bisticci mit Leuten verbanden, die keineswegs als Parteigänger der Medici zu bezeichnen sind, dem Haus kritisch, wenn nicht feindlich gegenüberstanden. Da ist Piero di Andrea de' Pazzi, dessen drei Söhne alle in die Verschwörung von 1478 verwickelt waren; da ist eine anscheinend enge und freundschaftliche Beziehung zu Mitgliedern der Familie Strozzi, traditionellen Gegnern der Medici. Und mit Jacopo Acciaiuoli, der, gerade von Cosimo de' Medici ins Exil geschickt, im Sold Neapels steht, unterhält Bisticci ebenfalls einen freundschaftlichen Briefwechsel, «*optime vir et amice carissime*» nennt Acciaiuoli ihn.

Bisticci verdankte dem Haus Medici sehr viel, und es gibt keinen Hinweis in den Quellen, der erlaubte, an seiner Loyalität gegenüber der ersten Familie der Stadt zu zweifeln. Doch wahrscheinlich wurden zur Zeit Cosimos Korrespondenzen und freundschaftliche Beziehungen zu Gegnern oder Kritikern des Hauses in weiterem Umfang toleriert als während der Tage Lorenzos. Nach der Niederwerfung der Pazzi-Verschwörung dürfte weniger Anlaß denn je bestanden haben, dergleichen zu dulden.

Mit Lorenzo dem Prächtigen hat Vespasiano seit seinem Weggang aus Florenz keinen näheren Kontakt mehr gehabt; einen gegenteiligen Beleg gibt es jedenfalls nicht. Auffällig ist zudem – und dies ist wohl das stärkste Argument für einen gewissen Bruch zwischen Bisticci und dem Regiment seiner Vaterstadt –, daß er dem Magnifico, der zur Zeit der Niederschrift der ‹Vite› der vielleicht berühmteste Mann Italiens war, keine eigene Lebensbeschreibung widmet und ihn lediglich an vier Stellen seines monumentalen Werkes ganz beiläufig erwähnt.

Einmal berichtet er von einer freimütigen Äußerung, die Niccolò Niccoli, ein nach der Albizzi-Verschwörung von 1433 in Florenz verbliebener Parteigänger der Medici, getan habe und deren «Ohrenzeuge» der damals wohl Elfjährige gewesen sein will. Niccoli habe mit lauter Stimme gesprochen, so daß mehrere der Anwesenden es gehört hätten, berichtet er und kommentiert dann sarkastisch: «Wäre das heutzutage geschehen, man hätte ihn in die Verbannung geschickt.»

Mit der gescheiterten Verschwörung von 1478, das mußte jedem einsichtigen Zeitgenossen klar vor Augen stehen, war man von republikanischen Verhältnissen in Florenz weiter entfernt denn je. Ob Vespasiano da Bisticci angesichts der unübersehbaren Wandlung der Verhältnisse aus eigenem Entschluß nach Antella ging oder mehr oder weniger sanftem Druck wich, läßt sich mit letzter Sicherheit nicht sagen. Der Inhalt des ersten Briefes, den er aus seinem Exil an einen guten Freund und Geschäftspartner richtete, spricht eher für die letztgenannte Möglichkeit. Es ist ein melancholisches, geradezu von Endzeitstimmung getragenes Schreiben, im Ton weit entfernt von jener idyllischen Stimmung, zu der unser Buchhändler in den späteren Jahren seines Landaufenthalts gefunden zu haben scheint. «Lieber Gevatter», beginnt er seinen Brief, «die Welt ist schon nicht allein alt, sondern gebrechlich, und alles neigt sich seinem Ende zu. Ihr seht, wo die Dinge stehen . . .» Er bittet den Adressaten, Ser Leonardo da Colle, ihm gelegentlich ein paar Worte zu schreiben, und «einen nicht zu vergessen, der euch nicht vergißt». An die «geistlichen Tröstungen», die man gemeinsam erfahren habe, erinnert er seinen Freund: «Gott der Allmächtige wolle, daß die Dinge ein gutes Ende nähmen, das ich nicht sehen kann: Ich weiß nicht, ob wir des Hasses oder der Liebe würdig sind. Gott helfe uns!» Und, ein Wort aus Psalm 87, 13 zitierend, klagt er, sich im Land der Vergessenheit, *in terra oblivionis,* zu befinden.

Auch andere Briefe, die Vespasiano aus Antella schickt, sind voll dunkler Andeutungen, die den Verdacht nahelegen, er weile nicht ganz freiwillig auf seinem Landgut. Wir lesen von den vielen Verfolgungen, denen er ausgesetzt sei; oder daß ihm, als Lorenzo de' Medici jemanden, bei dem er sich gerade aufhält, zu sich kommen heißt, die Welt unerträglich geworden sei: «. . . und ich trat in ein Labyrinth, aus dem ich, so wolle Gott, heil an Seele und Leib hervorgehen möge, woran ich sehr zweifle.»

Der diese Zeilen schreibt, scheint bedrückt, von Verfolgungsfurcht heimgesucht; ein alter Mann: fast überdrüssig des Lebens, dazu geneigt, eine gleichsam doppelte Flucht anzutreten – eine physische nach Antella, eine «innere» in die Religion.

Erinnerungen

Kaum in Antella angelangt, scheint Vespasiano sich ans Schriftstellern gemacht zu haben. Er widmete sich nicht gleich den ‹Vite›, sondern arbeitete erbauliche fromme Texte aus. Gut denkbar, daß die Krise, in der er sich befand, den Anlaß dafür bot.

Genau datieren läßt sich eine kleine Schrift, die er Caterina de'
Portinari anläßlich ihrer Hochzeit mit Agnolo Pandolfini, einem
schwerreichen Florentiner Kaufmann, widmete: Der Text vermerkt
den Tag, an dem das Paar die Ringe tauschte, nämlich den 10.
Dezember 1480. Der kleine, elegante Kodex war eine Art morali-
sches Hochzeitsgeschenk, ein Tugendspiegel für junge Frauen, eine
‹Ermahnung› zu züchtigem, christlichem Leben. Ebenfalls in der
ersten Zeit des Aufenthaltes in Antella schrieb Bisticci eine ‹Klage
Italiens› über die Einnahme Otrantos durch die Türken im Jahre
1480 – der Text muß vor dem 10. September 1481, als die Stadt von
aragonesischen Truppen zurückerobert wurde, entstanden sein. Daneben verfaßte er ein asketisches Werk, ein ‹Buch über Leben und
Gespräche der Christen›, einen – verlorenen – ‹Traktat gegen die
Spieler› (das Laster des Spielens ist wiederholt Thema auch der
‹Vite›). Schließlich ist ein – nicht vollständiger – ‹tractato› gegen
die Undankbarkeit, ‹contro ala ingratitudine›, erhalten, den er Luca
degli Albizzi zueignete.

Bisticcis Schrift für Caterina de' Portinari mag den Kern einer
seiner späteren Arbeiten gebildet haben, nämlich des ‹Libro delle
lodi e commendazione delle donne›, eines Lobs der Frauen – genauer gesagt: bedeutender, durch Zucht, Keuschheit, selbst Heiligkeit ausgezeichneter Frauen. Der Bogen dieses Werkes wird von
biblischen Zeiten bis in Bisticcis Gegenwart reichen – von den
Frauen des Alten und Neuen Testaments, den Sibyllen, Vestalinnen
und Heldinnen der griechischen und römischen Antike bis ins Florenz des 15. Jahrhunderts. Vielleicht war diese Arbeit ursprünglich
als Gegenstück zu den ‹Kommentaren zum Leben einzigartiger
Männer› geplant. Im Vorwort meint Vespasiano, seine Vita der
Alessandra de' Bardi (vgl. S. 382–390) sei einigen vornehmen Damen in die Hände gekommen, und diese hätten ihn gebeten, doch
einmal ein Werk über Frauen – auch über solche, die nicht von
reinster Tugend und Güte seien – zu schreiben.

Mit der Ausarbeitung der ‹Vite› hat unser Autor vermutlich um
die Mitte der achtziger Jahre des 15. Jahrhunderts begonnen. In einem Brief vom 10. Juli 1493 teilt Vespasiano mit, es sei nicht viel
Zeit vergangen, seit er mehrere Lebensbeschreibungen einzigartiger
Männer verfaßt habe, «auf die Weise eines kurzen Kommentars
oder ricordo».

Ricordi, Erinnerungen an Begegnungen, an Gespräche, manchmal
auch umfangreiche Beschreibungen politischer und militärischer
Ereignisse, großer und kleiner Taten, moralische Reflexionen, Gedanken über das Wirken der Fortuna und die Kraft der Tugend, über
die Weisheit Gottes und die Natur des Menschen: Das und vieles

mehr findet sich in Vespasianos Werk, eine ganze Welt, von Antella, von Florenz aus gesehen. Sein Autor verfügte über eine stupende Belesenheit, er war umfassend gebildet (und keineswegs nur ein naiver Erzähler, wie manche seiner früheren Kommentatoren glaubten). Er kennt die großen Vitenschreiber der Antike, hat Plutarch, Sueton, Cornelius Nepos gelesen; Tacitus, Sallust, Livius sind ihm ebensowenig unbekannt wie seiner eigenen Epoche nähere Autoren. Petrarcas ‹De viris illustribus› bildet nicht weniger einen Hintergrund der Viten als Leonardo Brunis Florentiner Geschichte oder das – Vespasianos Arbeit in vielem nahestehende – Werk ‹De viris illustribus› des Bartolomeo Fazio; auch verwendet er zahlreiche Chroniken. Darüber hinaus ist er ein Kenner theologischer, insbesondere patristischer Literatur.

Aber die große Bedeutung der Viten liegt nicht darin, daß ihr Verfasser ein Kenner humanistischer und religiöser Literatur war. Und nicht ihr geringster Vorzug ist – so paradox dies klingen mag –, daß das Werk stilistisch gewiß nicht überzeugt. Es ist keines jener in geschliffenem Latein abgefaßten, mit rhetorischem Prunk glänzenden historischen Werke, die Humanistenruhm begründen konnten, in eine Reihe mit den großen Geschichtswerken der Alten gestellt werden wollten. Sein Text ist voller Allgemeinplätze, bestimmte Formulierungen kommen wieder und wieder vor, und so erfahren wir oft mehr, wie Bisticci seine Zeit und ihre Menschen sehen wollte, als wie sie war (was freilich auch nichts Geringes ist). Dann aber schimmert doch einmal vergangene – seit einem halben Jahrtausend vergangene! – Wirklichkeit durch die Zeilen. Wir stoßen auf Spuren des Alltags im Florenz der Frührenaissance, lesen davon, wie man sich kleidete, was man aß, womit man seine Freizeit verbrachte; sind dann Zeugen auch prächtiger Hochzeiten und stehen an Sterbebetten in einer Zeit, da man gewöhnlich im Kreis von Mönchen oder inmitten der Familie, der Freunde und Verwandten sich anschickte, diese Welt zu verlassen, dabei umhegt von frommen Riten; in der ein guter Tod sicheres Indiz dafür war, ein gutes Leben gelebt zu haben. Zaungäste sind wir bei großen Ereignissen, etwa bei den Feierlichkeiten zur Weihe des Florentiner Domes oder beim Abschluß der Kirchenunion mit den Griechen. Bei festlichen Banketten sind wir dabei – etwa jenem, das die Florentiner den Gesandten Kaiser Sigismunds gaben –, und wir dürfen am sublimen Landleben der Florentiner Oberschicht teilnehmen.

Manchmal leuchten Bilder auf, die wir gerne als Chiffren vertrauter Vorstellungen von «Renaissance» nehmen möchten: Gelehrte, räsonnierend über Gott und die Welt; schöne, würdige Menschen, die Gemmen, antike Statuen, Buchkunstwerke sammeln und an weißgedeckten Tafeln mit edlem Geschirr feine Speisen zu sich nehmen; harte Kriegsleute, die sich, vom Feldzug in der sommerlichen Romagna heimgekehrt, den Staub von der Rüstung wischen und ins preziöse *studiolo* zum Lesen zurückziehen.

Dann fallen Schlaglichter auf dramatische Szenerien: Da wird ein Diplomat von König Ferrantes rebellischen Untertanen in Stücke gerissen, ein Papst flieht, auf einem Lastkahn unter Gewürzsäcken verborgen, aus Rom; ein «Staranwalt» verprügelt in der Engelsburg einen Bischof, ein eifersüchtiger Neapolitaner ersticht seinen Nebenbuhler, eine Florentiner Gesandtschaft ist nahe daran, im Schnee Savoyens zu erfrieren. Bisticci erzählt vom Türkenkrieg, nimmt seine Leser mit nach Afrika und ins Heilige Land, zeigt uns, mit einem Wort, eine Welt, deren Horizonte weiter geworden sind.

Vor allem aber versteht sich Vespasiano da Bisticci als Agent des Ruhmes. Er weiß sich auf der Höhe einer blühenden Epoche, und wem ist er zu seiner Zeit nicht alles begegnet! In der Vorrede zur Vita Nikolaus' V. gibt er als Motiv seiner Arbeit an, sie solle den Ruhm dieser großen Zeitgenossen bewahren und, bescheidener, jemandem, der vielleicht einmal das Leben dieser Männer in lateinischer Sprache abfassen wolle, das Mittel bieten, «mit dem er dies tun kann».

Möglich, daß Vespasianos Lateinkenntnisse nicht hinreichten, seine Geschichten in vollendetem Stil zu erzählen. Doch wählt er die Volkssprache auch deshalb, um «des Lateinischen nicht mächtigen Lesern» den Zugang zu seinen Texten zu eröffnen (so formuliert er in der Vita des S. Bernardino von Siena). «Ich habe mich nicht um irgendwelche Ausschmückungen gekümmert», notiert er an anderer Stelle, «sondern wollte nur die Wahrheit selbst berichten. Da Alfonsos Erinnerung ansonsten von den Lateinern gefeiert wird, ist es gut, wenn nun auch in der Volkssprache einiges bekannt wird.» Niemand solle sich wundern, daß er nicht immer der Chronologie gefolgt sei: «Ich habe alles aufgeschrieben, wie es mir ins Gedächtnis kam, ohne auf die zeitliche Abfolge zu achten.» Mit ganz ähnlichen Worten schließt der Kommentar zum Leben Cosimo de' Medicis. Bisticci betont das Vorläufige, Fragmentarische seines Beginnens – und das scheint uns nicht einfach eine Bescheidenheitsfloskel zu sein, sondern den Charakter des Werkes zutreffend zu kennzeichnen – und hebt hervor, er habe nur das berichtet, was er von glaubwürdigen Leuten gehört oder was er selbst gesehen habe. Nichts sei mit Absicht weggelassen oder hinzugefügt worden.

Allerdings – sprechen wir es ruhig aus –, ein großer Autor, ein Thukydides oder Tacitus, ist der *cartolaio*, der da in der Einsamkeit von Antella seinen Erinnerungen dauerhafte Form verleiht, nicht.

Er verfügt über einen begrenzten Wortschatz, manche Adjektive müssen zur Beschreibung von allem und jedem herhalten; das differenzierte Charakterbild ist seine Sache keineswegs. Manchmal winden sich seine Sätze wiederholungsreich dahin; dafür werden andernorts merkwürdige Grammatik-Volten unternommen. Die ‹Vite› sind überdies voller Irrtümer, was die Chronologie von Ereignissen anbelangt. Manch umständliche Erörterung hinterläßt beim Leser vor allem den Eindruck, daß der, der da schreibt, von bestimmten politischen Zusammenhängen kaum genauere Vorstellungen hat. Die Lektüre – und Übersetzung – des italienischen Originaltextes ist ein meist mühsames Geschäft. Wir sehen Vespasiano dabei vor uns, im *scrittoio* von Antella: Wohl von einem Papier- und Pergamentberg umgeben, diktiert er seinen Text; der geduldige Schreiber folgt mit eiligem Federkiel den Worten des seines Erinnerungsstromes mitunter nicht Herr werdenden Meisters. Der stockt auch einmal im Satz, denkt nach, fährt dann fort mit seinem Diktat, wiederholt vielleicht nochmals das gerade Gesagte, greift einen Faden auf, der schon Seiten zuvor verloren schien ... Immer wieder meint man, eine solche Arbeitsweise aus Bisticcis Text herauslesen zu können.

Er muß bis an sein Lebensende an diesem Monumentalwerk gearbeitet haben (die italienische Edition der ‹Vite› umfaßt, mit Anmerkungen und Registern, nicht weniger als 1332 Seiten). Aller Wahrscheinlichkeit nach ist es zu keiner gültigen Schlußredaktion des Werkes gekommen, Vespasiano da Bisticci ist wohl darüber gestorben. Das wichtigste Manuskript des Textes, ms. 1452 der Universitätsbibliothek Bologna, das der maßgeblichen Edition, jener Aulo Grecos, und damit auch unserer Übersetzung zugrunde liegt, beginnt mit der Vita Papst Eugens IV. Erst danach folgt ein Vorwort, das offenbar einmal als Einleitung zum Gesamtwerk gedacht gewesen war und nach dem Papst Nikolaus V. – der als «Haupt und Führer» der einzigartigen Männer, *capo e guida di tuti*, gefeiert wird – die Reihe der Helden des Buches eröffnen sollte.

Die ‹Vite› stellen also einen Torso dar; einen «Rohling», dem es an Ziselierung und Politur mangelt, und dieser Umstand erklärt manche ihrer Schwächen, Ungereimtheiten, Ungleichgewichte. Vielleicht, weil am Ende seiner Mühen doch so etwas wie eine große Enzyklopädie des Humanismus (Greco) stehen sollte, nimmt Bisticci auch Persönlichkeiten auf, über die er nichts weiß oder zu denen ihm nichts einfällt. Die Vita des Nikolaus von Kues beispielsweise verdient diesen Namen gewiß nicht: Sie umfaßt nur wenige Zeilen, die keine wesentlichen Einsichten enthalten. Ein im Text angekündigtes Verzeichnis der Titel der Werke des Kusaners findet sich nirgendwo, auch nicht in der Bologneser Handschrift, die immerhin einige flüchtige eigenhändige Korrekturen Bisticcis aufweist. Diese «Kürzestviten» fehlen in unserer Auswahl. Was dem Leser dadurch «entgeht», sei am Beispiel jener des Kardinals Juan de Mella dargetan (die wir mithin hier doch vollständig wiedergeben):

«Ein spanischer Kardinal. Messer Giovanni da Melia [sic] war von spanischer Nation, ein sehr großer Legist und Kanonist. Nachdem er nach Italien gekommen war, wo er sich vor allem am römischen Hof aufhielt, und weil er ein sehr einzigartiger Mann in beiden Disziplinen war, wurde er zum Auditor der Rota gemacht, wo er längere Zeit blieb. Wegen seiner Kenntnis der Gesetze erwarb er sich großes Ansehen, und zwar dergestalt, daß er – als Kardinäle zu kreieren waren – als einer der ersten Rechtsgelehrten und Gelehrten der päpstlichen Rechte gewählt wurde; allein wegen seiner einzigartigen Fähigkeiten. Davon, was er geschrieben hat, habe ich keinerlei Kenntnis. Aber nicht unverdient wird er hier unter die berühmten Männer gestellt, wegen seiner Fähigkeiten.»

Entsprechend unterschiedlich ist der Quellenwert von Vespasianos Texten. Manches folgt mehr oder weniger wörtlich fremden Vorlagen, vieles hat nur einen vergleichbar bescheidenen Rang, wie jener gerade mitgeteilte «Kommentar» zum Leben Juan de Mellas. Für anderes ist Bisticci der einzige oder doch wichtigste Gewährsmann. Zum Beispiel stellt die Vita des Antonio Cincinello (vgl. S. 306–310) wohl die einzige erhaltene Lebensbeschreibung dieses neapolitanischen Diplomaten dar: Fast alles, was wir über das abenteuerliche Leben und den nicht minder abenteuerlichen Tod Cincinellos, der uns als Geheimagent, Spion, Kidnapper, Botschafter und Gouverneur von L'Aquila in einer Person begegnet, wissen, ist uns allein durch Vespasiano überliefert.

Dann sind da jene Texte, die den Ruhm der ‹Vite› bis heute begründen – die großen, umfangreichen, ja eigentlich ihrerseits kleine Bücher darstellenden Lebensbeschreibungen einiger Persönlichkeiten, die Bisticci selbst kannte, die er aus verschiedenen Gründen schätzte –, nicht nur deshalb, weil sie ihm, dem «Buchunternehmer», lukrative Aufträge gaben: Papst Nikolaus V., Giannozzo Manetti und, vor allen anderen, Herzog Federico da Montefeltro.

Verflechtungen: Jugend im Umkreis der Medici

Einer von Bisticcis großen Auftraggebern war schließlich Cosimo de' Medici, und auch die Vita, die diesem Mann gewidmet ist, zählt zu den Glanzstücken der Sammlung. Zu Unrecht verblaßt Cosimos Ruhm im mythischen Schimmer, der seinen Enkel Lorenzo den Prächtigen umgibt. Bisticci hatte ganz zweifellos Zugang zum ersten Bürger seiner Stadt. Vieles, was er über den *pater patriae* erzählt, weiß er aus eigener Anschauung.

Wie es dazu kam, daß Vespasiano bis zu Cosimo und in den Kreis der politischen und intellektuellen Elite von Florenz vordringen konnte, ist ein Rätsel. Die Quellen schweigen weitgehend, wir sind auf Vermutungen angewiesen. Die einfachste Antwort auf diese Frage wäre: Es war sein Beruf, es waren herrliche Bücher, die Bisticci Herzen, Türen und Schatztruhen öffneten, und das mag für viele Fälle auch zutreffen; doch gibt es Hinweise darauf, daß die Verbindung zwischen Vespasiano und Cosimo de' Medici weit in die Jugend, ja die Kindheit Vespasianos zurückreicht. So erinnert er sich daran, wie ein Brief an den nach Venedig verbannten Cosimo de' Medici abgesandt wird; das war 1434, und Vespasiano war damals gerade elf Jahre alt. Wo, wenn nicht in der direkten Umgebung der Medici, kann er Zeuge dieses Vorgangs gewesen sein und die kritische Äußerung, die dabei über das Albizzi-Regime gemacht wurde, gehört haben? Dann gibt es da vor allem ein merkwürdiges Schreiben, das Bisticci im Frühjahr 1476 an Lorenzo den Prächtigen richtet, um dessen Intervention in einer privaten Streitsache zu erbitten. Er führt sich mit der Bemerkung ein, er habe sich im Hause Medici 35 Jahre lang genährt – was, wie er glaube, Lorenzo weitgehend bekannt sei – und er habe in dessen Haus in allen seinen Bedürfnissen Unterstützung gefunden. Was meint Bisticci damit? Seine Formulierung – «*l'esserm'io allevato in chasa vostra per anni trentacinque continovi*» – läßt sogar die weitergehende Interpretation zu, Vespasiano sei im Hause der Medici erzogen worden. Aber sie kann auch im übertragenen Sinn gemeint sein, kann sich auf alle möglichen Begünstigungen beziehen, welche die Medici dem *cartolaio* im Alltag erwiesen, ja sogar auf die Rolle Cosimos als dessen vielleicht wichtigsten Florentiner Auftraggeber anspielen. Bevor wir der komplexen Beziehung Vespasianos zu den Medici etwas näher nachspüren, sollten wir versuchen, das wenige, was über seine Jugend und das soziale Umfeld, aus dem er kam, bekannt ist, zusammenzustellen.

Auf den ersten Blick könnte es scheinen, als sei es Vespasiano keineswegs an der Wiege gesungen gewesen, er werde einmal mit dem Papst, mit Fürsten und Gelehrten Umgang pflegen. Nicht einmal sein genaues Geburtsdatum ist bekannt. Verschiedene Gründe legen den Schluß nahe, es zwischen die letzten Tage des Juni 1422 und die ersten Monate des Jahres 1423 zu plazieren.

Sein Vater, Filippo – oder Pippo, wie er in den Quellen genannt wird – da Bisticci († 1426), war *stamaiuolo*, ein Garnhändler. Er war 1404 der damals gerade zehnjährigen Mattea Balducci zur Ehe versprochen worden, um nach florentinischem Brauch einige Jahre später das Verlöbnis zu erfüllen. Dem Paar waren sechs Kinder beschieden; Vespasiano war darunter das vierte. Der älteste Sohn, 1413 geboren, begegnet in den Quellen als Goldschmied, um dann eine erstaunliche Karriere als Arzt zu machen. Offenbar erfolgreich und angesehen, brachte er es sogar zu einem Grab im Hauptschiff von S. Croce; 1468 wurde er dort bestattet. 1415 kam Lucrezia auf die Welt; über sie ist nichts Näheres bekannt, ihre Spuren verlieren sich nach 1433. Von Leonardo da Bisticci (1419–1489), Vespasianos älterem Bruder, wissen wir, daß er um 1480 eine nicht näher bekannte Monna Maria heiratet – im Kataster von 1451 heißt es über ihn lapidar, er mache nichts (*«non fa nulla»*). Die jüngere Schwester unseres Buchhändlers, Marsilia (1424–?) heiratet vor 1447 einen Schuhmacher. Und der jüngste Bruder stirbt, erst einundzwanzigjährig, 1447: Er heißt Pippo wie sein Vater, der knapp zwei Monate vor der Geburt dieses jüngsten Sohnes das Zeitliche segnet. Am 4. Februar 1426 muß Mattea Balducci, hochschwanger und von fünf unmündigen Kindern umgeben, dabeigewesen sein, als der Sarg ihres Mannes zu S. Niccolò in die Gruft gesenkt wird.

Einfach war die Lage Matteas nach dem Tod Pippos, so scheint es, nicht. Im Kataster von 1427 sind Schulden verzeichnet (allerdings auch Außenstände); noch die neuere Forschung geht davon aus, daß die Mittel, Vespasiano auch nur die siebenjährige Ausbildung in den *artes liberales* zu ermöglichen, nicht vorhanden gewesen seien. War unser *cartolaio* und Biograph also ein Autodidakt, der sich in schwierigsten Verhältnissen eine umfassende Bildung angeeignet hätte – seine ‹Vite› und andere seiner Schriften sind förmlich durchtränkt von Literaturkenntnis? Und immerhin schreibt der Sechsundzwanzigjährige eine Reihe von Briefen in fließendem Latein an gelehrte Empfänger.

Vermutlich ist die gängige Vorstellung einer traurigen, von schwierigsten finanziellen Verhältnissen bedrängten Jugend nicht zutreffend. Da ist zunächst die Tatsache, daß es offenbar möglich war, dem Bruder Jacopo die Ausbildung zum Goldschmied zu finanzieren; dann gab es das Landgut in Antella, das Refugium in Vespasianos späten Jahren: Mit ihm – über die Verpfändung von Ackerland, von Erträgen der Weinberge und Olivenhaine – gelingt es binnen einiger Jahre, die Schulden zu tilgen.

Auch gibt es die Familie. Eine wichtige Rolle spielt ein gewisser Niccolò di Piero di Donato, wohl der Bruder Matteas. Er übernimmt die Organisation der Schuldenliquidierung und greift der Familie seiner Schwester auch sonst unter die Arme. Ist er, ein *stamaiuolo* wie der verewigte Pippo, Teilhaber von dessen Geschäft? Mag sein; wahrscheinlich ist sogar er es, der für die im Florenz des 15. Jahrhunderts allein nicht geschäftsfähige Monna Mattea den Laden führt, sei es nur formal oder tatsächlich.

So stand die Frau nach dem Tod ihres Mannes keineswegs allein da. Sie hatte Einkünfte und verfügte über nicht unbeträchtliche Ressourcen. Die Erträge des Besitzes in Antella könnten sehr wohl gereicht haben, Vespasiano eine Ausbildung zu finanzieren. Jedenfalls hat man viel Wein, Oliven und anderes dort erwirtschaftet, so daß zeitweilig hohe Gewinne erzielt wurden. Dafür, daß selbst Pippo nicht ohne weiteres als «kleiner Garnhändler» klassifiziert werden kann, gibt es ein Indiz, das freilich nicht einfach zu gewichten ist: nämlich den *Namen* seines drittältesten Sohnes. *Vespasiano*, so heißt unser Mann gewiß nach dem römischen Kaiser (9–79 n. Chr.), war ein typischer Humanistenname. Jenseits der Alpen begegnet er höchst selten, und auch im Florenz der ersten Hälfte des Quattrocento war ein «Vespasiano» zweifellos ein äußerst rarer Vogel. Man heißt eben immer noch nach einem der Heiligen der Stadt, vorzugsweise nach dem Schutzpatron von Florenz, S. Giovanni; Francescos, Jacopos, Pieros oder Filippos gibt es zuhauf, nach einem zweiten Vespasiano aber muß man lange suchen, in Handwerkerkreisen wird die Benennung singulär dastehen. Es ist ein Name, der eben keineswegs an einen christlichen Patron appelliert, sondern die Erinnerung an den heidnischen Imperator wachruft, eine – urteilt man etwa nach der im Mittelalter wohlbekannten Biographie Suetons – kernige, kräftige, nicht unsympathische Gestalt. Wir wissen nicht, was Pippo und Monna Mattea dazu bewogen hat, ihren Sohn nach dem antiken Herrscher zu nennen – so ganz ohne Kenntnis der Vita des Vorbilds wird die Entscheidung für den Namen «Vespasiano» kaum gefallen sein.

Wichtiger für die soziale und kulturelle Einordnung von Vespasianos Vater ist ein Zusammenhang, den die ältere Forschung bisher nicht gesehen hat. Pippo stand nämlich in offenbar enger geschäftlicher Beziehung zum Hause Medici, und es mag sein, daß dieser Kontakt ihn auch mit dessen kulturellen Ambitionen vertraut machte. Insbesondere wird eine Beziehung zum jüngeren Bruder Cosimos, zu Lorenzo di Giovanni de' Medici (1395–1440), faßbar. Lorenzo war seit 1408 nominell Hauptgesellschafter der Firma «Lorenzo di Giovanni de' Medici e Co., lanaiuoli», die sich mit Herstellung und Vertrieb von Wolltuchen befaßte. «Manager» dieses in den ersten Jahrzehnten des 15. Jahrhunderts sehr erfolgreichen – wenngleich im Gesamtrahmen des «Medici-Konzerns» zweitrangigen – Unternehmens war Taddeo di Filippo, ein Experte auf dem Gebiet der Textilherstellung und fähiger Geschäftsmann. Er wird für den bei Gründung der Firma erst dreizehnjährigen Lorenzo die faktische Leitung der Wollhandlung innegehabt haben.

Pippo di Bisticci war höchstwahrscheinlich für das Unternehmen als Garnlieferant tätig. Wie sich diese Zusammenarbeit im einzelnen gestaltete, läßt sich nicht sagen. Als *stamaiuolo* (oder *stamaniolo*) war Pippo so etwas wie ein «Subunternehmer» der Medici-Firma. Das Maß seiner Abhängigkeit von ihr ist schwer einzuschätzen. Andererseits war er selbst Arbeitgeber: Sein Metier war es, die Verarbeitung der Rohwolle zu Kettgarn zu organisieren. Ursprünglich hatten die *stamaiuoli* in großer wirtschaftlicher Selbständigkeit agiert: Sie brachten das gesponnene Garn nach Florenz und verkauften das Halbfabrikat an die Tuchhersteller, von denen sie ihrerseits die geschlagene und gekämmte Wolle erhielten. Diese wurde dann von eigenen Arbeitern oder durch Spinnerinnen und Spinner auf dem Land zu Garn verwoben. Aber es scheint, daß die *stamaiuoli* im Laufe des 14. Jahrhunderts an Selbständigkeit einbüßten. So müssen sie gegenüber den Tuchern über die ihnen anvertrauten Materialien zusehends penibel Rechenschaft ablegen, und sie haben Kautionen für alle zu stellen, die bei den Tuchmachern nicht mit festem Jahresgehalt beschäftigt sind. Sie brauchten die Tuchmacher als Lieferanten ihrer Rohstoffe – die so in gewissem Umfang die Vorfinanzierung des Produkts übernahmen –, und sie konnten ihre Ware nur über die Tuchmacher und -händler absetzen. Dabei gab es im einzelnen die unterschiedlichsten Verhältnisse. Manche gingen mit den Tuchern «Compagniegeschäfte» ein, wurden durch einen Anteil am Gewinn entlohnt; andere schlossen für jedes Geschäft einen eigenen Vertrag.

Die soziale Rolle des *stamaiuolo* schwankte so zwischen der eines Unternehmers, eines «leitenden Angestellten» und selbst der eines Lohnarbeiters. Und er war ein Vermittler zwischen Stadt und Land: denn gesponnen wurde vor allem im Umland der großen Städte. Frauen, auch Kinder, fertigten das Garn in Heimarbeit; Tausende und Abertausende verdienten sich in diesem «protoindustriellen» Gewerbe den Lebensunterhalt oder zumindest ein Zubrot. Vielleicht wird es überraschen, daß der Anteil der Kosten für das Spinnen an den Gesamtkosten für das Endprodukt, wenngleich die Spinnerinnen und Spinner schlecht bezahlt waren, mit rund 10 Prozent etwa denen für das Weben entsprach; damit ist angedeutet, daß der *stamaiuolo*, als «Koordinator» der Garnherstellung, keine ganz unbedeutende Rolle im Gesamtzusammenhang der Florentiner Wolltuchindustrie spielte.

Der kleine Exkurs in die toskanische Wirtschaftsgeschichte des ausgehenden Mittelalters läßt Konturen der Lebenswelt erkennen, aus der Pippo di Lionardo da Bisticci – und damit auch Vespasiano – kam. Wir vermuten, daß das Gut bei Antella zu Lebzeiten Pippos ein Zentrum ländlicher Spinnerei war: Es liegt gerade weit genug vor den Toren von Florenz, um nicht unter das Verbot, mit Wollgarn zu handeln – es sei denn in den Werkstätten der Tucher selbst –, zu fallen. Statuten von 1351, 1354 und 1361 hatten dies im Umkreis von zuletzt sieben Meilen um die Stadt verboten. Auch war es untersagt, in einem Umkreis von zehn Meilen Läden einzurichten, worin Wolle für die Spinner aufbewahrt wurde. Antella unterlag solchen Beschränkungen wohl nicht mehr. Dennoch war Florenz nahe, und Pippo erreichte es rasch, um dort seinen Geschäften nachgehen zu können.

Seine Verflechtung mit der Medici-Firma wird aus einer einzigen Notiz im Kataster von 1427 deutlich. «Filippo di Lionardo da Bisticci, stamaiuolo» ist hier mit einer Summe von 86 Fiorini, 17 Soldi als Schuldner des Unternehmens «Lorenzo di Giovanni de' Medici e Co.» genannt, vielleicht ist das der Wert für das Spinnen vorgestreckter Wolle. Taddeo di Filippo, der Manager, übernimmt – ob auf eigene Rechnung oder für die Firma, wissen wir nicht – die Tilgung dieser Schuld, die mit Hilfe der Erträge des Landgutes im Laufe der dreißiger Jahre des 15. Jahrhunderts bewerkstelligt wird. Im Kataster von 1433 erscheint Taddeo jedenfalls als Gläubiger von nur noch 64 Fiorini; die anfänglichen Schulden erscheinen so bereits etwas reduziert. Er nimmt sich zur Befriedigung seiner Ansprüche auf Zeit ein Stück Weinberg und etwas Ackerland – «un pezo di vignia di staiora 4 e un pezo di terra lavoratìa di staiora due o più». (Niccolò di Piero di Donato, Matteas Bruder, sichert sich auf dieselbe Weise einige Erträge des Landgutes, um weitere 150 Fiorini Schulden aufzubringen.)

Von einer frühen Chance, der Welt der Tucher, Wollkämmer, Weber und Spinner zu entkommen, berichtet Bisticci in der Vita des Kardinals Giuliano Cesarini; es ist eine der seltenen Stellen seines Werkes, wo er von seiner eigenen Lebensgeschichte handelt. Ihm sei – «ich war noch nicht sehr alt» – vom Kardinal zur Mitgliedschaft in einer Laiengemeinschaft für Knaben, jener des Ser Antonio di Mariano, verholfen worden. «Er fragte mich dann, ob ich Priester werden wolle; er würde mir helfen, studieren zu können, auch mit einer Pfründe, von der ich leben könne.» Bisticci erzählt, daß er dieses Angebot nach einer Bedenkzeit von fünfzehn Tagen abgelehnt habe. Von Bedeutung für seinen Berufsweg aber wurde möglicherweise seine Begegnung mit dem Vorsteher der Laienbruderschaft, Ser Antonio di Mariano.

Kardinal Cesarini war zweifellos ein wichtiger Förderer Vespasianos; die Begegnung mit ihm, einer Schlüsselfigur der Kirchenpolitik jener Zeit, dürfte in den Tagen des Konzils von Florenz stattgefunden haben, zwischen 1439 und 1442. Bisticci war damals etwa achtzehn Jahre alt. Wie aber konnte es dazu kommen, daß der halbwüchsige Sohn eines Florentiner *stamaiuolo* den Kirchenfürsten kennenlernte?

Ein bedeutsamer Beleg findet sich gerade in der Vita Cesarinis. «*Era in Firenze Lorenzo di Giovanni de' Medici, fratello di Cosimo, prestantissimo cittadino, aperto et libero, al quale il cardinale portava singulare amore*», lesen wir, «*andava Lorenzo ispesso a vicitarlo, et molto domesticamente conversava collui.*» (Zu Florenz war Lorenzo di Giovanni de' Medici, ein Bruder des Cosimo, ein aufrichtiger und freimütiger Mann, dem der Kardinal einzigartige Zuneigung entgegenbrachte. Oft ging Lorenzo, ihn zu besuchen, und pflegte aufs vertraulichste Unterredungen mit ihm.)

Lorenzo de' Medici: Pippos Geschäftspartner! Wiederholt begegnet er in Bisticcis großem Werk: als Freund Carlo Marsuppinis, als Förderer Ambrogio Traversaris, als Mitglied jenes erlauchten Humanistenzirkels, der sich im Kloster S. Maria degli Angeli zu gelehrtem Gespräch und zu angenehmer Unterhaltung einzufinden pflegte. Neben Traversari gehörte Lorenzos Bruder Cosimo dazu, dann Niccolò Niccoli, Paolo dal Pozzo Toscanelli und Ser Filippo di Ser Ugolino; auch Matteo Palmieri, Franco Sacchetti, Leonardo Dati und Giannozzo Manetti zählten neben anderen zu diesem Kreis. Lorenzo di Giovanni stand in Beziehung zu Poggio Bracciolini, der ihn in seinem Dialog ‹De nobilitate› als Gesprächspartner Niccolis agieren läßt; Leonardo Bruni sandte Teile seiner Übersetzung von Platons ‹Phaidros› an ihn, offensichtlich in Erwartung eines kritischen Urteils. Auch wissen wir von freundschaftlichen Beziehungen, die Lorenzo zwischen 1430 und 1432 zu Francesco Filelfo unterhielt. Kurz: Viele jener Männer, denen Bisticci Lebensbeschreibungen widmen wird, waren nachweislich in Lorenzo di Giovannis Umkreis. Die Beziehung zu Giuliano Cesarini, die so wichtig werden sollte für Vespasiano, kann ihm eigentlich nur über Lorenzo vermittelt worden sein; in wie enger Verbindung der Kardinal und der Kaufmann zueinander standen, läßt sich auch aus Bisticcis Bemerkungen, wie Cesarini als «wahrer und guter Freund» dem Medici in seiner letzten Lebenszeit geistlichen Beistand geleistet habe, entnehmen. Sie lassen übrigens vermuten, daß Bisticci Zeuge des Sterbens und der Beisetzung Lorenzo de' Medicis war.

Ob Vespasianos Vater Pippo irgendwelche geistigen Neigungen hegte, die ihn über die Geschäftsbeziehung hinaus mit Lorenzo ins Gespräch brachten und so dem Sohn den Weg ins Mediceische Ambiente ebnen halfen, wissen wir nicht. Ein schwaches Indiz dafür ist, wie erwähnt, der Name, auf den er seinen Sohn taufen ließ; ein anderes der für einen «einfachen Handwerker» bemerkenswerte Bücherbesitz, der sich in seinem Nachlaß befand: ein Psalter, möglicherweise die ‹Legenda aurea› und, neben mehreren weiteren Büchern und Schriften, eine lateinische Grammatik nebst den ‹Dicta Catonis›, einem populären Handbüchlein mit ethischen Maßgaben und Lebensregeln.

Vespasianos Laufbahn erinnert daran, daß es im Florenz des 15. Jahrhunderts zwar nicht die Regel, aber doch möglich war, dank einer Begabung, dank Bildung und Leistung sozial aufzusteigen: Die Gesellschaft der Humanisten war vergleichsweise durchlässig, und ein kluger Kopf konnte es durchaus schaffen, in Kreise um Patrizier, hohe Kleriker und Fürsten vorzudringen. Leonardo Bruni etwa brachte es als Sohn einfacher Leute zum Kanzler von Florenz, Ambrogio Traversari, auch er von niederer Herkunft, fand sich in Gesprächszirkeln mit Cosimo und Lorenzo de' Medici ein; und Filippo di Ser Ugolino, wahrscheinlich Sohn eines armen Bauern, machte nach seiner Adoption durch Ugolino Pieruzzi eine glänzende Karriere im Dienst der Stadt Florenz.

Daß die Bisticcis tatsächlich zur Klientel der Medici zählten, erscheint uns jedenfalls kaum zweifelhaft. Die Kenntnis des Beziehungsgeflechts um Lorenzo di Giovanni – dessen Rolle in bezug auf Vespasianos Laufbahn nach dessen Tod der Bruder, Cosimo, übernommen haben dürfte – läßt die Bemerkung unseres *cartolaio*, er werde seit 35 Jahren (was gewiß nicht auf den Tag genau zu nehmen ist) vom Hause Medici «ernährt» oder «aufgezogen», in einem neuen Licht erscheinen. Darüber hinaus ergibt sich aus der Beschäftigung mit dem Klientelnetz, in dem Vespasiano aufwuchs, ein kleiner, aber doch wichtiger Hinweis darauf, wie er zu seinem Beruf fand. Wir meinen die knappe Bemerkung Bisticcis über das Angebot Cesarinis, ihm die Aufnahme in eine jener zahlreichen religiösen Gemeinschaften, die sich dem Gebet und barmherzigen Werken widmeten, zu ermöglichen. In den ersten Jahrzehnten des 16. Jahrhunderts soll es in Florenz etwa siebzig davon gegeben haben, darunter neun für Kinder: Letztere pflegten sich jeweils an Sonn- und Festtagen zu versammeln, um unter ihrem Aufseher zur Vesper und zu anderen Gelegenheiten zu singen. Es läßt sich denken, daß solche Gemeinschaften – denen das im späten Mittelalter und in der frühen Neuzeit in der städtischen Lebenswelt so wichtige Phänomen der Bruderschaft entspricht – auch soziale Beziehungen begründen, Karrieren eröffnen konnten. Es ist sehr bezeichnend, daß der junge Vespasiano der Empfehlung eines Kardinals bedarf, um in eine solche Gemeinschaft Aufnahme zu finden: Die Mitgliedschaft darin stand gewiß nicht jedermann offen (wie es eigene Kompanien, *buche* genannt, für den Adel gab). Jedenfalls war der Leiter, der *guardiano*, jener Gesellschaft, in die Vespasiano auf Cesarinis Empfehlung gelangte, ein für dessen weiteren Lebensweg vielleicht entscheidend wichtiger Mann: Ser Antonio di Mariano.

Wer war dieser Antonio di Mariano? Man hat ihn mit einem gewissen Ser Antonio di Mariano Muzi identifiziert, über den nicht viel mehr bekannt zu sein scheint, als daß er eben Guardian der religiösen Gemeinschaft und Leiter einer Schule war. Er wird in zeitgenössischen Briefen erwähnt, ist aber bisher in den Florentiner Quellen selbst, etwa in den Notariatsakten oder in den durch Register erschlossenen Katastern, nicht nachzuweisen. In ersteren begegnet zwischen 1445 und 1480 nur ein Antonio di Mario Cecchi, der in dieser Periode Notar und zeitweilig Mitglied der Kanzlei von Florenz gewesen ist.

Vermutlich hat Vespasiano seine Fertigkeiten im Lesen und Schreiben bei Ser Antonio erlernt. Vielleicht hat er sich bei ihm oder einem anderen Mitglied der religiösen Gemeinschaft auch seine mehr als bloß rudimentären Kenntnisse der lateinischen Sprache angeeignet, so etwas wie eine humanistische Ausbildung erfahren. Und er könnte in diesem Ambiente schließlich mit jener Welt in Kontakt gekommen sein, der einmal sein Leben gehören sollte: mit der Welt der Bücher.

Leider wissen wir über Vespasianos Weg dorthin so gut wie nichts – außer, daß uns eben seine Verbindungen zum Hause Medici bekannt sind, wo der Umgang mit Büchern, die Leidenschaft für schöne Manuskripte zum kulturellen Stil gehörten. Mit großer Wahrscheinlichkeit ist Bisticci im Umfeld der Medici einem Mann begegnet, dessen Name jenem des Guardians der Religionsgemeinschaft ähnelt (aber wohl nicht mit diesem zu identifizieren ist): Antonio di Mario. Dieser Antonio di Mario war einer der bedeutendsten Kopisten klassischer Texte in der ersten Hälfte des 15. Jahrhunderts. Er arbeitete für die Medici, für Benedetto Strozzi und für Niccolò Albergati, den Kardinal von S. Croce; und sicherlich noch viele andere zählten zu seinen Abnehmern: Wieder sind wir mitten in den Kreisen, in denen Vespasiano da Bisticci sich bewegen wird. Der Bischof von Ely war einer seiner Kunden, er stand mit ihm in Briefwechsel und hat eine Vita über ihn verfaßt; auch die anderen identifizierbaren Auftraggeber Antonios begegnen in Vespasianos Werk, und auch viele, die als Vorbilder oder Lehrmeister des bedeutenden Kopisten gelten können, sind aus Bisticcis Viten wohlbekannt: so Niccolò Niccoli, von dem Antonio die neue, von Poggio Bracciolini eingeführte humanistische Schrift gelernt haben könnte. Gut möglich, daß Antonio di Mario Vespasiano mit Anekdoten und anderen Informationen über einige seiner Kunden und Freunde versorgte; er muß eine wichtige Stellung im literarischen und gelehrten Leben im Florenz der ersten Hälfte des Quattrocento innegehabt haben. Sie kam jener, welche Bisticci als «Fürst aller florentinischen Buchhändler» später einnehmen würde, nicht nur gleich, sondern übertraf sie wohl an Bedeutung. Antonio di Mario übte nämlich neben seiner Tätigkeit als Schreiber noch den Beruf eines Notars aus. Zweimal, 1436 und 1446, war er sogar Notar der Signoria, und er agierte als ihr *notaio* auch in anderen Städten der Republik. Man meint, er sei mit Bruni, Manetti, mit Poggio Bracciolini, Carlo Marsuppini und Benedetto Accolti – sie alle sind wiederum durch Viten in Bisticcis Werk vertreten – befreundet gewesen.

Vielleicht können wir soweit gehen, Antonio di Mario als Lehrmeister Vespasianos anzunehmen. Hier müßten eingehendere Untersuchungen der Handschriften Aufschlüsse geben. Nach den Quellen ist es jedenfalls keineswegs auszuschließen, daß Bisticci in der Werkstatt Antonios tätig gewesen sein könnte. Erst ab Juli 1450 begegnet er als Partner eines gewissen Michele di Giovanni Guarducci, ohne allerdings Miteigentum an dessen Werkstatt zu besitzen. Guarducci wird in den Quellen als *legatore*, als Buchbinder, manchmal auch als *cartolaio* bezeichnet. Er hat zwei zusammenhängende Werkstätten bzw. Läden gegenüber der Badia von ebendieser zur Miete. Erst 1458, nach dem Tod Michele di Giovannis, wird Vespasiano Miteigentümer dieser Läden, gemeinsam mit dessen Erben.

Über die weitere Laufbahn Bisticcis wissen wir nicht viel. Das Überlieferte zeigt vor allem den erfolgreichen Buchhändler, man könnte auch sagen: Buch*manager*. Seine Tätigkeit bestand vor allem darin, die Herstellung und den Verkauf von Büchern zu organisieren, Papier oder Pergament zu beschaffen, die Arbeit von Kopisten, Miniaturmalern und Buchbindern zu koordinieren. Er unterhielt nicht einmal einen festen Mitarbeiterstab. Manche Schreiber hat er bevorzugt, so Benedetto di Piero Strozzi, einen Priester. Auch andere Florentiner Kopisten – so zum Beispiel, wie erwähnt, Antonio di Mario – hatten noch einen weiteren Beruf. War ein Großauftrag zu erledigen, gewann Bisticcis Unternehmen beachtliche Dimensionen. So rühmt er sich in der Vita Cosimo de' Medicis, zur Ausstattung der Bibliothek von S. Lorenzo 45 Schreiber beschäftigt zu haben, die in nur 22 Monaten 200 Bände fertiggestellt hätten.

Bisticcis vielleicht wichtigste Fähigkeit aber war, daß er sich darauf verstand, seltene, schwer greifbare Werke aufzutreiben. «Wer irgendein Buch wollte, in der Originalsprache oder in einer Übersetzung, schrieb an Vespasiano und erhielt es. War das Buch nicht vorhanden, sagte der *cartolaio* nicht nein: Er ließ es herstellen» (Cagni) – die ‹Saturnalien› des Macrobius, die ‹Viten› Plutarchs, eine Übersetzung der moralphilosophischen Werke des Aristoteles . . .

Ein reiner ‹Verlagskaufmann› wurde Bisticci niemals. 1454 erwähnt Alamanno Rinuccini, daß Vespasiano sich Studien der Philosophie widme, und er begegnet als Mitglied der Florentiner Akademie. Auch in seinen späteren Jahren finden wir ihn im Umkreis der humanistischen Intellektuellen, als Hörer in den Vorlesungen des Argyropolos zur Platonischen Philosophie, als Teilnehmer an den gepflegten Banketten, zu denen Franco Sacchetti zweimal im Jahr zehn bis zwölf *letterati* zu laden pflegte. Oft weilt er auf dem Landgut der Familie Acciaiuoli in Monte Gufone. Und Giannozzo Manetti bleibt er freundschaftlich verbunden, auch nach dessen – auf Druck Cosimo de' Medicis unternommener – Übersiedlung nach Neapel.

Wenn es stimmt, daß er seine ersten Schritte in den Beruf des *cartolaio* gleichsam an der Hand des Antonio di Mario unternommen hat, gewinnt seine eindrucksvolle Karriere, die ihn als ersten Buchhändler von Florenz und damit Italiens zeigt, eine plausible Erklärung. Er könnte – trifft diese Hypothese zu – Kunden von seinem Meister «geerbt» haben; so fällt auf, daß Antonio zeitweilig keinen Geringeren als Federico von Montefeltro mit Manuskripten beliefert hatte. Bisticci tritt als Buchhändler des Grafen von Montefeltro etwa um 1467/68 auf, also ein gutes halbes Jahrzehnt nach Antonios Tod. Zum Profil dieses Mannes gehört schließlich, daß er als «glühender Republikaner» (Martines), als Vertreter des Florentiner Bürgerhumanismus bezeichnet werden kann. Während einer dramatischen Phase der Florentiner Außenpolitik zwischen Herbst 1425 und Frühjahr 1426 – die Republik hatte sich mit Venedig gegen Mailand verbündet – macht Antonio di Mario in einer Nachschrift zu Aulus Gellius' ‹Attischen Nächten› und einer Übersetzung des ‹Chronicon› des Eusebius seinen patriotischen Gefühlen Luft. Florenz wird gerühmt als Verteidigerin der Freiheit, die es an

der Seite der Serenissima in mannhaftem und tapferem Kampf vor
der Tyrannei des Herzogs von Mailand bewahre.

Bühne einzigartiger Männer: Florenz im Quattrocento

Das Florenz Vespasiano da Bisticcis, Hauptkulisse der ‹Vite›, hatte,
als der Eremit von Antella an Diktat und Niederschrift seines Werkes ging, ein großes Jahrhundert erlebt, und unser Autor war sich
dessen, wie wir sahen, sehr gewiß. «Die höchste politische Bewußt-
heit, den größten Reichtum an Entwicklungsformen findet man
vereinigt in der Geschichte von Florenz, welches in diesem Sinne
wohl den Namen des ersten modernen Staates der Welt verdient»,
so Jacob Burckhardts berühmte Worte aus dem ersten Kapitel der
‹Kultur der Renaissance in Italien›, die zum Mythos der Stadt ebenso gehören, wie sie nicht wenig von ihrer Wirklichkeit spiegeln:
«Hier treibt ein ganzes Volk das, was in den Fürstenstaaten die
Sache einer Familie ist. Der wunderbare florentinische Geist, scharf
raisonnierend und künstlerisch schaffend zugleich, gestaltet den
politischen und sozialen Zustand unaufhörlich um und beschreibt
und richtet ihn ebenso unaufhörlich. So wurde Florenz die Heimat
der politischen Doktrinen und Theorien, der Experimente und
Sprünge, aber auch mit Venedig die Heimat der Statistik und vor
allen Staaten der Welt die Heimat der geschichtlichen Darstellung
im neueren Sinne.»

Florenz, Heimat der Geschichtsschreibung: Auch Bisticcis Werk
bekräftigt Burckhardts Urteil; Florenz, Heimat der Statistik, der
Rationalität, der doppelten Buchführung; Laboratorium der Moderne; Florenz, Geburtsort der Zentralperspektive, Hauptstadt des Humanismus, der Renaissance, die von hier ihren Ausgang nimmt, um
sich über das Abendland zu verbreiten – Bisticci hat recht, wenn er
in der Einleitung zur Vita Nikolaus' V. meint, Florenz habe im
gegenwärtigen Zeitalter in jedem Fach geblüht an einzigartigsten
Männern; und wer würde ihm nicht zustimmen, wenn er schreibt,
Malerei, Bildhauerkunst und Architektur seien auf der höchsten
Stufe gestanden, wie vor Augen liege: «Unzählige Beispiele ließen
sich anführen.»

Eine Beschreibung der Florentiner Gesellschaft des Quattrocento
könnte ausgehen von verschiedenen mehr oder weniger augenfäl-
ligen, sich teilweise überschneidenden Lebenskreisen, die sich
durch die Familienverbände, durch Nachbarschaftsverhältnisse
und die administrative Ordnung der Stadt ergaben. Die vier Quartiere – S. Maria Novella, S. Croce, S. Giovanni und S. Spirito –

bildeten die wichtigsten Verwaltungseinheiten, und jeder dieser Bezirke war wiederum in vier Unterbezirke gegliedert: Ihre symbolische Mitte bildete der *gonfalone*, das Banner, dessen Embleme dem Stadtteil den Namen gaben. Unter diesen Fahnen sammelten sich die Abteilungen der Bürgermiliz, wenn es not tat. Um die Bilder des Drachens, der Sonne, des roten Löwen, der Peitsche und andere Embleme formten sich enge Zusammengehörigkeitsgefühle. Weitere wichtige Kristallisationskerne von Identität waren die Pfarreien und Institutionen wie die Bruderschaften, von deren Bedeutung für das bürgerliche Leben in Florenz schon gesprochen wurde.

Dann die Ordnung der Arbeit, die Welt des Handwerks, der Zünfte. Das Florenz des ausgehenden Mittelalters war eine Handwerkerstadt ersten Ranges (wie Venedig ein Zentrum des Welthandels war). Alte und untergegangene, manchmal noch fortlebende Straßennamen lassen erkennen, wo die Zentren der Gewerbe waren: Am jetzigen *Corso dei Tintori* etwa war das Zunfthaus der Färber nebst ihrer *scuola*, dem Färber-Hospiz und dem Spital des Handwerks, während die meisten Werkstätten der *tintori* am *Ponte delle Grazie* lagen. Die *speziali*, die mit Gewürzen, Medizin und auch mit Farben und anderen Chemikalien handelten, hatten ihre Geschäfte an der gleichnamigen Straße; früher trug sie den Namen *Via degli speziali grossi*. An der *Via dell' ariento* fertigte man Silberfiligran, und die heutige *Via Tornabuoni* hieß früher – nach den dort arbeitenden Holzhändlern und -arbeitern – *Via larga dei legnaiuoli*. Wer begehrte, Bücher zu kaufen oder Humanisten zu treffen, tat gut daran, etwa in die Region um die *Badia fiorentina* zu gehen: eine «pulsierende urbanistische Zone der Manuskript-Handwerker» (Alessandro Guidotti), die insbesondere entlang der heutigen *Via del Proconsolo* und der *Via Ghibellina* ansässig waren. Die *cartolai* waren in die Zunft der *medici* und *speziali*, der beispielsweise auch die Maler angehörten, eingeschrieben: Der Zusammenhang ergibt sich wohl aus den Rohstoffen, welche Maler wie Manuskripthersteller für ihre Arbeit brauchten, nämlich Farbpigmente, die von den Spezereihändlern vertrieben wurden.

Der Chronist Benedetto Dei gibt Ende der siebziger Jahre des Quattrocento eine Übersicht, die wichtige Aufschlüsse über die Handwerke der Metropole der Renaissance vermittelt: 270 Werkstätten zählten zur *Arte della lana*, zur Zunft der Wolltuchmacher; 83 Seidenwirkerfirmen gab es: Die Textilherstellung war der bei weitem wichtigste Gewerbezweig in der Stadt am Arno. Die Vorstellung, im Florenz des 15. Jahrhunderts müsse, was die bildenden

Künste anbelangt, ein «Treibhausklima» geherrscht haben, erhält durch Deis Statistik eine quantitative Basis: So war die Zahl der Holzschnitzer-Werkstätten mit 84 größer als die der Fleischer, 54 Werkstätten beschäftigten sich mit der Herstellung von dekorativen Skulpturen aus Marmor und anderem Stein, und es gab 44 Gold- und Silberschmiedemeister. Etwas verwirrend ist dabei der bereits angesprochene Umstand, daß die Künstler – im modernen Verständnis des Wortes – keine eigenen Zünfte bildeten, sondern, meist nach dem Kriterium des Werkstoffes, mit dem sie umgingen, ihrem Metier eigentlich fremden Korporationen angegliedert waren, mit Ausnahme der Handwerker, die Skulpturen oder Intarsien aus Holz oder Stein gestalteten. Sie bildeten die *Arte dei maestri di pietra e legname*. Das Zunftsystem scheint indessen jedenfalls im 15. Jahrhundert keine vollständige Integration der in Florenz tätigen Handwerker erreicht zu haben. Viele Maler – so Botticelli und Pietro Perugino – schrieben sich erst spät in die für sie zuständige Zunft ein. Die Maler hatten freilich mit der *Compagnia di S. Luca* eine eigene, berufsständische religiöse Bruderschaft, die seit 1339 bestand.

Man hat sich gelegentlich darüber gewundert, daß Bisticci in seinen Biographien – die immerhin in einer Epoche einzigartiger Kunstblüte spielen – fast gar keine Künstlernamen erwähnt (um genau zu sein, werden nur Donatello, Brunelleschi, Lorenzo Ghiberti und Luca della Robbia genannt). Nicht einmal Michelozzo, Cosimo de' Medicis vielbeschäftigter Architekt, wird namentlich aufgeführt. Mag sein, daß sich der «Bücherwurm» Vespasiano da Bisticci nicht für solche Künste interessiert hat; doch sollte man nicht übersehen, daß die Maler und Bildhauer der Frührenaissance keineswegs – wie es der Mythos will – genialische Olympier waren, ihrer Umgebung faszinierend und rätselhaft zugleich, sondern sich in ihrer ganz großen Mehrheit in der staubigen, biederen Lebenswelt des Handwerks bewegten. Der «Künstlerfürst» begegnet – mit Michelangelo als Prototyp – erst seit der Wende zum Cinquecento; vielfach ist er allein Idealgebilde, Phantasiegestalt der Theoretiker: mithin Aufforderung an die Gesellschaft, ihre Künstler zu ehren. Bisticci jedenfalls hatte mit anderen Kreisen zu tun, mit Fürsten und Patriziern, vor allem aber mit Gelehrten, deren Rang sich aus ihrer Beschäftigung mit den *artes liberales* ergab, und diese Leute zählten weit mehr als heute berühmte Maler, Bildhauer und Architekten, die doch nur niedere *artes mechanicae*, mechanische Künste, ausübten. Es ist insofern bezeichnend, daß zwei der von Bisticci als Freunde des Humanisten Niccolò Niccoli genannten «Künstler» – nämlich Ghiberti und Brunelleschi – als hervorragende Theoretiker bekannt sind; ihre Nähe zur intellektuellen Elite der Epoche ergab sich aus der Verwissenschaftlichung ihrer Handwerkskunst.

In diesem Zusammenhang ist die Anekdote von Interesse, die Bisticci über Donatello berichtet: Der habe, als Cosimo de' Medici ihm stattliche Gewänder schenkte, diese nicht getragen, «weil ihm, wie er sagte, schien, er werde deshalb verspottet». Während Cosimo vielleicht den fähigen Künstler ehren wollte, empfand der «Handwerker» Donatello es wohl als Konflikt, nicht seinem Stand gemäß gekleidet zu gehen.

Die Beschreibung der Florentiner Gesellschaft als Gesellschaft von Zünften – insgesamt 21, 7 «großen» und 14 «kleinen» – trifft zwar einen wesentlichen Aspekt, und man wird hier, im Ambiente der voneinander lernenden, miteinander arbeitenden und betenden, gegeneinander konkurrierenden Handwerker die vielleicht entscheidenden Voraussetzungen der Kunstblüte der Renaissance finden können; jedenfalls einige ihrer «technischen» Voraussetzungen, die notwendig gegeben sein mußten. Eine *andere* Bedingung war Kapital, waren finanzkräftige Auftraggeber.

Auch Kaufleute und Bankiers hatten sich in Zünften organisiert. Die Wolltuch- und die Seidenzunft überwachten und regelten den Handel mit den entsprechenden Textilien. Die *Arte di calimala* hatte ursprünglich die Veredelung insbesondere aus Frankreich und Flandern importierter Tuche übernommen. Im 15. Jahrhundert war sie zu einer reinen Großhandelszunft geworden, zuständig für Waren aller Art. Der Reichtum der Florentiner Oberschicht kam aus Handel und Bankgeschäften, unternehmerischen Initiativen und auch aus Grundbesitz; überflüssig, an die weltweiten Verbindungen der großen Häuser zu erinnern: Der Erwerb Livornos, das Florenz 1421 für 100000 Fiorini von Genua kaufte, öffnete neue Horizonte, nachdem der Hafen des fünfzehn Jahre zuvor gewonnenen Pisa versandet war. Benedetto Dei zählt einmal auf, daß es in den französischen Hauptstädten nicht weniger als 126 Florentiner Agenten gebe, im Königreich Neapel 37, an der Kurie 40 und im türkischen Reich 51, von den unzähligen Florentiner Kaufleuten in italienischen Städten gar nicht zu reden . . .

Wie wenige Familien die «ökonomische Trägerschicht» der Renaissance umfaßte, lassen die Werte der folgenden Tabelle erahnen; sie basiert auf Zahlen des Katasters von 1457.

Steuerleistung	Zahl der Haushalte	Prozentanteil
Keine (*miserabili*, geschätzt)	3000	28,2 %
unter 5 soldi	3753	35,3 %
5–10 soldi	1148	10,8 %
10 soldi – 1 fior.	819	7,7 %
1–2 fior.	661	6,2 %
2–3 fior.	330	3,1 %
3–5 fior.	381	3,6 %
5–10 fior.	317	3,0 %
10–20 fior.	165	1,55 %
20–50 fior.	51	0,5 %
50–100 fior	8	0,07 %
100 fior. und mehr	3	0,03 %

Wir können hier keine eingehende Analyse dieses Zahlenwerks geben – was insbesondere eine detaillierte Auseinandersetzung mit dem Steuersystem der Republik erforderte. Deutlich wird jedenfalls, daß die Vermögen sehr ungleich verteilt waren – einem Heer von vielleicht 6–7000 armen oder vermögenslosen Haushalten stand eine äußerst wohlhabende Oberschicht gegenüber, und sie machte gewiß nicht einmal 1 bis 2 Prozent der Steuerzahler aus: Hier konzentrierte sich politische und wirtschaftliche Macht, und unter den Censiten der obersten Kategorien finden wir zugleich die großen Kunstauftraggeber und die Mäzene der Humanisten. Letztere waren übrigens in ihrer weit überwiegenden Zahl keineswegs unter den Armen zu finden, sondern in der wohlhabenden Mittel- und Oberschicht.

Man muß sich darüber im klaren sein, daß die Umgebung, in der Vespasiano da Bisticcis ‹Vite› im wesentlichen spielen, tatsächlich jene der *casate*, der großen Häuser, der Finanzelite seiner Stadt ist. Damit ist eine weitere soziale Figuration angesprochen, die im Florenz des Quattrocento von erstrangiger Bedeutung war. Was «Haus» und Familie in der Welt Bisticcis bedeuten, erschließt sich dem Leser ein ums andere Mal, meist schon mit dem jeweils einleitenden Satz mit einer knappen Bemerkung über die Herkunft des entsprechenden «Helden» der nachfolgenden Lebensbeschreibung: «Er stammte von vornehmen *parenti* ab . . .», «seine *parenti* waren ehrbare Leute . . .»; das definiert gleich auf Anhieb den sozialen Ort dessen, von dem die Erzählung handeln wird. Der Begriff *parenti* meint dabei nicht etwa nur die Eltern, sondern die Verwandtschaft des Betreffenden im weiteren Sinn; wie überhaupt die alteuropäische «Familie» ein weit umfassenderes soziales Gebilde war als die moderne Kernfamilie. Nicht nur Brüder und Schwestern gehörten dazu, sondern auch Onkel, Tanten, Vettern, Basen und andere Blutsverwandte der männlichen Abstammungslinie. Über die Frauen verflocht man das eigene Haus mit anderen *case* oder *casate*, «großen Häusern»; daraus ergaben sich für das soziale Leben in der Stadt äußerst wichtige ökonomische und politische Netzwerke. Sie konstituierten Macht, oft auf eine «stille», dem Historiker jedenfalls nicht auf den ersten Blick erkennbare Weise. In den Mittel- und Unterschichten gewährleisteten sie größtmögliche wirtschaftliche Sicherheit – Bisticcis eigene Lebensgeschichte bietet ein sehr instruktives Beispiel für solche Funktionen der Familie, wenn etwa Niccolò di Piero di Donato, vermutlich der Bruder von Vespasianos Mutter, die Sanierung des Hausstandes übernimmt. Oder man lese, was Bisticci über die *famiglia* des glücklichen, unglücklichen Palla Strozzi schreibt: «Er hatte zugleich mit seinen Söhnen und Töchtern die schönste, würdigste Familie, die es in Florenz gab. Die Knaben waren hochgelehrt und pflegten die feinsten Sitten. Die Mädchen . . . wurden den Ersten der Stadt verheiratet; eine wurde zur Gemahlin des Neri Acciaiuoli, eine andere zur Gattin des Francesco Soderini, eine dritte heiratete Giovanni Rucellai, eine vierte Tommaso Sacchetti. Die jüngste wurde von Messer Francesco Sacchetti geehelicht . . .»

Das sind Umrisse eines Netzes, Indizien für Allianzen: Welche Perspektiven mögen sich 1428 für den jungen Giovanni Rucellai eröffnet haben, als es gelungen war, Iacopa degli Strozzi, die Tochter des reichsten und damals in aller Augen wohl mächtigsten Bürgers von Florenz, als Ehefrau zu gewinnen! Auf einem anderen Blatt steht, daß diese vielversprechende Verbindung Rucellai rasch zum Nachteil ausschlug, da sich der Schwiegervater wegen seiner Rolle in der Albizzi-Verschwörung kompromittiert sah und in die Verbannung geschickt wurde. Rucellai agierte zwar weiterhin höchst erfolgreich als Bankier, vom politischen Leben aber blieb er lange ausgeschlossen. Bezeichnendstes Indiz dafür, daß die «Quarantäne» beendet war – nach immerhin über drei Jahrzehnten –, ist, daß es ihm 1466 gelingt, Piero de' Medici als Schwiegervater seines Sohnes Bernardo zu gewinnen: In diesem Jahr nämlich wurde Bernardo Pieros Tochter Nannina zur Frau gegeben. Derselbe Medici wird zum Schwiegervater Guglielmo de' Pazzis; Bisticci, der Andrea de' Pazzi rühmt, diesen *parentado* «eingefädelt» zu haben, urteilt nüchtern: «Man kann sagen, daß es diese Heiratsverbindung war, welche ihr Haus [das der Pazzi] erhob und woher es seinen Rang und sein Ansehen hatte.»

Die Heiratsverbindungen unter den großen Clans wurden oft nach überlegten Strategien eingeleitet. Ein wichtiges Ziel dabei war, den Ruhm und die Ehre des Hauses zu mehren. Ehen konnten dann Ausdruck nicht nur politischer und ökonomischer Interessen sein, sondern zugleich Vehikel und Ausdruck von Statusambitionen werden. Der klassische Fall auf der Florentiner Bühne ist die Heirat Lorenzos des Prächtigen mit Clarice Orsini, der Tochter eines uralten römischen Adelshauses, das über Einfluß in der Kurie verfügte. Diese Ehe bekräftigte zugleich, daß das Florentiner Haus einem adeligen Geschlecht nicht an Rang und Würde nachstand.

Der Ruhm des eigenen Hauses: Das ist ein mächtiges Leitmotiv für Verhalten und Haltung, wichtiger Beweggrund auch für Kunstpatronage. Giovanni Rucellai heftet das Emblem seiner Familie konsequent neben sein persönliches Wappen, um die von ihm inspirierten und bezahlten Bauwerke zu kennzeichnen. Sie sind Monumente seines eigenen Ruhms ebenso wie des Glanzes seiner Familie. Leon Battista Alberti bringt das in der Vorrede zu seinem Traktat ‹Della famiglia›, der bedeutendsten Reflexion über das häusliche Leben, welche die Epoche kennt, zum Ausdruck: Höchst begierig sei er nach wahrer Auszeichnung und sicherer Erhöhung seiner Familie, «die immer verdient hat, geschätzt und geehrt zu werden, und für die ich all mein Bestreben, allen Eifer, alle Gedanken, mein Herz und meinen Willen zur Ehre ihres Namens immer eingesetzt habe und einsetzen werde . . .»; das Vorwort schließt mit einer nachgerade flammenden Aufforderung an die Nachgeborenen: «. . . fördert das Wohl, steigert die Ehre, vermehrt den Ruf unseres Hauses; und lauschet dem, was unsere Vorfahren, höchst strebsame, gebildete, gesittete Männer, als Pflicht gegenüber der Familie erachteten und einschärften.»

Alberti zeigt uns das Ideal der großen Familie, die Welt des «ganzen Hauses», unter dessen Dach sich Kinder und Gesinde um den Hausvater und seine Ehefrau scharen; wo Silbergeschirr auf der Tafel schimmert und die Gobelins von den Wänden leuchten – das Haus einer vielköpfigen, alten Florentiner Sippe also, so schön und geordnet wohl wie das Hauswesen des alten Niccolò Niccoli, das Bisticci so eindrucksvoll schildert. Ein Hausstand mit vielen Menschen, zahlreiche Nachkommenschaft waren in der Tat der Stolz der großen Geschlechter, ließen sie doch den Rang der Familie erkennen; die Kinder gewährleisteten den Clans kollektives Überleben. Als Cosimo de' Medici 1463 der jüngere Sohn Giovanni stirbt, ihm nur noch der schwerkranke Piero bleibt, klagt der selbst vor Gicht fast bewegungsunfähige Alte über seinen gerade fertiggestell-

ten Palast, der sei ein zu großes Haus für eine so kleine Familie –
«*questa è troppa gran casa a si poca famiglia . . .*»

Wir wissen heute, daß wirklich große, 60, 70 Personen umfassende Haushalte fast nur in Kreisen der Oberschicht anzutreffen, für
Fürstenhöfe freilich kennzeichnend waren. Hinter Bisticcis Schilderung des fünfhundertköpfigen «Hauses» seines Mäzens Federico
von Montefeltro bleibt immer noch das Idealbild der Florentiner
Familie erkennbar, auch wenn der Buchhändler die Ordnung dort
mit der eines Klosters vergleicht. Statistisch betrachtet, umfaßte
ein durchschnittlicher Florentiner Haushalt in der ersten Hälfte des
15. Jahrhunderts nicht mehr als 3,75 Personen (im Umland war
dieser Wert mit 5,1 etwas höher). Allerdings waren oft viele solche
Einzelhaushalte untereinander eng verbunden, in Florenz etwa zu
einer *consorteria*, einer Gesellschaft, die sich gewöhnlich aus Mitgliedern einer Adelssippe, jeweils Trägern desselben Namens, zusammensetzte, der jedoch auch verbündete Häuser angehören
konnten. Solchen Verbänden entsprachen auf allen sozialen Ebenen
jene informellen «Netzwerke», von denen gerade die Rede war.

Es war somit, alles in allem, eine kleine, in mehr oder weniger
engen wechselseitigen Beziehungen stehende gesellschaftliche
Gruppe, die finanzierte, was wir «Kultur der Renaissance» nennen,
und um die sich ein nicht viel größerer Kreis von Künstlern und
Gelehrten kristallisierte. Peter Burke spricht nicht zu Unrecht von
der Intimität, vom «Dörflichen» der Renaissancegesellschaft. Er illustriert das mit dem Hinweis, «daß es Ficino war, der Guicciardini
über den Taufstein hielt, und daß dieser gleiche Guicciardini später
mit Machiavelli in Briefwechsel stand»; und er erinnert an die Debatten um die Aufstellung von Michelangelos David 1503: «Anwesend sind dreißig Personen, darunter Leonardo, Botticelli, Perugino,
Piero di Cosimo, die Gebrüder Sangallo, Andrea Sansovino, Cosimo
Rosselli – und das Protokoll verzeichnet, wie jeder von ihnen über
die Vorschläge der anderen dachte.» Wir könnten dieses Bild um
zahlreiche Szenen ergänzen, die uns Bisticci vorführt: Da sehen wir
Giannozzo Manetti an der Bahre Leonardo Brunis, am Hof Alfonsos
von Neapel, in Verhandlungen mit Federico von Montefeltro und
als Redner vor Enea Silvio Piccolomini. Filippo Peruzzi geht nach
dem Mittagessen ins Kloster S. Maria degli Angeli, um Ambrogio
Traversari zu besuchen, wo sich auch Cosimo und Lorenzo de'
Medici einfinden, die dann zu Niccolò Niccoli gehen. Ser Filippo,
berichtet Bisticci weiter, sei dann zur Badia gegangen, habe sich
mit dem Abt und seinen Mönchen unterhalten und dann die benachbarten Buchläden aufgesucht: «Da traf er sich etwa mit Messer
Giannozzo Manetti, mit Leonardo Bruni oder Messer Carlo Mar

suppini . . .». Zur Zeit des Konzils sei auch Tommaso Parentucelli, der spätere Papst Nikolaus V., dort gewesen. «Immer traf Filippo dort irgendeinen einzigartigen Mann.»

Zeichnete man das Bild der Beziehungen zwischen den Florentiner Humanisten, Künstlern und ihren Auftraggebern, es wäre ein dichtes, eng verflochtenes Gewirr von Linien zu sehen, die sich um einige Zentralpunkte verknäulten, zu denen etwa «Cosimo Medici», «Niccolò Niccoli» oder «Giannozzo Manetti» zu schreiben wäre. Und auch Vespasiano da Bisticci wäre als ein solcher Mittelpunkt darzustellen.

Florenz, das ist nicht zu übersehen – und die gedrängte Nähe, in der sich die Künstler, Gelehrten und Patrone des Quattrocento zueinander befanden, verweist auf diesen Sachverhalt –, war eine Kleinstadt, von Stadttor zu Stadttor in weniger als einer halben Stunde zu durchschreiten. Zwei schwere Pestepidemien, 1400 und 1417, hatten nach einer Erholungsphase in der zweiten Hälfte des 14. Jahrhunderts erneut zu einem Bevölkerungsrückgang geführt. Von etwa 60000 bis 65000 Einwohnern um 1380 waren in der Stadt, als Vespasiano da Bisticci auf die Welt kam, vielleicht noch 40000 übriggeblieben. Erst am Ende des 15. Jahrhunderts wird die Zahl des ausgehenden Trecento wieder erreicht sein. Damit stand Florenz, ungeachtet seiner einzigartigen kulturellen Bedeutung, eher in der zweiten Reihe der italienischen Städte. Neapel und Venedig, die beiden größten, brachten es auf jeweils über 100000 Einwohner. Im *contado*, dem Florentiner Landgebiet, mögen um 1429 etwa 120000 Menschen gelebt haben – 1414 zählte man hier 36333 Haushalte. Die relative demographische Erholung der Metropole im Laufe des 15. Jahrhunderts dürfte nicht zuletzt durch Wanderungsgewinne bedingt gewesen sein: Wenn man auch nicht unbesehen von «Landflucht» sprechen sollte, so scheint das Wachstum der Stadt am Arno doch auf Kosten der kleineren Orte der Toskana erfolgt zu sein.

Der berühmte ‹Plan mit der Kette›, um 1472 entstanden, zeigt die Stadtmauern noch immer als ein zu weit geschnittenes Gewand. Zwischen 1299 und 1333 errichtet, hatten sie nach ihrer Fertigstellung ein Gemeinwesen von 90000 Bewohnern umschlossen. Obwohl von einem imaginären Standpunkt aus und aus verschiedenen, miteinander kombinierten Perspektiven gesehen, ist dieses Bild nicht nur die erste Ansicht, die eine einigermaßen realistische Vorstellung vermittelt, sondern zugleich eine der frühesten Stadtveduten mit einem solchen Anspruch überhaupt. In dem Bemühen, sich der Identität von Florenz zu vergewissern, wird so erneut eine spezifische Florentiner Modernität faßbar.

*1 Florenz. Der Plan «mit der Kette». Kupferstich,
Werkstatt des Francesco Rosselli, um 1472*

In der Bildmitte erhebt sich dominierend Brunelleschis Domkuppel über das Häusergewirr. Bisticci muß im wachsenden Schatten dieses ruhmreichen Bauwerkes großgeworden sein: Nur wenige Jahre, bevor Vespasiano auf die Welt kommt, hat man die Arbeiten daran aufgenommen, und 1434, zur Zeit der Rückkehr Cosimo de' Medicis aus dem venezianischen Exil, ist sie gewölbt. Noch fehlte damals die Laterne.

Die Macht der Kunst

Die Domkuppel war die letzte, wirklich große kommunale Gemeinschaftsunternehmung in Florenz, das im Laufe des Trecento

zu einer einzigartigen urbanistischen Struktur gefunden hatte. Seit
1296 entstand der Dom, mit dem Bau des heute Palazzo Vecchio
genannten Regierungspalasts – er hieß, nach seiner jeweiligen
Funktion, auch Palazzo del Popolo, Palazzo dei Priori oder auch
Palazzo della Signoria – wurde zwei Jahre später begonnen. Die
Straßen zwischen dem religiösen und dem weltlichen Zentrum im
Bereich der heutigen (1842–1844 durchgebrochenen) *Via dei Cal-
zaiuoli* sollten durch regelmäßige Bebauung zu einer Art *via trium-
phalis* gestaltet werden und jene Monumentalbauten integrieren,
die mehr als anderes das Wort «Florenz» mit Bildern füllen: neben
Dom und Palazzo der Campanile, Or San Michele, die Loggia dei
Lanzi und das Baptisterium. Vor dem Dom und dem Regierungspalast wurden Plätze geschaffen; doch gelang es nicht, das Gesamt-

konzept zu verwirklichen. Zwischen den beiden urbanistischen Angelpunkten blieb es bei kurzen, uneinheitlichen Straßenstücken, die nach den dort angesiedelten Gewerben benannt waren: *Via dei Caciaiuoli*, Straße der Käsemacher, *Via dei farsettai*, Fahnen- und Bändermacher, zum Beispiel.

Am Rande dieses zentralen Bereiches urbanistischer Aktivität war schließlich seit 1295 der Neubau der Franziskanerkirche S. Croce emporgewachsen, aus der einmal das Pantheon der Florentiner werden sollte: Grabeskirche der Großen des Stadtstaates und auch einiger «Kleinerer», wie der Umstand zeigt, daß auch unser Vespasiano da Bisticci hier seine letzte Ruhestätte fand.

Zu Lebzeiten muß er Florenz als eine Stadt voller Baustellen erfahren haben. Es kennzeichnet indes den tiefgreifenden politischen Wandel, den die Stadt durchgemacht hatte, daß es kaum noch kommunale, von Zünften oder Regierungsbehörden organisierte Baumaßnahmen waren, die da ins Werk gesetzt wurden, sondern Privataufträge. Zunächst treten vereinzelt die großen Auftraggeber der ersten Hälfte des Quattrocento hervor, Niccolò da Uzzano, Palla Strozzi oder auch Andrea de' Pazzi und Tommaso Spinelli, die am Kloster von S. Croce bauen ließen, einen zweiten Kreuzgang und vor allem den Kapitelsaal, zugleich die Familienkapelle der Pazzi, ein Hauptwerk der Frührenaissance. Dann Giovanni Rucellai (1403–1481), jener Mann, der unter die ersten der Kunstauftraggeber seiner Stadt gezählt werden muß, der bereits erwähnte Schwiegersohn und Geschäftspartner Palla Strozzis: Nach einem Entwurf Leon Battista Albertis läßt er die Fassade von S. Maria Novella in kostbarer Marmorinkrustation errichten, und neben anderem entstehen ein neuer Familienpalast, anstelle von acht kleineren Häusern, die er erwirbt und abreißen läßt, und unweit davon eine kleine Loggia. Rucellai hatte augenscheinlich eher Interesse an Architektur und bildender Kunst als an prunkvollen Büchern. Die humanistischen Studien hatte er nicht absolviert, war freilich nicht ohne ein Faible für die Themen, welche das geistige Florenz bewegten. Bisticci erwähnt ihn nur einmal ganz kurz in der Vita Palla Strozzis, des Medici-Konkurrenten.

Rucellai hat merkwürdige Aufzeichnungen hinterlassen, eine Art Hausbuch, das den Titel ‹Zibaldone› – was sich am ehesten als «Sammelsurium», «Mischmasch» übersetzen läßt – trägt. Er beschreibt darin auch seine zahlreichen Bauvorhaben, *muraglie*, und erläutert die Motive, die ihn zu seiner Kunstpatronage bewogen haben. Gott, so schreibt er, habe ihn nicht nur begnadet, was das Geldverdienen, sondern auch, was das Ausgeben von Geld anbelange, und das sei keine geringere Fähigkeit; «alle diese Dinge gaben und geben mir größte Befriedigung und das größte Wohlgefühl, gereichten sie doch sowohl zur Ehre Gottes wie auch zur Ehre der Stadt und zu meinem Andenken». Und er kam zu dem Schluß: «Ich habe nun fünfzig Jahre lang nichts anderes getan, als Geld verdient und Geld ausgegeben und bin mir dessen gewahr geworden, daß das Geldausgeben süßer ist als das Geldverdienen.»

Das ist die klassische Formulierung der Beweggründe neuzeitlichen Mäzenatentums, ja Rucellai wirkt, mit seiner durchaus weltlichen Lust am Geldausgeben für schöne Dinge, «moderner» als Cosimo de' Medici, für den jedenfalls in den Quellen eher traditionelle Motive seiner Kunstpatronage faßbar werden. Rucellai nennt eine Trias von Gründen. Die Ehre Gottes, ein religiöses Ziel also, wird an erster Stelle genannt. Kein Wunder, denn wodurch könnten Ausgaben besser legitimiert und entschuldigt werden als durch gute Werke, die Kirchen und Klöster verschönern? Die Ehre der Stadt ist das zweite Motiv, und es ist nicht minder gut. Florenz verschönern: Das ist Dienst am Gemeinwesen, am allgemeinen Besten, aus dem Geist des alten Bürgerhumanismus; patriotische Tat, ein Mitarbeiten am Glanz seiner Stadt. In höchsten Tönen rühmt der Autor des ‹Zibaldone› die Fertigkeiten der Künstler, der Architekten, der Bildhauer, Kunstschreiner, Maler, Zeichner, Goldschmiede; die «einzigartigen Männer», gelehrt in Griechisch, Latein und Hebräisch, vergißt er nicht, und er schreibt von den politischen Erfolgen der Signoria und von der blühenden Wirtschaft seiner Stadt, in der er es zeitweilig zum drittreichsten Bürger gebracht hatte. So sei Florenz nicht weniger als die schönste, die herrlichste, edelste Stadt der Welt. Er meint, die Florentiner hätten die würdigste Vaterstadt der ganzen Christenheit: «*E per conseghuente la città di Firenze è la più bella, più nobile, più gentile che città del mondo, per modo che i Fiorentini ànno la più degna patria che abbi tutto il Christianesimo.*»

Dann, als drittes Motiv, ist da das eigene Andenken, die Erinnerung an den Mäzen, dessen Werke seinen Namen über die Zeiten tragen werden. Hier geht es um irdische Unsterblichkeit – kein Wort von der Nichtigkeit des Irdischen! –, und das ist ein ebenso dem Diesseits zugewandtes Ziel wie die schlichte Freude am Geldausgeben, die Rucellai in schöner Offenheit bei sich entdeckt hat.

Freilich hatte die Patronage im Florenz der Medici-Zeit, insbesondere dieses verschwenderische Bauen, auch einen im weiteren Sinne politischen, herrschaftstechnischen Aspekt, auf den Rucellai nicht eingeht. Man betrachte einen Monumentalbau wie den Palast der Pitti – Luca Pitti hatte ihn 1451 bis 1457 jenseits des Arno

errichten lassen, und er setzt auf dem ‹Plan mit der Kette› einen
unübersehbaren Akzent –, aber auch die anderen Familienpalazzi,
jene etwa der Antinori, der Gondi oder den mächtigen Palazzo
Strozzi, der seinen Auftraggeber 35 000 Dukaten gekostet haben
soll. Hier, so möchte man sagen, wies nicht nur eine schwerreiche
Elite ihre «Kreditkarte» vor, demonstrierte ökonomische Potenz;
nein, hier wurde etwas Unsichtbares, Flüchtiges zu Marmor und
Stein verdichtet: Einfluß, Autorität; andererseits beherbergten diese
Riesenbauten oft durchaus nur vergangene Größe, verlorene Macht.
Oder sie erhoben Ansprüche, die im Mediceischen Florenz nicht
mehr durchsetzbar waren. Der Pitti-Palast bietet das Exempel:
Nach dem Zeugnis Marco Parentis war dieser mit einer «wehrhaften» Rustika-Fassade versehene Palazzo Versammlungsort vieler
mit dem Medici-Regiment Unzufriedener. Parenti nennt Agnolo
Acciaiuoli und Dietisalvi di Neroni, Männer, mit denen auch Bisticci bekannt war: Er schildert, wie Acciaiuoli sich nach dem Tod
Cosimo de' Medicis auf die Seite Luca Pittis schlägt, als dieser
versucht, die Macht an sich zu reißen, im Vertrauen auf die Wirkung republikanischer Schlagworte und auf ein aristokratisches Be-
ziehungsnetz. Die Verschwörung scheitert. Acciaiuoli entgeht, im
Gegensatz zu Luca Pitti, der Verbannung nicht. Pittis Palast bleibt
ein Monument hybrider, unerfüllter Ambitionen.

Daß die Zeitgenossen um die politische Wirkung von Architektur
wußten, die Sprache der Steine sehr wohl verstanden, läßt eine
schöne Anekdote erkennen. Mit gespielter Bescheidenheit legte Filippo Strozzi Lorenzo dem Prächtigen dar, die Fassade seines Palazzo mit machtvollen Bossenquadern zu versehen, stehe einem Bürger nicht zu, «*non esser cosa civile*» – und provozierte schließlich
geschickt Lorenzos Empfehlung, es mit ebendieser Fassadenart zu
versuchen. Auf ästhetischem Gebiet war Lorenzo augenscheinlich
liberaler als auf dem politischen Feld, selbst wenn die Kunst politische Implikationen hatte. Immerhin stand der Palazzo Strozzi –
Vespasiano da Bisticci sah in seinem letzten Lebensjahrzehnt, wie
er gebaut wurde – dem Familienpalast der Medici an «Magnifizenz»
nicht nach; letzteren hatte Cosimo de' Medicis «Hausarchitekt»
Michelozzo zwischen 1444 und etwa 1460 errichtet.

Was die Medici, und zwar insbesondere Cosimo «*il Vecchio*»,
inner- und außerhalb von Florenz an Baulichkeiten errichteten,
sprengte dann freilich jeden Maßstab. Die Zahlen, die Bisticci mitteilt, lassen – sofern sie Glaubwürdigkeit beanspruchen können –
vermuten, daß Cosimo im Jahresdurchschnitt 18 000 Fiorini für
Bauten ausgab, und das war nahezu ein Drittel mehr als die jährlichen Nettogewinne der Medici-Bank und der verschiedenen Un-

2 Cosimo de' Medicis Stadtpalast in Florenz.
Außenbau des Palazzo Medici-Riccardi, von Südosten aus gesehen.
Michelozzo di Bartolommeo, nach 1444

ternehmen des Hauses (13 500 Fiorini). Cosimo finanzierte Bauten in Paris, im Heiligen Land, in vielen Städten Italiens; in der Umgebung von Florenz wird an Villen gearbeitet, so in Careggi und in Cafaggiuolo im Mugello-Tal. Unweit davon läßt er den Franziskaner-Observanten von S. Francesco al Bosco, vielleicht schon Ende der zwanziger Jahre, Kloster und Kirche weitgehend neu errichten. 70 000 Fiorini sollen für die Badia am Abhang von Fiesole verbaut worden sein. In Florenz schließlich investiert Cosimo 40 000 Fiorini in den Neubau des Dominikanerklosters S. Marco, wo eine einzigartige Bibliothek eingerichtet wird; die Novizengebäude bei S. Croce werden mit seinem Geld gebaut, vor allem aber S. Lorenzo, das, wie man festgestellt hat, uns heute wohl als die Kirche Brunelleschis erscheinen mag, den Zeitgenossen damals aber als die Kirche Cosimos galt. Durch seine Bauunternehmungen, schreibt Bisticci, habe Cosimo armen Männern die größte Hilfe gewährt: «. . . so viele Baustellen gab es, daß Unzählige dort beschäftigt waren.» Die 15 000 oder 16 000 Fiorini, die Cosimo jährlich fürs Bauen verwendet habe, seien gänzlich im Gemeinwesen verblieben.

In einem sehr direkten, praktischen Sinn verband er sich so die Bürger – und wohl dazu viele einfache Handwerker – seiner Stadt. Er war ihr Patron. Sein Geld gab Hunderten Arbeit und Brot. Auch das schuf Loyalitäten. Und *wer* da bauen ließ, wer die in den Geschäftsbüchern verborgenen Zahlenreihen ummünzte in mächtige und überaus sichtbare Bauwerke, konnte zusehends niemandem mehr verborgen bleiben. Die *palle* verkündeten es von den Wänden der Kirchen und Paläste aus: Cosimo hatte die Gesamtfinanzierung von S. Lorenzo unter der Bedingung auf sich genommen, daß außer den Wappen der Kanoniker nur das der Medici in der Kirche angebracht werden dürfe, und er sicherte seiner Familie zugleich ein exklusives Recht, hier Grablegen einzurichten. Wiederum nur den Kanonikern sollte dies außer den Medici zustehen.

Diese Forderung belegt Cosimos Familiensinn, läßt sein Bestreben erkennen, in den Grüften der Kirche sich mit den späteren Generationen seines Hauses zu verbinden; gemeinsam sollte man der Auferstehung harren können. Wie sehr Cosimos Kunstpatronage, die ja ganz wesentlich auch geistliche Institutionen betrifft, religiös motiviert ist, dafür bilden wiederum Bisticcis Aussagen eine primäre Quelle (vgl. S. 325–332). Machiavelli trifft vermutlich Wesentliches, wenn er Cosimo den Ausspruch in den Mund legt, trotz all seiner frommen Stiftungen müsse er sich in seinen Büchern immer noch als Schuldner Gottes erkennen. Der Wunsch, Ruhm und Nachruhm durch Bauwerke zu sichern, durch die *ma-*

gnificenza der Architektur Machtansprüchen Ausdruck zu verleihen, trat so in eine nicht unbedingt widersprüchliche Beziehung zu dem Motiv, durch gute Werke Schulden abzutragen bei jenem ewigen Gläubiger, der zum letzten Zahlungstermin, am Ende der Geschichte, abrechnen würde über jeden Fiorino.

Die Kunst der Macht

Daß Cosimo de' Medici das politische Spiel virtuos beherrschte, ist unzweifelhaft; Vespasiano da Bisticci beschreibt seine Kunst der Macht auf das anschaulichste. Aus seiner Feder stammen die vielleicht klarsichtigsten und deshalb mit Recht berühmten Beobachtungen der Art, wie Cosimo seinen Einfluß ausübte. 1434 – nach dem Umsturzversuch der Albizzi-Partei – habe der Medici auf mächtige Männer, die seine Heimkehr erwirkt hatten, Rücksicht nehmen müssen, schreibt Vespasiano, und es habe ihn die größte Mühe gekostet, sich ihr Wohlwollen zu bewahren und ihnen vor Augen zu führen, «daß sie soviel vermöchten wie er»: «So gut er konnte, verhüllte er diese seine Macht in der Stadt und tat alles, um sein Herz nicht zu entdecken. Dabei wandte er äußerste Klugheit an; doch hatte er große Schwierigkeiten dabei.» Er habe die größte Kunst gebraucht, sich zu erhalten, beobachtet unser Autor an anderer Stelle: «. . . bei allen Dingen, die er erreichen wollte, sah er darauf, daß sie von anderen auszugehen schienen und nicht von ihm, um, wo es nur ging, den Neid zu fliehen.»

Wohl in die nächste Nähe der Persönlichkeit Cosimos führt eine andere, weniger bekannte Episode der ‹Vite›. Bisticci schildert, wie ein Faktor, der offenbar Gelder in beträchtlicher Höhe veruntreut hat, mit dem Ansinnen zu dem Medici kommt, dieser möge entsprechenden Gerüchten die Nahrung entziehen. Bisticci: «Doch Cosimo sagte keineswegs, er habe ihn – wie es ja eigentlich der Fall war – beraubt, sondern gab heraus: ‹Was willst Du, das ich tun sollte?› Der Mann meinte darauf: ‹Wenn ihr gefragt werdet, ob ich euch bestohlen habe, so antwortet mit nein.› Darauf Cosimo: ‹Mach, daß ich diese Frage gestellt bekomme, und ich werde es sagen.› Da nun einige dabeistanden, wandte er sich, ohne ein Wort zu sagen, zu ihnen, und begann zu lachen. Er sagte nichts, und niemand war da, der es gewagt hätte, zu sprechen; so groß war Cosimos Autorität . . .»

Wir stellen uns die Szene vor: Welch ein Lachen! Es gibt wohl keine andere zeitgenössische Quellenstelle, die eine vergleichbar lebensnahe Vorstellung von der Art Cosimo de' Medicis vermittelte. In das betretene Schweigen der Umstehenden hinein, so denken wir uns, lachte der mächtige Mann einfach: bitter, vielleicht voll kalter Ironie; in der Haut des Faktors möchte da gewiß keiner stekken.

Es gab Zeitgenossen, die Cosimo für den Signore von Florenz, für deren eigentlichen Herrscher hielten. Giovanni Rucellai meinte, es habe in der Stadt niemals einen größeren Bürger gegeben – «che mai ci fu niuno cipttadino maggiore di lui» –, und er habe über sie und über die Regierung nach seinem Gefallen verfügt. Guicciardini sagt, er sei für dreißig Jahre *capo* der Stadt gewesen, aber er betont auch, er habe bei allem Reichtum und aller Magnifizenz bürgerlich in seinem Haus gelebt, als Privatmann.

Andererseits war da Cosimos verschwenderisches Mäzenatentum, und dabei versteckte er die Medici-Palle ja keineswegs. Dieses merkwürdige Changieren zwischen betonter Bürgerlichkeit, verdeckter Machtausübung und öffentlicher, unübersehbarer Kunstförderung spiegelt die in der Tat unklare Stellung des *pater patriae* (der Widerspruch zwischen Machtdefiziten und überbordender Kunstpflege hat übrigens zahlreiche Parallelen, so in der Kunstpatronage mancher venezianischer Dogen). Wir wissen durch die Forschungen Nicolai Rubinsteins – und Bisticcis Schilderung seiner «Machttechnik» illustriert diesen Sachverhalt –, daß sich Cosimo de' Medici tatsächlich nie als Alleinherrscher fühlen durfte, sondern nur Exponent eines «Netzwerks» großer Familien war: der Pitti, Ridolfi, Capponi, Guicciardini, Pandolfini, Tornabuoni und einiger anderer.

Wie sahen nun die verfassungsrechtlichen Gegebenheiten aus, mit denen Cosimo und seine Nachfolger umzugehen hatten? Einfach zu beschreiben ist das politische System von Florenz nicht, zumal es sich auch im 15. Jahrhundert ständig wandelte. «Sie sind mit ihrer Verfassung nie zufrieden gewesen», urteilte ein venezianischer Diplomat über die Florentiner, «sie kommen nie zur Ruhe, und es scheint, als strebe diese Stadt nach fortwährender Verfassungsänderung, so daß keine Regierungsform je länger als fünfzehn Jahre gewährt hat».

Zentrales Regierungsorgan war, jedenfalls formal, die Signoria. Sie wurde aus den acht Prioren – von denen je zwei aus einem der vier Florentiner Stadtbezirke stammten – und dem Gonfaloniere der Justiz gebildet. Letzterer hatte wohl das größte Ansehen, aber nicht mehr Macht als seine Kollegen, in dieser Hinsicht dem Dogen Venedigs vergleichbar. Die Signoria hatte sich stets mit zwei anderen Gremien abzustimmen: den zwölf *buonomini* («guten Männern») und den 16 Vertretern der *gonfaloni*, der Unterbezirke der Stadt.

Diese drei wichtigsten Regierungsgremien *(tre maggiori)* bildeten
gemeinsam mit dem dreihundertköpfigen Rat des Volkes und dem
Rat der *comune,* der Gemeinde, der 200 Mitglieder hatte, die Regierung von Florenz. Die letztgenannten Gremien wurden von der
Signoria gewählt. Jedes Gesetz mußte von diesen beiden Versammlungen mit Zweidrittelmehrheit gebilligt werden. Sie konnten ihrerseits keine Gesetzesanträge stellen, und ihr Einfluß war im
15. Jahrhundert nicht sehr bedeutend. Wichtiger waren Ausschüs-
se, so die *otto di guardia,* der achtköpfige, für die innere Sicherheit
zuständige «Wachausschuß», oder der sechsköpfige Handelsaus-
schuß. Die *dieci di balìa,* eine Art Notstands- oder Kriegsrat mit
zehn Mitgliedern, leiteten in Kriegszeiten die Außenpolitik und
hatten die militärischen Dinge unter sich: Während der zahlreichen
kriegerischen Auseinandersetzungen des Quattrocento wurde dieser Ausschuß zeitweilig zu einem wirklichen Machtzentrum. Daneben gab es eine kontinuierlich amtierende Bürokratie. In Fragen
von großer Bedeutung wurden *pratiche* oder *consulte* veranstaltet,
die der Signoria Empfehlungen (die nicht bindend waren) geben
sollten. Gelegentlich wurden *parlamenti* einberufen: für alle Florentiner – mit Ausnahme der Kleriker – offene Versammlungen,
denen die Signoria in Krisensituationen die Macht übertrug mit der
Auflage, eine *balìa* zu wählen, die sich in «Krisenmanagement»
versuchen sollte. Tatsächlich war die Einrichtung des *parlamento*
alles andere als eine Institution demokratischer Sicherung. Man
nutzte den Druck der Parlamente gewöhnlich dazu, Machtwechsel
zu beschleunigen oder eine Verschiebung der Gewichte innerhalb
der Oligarchie herbeizuführen.

Die Rotation in den führenden Positionen der Florentiner Regierung war stark ausgeprägt. So blieben die Mitglieder der Signoria
nur jeweils zwei Monate im Amt, und auch andere wichtige Stellen
wurden in raschem Turnus immer wieder mit neuen Leuten besetzt. Für gut 3000 Positionen – solche außerhalb der Stadt einge-
rechnet – waren alljährlich neue Funktionsträger zu ermitteln. Das
geschah durch Losverfahren, doch war natürlich nicht der Zufall
allein Meister der Auswahl. So hatten nur Männer, die älter waren
als dreißig Jahre und einer Zunft angehörten, eine Chance, gewählt
zu werden; bestimmte Positionen, so insbesondere die des Gonfaloniere der Justiz, waren Mitgliedern einer der sieben großen Zünfte, der *arti maggiori,* vorbehalten. Bankrotteure oder Bürger, die
Steuerschulden hatten, blieben von der Wahl grundsätzlich ausgeschlossen, und auch wer innerhalb der jeweils vergangenen drei
Jahre der Signoria angehört hatte, durfte nicht gewählt werden.
Diese und andere Beschränkungen engten den Kreis der mög-

lichen Amtsinhaber bereits stark ein. Das System neigte insbesondere deshalb zur Verkrustung, weil die kompliziert wirkenden Losverfahren von der jeweils herrschenden Oligarchie gesteuert werden konnten. Die Männer, welche die Namen der wählbaren Bürger in die Wahlbeutel zu füllen hatten – die für die drei wichtigsten Gremien, die *tre maggiori*, Zuständigen hießen *accoppiatori* –, wurden von der Signoria ernannt. Ein Wahlausschuß, der wiederum aus den *tre maggiori* nebst einigen weiteren zugewählten Beratern bestand, hatte diese Auswahl zu bestätigen. Und es gab, insbesondere in Krisenzeiten, zusätzliche Möglichkeiten, die Zahl der Namen in den Wahlbeuteln weiter zu verringern. Letztlich lief das alles auf das Prinzip der «Selbstergänzung» der wichtigsten Gremien hinaus, deren Mitglieder aus einem relativ kleinen Kreis von Familien rekrutiert wurden. All das war von Demokratie weit entfernt; aber es läßt sich doch nicht bestreiten, daß in Florenz – und hier in vielleicht noch höherem Maße als in Venedig – bis in die Zeit Lorenzos des Prächtigen weit mehr Bürger in die politischen Angelegenheiten involviert waren als in den meisten anderen Staaten Europas.

Den Medici war es auf der Grundlage ihrer wirtschaftlichen Potenz noch zur Zeit von Cosimos Vater Giovanni di Bicci (1360–1429) und dessen Neffen Averardo (1373–1434) gelungen, in diese innersten Machtzirkel der Republik vorzudringen. Wie Cosimo de' Medici dann «innerhalb» der scheinbar so republikanischen Verfassungsstrukturen seine Autorität einsetzte, schildert Bisticci an einer Stelle der Vita Donato Acciaiuolis höchst eindrucksvoll. Er habe den Gedanken gefaßt, berichtet unser Autor, Donato mit einer Ehrenstelle zu belohnen. Die Gelegenheit sei gekommen, als man im Viertel von S. Croce die Zettel mit den Namen jener, die für das Amt des Gonfaloniere der Justiz in Frage kamen, in den Wahlsack zu stecken hatte: Eigentlich wäre Donato, da aus seiner Familie schon Namen genannt worden waren, nicht mehr als Kandidat in Frage gekommen. Darauf sei einer der *accoppiatori* zu Cosimo de' Medici gegangen und habe ihn gefragt, ob er nicht wolle, daß man etwas unternehme. «Der sagte darauf: ‹Doch, ich will etwas – und zwar, daß der Name Donato Acciaiuoli in den Wahlsack für den Gonfaloniere der Justiz kommt.›» Bisticci hebt in diesem Zusammenhang hervor, daß man sich nicht einmal an dem Kandidaten besonders nahestehende *accoppiatori*, nämlich an Dietisalvi di Neroni und an Agnolo Acciaiuoli, gewandt habe. «Als man nun zur Auswahl der Namen in Donatos Stadtviertel kam, erhob sich der, dem Cosimo das aufgetragen hatte und sagte: ‹Cosimo will, daß Donato Acciaiuoli in den Wahlsack für den Gonfaloniere der Justiz kommt.›» Und so sei es geschehen: Donato Acciaiuoli sei schließlich tatsächlich in das erste Amt der Republik gewählt worden. Dieser Bericht Bisticcis nennt die Dinge beim Namen: Cosimo *will*, daß der Name Acciaiuolis in den Wahlsack kommt, und so geschieht es; welch ein «Wunder», daß der Mann dann auch gewählt wird! Bisticci ist oft am interessantesten, wenn er die Dinge ganz naiv beim Namen nennt: Die gerade angeführte Passage aus der Vita Donato Acciaiuolis illustriert wie wohl keine andere Quellenstelle Cosimos indirekte, durch die Kraft seiner Autorität ausgeübte Herrschaft.

Der Bericht reflektiert die späteren Jahre Cosimos (Donato Acciaiuoli lebte von 1429 bis 1478), als der Einfluß des Medici nicht mehr in Frage gestellt wurde. Vespasiano da Bisticci – seine Lebenszeit umfaßt vollständig die «Medici-Epoche» des Florentiner Quattrocento – wurde auch Zeuge der Krisen der Mediceischen Macht: der Umsturzbestrebungen Rinaldo degli Albizzis 1433, bei denen Cosimo ins venezianische Exil getrieben wurde; dann, zur Zeit des unterschätzten Piero de' Medici (1416–1469, Haupt der Medici-Partei von 1464 bis zu seinem Tod), des «Putsch»versuches von Luca Pitti und seinen Verbündeten (1466); der Pazzi-Verschwörung 1478.

Die «Krisenjahre» des Medici-Regiments – 1433/34, 1466, 1478 und 1494 – gliedern die innere Geschichte von Florenz. Sie wären noch um einige weniger wichtige Daten zu ergänzen: 1458 mit der Einsetzung des Rates der Zweihundert und 1480 mit dessen Ersetzung durch einen Rat der Siebzig; auch wären die Verfassungsänderungen der Zeit Savonarolas zu erwähnen, so die Einführung eines Großen Rates, entsprechend dem *maggior consiglio* in Venedig. Wichtiger für das Verständnis der ‹Vite› Bisticcis sind einige außenpolitische Zusammenhänge, die oft erhebliche Rückwirkungen auf die innere Situation der unruhigen Stadtrepublik hatten.

Die spürbarste Konsequenz der aktiven Außenpolitik des Stadtstaates für seine Bürger waren außerordentliche Steuern und Zwangsanleihen, die schwere Belastungen für die städtische Wirtschaft bedeuteten. Die vom Staat geforderten Riesensummen aufzubringen, stellte viele Florentiner vor große Probleme, und Bisticci schreibt immer wieder davon (wir haben allerdings die entsprechenden Passagen – sie sind oft sehr ausführlich und umständlich – in der folgenden Auswahl gekürzt oder auch ganz übergangen). Naldo Naldi berichtet, wie Giannozzo Manetti Cosimo de' Medici gegenüber klagt, er habe der Republik während seines Lebens etwa 135 000 Fiorini an Steuern bezahlt, keine unglaubwürdige Summe angesichts der Tatsache, daß er einer der reichsten Familien der

Stadt entstammte. Selbst Matteo Palmieri, Sohn eines durchaus
nicht übermäßig wohlhabenden Apothekers, hatte über 5000 Fiorini aufzubringen. Die Klagen auch der Reichsten, wie schwer es
falle, die geforderten Quoten zu erfüllen, sind jedenfalls Legion; die
astronomischen Summen waren andererseits nur mit Hilfe der Florentiner Finanzelite aufzubringen, und dies mußte deren politische
Stellung stärken.

Der Aufstieg der Medici vollzieht sich vor dem Hintergrund einer
Reihe außenpolitischer Verwicklungen, welche die Wirtschaftskraft
der Republik Florenz und ihrer Finanzelite bis zum Äußersten stra-
pazieren. Giovanni di Bicci, der eigentliche Begründer Mediceischer
Pracht und Herrlichkeit, baut nicht nur das Familienunternehmen
zu europäischer Dimension aus, er knüpft zugleich – zur Absiche-
rung der errungenen Position – ein tragfähiges politisches Netz.
Ohne die Existenz eines solchen Klientelsystems wäre es seinem
Sohn Cosimo wohl kaum gelungen, die Krise der Albizzi-Verschwörung zu meistern und die Macht seines Hauses für die folgenden
Jahrzehnte fest zu etablieren.

Was war so kostspielig an Florenz' Außenpolitik? Die Antwort
auf diese Frage ist mit einem Wort gegeben: der Krieg. Krieg, das
war im Zeitalter der Condottieri eine äußerst kostspielige Angelegenheit. Zeitweilig soll Florenz nicht weniger als eine Million
Fiorini jährlich für die Finanzierung von Söldnertruppen ausgegeben haben; Federico von Montefeltro, der Herzog von Urbino
und Held einer Vita Bisticcis, konnte für sich und seine Söldner-
armee für 16 Monate Krieg nahezu 120000 Fiorini fordern. Immerhin setzte er seine Gewinne in Gemälde, Skulpturen, Bauwerke
und Preziosen um, vor allem aber in Bücher – er machte
gewissermaßen aus Blut und Eisen Kunst und Gelehrsamkeit.
Montefeltro brachte es auf persönliche Honorare von 6000 Dukaten jährlich (zu denen Sondereinnahmen kamen) – das war nahezu
die Hälfte dessen (13 500 Fiorini), was die Medici-Bank samt ihrer
Filialen und Subunternehmen damals im Jahresdurchschnitt an
Gewinn erwirtschaftete! Allein die Kosten der diversen Kriege, die
Florenz gegen Mailand führte, dürften sämtliche Aufwendungen,
die seine wohlhabenden Bürger für Kunst und Kultur tätigten, bei
weitem in den Schatten gestellt haben. Die kriegerischen Auseinandersetzungen, welche die italienische Halbinsel vor allem in der
ersten Hälfte des 15. Jahrhunderts erlebte, waren Ausdruck eines
Ringens um staatliche Formen, um die äußere Gestalt und die
innere Ordnung der Republiken und Fürstentümer; um wirtschaftliche Ressourcen und Einflußsphären; schließlich um so wenig
konkrete, allerdings einer spezifischen sozialen Rationalität unter-

worfene Dinge wie Ehre, Größe, Ruhm. Noch war es möglich, in diesem unfertigen, sich selbst überlassenen System – erst am Ende des Quattrocento wird Italien vom Rand in die Mitte der europäischen Politik rücken – märchenhafte Reichtümer oder gar ganze Staaten zu erwerben. Enea Silvio Piccolomini, der spätere Papst Pius II., meinte: «In unserem veränderungslustigen Italien, wo nichts fest steht und keine alte Herrschaft existiert, können leicht aus Knechten Könige werden.» Manch hochfliegender Traum, vom Kriegsherrn zum Fürsten aufzusteigen, scheiterte allerdings auch. So zerstoben die Hoffnungen Braccios von Montone, des «Fortebraccio», mit dessen Schlachtentod unter den Mauern von L'Aquila; und Jacopo Piccinino, der Sohn des großen Condottiere Niccolò Piccinino, endete nicht auf einem Herzogsthron, sondern erdrosselt in einem Verließ des düsteren Castel Nuovo von Neapel, eines der zahlreichen Opfer des Königs Ferrante. Andere aber waren glücklicher, so der Condottiere Francesco Sforza, der es zum Herzog von Mailand brachte.

Aus der Perspektive der Zeitgenossen muß sich Italien dargestellt haben als eine Welt voller Chancen, aber auch voll drohender Gefahren, vor denen man sich zu hüten hatte. Es verwundert nicht, daß man sich die Menschenschicksale zusehends häufiger mit dem Bild der wankelmütigen Fortuna zu erklären versucht und als Metapher nicht mehr das Glücksrad, sondern ein vom Wind getriebenes Schifflein nimmt. Die Rad-Allegorie läßt ein Geschichtsbild erkennen, das Historie als zyklisch, als einen mit eiserner Zwangsläufigkeit sich vollziehenden Prozeß, der in Gottes Hand aufgehoben ist, begreift; das Bild des Schiffes auf hoher See reflektiert dagegen eine weitaus offenere Vorstellung vom Gang der Dinge – man kann sich in unendlich viele Richtungen wenden, kann fliegen übers Meer der Möglichkeiten, aber auch widrige Winde wehen, es drohen Sturm und hohe Wellen.

Es galt also, mit aller Kunst und Geschicklichkeit zu steuern. Um im Bild zu bleiben: Die Schiffe wohl aufzutakeln und zu rüsten, dazu war der *nervus rerum*, nämlich Geld, vonnöten, und das konnte nur kommen aus Arbeit und klugem Wirtschaften. Man bedurfte der rechten Instrumente, die Position zu bestimmen im weiten Gewässer, und einer festen Hand, das Steuerruder zu führen. Aus den komplexen Verhältnissen auf der italienischen Halbinsel, aus einer Atmosphäre, die zur äußersten Anspannung der Ressourcen zwang und höchste taktische und strategische Intelligenz erforderte, entstanden neue Formen der Politik, der Diplomatie und der Kriegskunst; entstand das, was wir als politische Theorie bezeichnen. «In der Beschaffenheit dieser Staaten, Republiken wie Tyran-

neien, liegt nun zwar nicht der einzige, aber der mächtigste Grund
der frühzeitigen Ausbildung des Italieners zum modernen Menschen», beginnt Jacob Burckhardt das berühmte zweite Kapitel der
‹Kultur der Renaissance in Italien›, das von der «Entwicklung des
Individuums» handelt, und er unterstreicht: «Daß er der Erstgeborene unter den Söhnen des jetzigen Europa werden mußte, hängt
an diesem Punkte.» Teilt man Burckhardts Interpretation, der moderne Individualismus erlebe in der italienischen Renaissance seine
Geburtsstunde – und es gibt noch immer gute Argumente, die für
diese Anschauung sprechen –, dann hat auch seine These, der
Hauptgrund dafür sei in den politischen Verhältnissen Italiens zu
suchen, einige Plausibilität. Heute würden wir allerdings wohl
noch daran erinnern, daß dieser Steigerung der Politik zur höchsten
Kunst eine wirtschaftliche Entwicklung vorausging, die dergleichen
erst ermöglichte (so ist die Söldnerkriegsführung ohne die Existenz
einer halbwegs entwickelten Geldwirtschaft kaum vorstellbar).
Und welche Wirtschaftskraft hinter den großen Auseinandersetzungen im Italien des Quattrocento stand, haben wir bereits angedeutet.

Dominierende Macht Italiens war um 1400 das Herzogtum Mailand. Florenz hatte ein Jahrzehnt Krieg gegen den Signore der Stadt,
Gian Galeazzo Visconti, geführt, der seinen Staat in Ober- und
Mittelitalien beträchtlich hatte erweitern können: Manchen mag
die Vision eines unter Mailands Führung geeinten, oder auch das
Schreckbild des von Mailand geknechteten italienischen Staates
vor Augen gestanden haben. 1402 wurde das florentinische Heer
bei Casalecchio geschlagen, die Stadt stand vor dem Fall – doch in
diesem Augenblick tödlicher Bedrohung starb Gian Galeazzo an der
Pest.

Man meinte in diesen dramatischen Vorgängen Fermente eines
tiefgreifenden Wandels im Denken der Florentiner erkennen zu
können, Gründe für die Entstehung des «republikanischen», sich
gegen alle Tyrannei wendenden «Bürgerhumanismus» ebenso wie
für die Genese bestimmter Kunstwerke der Frührenaissance. Donatellos ‹David› und sein ‹Georg› erschienen aus dieser Perspektive
als Sinnbilder des gegenüber dem Visconti wehrhaften, schließlich
siegreichen Florenz; und das Thema der Musterreliefs für die Para-
diestüren des Baptisteriums, Gegenstand eines Wettbewerbs der ersten Künstler von Florenz, die ‹Opferung Isaaks› – stand diese Szene
nicht für die Errettung der Stadt im letzten Moment, die, wie anders, nur durch Gottes Fügung erklärbar schien? Solche direkten
Beziehungen werden kaum beweisbar sein. Möglich ist, daß diese
Ereignisse eine «atmosphärische Wirkung» zeitigten: Die Befreiung

von schwer lastendem Druck; der Tod des furchterregenden Gegners mag ein neues Lebensgefühl stimuliert haben (Arnold Esch). Der Tod des großen Visconti stürzte Mailand in dynastische Auseinandersetzungen. Florenz erlebte eine – im einzelnen freilich oft schwierige – Phase der Expansion und der inneren Konsolidierung. Der florentinische Staat, der lange eher einem Städtebündnis unter Führung der Arno-Metropole geglichen hatte, gewann allmählich Konturen. Der Erwerb Pisas, das 1405 aus der «Erbmasse» Gian Galeazzos für 200000 Goldfiorini gekauft wurde und nach harter Belagerung im Jahr darauf an Florenz fiel, war der größte Erfolg der Oligarchie, allerdings auch Anlaß zum Konflikt mit Genua und Neapel. Im Krieg gegen Ladislaus von Neapel wurde 1411 Cortona gewonnen; im Gegenzug verwüsteten dessen Truppen die Toskana, doch nochmals wurde Florenz durch den Tod seines gefährlichsten Feindes (1414) aus einer prekären Situation gerettet. Mit dem bereits erwähnten Erwerb Livornos (1421) hatte der florentinische Staat dann im wesentlichen die Grenzen erreicht, die es in den folgenden Kämpfen zu bewahren galt (eine letzte bedeutende Erweiterung erfuhr Florenz, inzwischen Großherzogtum, erst 1555, als mit Hilfe habsburgischer Truppen die Republik Siena besiegt wurde).

Mehr noch als Florenz zog Venedig Vorteile aus der Krise des Visconti-Regimes. Die «Biberrepublik» konnte ihren Festlandsbesitz entscheidend erweitern. Padua, Vicenza, Verona fielen der Serenissima zu, schließlich wehte das Banner von San Marco über Bergamo, von dessen Oberstadt man bei klarem Wetter die Fialen und Türme des Mailänder Doms schimmern sieht. Um die Mitte des 15. Jahrhunderts erstreckte sich der *terra ferma*-Besitz Venedigs im Osten bis Istrien und im Süden bis Ravenna.

In der ersten Hälfte des 15. Jahrhunderts waren die machtvoll ihren Anspruch als italienische Großmacht zur Geltung bringende Serenissima und die Republik Florenz gleichsam natürliche Verbündete gegen das immer noch unwägbar mächtige Mailand. Das Jahrzehnt nach dem Tod des neapolitanischen Königs war, wenngleich es manchen Zeitgenossen als glückliche Dekade wirtschaftlicher Prosperität erschien, eine kurze Epoche bewaffneten Stillhaltens, eines gläsernen Friedens. 1423/24 brach erneut Krieg mit Mailand aus, 1425 wurde ein Bündnis mit Venedig geschlossen. Die Auseinandersetzungen sollten sich unter hohen Kosten und am Ende ohne territoriale Gewinne für Florenz bis 1433 hinziehen. Sie kulminierten 1429/30 im Versuch, Lucca, das von mailändischen Söldnern verteidigt wurde, zu erobern.

Das Lucca-Unternehmen wird in Bisticcis ‹Vite› immer wieder

erwähnt, so in der Lebensbeschreibung Palla Strozzis. Es erscheint als echte Zäsur in der Florentiner Geschichte, als entscheidende Etappe im Machtkampf zwischen der Medici-Partei und der etablierten Führungsgruppe um Rinaldo degli Albizzi. «Die Klügsten und die Besten», schreibt Bisticci in der Vita Strozzis, der zum prominentesten Opfer der Affäre werden sollte, «Messer Palla, Cosimo de' Medici, Agnolo di Filippi und viele andere Bürger, die sich an den guten Verhältnissen, in denen Florenz war, erfreuten, waren dagegen, daß man den Feldzug gegen Lucca ins Werk setze. Das Haupt jener, die das Unternehmen wollten, war Rinaldo degli Albizzi mit seiner ganzen Partei. Aus diesem Für und Wider, ob man ins Feld ziehen solle, erwuchs die Spaltung der Stadt.» Vor allem aber – das wird aus Bisticcis Text nur indirekt erkennbar – führte der Streit um die Lucca-Politik zu einer Spaltung der Gegner der an die Macht drängenden Medici-Leute. Einer der Exponenten dieser alten Elite, die in den vergangenen Jahrzehnten wesentlichen Einfluß auf die Florentiner Politik gehabt hatte, war jener Niccolò da Uzzano, der sich in einer fulminanten Rede gegen das Lucca-Abenteuer wandte; Bisticci deutet diese von Guicciardini überlieferte Stellungnahme nur an. Niccolò konnte nicht verhindern, daß die Gruppe um Rinaldo degli Albizzi den Krieg vom Zaun brach. Die Ingenieurskunst Brunelleschis – der mittels einer komplizierten Hydraulik die Lucchesen mit den Fluten des Serchio überschwemmen wollte, dabei aber die Belagerer selbst unter Wasser setzte – verschlimmerte das Debakel nur. Die Belagerung mußte abgebrochen werden, nach Vergeudung von viel Geld und Energie.

Giovanni Rucellai meinte dreißig Jahre später, es seien die Belastungen durch die Kriege der zwanziger Jahre gewesen, aus denen die noch immer drückenden ökonomischen Probleme seiner Stadt resultierten. Auch eine einschneidende steuerpolitische Maßnahme, nämlich die Anlage eines Katasters im Jahre 1427, brachte zunächst nur mehr Steuergerechtigkeit mit sich. An Machiavellis Lobpreis, nun verteilten nicht mehr Menschen, sondern das Gesetz die Lasten, ist soviel richtig, als die Einführung dieser Neuerung vor allem als Triumph der Bürokratie, des Prinzips der Ordnung in öffentlichen Angelegenheiten gewertet werden kann (Gene Brukker). Für den Historiker liegen mit dem Kataster von 1427 und seinen Nachfolgern einzigartige Quellen zur Sozial- und Kulturgeschichte von Florenz vor.

Ungeachtet des neuen Steuersystems kam es zwischen 1431 und 1433 zu einer schweren Finanzkrise. All das – Geldprobleme, Spannungen innerhalb der alten Garde, der Konflikt zwischen der traditionellen Elite und der Medici-Partei – wäre wohl von außenpoliti-

schen Erfolgen überdeckt worden. Das Desaster des Lucca-Krieges
aber führte dazu, daß die Gegensätze eskalierten, es zum offenen
Machtkampf kam. Die Albizzi-Partei sorgte dafür, daß ein willfäh-
riger Mann, Bernardo Guadagni, Gonfaloniere der Justiz wurde. Er
wird in den Monaten, in denen ihm eine historische Rolle zu-
wächst, seinem Namen alle Ehre machen: Schon wegen seiner hohen Steuerschulden war er bestechlich – damit er überhaupt gewählt werden konnte, wurden ihm diese Schulden von Rinaldo
degli Albizzi bezahlt. Guadagni gab sich dazu her, Cosimo zu in-
haftieren (7. 9. 1433). Der, betont gehorsamer Bürger, entzog sich
diesem Schicksal nicht. In den vier Wochen, die er als Gefangener
im Palazzo Vecchio verbrachte, stand sein Schicksal auf des Mes-
sers Schneide. Doch die Gegner schreckten vor dem Äußersten zurück, wagten es nicht, dem großen Medici den Kopf vor die Füße
zu legen – vielleicht angesichts der unklaren Mehrheitsverhältnisse
in den zentralen Regierungsgremien, vielleicht auch aufgrund der
Interventionen auswärtiger Mächte, oder wohl, weil mächtige Exponenten der Albizzi-Partei (wie Palla Strozzi) einen politischen
Mord nicht mitgetragen hätten. Ein übriges bewirkten 500 Dukaten, die man diskret in Herrn Guadagnis Tasche verschwinden ließ.
So blieb es, nach altem florentinischen Brauch, bei der Verbannung
Cosimo de' Medicis, seines Vetters Averardo – beide gingen nach
Venedig – und seines Bruders Lorenzo, der sich ins neapolitanische
Exil begab.
   In Florenz setzte unterdessen hinter den Kulissen ein erbittertes
Ringen ein. Man versuchte, die Finanzmacht der Medici zu zerstö-
ren; doch hatte Cosimo schon nach dem Lucca-Krieg Vorkehrungen
getroffen. Gelder waren in Florentiner Klöstern – so bei den später
so begünstigten Dominikanern von S. Marco – und in auswärtigen
Filialen deponiert oder auf Konten unter Decknamen «geparkt»
worden. Freunde bürgten für die Kautionen, die das Wohlverhalten
der Exilierten hätten sicherstellen sollen: Mit viel Geschick gelang
es den Medici, ihre Kapitalien vor dem Zugriff der Gegner zu sichern. Die Albizzi-Leute konnten ihre Stellung zusehends nur noch
durch Einschüchterung und Bestechung, durch Drohungen und
Machtdemonstrationen mit Bewaffneten aufrechterhalten. Das
machte sie nicht sympathischer, und bei den Wahlen zu den Regie-
rungsämtern zeichnete sich ab, daß die Anhänger der Medici, die
nun als politische «Märtyrer» galten, an Einfluß gewannen. Ein
parlamento sollte die Entscheidung bringen. Die rivalisierenden
Gruppen boten Bewaffnete auf. Es kam zur Wahl, die Medici-Partei
gewann die Mehrheit.
   Der Bürgerkrieg aber wurde um Haaresbreite vermieden. Folgen

wir Bisticci, war dies einmal das Verdienst Papst Eugens IV., der, in Florenz weilend, intervenierte (genauer gesagt, stand er auf der Seite Cosimo de' Medicis, seines «Hausbankiers»); auch Palla Strozzi soll mäßigend auf die Anhänger der Albizzi eingewirkt haben, als sie, die Waffen in den Händen, auf der Piazza vor dem Regierungspalast zusammenströmten. Cosimo de' Medici und die Seinen können Anfang Oktober 1434 zurückkehren. Fast heimlich, hinter Dom und Bargello vorbei, nehmen sie durch die von Bewaffneten wimmelnde Stadt ihren Weg in den Regierungspalast. Die Führer der Albizzi-Partei einschließlich Palla Strozzis werden nun ihrerseits in die Verbannung geschickt.

Die Macht des Medici-Clans und der ihn stützenden Häuser ist nun fest etabliert: Im nachhinein erweist sich der Staatsstreich der Albizzi als verzweifelter Versuch eines Befreiungsschlags angesichts ihres dramatischen Machtverfalls, dessen Scheitern es den Gegnern erlaubt, ihre Macht endgültig zu festigen. Ein letzter Versuch der Albizzi, mit Hilfe Mailands nochmals einen Umschwung der Verhältnisse zu ihren Gunsten herbeizuführen, scheiterte in der Schlacht von Anghiari (29. Juni 1440). Das Treffen gewann mehr Ruhm durch Leonardos heute verlorenes Fresko als durch glänzende Waffentaten. Nach Machiavelli war nur ein Gefallener zu beklagen, und der starb nicht durch den Feind, sondern unter den Hufen seines eigenen Pferdes, von dem er gefallen war. Florenz nutzte den Sieg, sein Territorium ins Casentino zu erweitern.

Das neue Regime behielt so zunächst die hergebrachte außenpolitische Orientierung bei, hielt sich also an Venedig als wichtigsten Partner. Zwei neue Mächte wuchsen bis zur Mitte des 15. Jahrhunderts ins System der italienischen Politik hinein: einmal das Königreich Neapel, das sich unter dem Aragonesen Alfons V. zeitweilig in Personalunion mit Sizilien vereinigt fand; der König, Held einer unserer Viten, konnte sich 1443 in den Besitz der Stadt am Vesuv bringen, die zum Zentrum einer eigenwilligen süditalienischen Variante der Renaissance wurde.

Die italienische «Pentarchie» – so wird sich das System auf der Halbinsel in der zweiten Hälfte des 15. Jahrhunderts präsentieren – wurde durch die Konsolidierung des Kirchenstaates komplettiert. Die «Renaissance» Roms – in einem doppelten Sinn – war ein schwieriger, komplizierter Prozeß, in dem sich das Papsttum gegen mannigfache Widerstände durchzusetzen hatte. Florenz und seine Finanzelite hatten mit diesen Vorgängen nicht wenig zu tun.

Rom: Ruinen, Kuhhirten, Päpste

Am Anfang der Konsolidierung der päpstlichen Macht steht das Konzil von Konstanz (1414–1417), vor allem deshalb, weil es hier gelang, das große abendländische Schisma zu überwinden. Drei rivalisierende Päpste – Johannes (XXIII.), Gregor (XII.) und Benedikt (XIII.) – wurden abgesetzt; Bisticci erzählt in der Vita Leonardo Brunis, der sich im Gefolge von Johannes XXIII. befand, recht anschaulich dessen dramatische Flucht vom Konzilsort. Mit Oddone Colonna, der sich nach dem Heiligen des Tages seiner Wahl Martin V. nannte, wählte man einen neuen Pontifex, der nun weitgehend Anerkennung fand. Den in der Folge noch auftretenden Gegenpäpsten blieb jedenfalls ein Schattendasein beschieden.

Martin suchte nach seiner Wahl wegen der unruhigen Lage in Rom und im Kirchenstaat erst einmal Zuflucht in Florenz; höchst ehrenvoll empfangen, residierte er – wie später sein Nachfolger Eugen IV. – im Kloster S. Maria Novella. Schon in dieser Zeit begegnen die Medici als Bankiers des Papsttums; die Bank zählte pikanterweise neben Martin V. noch den abgesetzten Johannes (XXIII.) zu ihren Klienten. Letzterer hatte neben anderen Cosimo de' Medicis Vater Giovanni als Testamentsvollstrecker eingesetzt; das Gremium wählte das Baptisterium als Bestattungsort und beauftragte Michelozzo und Donatello mit der Errichtung des Grabmonuments, ein frühes Präludium der Kunstpatronage Cosimos, der ja bevorzugt auf gerade diese Künstler zurückgriff. Übrigens knüpft sich eine der für Cosimo bezeichnenden Anekdoten an dieses Grabmal: Er habe, als Martin V. die Tilgung der an den «einstigen Papst» erinnernden Inschrift verlangte, mit Entschiedenheit geantwortet: «*Quod scripsi, scripsi!*» – «Was ich geschrieben habe, habe ich geschrieben!»

Vespasiano da Bisticci verdanken wir den Hinweis, daß auch Cosimo sich während des Konzils in Konstanz aufgehalten haben soll (um sich dann auf eine Reise durch Deutschland und Frankreich zu begeben). Er meint, der junge Medici habe dem Neid in seiner Vaterstadt entfliehen und die Bemühungen um die Reform der Kirche verfolgen wollen. Wenn der Erstgeborene der Casa Medici wirklich in Konstanz gewesen sein sollte – Bisticcis Text bietet den einzigen Beleg dafür –, dann gewiß auch deshalb, um auf der Kirchenversammlung die Interessen der Bank wahrnehmen und sich dem künftigen Papst als Geldgeber empfehlen zu können. Wie dem auch gewesen sein mag, die Medici waren mit ihren Interventionen beim Heiligen Stuhl erfolgreich. Während fast des gesamten 15. Jahrhunderts stellten sie – gewöhnlich in Gestalt des «Mana-

gers» ihrer römischen Filiale – den Generaldepositär der Kurie, eine
Position, die der eines «Finanzagenten» des Papstes gleichkam (de
Roover). Nur während des Pontifikats Pius' II. (1458–1464), der einen Bankier aus seiner Heimatstadt Siena den Florentinern vorzog,
und während einiger Jahre der Pontifikate Eugens IV. und Pauls II.
war das Amt nicht in der Hand der Medici-Bank. Wie der große
Humanisten-Papst Nikolaus V. sich mit Beginn seines Pontifikats
dazu entschließt, das Haus Medici wieder mit dieser wichtigsten
Position im päpstlichen Finanzwesen zu betrauen, als Dank für
früher gewährte Unterstützung, ist bei Bisticci sehr anschaulich
nachzulesen.

Welche Bedeutung diese Verbindung für die Bilanzen der Bank
hatte, läßt eine Zahl erkennen: Zwischen 1420 und 1435 wurden
62,8 Prozent der Gewinne von der römischen Filiale erwirtschaftet.
Man hat zutreffend bemerkt, die halbe Florentiner Renaissance sei
so aus römischen Geldern finanziert worden, wie es umgekehrt
Florentiner Künstler gewesen seien, welche die römische Renaissance machten (Esch). Aber hinter dieser ökonomischen Beziehung
zwischen dem Haus Medici und dem Heiligen Stuhl wird zugleich
ein «goldenes Korsett» für die enge politische Verbindung zwischen
den Partnern erkennbar. Denn nicht zuletzt waren es die Medici,
welche die ökonomische Grundlage der päpstlichen Politik stabilisieren halfen.

Die Kinder in Florenz sangen Spottverse auf Papst Martin – «*papa
Martino non vale un lupino!*» –, und dem wurden die Tage am Arno
lang; aber man hatte sich gründlich in diesem Colonna getäuscht.
Ende September 1420 konnte er es wagen, in Rom einzuziehen. Dort
glückte es ihm erstaunlich rasch, seine Macht zu festigen. Zu ihrer
Konsolidierung hatten einige Zufälle beigetragen, so insbesondere
der Schlachtentod des Condottiere Braccio da Montone, dessen Ambitionen auf ein Fürstentum auf Kosten des Kirchenstaates gegangen
wären – zeitweilig hatte er es zum Signore von Perugia, Assisi und
Jesi gebracht. Militärische Erfolge gelangen in der Romagna, Bologna
fiel wieder unter päpstliche Botmäßigkeit, ein Aufstand dort war
1420 niedergeschlagen worden. Rivalisierende Clans in Rom selbst
konnte der Colonna-Papst ausschalten, über seine Familie goß er
einen goldenen Regen. Und allmählich gelang es ihm, sich dem neapolitanischen Druck zu entziehen; Mittel dazu war eine vorsichtige,
die Gegensätze in den süditalienischen Königreichen in ihr Kalkül
einbeziehende Politik. Martin V. wurde nicht zum Reformator der
Kirche – den diese freilich dringend gebraucht hätte –, sondern zu
einem Neubegründer der weltlichen Macht des Papsttums in Mittelitalien. Sein Nachfolger, der Venezianer Gabriele Condulmer – als

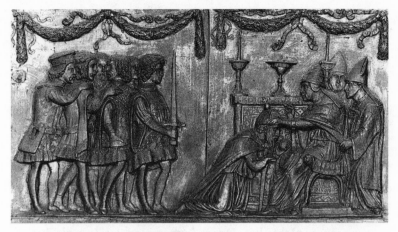

3 Die Krönung Kaiser Sigismunds durch Papst Eugen IV., 1433.
Bronzerelief von Filarete (Antonio di Pietro Averlino), 1433–1445.
Rom, St. Peter

Papst Eugen IV. – konnte auf den von Martin gelegten Fundamenten
weiterbauen. Allerdings führte sein Versuch, der Familie. Colonna
zumindest einen Teil dessen, womit sie sich bereichert hatte, wieder
zu entziehen, zu einem mit äußerster Härte geführten Krieg. In Rom
wurde von Anhängern der Colonna eine «Republik» errichtet, gerade ein Jahr, nachdem Eugen den deutschen König Sigismund in der
Peterskirche zum Kaiser gekrönt hatte (31. 5. 1433). Papst Eugen
mußte fliehen. Verkleidet als Benediktinermönch wurde er in einem
Nachen nach Ostia gebracht, wo er sich nach Pisa einschiffte. Bisticci schildert die abenteuerliche Flucht des Papstes anschaulich, allerdings wird der Leser aus seiner Erzählung nichts über die Hintergründe der dramatischen Vorgänge erfahren.

Eugen IV. begab sich nach Florenz, das nun für neun Jahre in
S. Maria Novella die päpstliche Residenz beherbergen sollte. In
Rom kam es zu erbitterten Kämpfen, Barrikaden wurden errichtet,
von der Engelsburg, die von päpstlichen Truppen gehalten wurde,
donnerten die Bombarden auf Anhänger der Republik, besser gesagt, auf die Streitkräfte der Colonna-Sippe (noch 1446 wird in einem Mietvertrag festgelegt, daß die Mietzahlung im Schußfeld der
Engelsburg ruhe, wenn von dort geschossen werde). Nochmals
sinkt die ewige Stadt in Anarchie, ihre Chronik liest sich für diese
Zeit wie eine Mischung aus Kriegs- und Polizeibericht. Und Rom
ohne den Papst – das ist noch weniger, als Florenz es wäre ohne
die Medici. Die Mieten werden herabgesetzt, die Zolleinnahmen

gehen zurück. Bisticci beschreibt das sehr schön (wobei er allerdings in erster Linie verbreitete Florentiner Anschauungen referiert): «Rom», so lesen wir in der Vita Papst Eugens, «war wegen der Abwesenheit des Papstes wieder zu einem Platz für Kuhhirten geworden. Schafe und Kühe weideten dort, wo heute die Tische der Kaufleute stehen; alles lief in großen Kapuzen aus Ziegenfell und in Stiefeln herum, weil sie so lange Jahre ohne den Papsthof hatten leben müssen, und wegen der Kriege, die sie geführt hatten.» Das gibt wohl ein Stück Wirklichkeit dieses unermeßlichen Trümmerhaufens wieder, der Rom in der ersten Hälfte des Quattrocento gewesen sein muß; doch ist es auch der etwas arrogante Blick des Florentiners, dessen wir gewahr werden: des seiner Kultur gewissen Bewohners der «schönsten Stadt der Welt», der Blick von der Mitte nach Süden, also nach unten.

Aber das war nicht alles. Dieses Rom, das zu der Zeit, als Bisticci seine Worte zu Papier bringt, zu den glänzenden Zentren der Renaissance zählt, diesem Rom war doch selbst in Zeiten politischer Wirren und tiefsten Verfalls seine mythische Aura nicht verweht. Bei den Geschichtsschreibern war von der einst unvergleichlichen Bedeutung dieser Stadt zu lesen, die für alle Zeiten ein Maß menschlicher Möglichkeiten gesetzt hatte; die noch sichtbaren Ruinen Roms gaben eine handgreifliche Idee von der Magnifizenz der *aurea Roma*. Als Petrarca sie 1337 betrat, fehlten ihm die Worte, diese «Stadt, der keine andere gleichkommt, noch je gleichkommen wird» – wie er sich später ausdrücken wird – zu beschreiben. Die Wanderung, die er mit dem Bettelmönch Giovanni Colonna 1341 durch diesen Trümmerhaufen der Geschichte unternimmt, macht Epoche: Petrarca betrachtet Rom – und zwar vor allem das Rom der heidnischen Antike – unter historischen Gesichtspunkten, und er zieht dabei eine scharfe Grenze zwischen «alter» und «neuer» Geschichte. «. . . alt wurden alle die Ereignisse genannt, die stattfanden, bevor der Name Christi in Rom gefeiert und von den römischen Kaisern verehrt wurde», sagt er zu Colonna, «neu jedoch die Ereignisse von jener Zeit bis zur Gegenwart.» Die Ruinen, Gerippe eines toten Giganten, werden zum Anlaß, seine Gegenwart mit der Geschichte der Römer vertraut zu machen, die wiederum Vorbild werden soll und Anlaß, die Misere der eigenen Zeit zu überwinden.

Petrarcas Blick auf Rom gehört zu den entscheidenden Voraussetzungen der Kultur der Renaissance: Er schlägt das Leitmotiv des *rinascere*, des «wiedergeboren werden», an. Sein Brief von 1341 zeigt vor allem, welche Bedeutung die konkrete *Anschauung* der antiken Überreste für die Genese der neuen Kultur gehabt hat. Das

Erlebnis der gewaltigen Ruinen – man denke an die noch stehenden
Gemäuer der Thermen des Diokletian, von deren Höhe aus Petrarca über die Stadt schaute! – machte nicht nur historische «Größe»
konkret («Von Unbedeutendem gibt es keine großen Ruinen»,
schreibt Petrarca); es stimulierte nicht nur zu historischer Arbeit,
sondern lieferte Architekten, Bildhauern, Malern Muster und Vorbilder. Daß Italien das Land wurde, in dem die Renaissance «er-
blühte», hat hier, in der Evidenz der Zeugnisse der antiken Hoch-
kultur mit ihren bezwingenden ästhetischen Vorzügen, eine entscheidende Voraussetzung. Dazu kam, nicht minder wichtig, eine
im weitesten Sinn politische Qualität der antiken Muster. Sie waren als republikanische Symbole ebenso interpretierbar wie als Zeichen eines imperialen, über die Maßen mächtigen Staatswesens,
und das machte sie geeignet für die Zwecke fürstlicher wie bürger-
licher Auftraggeber. In jedem Fall reflektiert die Renaissance historische Größe, ein vergangenes Goldenes Zeitalter, das man wieder
herbeizuführen hofft, nach dessen Glanz man sich melancholisch
sehnt.

Einige der Florentiner «Bürgerhumanisten» wußten sehr wohl zu
unterscheiden zwischen dem «freien» Rom der republikanischen
Zeit und dem Rom der Cäsaren. Leonardo Bruni sieht einen Zusammenhang zwischen politischer Verfassung und kultureller Blüte. Mit der Kaiserherrschaft, so meint er, sei nicht nur die Freiheit
des römischen Volkes, sondern es seien auch Studien und literarische Arbeit zum Erliegen gekommen: Und hier, mit dem Regiment
der Kaiser, habe der Abstieg des Imperiums, die *declinatio Romani
imperii,* begonnen. Die weltbeherrschende *Roma* erscheint bei ihm
zugleich als jedes freie Leben erdrückendes Zentrum. Erst auf dem
von den «Barbaren» verwüsteten Boden Italiens kann, nach deren
Vertreibung, neues kulturelles Leben entstehen. Für Bruni ist so der
Untergang Roms zugleich eine Voraussetzung für den Aufstieg seiner Vaterstadt, besser gesagt, ihren Wiederaufstieg, denn hatte
nicht das Staatswesen der Etrusker in hoher kultureller und politischer Blüte gestanden, bevor es im Schatten der mächtigen *Roma*
verkümmerte? Damit arbeitet Bruni am Mythos der «etruskischen»
Tradition von Florenz – schon Villani hatte ja die vorrömische Vergangenheit der Stadt gerühmt –, die bald wesentliches Element ihrer Identität sein wird. Es ist so eine *auch* «antirömische» Identität,
obwohl sie paradoxerweise zugleich auf römischen Bezügen gründet.

In Bisticcis Viten fehlt diese ambivalente Sicht; besser gesagt, er
gibt sich nirgendwo die Mühe, die merkwürdige Beziehung zwischen Rom und Florenz zu diskutieren. Vespasiano verzichtet kei-

4 *Das Unionskonzil von Florenz. Bronzerelief von Antonio Filarete
(Antonio di Pietro Averlino), 1433–1445. Rom, St. Peter*

neswegs darauf, die antiken Ursprünge der geliebten Vaterstadt hervorzuheben, Etrusker aber geistern durch die Viten nicht.

Etwas naiv staunt er über das mythische Rom, so in der Vita Flavios Biondo: «Die Römer hatten alle Herrlichkeiten herbeigebracht,
die sie in der weiten Welt gefunden hatten; so viele Bildwerke und
Triumphbögen, was gab es nicht alles in dieser Stadt! Alle großen
Männer der Welt hatten hier ihre Heimstatt, gar nicht zu reden von
der Großartigkeit des römischen Staatswesens. [...] Da waren die
Paläste Cäsars, Lukulls, des Marcus Crassus und so vieler anderer
bedeutender Männer, welche die römische Republik besaß. All das
war vom Erdboden verschwunden und wegen der widrigen Schicksale, die das Römische Reich erfuhr, nicht mehr im Gedächtnis der
Menschen.» Die Größe Roms ist ihm hier vor allem Anlaß, die Bedeutung historischer Arbeit herauszustellen. Roms Pracht ist vom
Erdboden verschwunden (sind Bisticci die Ruinen entgangen?), allein das Wort kann seinen Ruhm gewährleisten; was wäre alle Herrlichkeit der Welt, gäbe es nicht Schriftsteller, die sie überlieferten?

Bisticcis Rom erweist sich einerseits als ein in seiner Art kaum
bestimmtes, unbeschreiblich mächtiges Staatswesen, weit in der
Vergangenheit; mehr noch ist es, andererseits, Elysium großer Philosophen, der Helden republikanischer *virtù* – wie Cato, Mutius
Scaevola, Marcus Curtius, Marcus Regulus oder Quintus Cincinna-
tus – und nicht zuletzt der Heiligen. Sein «eigentliches» Rom ist

also ein literarisches Rom, dessen Aura nicht von mächtigen Mauern strahlt, sondern aus alten Manuskripten leuchtet. Der Spruch «*quanta Roma fuit, ipsa ruina docet*» (wie groß Rom war, lehren sogar die Trümmer) hatte für diesen Büchermenschen wenig Bedeutung. Das Papsttum betrachtet er mit dem Respekt des gläubigen Christen. Es läßt sich nicht sagen, daß die ‹*Vite*› von Wundergeschichten durchtränkt seien – man lese vergleichbare Texte noch des 17., ja 18. Jahrhunderts, um das Maß an «Aufklärung», das in Vespasianos Weltsicht liegt, zu würdigen! – , aber es sind doch gerade die Stellvertreter Christi, die er mit Mirakelerzählungen umrankt. Eugen IV. weiß von Anfang an, wie lange sein Pontifikat dauern wird, und Nikolaus V. erfährt gar eine besondere Gnade: Gott habe ihm, so schreibt Bisticci, die meisten glücklichen wie widrigen Schicksale im voraus enthüllt. Alles habe er durch Visionen voraussehen können. Papstgeschichte ist für Bisticci in besonderem Maße Heilsgeschichte: Selbst die im Konklave durchgeführte Wahl eines Pontifex sieht er nicht als von politischen Erwägungen bestimmte Mehrheitsentscheidung, sondern als Vollzug von etwas Vorherbestimmtem.

Rom in Florenz: das Konzil von 1439/1442

Vespasiano da Bisticci ist in seinem Leben mindestens einem Papst persönlich begegnet: dem gerade erwähnten Humanistenpapst Nikolaus V., mit dem ihn die Liebe zu Büchern verband; nach dem glaubwürdigen Bericht in der Vita Nikolaus' wurde er von dem Pontifex zu langem, vertraulichem Gespräch empfangen. Und Eugen IV. dürfte er als Zaungast eines glänzenden Ereignisses wahrgenommen haben, nämlich des Konzils, das sich 1439 in seiner Vaterstadt zusammenfand.

Eugen, nach seiner Vertreibung aus Rom ein «Papst ohne Land», hatte nicht nur im Kirchenstaat mit Schwierigkeiten zu kämpfen. Seit 1431 tagte in Basel ein Konzil, das – gemäß in Konstanz getroffener Abmachungen – die bisher wenig erfolgreichen Bemühungen um eine Reform der Kirche an «Haupt und Gliedern» fortsetzen sollte. Aus historischer, die «vergangene Zukunft» überblickender Perspektive hätte eine solche innere Reform der Kirche möglicherweise jene Mißstände beseitigen können, die zu wichtigen Ursachen der Reformation – und damit der endgültigen Spaltung der Christenheit – werden sollten; dazu gehörte etwa das kirchliche Stellenbesetzungsrecht. Ihren Hauptgegner hatten sol-

che Reformbestrebungen im Papsttum, nicht nur, weil das Finanz-
system des Heiligen Stuhls oder sein Einfluß auf die Zusammenhänge des Kardinalskollegiums in Frage gestellt wurde. Es ging um
weit grundsätzlichere Dinge: nämlich um die Frage, ob die Macht
in der Kirche beim Papst liegen oder ein allgemeines Konzil diesem
übergeordnet sein sollte. Dazu hatten sich in Basel immer deut-
lichere Tendenzen der nationalen Kirchen bemerkbar gemacht, sich
der römischen Zentralgewalt weitgehend zu entziehen.
All das mußte Eugen IV. wenig behagen. Sein Versuch, das Konzil
aufzulösen, mißlang; der Widerstand dagegen formierte sich um
die eindrucksvolle Gestalt des Kardinals Giuliano Cesarini (vgl.
S. 162–168). Der Papst konnte sich in seiner bedrängten Lage indes
nicht durchsetzen. Die Autorität des Konzils war sogar noch gewachsen, weil die gefährliche Auseinandersetzung mit den Hussiten – nach gescheiterten Versuchen, sie militärisch zu beenden –
durch die «Basler Kompaktaten» hatte entschärft werden können.
  Wenn Eugen schließlich das Blatt doch noch wenden konnte, war
dies vor allem zwei Umständen zu verdanken. Zum einen gelang
es Eugens Kardinallegaten Giovanni Vitelleschi allmählich, im Kirchenstaat Ordnung zu schaffen. Den Widerstand der Barone brach
er rücksichtslos, Palestrina, der Hauptsitz der Colonna, Castel Gan-
dolfo, Zagarolo und andere Orte der Papst-Gegner wurden zerstört.
Viele von Eugens Feinden ließ Vitelleschi aufhängen, köpfen, vier-
teilen; der Kardinal soll sich nach dem Zeugnis eines Zeitgenossen
in Rom in Szene gesetzt haben, als wäre eigentlich er der Papst.
Vielleicht hat er deshalb in der Engelsburg ein gewaltsames Ende
gefunden. Bisticci hält Vitelleschi für den grausamsten Menschen
seiner Epoche. Aber das Land um Rom gewann staatliche Form und
wuchs dem Papst wieder zu.
  Die zweite Entwicklung, die Eugen IV. günstig war, vollzog sich
vor dem Hintergrund der türkischen Expansion im östlichen Mit-
telmeerraum, in Südgriechenland und auf dem Balkan. 1422 war
zwar ein Versuch, Konstantinopel zu erobern, gescheitert, doch
sollte dem tausendjährigen Byzantinischen Reich nur noch eine
Galgenfrist bleiben. Im Jahr darauf drangen die Türken erneut in
Südgriechenland ein, mit Not gelang es der kaiserlichen Regierung,
mit Murad II. zu einem Frieden zu kommen (1424). Dabei mußte
Byzanz endgültig die Lehnshoheit des Sultans anerkennen. 1430
fiel auch Thessaloniki, das sieben Jahre zuvor an Venedig abgetre-
ten worden war, an die Hohe Pforte.
  Das eigentliche «Kaiserreich» Byzanz verdiente zu dieser Zeit seinen Namen nicht mehr, es war auf die Hauptstadt Konstantinopel
und ihre direkte Umgebung zusammengeschrumpft. Die übrigen

Reste des Imperiums am Marmarameer und auf der Peloponnes
wurden von Brüdern des Kaisers selbständig regiert.
In seiner verzweifelten Lage suchte der seit 1425 regierende Kaiser Johannes VIII. aus der Dynastie der Paläologen um nahezu jeden
Preis – selbst um den der Unterwerfung der byzantinischen Kirche
unter Rom –, Hilfe vom Westen zu erlangen. Seit 1433 wurde um
die Frage der Vereinigung verhandelt. Als es Eugen IV. gelang, mit
den Griechen übereinzukommen, daß die Gespräche darüber in Italien stattfinden sollten, und er deshalb die Basler Versammlung
nach Ferrara verlegte, kam es zum Bruch: Die Mehrheit der Konziliaren lehnte es ab, die Unionsgespräche im Einflußbereich des Papstes zu führen. Als die byzantinische Delegation, angeführt von
Kaiser Johannes und dem Patriarchen von Konstantinopel, in Ferrara anlangte und im Januar 1438 tatsächlich die Beratungen aufgenommen wurden, gab es zwei Konzilien – ein erneutes Schisma.
Allerdings hatten sich einflußreiche Kardinäle, unter ihnen der Legat Cesarini (übrigens auch Nikolaus von Kues), für Eugen entschieden und waren dem Ruf des Papstes gefolgt. Als in Ferrara eine
Seuche ausbrach – und wohl auch, weil es in Florenz eher möglich
war, die enormen Kosten für die griechische Delegation aufzubringen –, verlegte man die Kirchenversammlung Anfang des Jahres
1439 an den Arno.

Das Unionskonzil, das nun bis April 1442 in Florenz tagen sollte,
findet in Bisticcis Vita Papst Eugens IV. und an vielen anderen
Stellen seines Werkes – so in der Vita Giuliano Cesarinis – Berücksichtigung. Wieder wird der Leser aus Bisticci kaum klüger werden
über die politischen Zusammenhänge, die zum «Konzil der Griechen», wie er es nennt, führten: Vom türkischen Druck auf Rest-Byzanz zum Beispiel erfährt man nichts, auch der schwierigen Situation, in der sich Kaiser Johannes befand, wird keine Erwähnung
getan. Andererseits registriert unser Autor sehr wohl die wichtige
Rolle, die sein Mentor, Kardinal Cesarini, in der Konzilspolitik
spielte: Seine Abreise aus Basel, so schreibt er nicht ganz ohne
Berechtigung, habe den Niedergang dieses «Gegenkonzils» eingeleitet, und wenn er urteilt, daß die Florentiner Versammlung das
Scheitern der Basler Bewegung bewirkt habe, ist auch diese Einschätzung nicht ohne Grundlage in der historischen Realität.

Im Vordergrund stehen allerdings Schilderungen der prächtigen
Zeremonien, die sich um das «Griechenkonzil» entfalteten. Bisticci
teilt mit, was er, damals gerade ein Halbwüchsiger von zwölf, dreizehn Jahren, mit eigenen Augen gesehen haben dürfte: das Meer
von Seide, von Damast, Brokat und Bekassin; die höchsten Würdenträger der Kirchen des Westens und des Ostens in prächtigen

Gewändern. Es muß eine unvergleichliche Augenlust gewesen sein. Bisticci meinte offenbar, sogar einen Gesandten des sagenhaften Priesterkönigs Johannes in der glänzenden Versammlung zu wissen – jenes mythischen Herrschers von ehrfurchtgebietender Macht, dem die Phantasie der Menschen des Mittelalters an den Grenzen der bekannten Welt ein rätselhaftes Dasein zuschrieb; der, wenn es Gott gefiel, gut sein mochte für einen gewaltigen Sieg über die Türken: ein letzter unerwarteter Trumpf im schon verloren scheinenden Spiel.

Mit Bisticcis Augen sehen wir das Konzil der Griechen vor allem als symbolisches Ereignis. Das, was wir für Schein halten würden, rückt bei ihm ins Zentrum. Er schildert Kleider und Stoffe, kaum das, was sich darunter verbirgt. Das ist nicht einfach nur eine Schwäche seiner Geschichtsschreibung, sondern Widerspiegelung einer anderen Art zu denken, wahrzunehmen, zu werten; Reflex der Weltsicht einer fernen Gesellschaft, der «Äußeres» dem Wesen der Dinge für näher galt, als dies moderner Sicht unmittelbar verständlich ist. Bisticcis Epoche bezweifelte noch nicht, daß die Hostie Gott *sei* und ihn nicht nur darstelle. Und wenn fromme Betrachter auf Fresken oder Altartafeln Darstellungen von Schächern, Folterern oder Teufeln die Gesichter zerkratzten, zeigt das auf drastische Weise, für wie «wirklich» Bilder genommen werden konnten. Dementsprechend wurde auch die reine Darstellung gesellschaftlicher Ordnungen und politischer Handlungen als das «Eigentliche» berührend, ja wohl mitunter als der Kern der Sache selbst aufgefaßt.

Was uns als «Zivilisiertheit» auffällt im öffentlichen Leben des Florentiner Quattrocento, hat viel mit diesem Glauben an die Metaphysik der Dinge und an die Wesentlichkeit des Verhaltens zu tun. Aus Alessandra de' Bardis Leben erfahren wir vor allem, daß sie gut zu tanzen verstand und daß sie einem Botschafter des Kaisers auf anmutige Weise Konfekt reichte. Sie beherrschte souverän die schöne Form, wußte, sich aufs vollendetste zu benehmen, und das reflektierte in den Augen Bisticcis, der darüber mehr als über alles andere schreibt, gewiß aufs beste die züchtige, ehrbare – ja fast heiligmäßige – Natur seiner Heldin. Seine Schilderung des Festbanketts, auf dem Alessandra sich so elegant beträgt, wird zum Argument für ihre ethische Reinheit, zum unverzichtbaren Mosaikstein im Gesamtbild einer *singulare donna* (einzigartigen Frau). Ästhetik wird zu einem Kriterium für Moralität, das Gute ist und verhält sich schön; wie umgekehrt Moralität sich als Voraussetzung von Schönheit zeigt. Vielleicht werden solche Zusammenhänge nirgendwo anders klarer greifbar als im Florenz der Frührenaissance, jener Stadt, die sich ihrer Schönheit bewußt war wie nur wenige Gemeinwesen der

Epoche. Bisticci mag kein großer Kenner von Architektur und bildender Kunst gewesen sein; seine ‹Vite› aber sind voller Ästhetik. Nicht nur, daß wir bei ihm lesen können über Formen des Verhaltens, der Bewegung: Vor allem zeigt er uns in moralischer Hinsicht «schöne» Leben. Auch erzählt er, was keinem Leser entgehen wird, von «schönen» Toden, die ihm als Resultate und Zeugnisse gut verbrachter Erdentage gelten. Den Tod sieht er, wie die übrigen Dinge des Lebens, als Vorgang, der auf eine andere Wirklichkeit verweist, der nicht nur «ist», sondern zugleich etwas bedeutet.

Der Damast und Brokat, in dem sich das Florentiner Konzil darstellte und der Bisticcis Aufmerksamkeit erregte, verhüllte freilich eher, was diese Kirchenunion, welche Kardinal Cesarini und Erzbischof Bessarion von Nikaia am 6. Juli 1439 im Florentiner Dom verkündeten – Unionen mit anderen orientalischen Christengemeinschaften folgten – wirklich bedeutete. Das Unionsdekret ‹Laetantur coeli› schrieb den Primat des Papstes zwar nur vage fest, dogmatische Streitigkeiten wurden ansonsten jedoch im römischen Sinn entschieden, so insbesondere der jahrhundertealte Zwist um das *filioque* des Glaubensbekenntnisses: Darin brachten die Lateiner bekanntlich zum Ausdruck, daß nach ihrer Anschauung der Heilige Geist von Vater *und* Sohn ausgehe.

Obwohl Byzanz seinen Kirchenritus beibehalten durfte, wurden die Florentiner Abmachungen in der Ostkirche weder von Klerus noch Volk akzeptiert, sondern leidenschaftlich bekämpft. Der Metropolit von Rußland, der Grieche Isidoros – ein Vertreter der Unionsidee –, wurde nach seiner Rückkehr aus Italien vom Großfürsten in den Kerker geworfen. Rußland wandte sich ab von Byzanz und wählte sich fortan seinen Metropoliten selbst. Streit und Spaltung waren so Folge der Beschlüsse von Florenz im byzantinischen Bereich, und zu alldem blieb die als Lohn für die Vereinigung erhoffte Hilfe gegen die Türken aus.

Dem Papsttum indes brachte diese «Pseudo-Union» hohen Gewinn (und auch daraus bezog das ganze Gepränge, das Bisticci beschreibt, seinen politischen Effekt): Im Westen mehrte Eugen IV. sein Prestige. Die Basler Opposition verlor zusehends an Bedeutung, ein noch 1439 erhobener Gegenpapst – der fromme Herzog von Savoyen, er nannte sich Felix V. – wurde außerhalb seines engeren Machtbereichs und der konziliaren Partei kaum anerkannt. Die Fürsten Europas wandten sich Eugen und seinem 1447 gewählten Nachfolger Nikolaus V. zu. Der Gegenpapst, bis heute der letzte, resignierte 1449. Eugen IV. hatte sechs Jahre zuvor in das befriedete Rom zurückkehren können. Bis 1848 sollte kein Pontifex mehr aus der Stadt Petri vertrieben werden.

Angesichts der ausbleibenden Akzeptanz der Unionsvereinbarungen von Florenz zogen die Protagonisten der Einigungsbewegung, der aus der Haft geflohene Isidoros und Erzbischof Bessarion, es vor, den Kardinalspurpur der römischen Kirche zu nehmen. Insbesondere Bessarion, dem Bisticci eine kurze Vita gewidmet hat, wurde zu einer wichtigen Gestalt in der Geschichte des abendländischen Humanismus, nicht zuletzt deshalb, weil er 1468 seine kostbare Sammlung griechischer Codices der Republik Venedig übereignete und so Petrarcas Traum von einer öffentlich zugänglichen Bibliothek in der Lagunenstadt erfüllen half. Überhaupt hat der lange Aufenthalt der griechischen Delegation in Florenz bedeutende kulturelle Wirkungen gehabt, weil er das Interesse der Humanisten für die griechische Antike verstärkte. Manche für die Entwicklung der Griechischstudien im italienischen Humanismus wichtige Persönlichkeiten, so Theodoros Gazes, Georgios Gemistos Pletho oder Johannes Argyropulos, nahmen neben Bessarion und anderen griechischen Gelehrten am Konzil teil.

Bisticci bestaunte die Griechen gleichsam als Überlebende des Altertums. Sie hätten zur Zeit des Konzils dieselben Gewänder getragen wie schon vor 1500 Jahren: «Das läßt sich noch auf Marmorreliefs einer Gegend in Griechenland erkennen, welche ‹Felder von Philippi› genannt wird. Diese zeigen auf die damalige Art gekleidete Männer.»

Solche Stellen charakterisieren Bisticci als einen naiven, zum Staunen disponierten Antikenromantiker. Seine tiefe, asketische Züge aufweisende Religiosität stand dazu keineswegs im Widerspruch. In Bisticci wird die Ambivalenz der Frührenaissance konkret: Jene große Kunst- und Kulturepoche, die das Schöne feiert, sich auf die antike Philosophie und die Formenwelt des Altertums besinnt, aus der das Morgenlicht der Moderne zu leuchten scheint, jene Epoche hochentwickelter Rationalität und freudiger Diesseitszugewandtheit war zugleich eine Zeit voll religiöser Sehnsüchte und frommen Eifers. Die Versuche, die Kirche an Haupt und Gliedern zu reformieren, sind auch vor einem solchen Hintergrund zu sehen. Hier sind die Konzilien des 15. Jahrhunderts weitgehend gescheitert, und das war der Preis für den Sieg des Papsttums über die konziliare Bewegung. Die weltliche Macht des Heiligen Stuhls wird neu begründet, Rom löst Florenz als Kapitale der Renaissance ab: Aber den Weg zum Heil konnte die römische Kirche vielen Menschen kaum noch glaubwürdig vermitteln.

Was ein Papst während der Tage des Florentiner Unionskonzils noch galt, was man von ihm erwartete, wird an einer faszinierenden Stelle von Bisticcis Erzählung deutlich – nämlich dort, wo Ves-

pasiano schildert, wie die Menschenmenge vor S. Maria Novella
Eugens IV. ansichtig wird. «Da war die Ehrfurcht so groß, daß sie
wie betäubt stehenblieben [. . .]. Keiner sprach mehr ein Wort, alle
wandten sich dem Pontifex zu. Und als dieser seine Rede begann
[. . .], da hörte man Weinen und Klagen auf dem Platz, und Gott
wurde angerufen um Mitleid [. . .]. Es schien, als sähe dieses Volk
nicht nur Christi Stellvertreter, sondern die Gottheit in Person.»
Der Text läßt etwas von den religiösen Emotionen spüren, welche
die Epoche bewegten. Das Bild, das Bisticci gibt, erinnert an Szenen
aus dem vorreformatorischen Deutschland – man denke an die in
Tränen aufgelösten Beter vor der «schönen Maria» zu Regensburg!
–, und es läßt uns zugleich bemerken, daß auch Emotionen ihre
Geschichte haben. Wie Bisticci andere Kriterien des Staunens hat,
sind die Anlässe seines Weinens (und die des Lachens) fremdartig
aus unserer Perspektive.

Eugen IV., der Neffe Gregors XII. und Sproß der venezianischen
Handelsaristokratie, hatte seine geistliche Prägung als Augustiner-
eremit empfangen. Bisticci betont seine fromme, ja asketische Le-
bensweise und hebt insbesondere die Bemühungen des Papstes um
die Klosterreform hervor. Er förderte die Observanten, eine Bewegung innerhalb des Franziskanerordens, die insbesondere auf die
Erfüllung des Armutsgelübdes drang, und zwar auch für die
Mönchsgemeinschaften als Ganze. Die Observanten wollten auf
feste Einkünfte und den Besitz von liegenden Gütern verzichten.
Unter Eugen IV. gewann diese Bewegung, obwohl rechtlich noch
mit den Konventualen, dem anderen Zweig des Ordens, verbunden,
weitgehende Selbständigkeit. Der Papst gab den Observanten je einen Generalvikar für ihre cis- bzw. ultramontane Familie, die fak-
tisch vom Ordensoberen unabhängig waren. Die rechtliche Tren-
nung der Observanten von den Konventualen erfolgte erst 1517.

Menschenbilder

Generalvikar der Observanten – noch vor der Aufteilung des Amtes
mit Zuständigkeiten für die Gebiete dies- und jenseits der Alpen –
war seit 1438 der heilige Bernardino von Siena. Zusammen mit
seinen Schülern Giovanni da Capistrano, Alberto da Sarterano und
Giacomo della Marca wurde er zur treibenden Kraft für den Auf-
schwung, den die Observantenbewegung seit den ersten Jahrzehnten des 15. Jahrhunderts erlebte. Dabei bemühte er sich bis zuletzt,
den Orden zusammenzuhalten, zwischen den verfeindeten Strö-
mungen zu vermitteln. Bernardino plädierte für behutsame, den

Menschen und seine Schwächen berücksichtigende Reformen. Armut galt ihm nicht einfach schon als Tugend, vielmehr schien ihm Gleichgültigkeit gegenüber irdischem Reichtum wichtig zu sein. Öffentliche Ämter sollten seine Mönche nicht anstreben – schon gar nicht das des Kämmerers einer Stadt, eine Tätigkeit, die in der Toskana von jeher eine Domäne von Mönchen gewesen war. Doch konzedierte er seinen Ordensbrüdern ausreichende Kleidung einschließlich Sandalen oder Holzpantinen, gestattete, was mancher strenge Eiferer nicht wollte, den Genuß von Fleisch und Wein, doch sollte letzterer stets mit Wasser verdünnt werden. Auch bemühte er sich darum, daß der Bildungsstand der Observanten gehoben werde.

Bernardino wurde durch seine überzeugende Persönlichkeit, seine Lebensführung, seine Predigten zu einem Reformator Italiens. Die Beschäftigung mit dem «Heiligen der Toskana» erinnert erneut an jene «andere Seite» der Renaissance, an ihre dem Religiösen, Spirituellen mehr noch als dem weltlichen Schönen zugeneigte Haltung. Die asketische Gestalt Bernardinos, dem der zahnlose Mund einen etwas mürrischen Gesichtsausdruck verleiht – dabei soll er persönlich von eher heiterer Art gewesen sein –, zählt zu den Charakteren der Renaissance genauso wie der harte Bankier Cosimo de' Medici (auch er hat ja seine religiösen Sentiments) oder Lorenzo der Prächtige. Und das Christus-Zeichen, das Bernardino bei seinen Predigten den Zuhörern entgegenzuhalten pflegte, kann nicht weniger als Emblem der Epoche gelten als die Devise auf Lorenzos Turnierbanner: *Le Temps revient* (Die Zeit kehrt wieder). Es berührt seltsam, daß Bisticci in seinem Kommentar zu Bernardinos Leben gerade im Zusammenhang der Schilderung von dessen spirituellen Erneuerungsbemühungen das Schlüsselwort des Zeitalters gebraucht: «Florenz fand er zutiefst verdorben durch die Laster; er war bestrebt, es dort wie andernorts zu halten: die Sünden zu verdammen und zu verurteilen, jede ihrer Art nach. Da sich nun die Florentiner sehr gerne auf den Pfad der Tugend begaben, brachte er es dahin, diese Stadt zu verwandeln, ja, man kann sagen, daß er sie wiedergeboren werden ließ.» «*Et fegli, si può dire, rinascere*»: Seine eigentliche «Renaissance» erlebt Bisticcis Florenz nicht durch die Wiederentdeckung der Antike, nicht durch die leuchtenden Fresken Masaccios oder die Skulpturen Ghibertis, sondern durch die Predigten und das persönliche Beispiel eines heiligmäßigen Mannes.

Wer sich von Vespasianos Lebensbeschreibungen Szenerien mit ruchlosen Giftmördern, eisenharten Condottieri und intriganten Höflingen erhofft, wird sich also weitgehend enttäuscht sehen. Gewiß, an starken, auch widersprüchlichen Persönlichkeiten mangelt es nicht völlig im Werk unseres Buchhändlers. Man lese nur die Vita des neapolitanischen «undercover-Agenten» Cincinello, dessen Praktiken unserem Autor freilich alles andere als geheuer zu sein scheinen – an einer interessanten Stelle von dessen Vita versucht er jedenfalls die Beziehung zwischen Politik und Moral abzuwägen. Im Mittelpunkt der Viten stehen aber keineswegs jene nervenstarken Titanen, von denen ein populäres Verständnis von Renaissance die Epoche wimmeln sieht. Schon gar nicht liefern solche Typen Bisticci die Maßstäbe seines Menschenbildes. Es ist nicht das sich seiner selbst gewiß werdende Individuum, das nun mit scharfem Geist und kräftiger Hand eine Welt zu schaffen suchte, die seinem Ideal entspräche. Viel eher bildet es der Mönch, der Asket, der Heilige, Leute wie Erzbischof Antonino von Florenz oder der heilige Bernardino von Siena (wohl einer der wenigen Sienesen, die Bisticci schätzte). Seine eigentlichen Helden tragen härene Gewänder, enthalten sich üppiger Speisen und sind keusch, ja sogar «jungfräulich». Alessandra de' Bardi, deren Lebensgeschichte unsere Auswahl abschließt, läßt ebenso Züge von Heiligkeit erkennen: Stark und demütig in den Widrigkeiten des Schicksals, sucht sie, nachdem ihr Mann gewaltsam zu Tode gekommen ist, Zuflucht im Gebet und fügt sich in ein ehrbares und enthaltsames Witwendasein. Vittorino da Feltres «casa giocosa» (heiteres Haus) gleicht nach Bisticcis Darstellung ebenso eher einer Mönchsgemeinschaft als einem weltlichen Haus, wie Federico da Montefeltros Hof einem Kloster verglichen wird. Der Hausherr, immerhin ein harter Kriegsmann, soll nur Wein, «der aus Granatäpfeln oder Früchten wie Kirschen oder Äpfeln» gemacht gewesen sei, zu sich genommen haben – wie die positiven Figuren in Bisticcis Werk, gemäß der Empfehlung des hl. Bernardino, Wein überhaupt nur in starker Verdünnung zu trinken pflegen. Sie zeigen Mäßigkeit und Maß, erweisen sich als «zivilisiert» nach den freilich strengen Kriterien unseres Autors. Sie verbringen ihre Zeit niemals mit so unnützen, «sündigen» Dingen wie dem Spiel. Manchmal hat es den Anschein, als habe Vespasiano den rechnenden Geist der Florentiner Kaufleute verinnerlicht, wenn er darüber schreibt, wie wichtig es sei, die Zeit gut zu verbringen. Seine Haltung in diesem Punkt entsprach freilich völlig der Auffassung mancher Humanisten, und sie wurde von den Kanzeln herab bestätigt. Besonders eindrucksvoll findet sich die Synthese von Florentiner Rationalität, von merkantiler Rechenhaftigkeit und christlicher Moral in der Vita Giannozzo Manettis beschrieben. Der habe, trotz all seiner Geschäfte, nie auch nur eine Stunde verloren. «Der allmächtige Gott macht es wie ein

Handelsherr, der, wenn er seinem Kassier Geld gibt, ihn diese Summen als Eingänge aufschreiben läßt und dann sehen will, wofür er sie ausgegeben hat. So möchte Gott in der Todesstunde der Menschen sehen, womit sie die Zeit, welche er ihnen gab, verbracht haben – und zwar bis hin zum kürzesten Augenblick.»
Ein schönes Beispiel, wie sich Metaphysik in einer vom *commercium* geprägten Lebenswelt metaphorisch verdichten läßt! Giannozzo Manetti habe, so schreibt Bisticci, das Spiel gehaßt wie die Pest, und eine solche Haltung fand natürlich seinen Beifall. Erzbischof Antonino geht nach der Predigt zur Loggia der Buondelmonti und wirft die dort aufgebauten Spieltische um, ganz zu schweigen von den Donnerworten, die Bernardino, der sonst so sanfte, schmächtige Bernardino, von den Kanzeln Italiens gegen das Laster des Spielens schleuderte! Auch er meinte, Zeit sei das Kostbarste auf der Welt, und er warnte vor den verderblichen Folgen der verbreiteten Leidenschaft – *tavola reale* (Tricktrack) spielte man gerne, oder reine Würfelspiele wie *zara;* von den Gewölben der Loggien, von den Mauern der Palazzi auf den schönen Plätzen muß es widergehallt haben, wenn die Spieler «*zara! zara!*» schrien, man fluchte und stritt . . . nein, Gott war gewiß nicht unter diesen Spielern, auch wenn manche den Herrn verfluchten, argwöhnend, der habe den Fall der Würfel falsch gelenkt. Und so brachten die elenden Spieler Seinen Zorn über die Stadt.
Das Maß, die Mitte halten: Dieses «klassische» Ideal Bisticcis hat seine Entsprechungen in den Ermahnungen der Prediger, die gegen Sodomie und Kleiderluxus, gegen Wucher und Völlerei zu Felde ziehen; daneben meint man, aus manchen seiner Formulierungen die Stimme Petrarcas zu vernehmen, der das Bestreben, die *mediocritas* zu wahren, als Mittelpunkt seiner Lebensphilosophie sah. Der Begriff meint die Kunst, Extreme zu meiden, das Bestreben, die «goldene Mitte» zu suchen und sie nach Möglichkeit zu wahren. In den mehr oder weniger summarischen Würdigungen vieler Protagonisten der ‹Vite› – meist, so scheint uns, gibt Bisticci hier tatsächlich nur literarische Allgemeinplätze – wird seine Hochschätzung der *mediocritas* konkret. Seine Helden kleiden sich dezent (oder ihre Kleidung wird sicherheitshalber nicht erwähnt), sie sind – mit Ausnahmen – möglichst weder zu groß noch zu klein; sie bewegen sich nicht hastig, sondern gemessen, sind nicht schwatzhaft, machen vielmehr wenige Worte, die dann aber von Gewicht sind. Steht einer – wie Papst Nikolaus V. – im Verdacht, dem Trunk ergeben zu sein, nimmt Bisticci ihn in Schutz: Sie essen und trinken mäßig, seine Helden, und sie halten die Fastengebote. Sie bezwingen mit ihrer *virtù* ihre Leidenschaften, ihren Jähzorn, ihre

Unbeherrschtheit, ihre Sinnlichkeit. Um diese Siege über ihre Natur, über das eigene Ich gehörig rühmen zu können, scheut Bisticci
sich nicht, auch solche Schattenseiten ihrer Charaktere zu erwähnen. Nur auf den ersten Blick wird erstaunen, daß Bisticci einen
offenkundigen Choleriker wie den Portugiesen Velasco – der wegen
seines Jähzorns beinahe aus einem Fenster des Palazzo Pubblico zu
Siena geworfen worden wäre – in die Ruhmeshalle seiner *uomini
singolari* aufgenommen hat. Die Moral der Geschichte liegt nämlich gerade darin, daß sich dieser *manesco* (einer, der gleich zum
Schlagen bereit ist) am Ende seines Lebens zu einem reuigen Klo-
sterbewohner läutert: Gott gewährt ihm die Gnade, sich selbst be-
siegen zu können.

Bisticcis ganz negative Sicht der Leidenschaften, die übrigens
nicht von allen Humanisten geteilt wurde, hat weit zurückreichen-
de Wurzeln. Daß die Tugend als höchste Begabung des Menschen
zu gelten habe, es sein Ziel sein müsse, die Leidenschaften zu überwinden, ist Gedankengut der Stoa, das insbesondere durch Seneca
und Cicero überliefert war und sich während des gesamten Mittelalters einiger Bekanntheit erfreute. Auch Bisticci wußte wohl davon. Doch sollte man ihn nicht einfach in eine bestimmte philosophische Schule einordnen. Denn seine ‹Vite› sind ein eher unsy-
stematisches Buch. Wie auch soll ein Moralist, der für die
Mäßigung der Leidenschaften plädiert, die blutige neapolitanische
Eifersuchtstragödie bewerten, deren Zeuge der Leser der Vita König
Alfonsos von Aragon wird? Oder die Machenschaften eines Cincinello (vgl. S. 306–308)?

Jedenfalls erfüllen Bisticcis *uomini singolari* mit Gewissenhaftigkeit ihre Geschäfte, und gerecht und unbestechlich versehen sie die
ihnen anvertrauten öffentlichen Ämter – ganz im Geist des Bürgerhumanismus. Die Fürsten unter ihnen, der Aragonese Alfonso und
Federico von Montefeltro, neigen sich aus ihren Höhen zur «Mitte»
herab, indem sie sich als leutselig und freundlich erweisen, das
Prädikat der *umanità* für sich beanspruchen dürfen. So läßt er König Alfonso – inkognito – schon einmal einem Bauern helfen, dessen gestürzten Esel wieder auf die Beine zu stellen; und der Herzog
von Montefeltro kann es sich erlauben, ohne Waffen, ohne einen
bewaffneten Begleiter seinen Palast zu verlassen. Jedermann mag
ihn dort aufsuchen, und auch die Türen seines Lustgartens stehen
allen offen. Überhaupt wird der aufmerksame Leser der Vita des
großen Montefeltro bemerken, daß Bisticci ihm, wie an einer Per-
lenschnur aufgereiht, den Kanon der Kardinaltugenden zuerkennt:
Da wird der tapfere Kriegsmann geschildert, mit all seiner Stärke
(fortitudo), der fürsorgliche Beschützer der Armen und Bedrängten,

der freigebige Spender, der sich für das Gemeinwohl opfernde Held
(Liebe, *caritas*), der gerechte Richter *(iustitia)*, der weitsichtige
Staatsmann (Klugheit, *prudentia*) und der fromme Christ *(pietas)*.
Der Sieger über den Jähzorn fehlt nicht (Mäßigung, *temperantia*),
und schließlich findet Bisticci auch die Tugend der Hoffnung *(spes)*
bei Federico, wenn er schildert, welches Vertrauen der Herzog auf
seinen Bruder Ottaviano setzt, als es um die Nachfolge im Staat
geht.

Auch im Fall des Urbinaten muß man Individuelles, historische
«Wirklichkeit», hinter einem dichten Schleier aus Panegyrik und
Ansätzen zu literarischer Stilisierung aufspüren. (Ganz aussichtslos
ist dieses Unterfangen allerdings, daran halten wir fest, keineswegs.) Leichter ist es, einiges über die Maßstäbe, die idealen Men-
schenbilder, die unser Autor hat, herauszufinden: Vespasiano da
Bisticcis ideale Gestalten bezahlen ihre Steuerschuld; mildtätig
sind sie und freigebig, insbesondere gegenüber humanistischen Gelehrten und ihrem Buchhändler Bisticci. Ihre Mußestunden sind
erfüllt von ernster Lektüre, von Gebeten und geistlichen Übungen,
von Gesprächen über die Dinge des Himmels und der Erde. Wenn
sie schon einmal spielen, dann ein königliches Spiel wie Schach
und – so erzählt Bisticci über Cosimo de' Medici – mit dem berühmtesten Meister des Zeitalters. Läßt Cosimo sich zur «Garten-
arbeit» herab, beschneidet er Weinstöcke, dann tut er zunächst
nichts anderes als selbst ein Papst, und zwar Bonifaz IX., wie Bisticci hervorhebt. Der sorgsam seine Reben pflegende Hausvater
unternimmt vor allem eine Handlung von symbolischer Bedeutung,
die darauf verweist, daß er seine Vaterstadt nicht weniger umsorgt.
Auch die Anlage eines Gartens auf einem von den Mönchen ver-
nachlässigten Stück Land unweit des Klosters S. Marco ist schließlich zugleich ein Bild der Reformierung dieses Konvents, bei der
Cosimo mit seinem Geld tatkräftig half.

Kann man die Charakterskizzen, die Schilderungen auch des Aus-
sehens seiner «einzigartigen Männer», die Bisticci gelegentlich –
wohl nach dem Muster der Kaiserbiographien des Sueton – in seinen Text einstreut, mit zeitgenössischen gemalten oder gemeißelten Porträts in Beziehung bringen?

Am deutlichsten werden Übereinstimmungen, wenn man sich
einer «Schlüsseleigenschaft» entsinnt, die Bisticci vielen Persönlichkeiten, über die er schreibt, zuerkennt, nämlich *gravità*. Der
Begriff ist schwer übersetzbar, das deutsche «Würde» gibt ihn
kaum ganz zutreffend wieder. Ein Lexikon des 18. Jahrhunderts
nennt unter diesem Stichwort die Begriffe «Schwere, Gravität,
ernsthaftes Wesen, hohes Ansehen» – ein weites Spektrum, das mit

dem Feld der Bedeutungen des lateinischen Wortes *gravitas* korrespondiert. Insbesondere durch Lektüre Ciceros könnte Bisticci mit der altrömischen *gravitas* vertraut geworden sein: eine Eigenschaft, die bei ihm und anderen Autoren in Verbindung gebracht wurde mit einem gewissen Alter, die mit *magnificentia, virtus,* mit Würde, Strenge, Ernst in Beziehung zu setzen ist – Eigenschaften, die somit Staatsmännern, Rednern, Richtern, Philosophen wohl anstehen und – bei spätantiken Autoren – auch als Charakteristika des guten Christen hervorgehoben wurden. Große Maler der *gravitas* waren zu Bisticcis Zeit neben anderen Mantegna, Giovanni Bellini, Andrea del Castagno und insbesondere Piero della Francesca. Die Art, wie diese Helden, Heilige und Herrscher darstellen, läßt sich jedenfalls kaum besser als mit *gravitas* umschreiben. Bisticci schildert oft ein äußeres Gebaren – zugleich das Widerspiel einer inneren Haltung –, das einem Idealbild der Epoche zu entsprechen scheint.

Dem Erzähler steht nun freilich eine größere Vielfalt an Ausdrucksmöglichkeiten zur Verfügung, will er eine Persönlichkeit in all ihren Facetten lebendig werden lassen, auch in ihren Widersprüchlichkeiten. Er kann reden von einem «davor» und «danach», kann also verfügen über die Kategorie der Zeitlichkeit. Was in der Malerei und der Porträtplastik des 15. Jahrhunderts eher selten begegnet, finden wir in Bisticcis Viten häufig: nämlich die in der Vorstellung nicht immer leicht nachvollziehbare Kombination von ernster *gravità* (oder auch der ihr verschwisterten *riverentia,* der Ehrwürdigkeit) und lächelnder Freundlichkeit: «[. . .], daß es den Anschein hatte, als lache er stets», schreibt er über Vittorino da Feltre, «dabei erschien er als ein Mann von größter Ehrwürdigkeit.» Besonders schön wird dieses komplexe Nebeneinander sich scheinbar widersprechender Eigenschaften in der Vita Filippo di Ser Ugolinos beschrieben. «Er war von mittlerer Größe und hatte ein sehr schönes Gesicht, von dem hoher Ernst ausging. [. . .] Er war sehr heiter. Stets hatte es den Anschein, als lache er.» (*«Era di mediocre istatura et di bellissimo aspetto, che rapresentava grandissima gravità. [. . .] Era molto allegro, sempre pareva che ridessi.»*)

Natürlich greift unser Autor da in seine nicht allzu große Schatztruhe mit Standardformulierungen. Während die Maler und Bildhauer sich mit Ausnahmen – man betrachte etwa das Porträt Matteo Palmieris (vgl. Abb. 25) – dafür entscheiden, die *gravitas* der Dargestellten in all ihrem Ernst mitzuteilen, hellt Bisticci durch Erinnerungen an ihr Lächeln, an ihre Freundlichkeit *(humanitas)* seine Persönlichkeitsskizzen auf. Man könnte auch sagen, daß er wiederum versucht, Bilder von «Mitten» zu geben, selbst im äußeren Ver-

5 *Unbekannte Florentinerin. Majolika-Büste von Luca*
    della Robbia (1399–1482). Florenz, Bargello

halten eine *mediocritas* zwischen Ernst und Heiterkeit, Strenge und
Freundlichkeit erkennen zu lassen. Bisticci zeigt uns, das war schon
am Beispiel seiner Schilderung bestimmter Verhaltensweisen und
zeremonialer Formen zu bemerken, *zivilisierte* Menschen: Leute,
die ihre Affekte zu kontrollieren, Extreme zu meiden suchen, selbst
beim Essen und Trinken. Die Bedeutung asketischer, stoischer Ideale für die Ausformung dieser Physiognomie bestimmter Gruppierun-
gen der humanistischen Gesellschaft ist unübersehbar, und Bisticcis
Text ist eine hervorragende Quelle dafür.
    Die weltzugewandte Zivilisiertheit der kulturellen Führungs-
schicht des Quattrocento tritt demgegenüber, jedenfalls bei Bisticci, etwas in den Hintergrund, aber ganz ausgeblendet wird sie keineswegs. Da sind vor allem seine Schlaglichter auf die Welt von
Urbino, die auf einzigartige Weise zeigen, was Affektkontrolle, Äs-

thetik der Lebensführung und des Verhaltens heißen können. Der
Herzog von Montefeltro läßt die Söhne des urbinatischen Adels so
erziehen, daß selbst die geringste Gebärde (oder Handlung) an ihnen
getadelt wurde, verstieß sie gegen die guten Sitten. Oder dann jene
Szene vor den Mauern Urbinos, auf einer großen Wiese, von wo
man «eine schöne Aussicht» hatte: «Dreißig oder vierzig junge Leute entkleideten sich bis auf das Wams und ertüchtigten sich mit
Spießwerfen, dem Pomespiel oder mit Ringen: Es war ein ansehnliches Schauspiel. Liefen sie nicht gut oder waren sie ungeschickt
beim Fangen, tadelte sie der Herr, und all das ordnete er an, damit
sie sich übten und nicht müßig blieben. Während dieser Übungen
konnte wiederum jeder bequem mit dem Herzog sprechen [. . .].»
Schöne Bewegungen an einem angenehmen Ort unter südlichem
Himmel ergeben ein würdiges Schauspiel; unter den Augen des
Fürsten wird das alles unter angemessene Regeln gebracht und Teil
eines erzieherischen Programms, das die jungen Männer «sittlich»
bilden und körperlich kräftigen soll. Federico konnte in seiner Bibliothek darüber bei Platon und Aristoteles nachlesen. In der Gym-
nastik unter den Klostermauern von S. Francesco verdichtete sich
symbolisch, was Urbino eigentlich sein sollte: Sparta und Athen
zugleich.

Dann die Vita Niccolò Niccolis, jenes umfassend gebildeten und
interessierten Bibliophilen, Mäzens und Kunstsammlers! Er ist der
klassische Vertreter der diesseitszugewandten Renaissance, bei allem Respekt, den auch er für die religiösen Dinge aufbrachte. Er
schrieb Bücher, sammelte antike Gemmen, Statuen und andere
Kunst. Bisticci meint, er sei ein enger Freund Brunelleschis, Donatellos, Luca della Robbias und Lorenzo Ghibertis gewesen. Seine
Rolle als Förderer griechischer Literaturkenntnis und Bildung ist
kaum zu überschätzen. Er sei von schöner Gestalt gewesen,
schreibt Bisticci: «[. . .] er war heiter, so daß es stets den Anschein
hatte, als lache er.» Angenehm im Gespräch, habe er sich stets in
wunderschöne rote Gewänder gekleidet. «Er war von größter Manierlichkeit, beim Essen wie in allen Dingen; darin übertraf er alle
Menschen auf der Welt. Wenn er bei Tische saß, speiste er aus den
schönsten, alten Gefäßen; auch war sein ganzer Tisch reich versehen mit Porzellan oder anderem aufs schönste geziertem Geschirr.
Zum Trinken bediente er sich aus Kelchen von Kristall oder von
anderem feinem Gestein [. . .]. Stets wollte er, daß die Tischtücher
an seinem Platz strahlend weiß sein sollten, ebenso wie alles andere Tuch.»

Bisticci registriert – und das ist eine höchst bemerkenswerte Beobachtung –, daß Niccolòs verfeinerte Tischsitten zu dessen Zeit

noch nicht in solchem Ansehen gestanden hätten wie später. Er registriert also den Wandel, einen Prozeß hin zu gesteigerter, sublimer Zivilisiertheit.

Eine merkwürdige Anekdote, die in der Vita König Alfonsos von Neapel erzählt wird, legt ähnliche Schlüsse nahe. Vordergründig geht es um einen etwas rauhen Scherz, den sich der Herrscher mit dem Botschafter von Siena erlaubt. Er sorgt dafür, daß dem Mann, der mit einem Gewand von reichem Goldbrokat prunkt, das Kleid in einem Gedränge von Höflingen und Diplomaten gründlich ruiniert wird. Man hat dies als Anzeichen einer allgemeinen Abkehr von der Goldpracht gedeutet, die sich um die Mitte des 15. Jahrhunderts vollzogen habe, und auf Parallelen in der Malerei der Zeit hingewiesen. Auch hier geht die Verwendung von Gold und anderen «augenfällig wertvollen» Materialien wie Ultramarinblau um diese Zeit zurück. Wenn Bisticci die moralische Lehre, die dem sienesischen Diplomaten erteilt wird, mit unverhohlener Freude registriert, dann nicht nur deshalb, weil sie dem Sinn des Autors fürs Burleske entgegenkommt. Hier wird ein neureich protzender, «unzivilisierter» Mensch drastisch an das Ideal geziemender *mediocritas* erinnert, oder besser: mit der Nase darauf gestoßen. Überhaupt, und das entspricht Vespasianos asketisch-stoischen Mustern, gefällt es ihm wohl, wenn er seine Helden einfache Gewänder in möglichst gedämpften, dunklen Farben tragen sieht: schwarz, blau, grau etwa; der schönste Habit aber ist in seinen Augen gewiß die Mönchskutte.

Die Frauen schließlich. Sie spielen in Bisticcis Werk eine Nebenrolle, die «einzigartigen Männer» dominieren: Wenn er «einzigartige Frauen» kennt, dann sind das «heilige» Nonnen – wie jene ehrwürdigen Damen, die Federico da Montefeltro zu vertrautem Gespräch am Gitter, das ihre Klausur in S. Chiara beschließt, trifft –; es sind Witwen oder keusche, zurückhaltende Mädchen, die sich züchtig zu kleiden und schön zu bewegen wissen. Besonders eindrucksvoll führt er sein Frauenideal in der Vita der Alessandra de' Bardi vor, doch wird es auch an anderen Stellen der «Lebensbeschreibungen» faßbar – etwa in der Vita des Vittorino da Feltre, die den Rahmen für eine eingestreute kleine Frauenvita bildet, nämlich jene der Cecilia Gonzaga.

Bisticci war kein Freund des weiblichen Geschlechts. Wenn er Cecilia Gonzaga rühmt, sie habe es zu Gelehrsamkeit gebracht und sich die besten Sitten angeeignet, kann er es sich nicht verkneifen hinzuzufügen, darin habe sie ihre Geschlechtsgenossinnen übertroffen. Seinem Freund Pierfilippo Pandolfini schreibt er aus Antella, nie würden Frauen dort beherbergt, und das sei ein Vorzug, der das Leben und die Lebensgeister bewahre. Frauen seien die «Zerstörung unseres Lebens». Ob da einer aus persönlicher Erfahrung spricht oder nur verbreitete Klischees repliziert, sei dahingestellt (jedenfalls blieb Vespasiano zeitlebens unverheiratet). Er neigte vermutlich dazu, und das hatte er mit vielen Zeitgenossen gemeinsam, in der Frau eher die Tochter der sündigen, mit dem «Makel» der Sexualität behafteten Eva zu sehen, als das Bild des anderen großen weiblichen Prototyps, nämlich der Gottesmutter Maria. «Niemals heiratete er» – so notiert unser Autor gelegentlich lobend über den einen oder anderen seiner «einzigartigen Männer», und als Grund für solche Zurückhaltung führt er an, daß Frauen von wissenschaftlichen Studien ablenkten. Hinter Klostermauern oder, wie im Herzogspalast von Urbino, in eigenen Gemächern unter der Aufsicht ehrbarer Matronen weiß er sie am liebsten.

Ein wenig über die Lebensqualität der Frauen im Florenz Vespasiano da Bisticcis lernen wir allerdings durchaus aus seinen ‹Vite›. So begegnet die Frau – wir schrieben schon darüber – immer wieder als «Objekt» sozialer Strategien der städtischen Eliten oder der Aristokratie Mittelitaliens. Die Kinder des reichen und – bis 1434 – auch einflußreichen Palla Strozzi werden an Söhne und Töchter der Florentiner Elite verheiratet und festigen so ihrerseits bestehende Netzwerke. Die gerade erwähnte Tochter des Markgrafen von Mantua, Cecilia Gonzaga, wird einem Herrn aus dem Hause Montefeltro zur Ehe versprochen; dies sollte die politische Beziehung zwischen den beiden Familien stabilisieren.

Oft schon im Kindesalter der «Kandidaten» werden «Heiratsbündnisse» unter den Familienoberhäuptern verabredet – Alessandra de' Bardis Verlöbnis wird vereinbart, als sie vierzehn Jahre alt ist. Und ein solches Verfahren war keineswegs die Ausnahme. Auch «ungleiche Ehen», eine im alten Europa typische Erscheinung, werden dem aufmerksamen Leser der Viten nicht entgehen. Ein Beispiel bietet Poggio Bracciolini, der 1435, bereits fünfundfünfzigjährig, die um vieles jüngere Vaggia Manente de' Buondelmonti heiratet. Er sollte noch sechs Kinder (nicht nur fünf, wie Bisticci schreibt) von ihr haben. Ob diese Ehe allein ein Zweckbündnis gewesen ist, das einer ökonomischen Räson gehorchte, wissen wir nicht; andere Quellen zeigen, daß dem oft so war.

Der eigentliche «Aktionsraum» der Frau war im Florenz Bisticcis die *casa*, das Haus. Hier wirtschaftet sie möglichst sparsam und geschickt, erzieht die Kinder, wie jene Monna Marietta, die im Haus Palla Strozzis wirkt. Außerhalb der Mauern des Hauses finden wir sie vor allem beim Kirchgang. Bisticci sieht sie dabei am liebsten in Begleitung anderer, möglichst alter Frauen, in züchtigen, hochgeschlossenen Gewändern, und schon gar nicht schätzt er, wie einmal zu lesen ist, Stöckelschuhe an ihnen. Allerdings schrieb Bisticci solche Anschauungen zu einer Zeit nieder, als sich die Epoche Lorenzos des Prächtigen ihrem Ende zuneigte, bereits der Schatten Savonarolas über das Mediceische Florenz fiel. Er hatte diese Stadt – nicht anders als viele seiner Zeitgenossen und eigentlich auch wir Heutigen – im 15. Jahrhundert auf der Höhe ihrer Geschichte gesehen. Zentrum der Kunst, der Literatur, der Gelehrsamkeit und ein Ort schönen, zivilisierten Daseins, erhebt sich die *patria* am Arno in seinen Augen über Nachbarn und Rivalen. Im Gefühl der eigenen Überlegenheit schreibt er von trunksüchtigen Engländern und dem Wein zugetanen Deutschen, von Barbaren, die in fernen, kalten Gegenden jenseits der Alpen hausen und wohl in der Regel nicht allzu gebildet sind. Die Römer erscheinen ihm – das wurde schon angesprochen – als in seltsame Mäntel gekleidete Kuhhirten, und über die Leute von L'Aquila schreibt er, sie seien roh, unverständig und heißblütig, wie die meisten anderen Völker – insbesondere jene, die in Berggegenden wohnten und mit Tieren Umgang pflegten. Florenz' Stellung in Vespasianos Koordinatensystem bestimmt sich mithin auch aus dem Vergleich mit einer kulturell unterlegenen, «unzivilisierten» Umwelt.

So wird der Leser von Bisticcis Viten der Spannungen der Epoche immer wieder gewahr – zwischen der Schönheit der Formen von Kunst und Literatur und der Vergänglichkeit des Lebens, zwischen Begeisterung für die heidnische Antike und christlicher Glaubensgewißheit. Der Mensch der Renaissance begegnet als reicher Kunstpatron, aber auch als zerknirschter, sich seiner Sünden bewußter Büßer, als pulverdampfumwölkter *warlord* und als Freund heiliger Texte und zarter Madonnenbilder. Dabei sollte nicht übersehen werden, wie schließlich Synthesen gelangen: Die Stiftung eines Altars, ja eines ganzen Klosterbaues, ist nicht weniger Ausdruck katholischen Vertrauens auf die Wirkung guter Werke als kennerische Freude an der Kunst und an ihrer Förderung. Antike – selbst heidnische – Autoren zu lesen, mußte keineswegs heißen, daß man darauf verzichtete, sich mit christlichen Büchern zu beschäftigen, ganz im Gegenteil. Die weitaus meisten Werke in den Bibliotheken der großen Büchersammler der Renaissance waren religiösen Inhalts. Und die christlichen Bildthemen prägten die Kunst des 15. Jahrhunderts in ungleich größerem Ausmaß als pagane Sujets (was sich übrigens noch im 16. Jahrhundert nur wenig ändert).

In der spannungsreichen Geschichte der Renaissance bleibt leitmotivisch ein melancholischer Unterton vernehmbar:

Wie schön ist doch die Jugendzeit,
die da fort und fort vergeht.
Wer froh sein will, der sei es; seht:
Des Morgen ist kein' Sicherheit.

Dies dichtete Lorenzo der Prächtige, die Symbolgestalt des Mediceischen Florenz, dabei im Gegensatz zu seinem Beinamen (der
übrigens nur ein überhaupt für Fürstlichkeiten und andere bedeutende Personen in Anreden oder Geschichtswerken geläufiges At-
tribut war) keineswegs von körperlicher Schönheit. Sein *carpe
diem* klingt durch eine Gesellschaft, in der eine märchenhaft reiche, winzige Elite sich ihre Paläste auftürmt und sie mit prächtig
illuminierten Büchern und anderen Preziosen füllt, sich zu angenehmen Gesprächen in blühenden Gärten zusammenfindet – das
waren Trauminseln inmitten eines Meeres von Konflikten, von innen und von außen bedrohte Welten aus Gold und Purpur (Huizin-
ga). Lorenzo der Prächtige wird es äußerst geschickt verstehen, das
italienische Glasperlenspiel in seinem Sinne zu bewegen.

Gleichgewichte

Noch zu Anfang des Jahres 1444 hatte es so ausgesehen, als ob sich
die Christenheit nochmals zur Offensive gegen die Türken wenden
könnte. In Albanien kämpfte Skanderbeg gegen die Osmanen, von
Südgriechenland aus trug der Despotes Konstantin eine Offensive
gegen die Türken voran. In Südungarn sammelte sich ein Kreuzheer
und zog durch die serbischen Lande bis Bulgarien. Sofia wurde besetzt, der Weg nach Thrakien eingeschlagen. Die Hohe Pforte mußte sich zu einem zehnjährigen Waffenstillstand bereitfinden. Das
aber war dem christlichen Lager nicht genug. Man hoffte, die Türken ganz aus Europa verjagen zu können. Zur treibenden Kraft des
neuen Kreuzzuges wurde der päpstliche Legat, Kardinal Giuliano
Cesarini, den wir bereits als Schlüsselfigur des Basler Konzils kennengelernt haben. In Bisticcis Vita begegnet er als Muster eines
sittenstrengen, seine Leidenschaften zügelnden *miles christianus*.
Hinter aller Stilisierung scheint ein intelligenter politischer Kopf
durch, der wohl, wenn es nottat, entschiedene Worte zu finden, zu
überzeugen wußte.

Doch erwies sich die Entscheidung, den Türkenkrieg fortzusetzen, als fataler Fehler. Nach einem Marsch durch Bulgarien erreichte das Kreuzheer die Küste des Schwarzen Meeres, wo man auf die
Hilfe einer venezianischen Flotte hoffte. Die Galeeren konnten in-

des den Aufmarsch starker türkischer Kräfte unter Murad II. nicht verhindern. Bei Varna kam es am 10. November 1444 zu einer Schlacht, die mit der Vernichtung der christlichen Armee endete. Unter den Toten waren auch der ungarische König Vladislav und Kardinal Cesarini, der so – wie Bisticci urteilt – zum wahren Märtyrer Christi wurde.

Im Blutbad von Varna erstickte der letzte große Versuch des Westens, die türkische Expansion vor den Mauern Konstantinopels aufzuhalten. Am 29. Mai 1453 fiel die byzantinische Hauptstadt nach harter Belagerung und dramatischem Kampf. Der Schock, den dieses Ereignis hervorrief, trug dazu bei, daß nahezu ein Jahr nach dem Fall der Kaiserstadt – am 9. April 1454 – im mailändischen Lodi ein Frieden geschlossen wurde, dem nach und nach die wichtigsten italienischen Mächte beitraten. Er wurde zur Grundlage einer Ordnung des Gleichgewichts, die für die nächsten vier Jahrzehnte Bestand haben sollte. Freilich war es eine prekäre Balance, die in Lodi etabliert wurde, die ziemlich zahlreichen Konflikte der folgenden Zeit blieben jedoch regional begrenzt. Eine Art kollektives Sicherheitssystem sollte den Bestand des Status quo gewährleisten: Nach Lodi versuchte man, Italien durch eine Bündnisstruktur zu organisieren. Diese *lega italica,* die «Italienische Liga» – neben den kleineren Staaten umfaßte sie die «Großmächte» Venedig, Mailand, Florenz, Neapel und den Kirchenstaat – führte zu einer Festigung der Pentarchie, zur Herausbildung föderativer Strukturen kam es indessen nicht. Eine wichtige Voraussetzung dafür, daß dieses System insgesamt doch Bestand hatte, war, daß es in den wichtigsten Staaten des Landes auch zu einer inneren Konsolidierung kam.

Ein Faktor der Unruhe blieb zunächst der Süden. Schon Alfonso von Aragon, der zeitweilig nebst seinem spanischen Stammland Neapel, Sizilien und Sardinien unter seiner Krone vereinigte, hatte eine Politik der Expansion betrieben, die sich gegen Genua, den Kirchenstaat und die südliche Toskana richtete. Als er 1458 ohne legitimen Nachfolger starb, fiel die neapolitanische Krone an seinen unehelichen Sohn Ferrante (der zum klassischen Beispiel eines blutrünstigen Renaissance-Tyrannen werden sollte), während die Inseln an seinen Bruder Johann von Aragon gingen. Ferrante mußte sich gegen Jean von Anjou zur Wehr setzen, der seinerseits Ansprüche auf das Königreich Neapel erhob und sich mit der innerneapolitanischen Opposition verband. Der Aragonese arrangierte sich mit dem Kirchenstaat; Unterstützung fand er auch in Mailand: Dort konnte man kein Interesse daran haben, daß der französische Einfluß in Italien zunahm. Mailand war im System von Lodi nicht mehr jene ehrfurchtgebietende Macht der Tage Gian Galeazzo Viscontis, als mancher fürchten mochte, ganz Italien werde sich zu einer Mailänder Signorie entwickeln. Aus wechselvollen Kämpfen um die Macht im Herzogtum war Francesco Sforza als Sieger hervorgegangen. Der Friede von Lodi bedeutete zugleich seine Anerkennung als legitimen Herrscher. Der Condottiere dunkler Herkunft gebot über ein Territorium, das im wesentlichen auf die Lombardei zwischen Tessin und Adda beschränkt war. Nur Parma, Piacenza, das Veltlin und die Grafschaft Bellinzona waren hinzugekommen, aber das war kein Ausgleich für die beträchtlichen Gebietsgewinne, die der Erzfeind Venedig hatte machen können. Gleichwohl bietet der Aufstieg Sforzas das wohl spektakulärste Exempel für eine Quattrocento-Karriere.

Als stärkste oberitalienische Macht hat um die Mitte des 15. Jahrhunderts Venedig zu gelten; wie man einst Mailand verdächtigt hatte, Italien unter seine Botmäßigkeit bringen zu wollen, sah sich jetzt die Serenissima einem solchen Verdacht ausgesetzt. Im Süden reichte ihre Herrschaft nun über Ravenna hinaus und grenzte hier an Gebiete, die sich in mehr oder weniger großer Abhängigkeit vom Kirchenstaat befanden. Allerdings wankte das Seeimperium der Markusrepublik. Bemühungen der Päpste nach dem Fall Konstantinopels, die italienischen Staaten und weitere Mächte zu Kreuzzugsunternehmen gegen die Türken zu vereinen, war kein nachhaltiger Erfolg beschieden. 1470 griff eine türkische Flotte die Insel Negroponte (Euböa) an: «Ein Wald auf dem Meere, unglaubhaft, wenn man ihn zu beschreiben sucht, aber überwältigend, wenn man ihn erblickte», so schrieb der Kapitän einer venezianischen Galeere. Der wichtigste Stützpunkt Venedigs in der Ägäis fiel. Nach Kämpfen mit wechselhaftem Erfolg mußte sich die Serenissima 1479 zum Frieden verstehen: Von der Spitze des Campanile von S. Marco aus hatten die erschreckten Venezianer bereits den Rauch von Dörfern wahrgenommen, die durch türkische Invasoren in Brand gesteckt worden waren. Der Friedensschluß mit Venedig ermöglichte der Hohen Pforte allerdings den spektakulären Überfall auf das neapolitanische Otranto (1480). Diese Vorgänge bilden den Hintergrund der diplomatischen Aktionen des Kardinals von Gerona, die Bisticci anschaulich schildert (vgl. S. 176–179). Es ist dies übrigens eine Passage der ‹Vite›, die besonders deutlich erkennen läßt, wie der Autor Geschichte und göttliches Wirken ineinander verflochten sieht. Nur der unerwartete Tod des Sultans, also Gottes Fügung, habe Otranto gerettet. Gott greift ein, weil, so glaubt Bisticci, die kleinmütigen Venezianer untätig bleiben; ja, diese hätten dem Herrn nicht einmal, wie es sich gebührte, gedankt, so daß dieser sich selbst Freudenfeuer und Glockengeläute bereitet. Am Himmelfahrtstag, der auf den Tod Sultan Mahomets folgt, bricht auf dem Markusplatz ein großes Feuer aus . . .

Bisticci, das bringt er in den ‹Vite› wiederholt zum Ausdruck, mochte – guter Florentiner, der er war – die Venezianer nicht. Er hält sie für sittlich verkommen, für treulos und verschlagen. Als er diese Meinungen zu Papier brachte, hatte sich Florenz allerdings bereits seit langem von diesem einstigen Verbündeten abgewandt. Cosimo de' Medici hatte in richtiger Einschätzung der Lage Francesco Sforza im Kampf um das Herzogtum Mailand unterstützt; sichtbarer Ausdruck seines Engagements in diesem Machtspiel war die Einrichtung einer Bankfiliale in der Stadt des heiligen Ambrosius, in einem von Michelozzo entworfenen Palast, der an Größe und Pracht allenfalls dem Florentiner Hauptsitz nachstand. So kam es zu einem wirklichen *renversement des alliances*, zu einer Umkehrung der Allianzen: War die Auseinandersetzung mit dem manchmal übermächtig scheinenden Mailand die Konstante für die Staatsräson der Florentiner – und zugleich Voraussetzung des Zusammengehens mit Mailands natürlichem Gegner Venedig – gewesen, trat nun eine feste Verbindung mit dem inzwischen als weniger gefährlich eingeschätzten Staat des Sforza an die Stelle der alten Partnerschaft. Die «Achse» Florenz – Mailand wurde zum wichtigen Faktor des Gleichgewichtssystems von Lodi.

In den Kraftfeldern um Venedig, Mailand, Florenz, Rom und Neapel hatten sich die kleineren Signorien der Halbinsel zurechtzufinden, die Este in Modena und Ferrara, die in Mantua sitzenden Gonzaga, die Stadtstaaten Lucca, Siena und die Staatsgebilde in den Marken und der Emilia Romagna. Talent und kühler Berechnung bedurfte es, um in diesem komplizierten politischen Szenario seinen Platz zu behaupten. «Im ganzen genommen, mußten Große und Kleine sich mehr anstrengen, besonnener und berechneter verfahren und sich der gar zu massenhaften Greuel enthalten; sie durften überhaupt nur soviel Böses üben, als nachweisbar zu ihren Zwecken diente», so charakterisiert Burckhardt in seiner fein ironischen Art die Situation. Im Italien der Zeit nach Lodi gelangt das «Kunstwerk Staat», wie Burckhardt es beschreibt, zu seiner Vollendung. Kunstwerke sind diese Staaten und staatsähnlichen Gebilde in doppeltem Sinne: Einmal zeigen sie sich als «ästhetisch» in der Urbanistik ihrer Städte, in der verfeinerten Kultur ihrer Höfe und Residenzen. Hier soll Ideales aus dem Geist in die Wirklichkeit gezwungen werden. Und zum zweiten stellt sich das System dieser Staaten als Gebilde dar, das nach vernünftigen Prinzipien, geradezu nach geometrischen Gesetzen, konstruiert scheint.

Den Höhepunkt der Viten Bisticcis bildet jene, die einem der kleineren Fürsten Italiens gewidmet ist: die Federicos von Montefeltro, dessen politisches Handeln und dessen Mäzenatentum seinen Staat zum geradezu klassischen Kunstwerk in solch zweifachem Verständnis werden lassen. Dieser Mann, Herr eines kleinen Territoriums ohne allzu bedeutende Ressourcen, konnte seinen Staat nur bewahren, wenn er mit äußerster strategischer Intelligenz zu Werke ging. Er war auf Allianzen mit einer oder mehreren der größeren Mächte angewiesen. Zunächst mit Francesco Sforza und Florenz verbunden, trat er 1451 in die Dienste der Aragonesen, denen er bis zu seinem Tod die Treue hielt. In der Schlacht von ·S. Fabiano (27. Juli 1460), von der Bisticci auf der Grundlage der Chronik Francesco Filelfos berichtet (vgl. S. 206), kämpfte er an der Seite seines Schwiegervaters Alessandro Sforza gegen den berühmten Piccinino; dieser stand für die angiovinischen Gegner des Königs Ferrante von Aragon im Feld. Daß die Truppen Aragons eine Niederlage erlitten, geht aus Bisticcis Bericht nicht hervor – Federico wird dem Leser als Sieger präsentiert, obwohl er wahrscheinlich allenfalls das Schlimmste, nämlich ein völliges Debakel, verhindert, vielleicht einen großen Teil des aragonesischen Heeres gerettet hat.

Zu dieser Zeit agierte Federico als Generalkapitän der italienischen Liga. Er empfing Soldzahlungen vom Papst, vom König von Neapel, aus Mailand und Florenz. Seine Position ermöglichte es ihm zugleich, seine ureigensten regionalen Interessen zu verfolgen. Das Duell mit Sigismondo Malatesta und dessen Sohn Roberto war nicht nur eine Auseinandersetzung des Liga-Kapitäns mit einem Parteigänger der Anjou und einem Feind des Papstes, sondern auch mit einem Nachbarn und persönlichen Rivalen. Während dieses Feldzuges kam es – Ende September 1463 – zu der von Bisticci erwähnten Belagerung und Einnahme der Stadt Fano durch Federico. Die Handlungsspielräume Federicos von Montefeltro bestimmten sich im Rahmen der Ordnung von Lodi vor allem durch den Umstand, daß sich in der Romagna – seiner Interessensphäre – die Einflußgebiete mehrerer italienischer Großmächte überschnitten. Dies bewahrte den Signori dieser Region eine gewisse Selbständigkeit, zog ihren Ambitionen allerdings auch Grenzen. Da keine der größeren Mächte der anderen entscheidende Gebietsgewinne gönnte, kam es rasch zu Gegenwirkungen, wenn ein Staat es wagte, das Gleichgewicht in Frage zu stellen. Das System von Lodi stellt sich gelegentlich dar wie ein chemisches Laboratorium: Es gibt Wahlverwandtschaften unter den Stoffen darin, Anziehung, Abstoßung, Reaktionen, die vollkommen logischen Gesetzen folgen. Die Aus-

6 *Herzog Federico da Montefeltro mit seinem Sohn Guidobaldo,*
  um 1477. Gemälde von Pedro Berruguete (gest. 1503).
  Urbino, Palazzo Ducale, Galleria Nazionale delle Marche

einandersetzung mit der Gestalt Federicos von Montefeltro eröffnet
übrigens die vielleicht klarsten Einblicke in diesen Raum einer –
man möchte fast sagen – synthetischen Politik, in dem minimale
militärische Mittel die Fortexistenz einer stets gefährdeten Balance
gewährleisten. Nicht zu übersehen sind schließlich die Voraussetzungen, die das System in der inneren – oft genug unfertigen, labi-
len – Situation der italienischen Staaten hatte.

  So meinte Venedig, die Schwächeperiode, die Florenz nach dem
Tod Cosimo de' Medicis (1464) durchzumachen schien, für eine
offensive Politik in der Toskana und in der Romagna nützen zu

7 *Erinnerungsmedaille auf Lorenzo und Giuliano de' Medici und die gescheiterte Pazzi-Verschwörung, Vorder- und Rückseite. Bertoldo di Giovanni, vor 1491. Berlin, Staatliche Museen Preußischer Kulturbesitz, Münzkabinett*

können; der Condottiere der Serenissima, Bartolomeo Colleoni, mag freilich, wie manche argwöhnten, auf eigene Rechnung versucht haben, sich in einem vermeintlich günstigen Augenblick einen eigenen Kleinstaat zusammenzuerobern. Der König von Neapel, gerade mit seinen eigenen aufsässigen Baronen fertiggeworden, hatte größtes Interesse an der Stabilisierung der Verhältnisse. Es gelang, Papst Paul II. – der immerhin selbst Venezianer war – für eine Beteiligung an der Liga zu gewinnen. Federico von Montefeltro wurde erneut in Sold genommen; die Kosten teilten sich Neapel, Rom, Mailand und Florenz. In den Zusammenhang der Verhandlungen um diese *condotta* im Frühsommer 1467 gehört Bisticcis anekdotenhafter Bericht von einem angeblichen «Konkurrenzangebot» Venedigs (vgl. S. 208). Die Operationen verliefen zunächst nach einem für die Epoche typischen Muster: Man unternahm vorsichtige Rochaden, versuchte, sich gegenüber dem Feind in einen strategischen Vorteil zu manövrieren. Bisticci versäumt natürlich nicht, seinen Helden hier mit Fabius Maximus Cunctator zu vergleichen – doch sollte man wissen, daß die Schlacht für die Condottieri des 15. Jahrhunderts in der Tat nur letztes Mittel war. Es war viel zu kostspielig, eine Armee zu unterhalten, als daß man sie leichtfertig im Kampf hätte opfern wollen. Federico erhielt für sein Engagement ein persönliches Honorar von 6000 Golddukaten, während für den Unterhalt der Truppe 60000 Golddukaten bezahlt wurden. Obwohl dies sehr hohe Summen waren – man bedenke, daß der Bau von Federicos Palast in Gubbio vermutlich weit weniger

als 35 000 Dukaten kostete! –, ließ sich von diesem Geld im Kriegs-
fall eine Truppe von lediglich etwas mehr als 1000 Reitern und 300
Fußsoldaten für ein Jahr ins Feld stellen.

Die Dimensionen des Renaissancekrieges erweisen sich so als
sehr beschränkt. Manche Schlacht dürfte wohl eher einem Ritter-
turnier geglichen haben (und Machiavelli kritisiert diese Form der
Kriegsführung an einer berühmten Stelle seines ‹Principe› auf das
heftigste).

Das Duell zwischen dem Montefeltro und Bartolomeo Colleoni
führte dann allerdings doch zu einer wirklichen Schlacht, am 25.
Juli 1467, in der Nähe von La Molinella, einem Ort zwischen Bologna und Ferrara. Das von Geschichten umrankte Treffen endete,
nachdem der venezianische Feldherr seinem Gegner eine Trompete
hatte überbringen lassen zum Zeichen, daß nun genug gekämpft
sei. Einige hundert Streiter mögen getötet worden sein. Es muß
eines der verlustreicheren Kriegsereignisse des Jahrhunderts gewesen sein. Wer die Schlacht eigentlich gewonnen hat, ist allerdings
bis heute nicht ganz klar.

Bisticci schildert das Treffen ziemlich ausführlich (S. 212ff.),
ebenso die Verteidigung Riminis gegen Truppen Papst Pauls II. Hier
agierte der Montefeltro an der Seite Roberto Malatestas und des
Herzogs von Kalabrien, eines Sohnes König Ferrantes. Federicos
Sieg in der Schlacht von Mulazzano (29. oder 30. 8. 1469) wird dann
erstaunlicherweise nicht ausdrücklich erwähnt, obwohl er eine der
berühmtesten Waffentaten des Grafen von Urbino war. Gegen die
Venezianer, gegen den Papst: Montefeltro begegnet uns als Züngl-
lein an der Waage, als Bewahrer der italienischen Balance, die freilich auch seine eigene politische Existenz gewährleistete; noch in
seinem letzten Feldzug (1482) agiert er für das Gleichgewicht der
Pentarchie, steigt in den Sattel, um Venedig den Appetit an der
düsteren Residenzstadt der Este zu verderben – wie Bisticci mitteilt, wiederum standhaft gegenüber allen Abwerbungsversuchen
der Serenissima.

Die Kunst des Gleichgewichts: Dieses Motto kennzeichnet die
Staatsräson des Federico da Montefeltro, aber mehr noch steht es
für ein Prinzip seiner persönlichen Lebensführung. Berruguetes berühmtes Gemälde zeigt uns den geharnischten Kriegsmann, im Ornat der 1474 erworbenen Herzogswürde, lesend in seinem *studiolo*.
Ars bildet das Gegengewicht zu *Mars*. Darin liegt die Auflösung des
kryptischen Bildes auf Federicos Porträtmedaille von Clemente da
Urbino: Der Adler, Symbol des *Jupiter tonans*, trägt auf seinen
Schwingen die Symbole von Mars und Venus, und eine Kanonen-
kugel ist es, die das Ensemble in einer prekären Balance hält. Ihren

Spiegel hat die Szene des Emblems im Krieg um Volterra, den Federico da Montefeltro 1472, diesmal als Condottiere Lorenzo de'
Medicis, mit florentinischen und mailändischen Truppen führte
(vgl. S. 214ff.): Die Soldaten erstürmen und plündern die Stadt, es
gelingt dem Feldherrn nicht, sie zu zügeln; seine schönste Beute
aber sind wertvolle hebräische Handschriften, und von seinen Auftraggebern erhält er einen von Antonio Pollaiuolo gestalteten Sil-
berhelm.

Der Krieg um Volterra hatte eigentlich wirtschaftliche Gründe.
Die Stadt in der kargen Hügellandschaft der westlichen Toskana
war, obwohl Florenz gegenüber tributpflichtig, weitgehend selbständig gewesen. Nun war 1470 eine Gesellschaft gegründet worden, die es sich zum Ziel setzte, im Gebiet der Stadt Alaun zu
fördern. Das wichtigste italienische Alaunvorkommen, in den zum
Kirchenstaat gehörenden Bergen bei Tolfa, wurde seit 1466 von der
Medici-Bank ausgebeutet, und Lorenzo der Prächtige war natürlich
daran interessiert, die Kontrolle über den Handel mit diesem wichtigen Rohstoff – Alaun diente insbesondere dem Textil- und dem
Lederhandwerk als Beizmittel – in seiner Hand zu konzentrieren.
So engagierte er sich in der Volterraner Gesellschaft. Die dortigen
Geschäftsleute nun sahen sich durch die florentinische Konkurrenz
bedrängt, es kam zu Auseinandersetzungen, schließlich zur Fest-
setzung der Gesandten Lorenzos, und diese Vorgänge lösten die
Militäraktion gegen Volterra aus. Lorenzo fand bei der Signoria Unterstützung für dieses Unternehmen – obwohl es den Beigeschmack
eines Privatkrieges hatte –, weil die Unbotmäßigkeit einer Stadt
womöglich anderen, mit der florentinischen Herrschaft Unzufrie-
denen ein bedrohliches Exempel bieten mochte. Andererseits nähr-
te der grausame Volterra-Krieg auch die Unzufriedenheit mit dem
Regiment Lorenzos, des jungen, gerade erst an die Macht gekom-
menen Medici.

Lorenzo bemühte sich zur gleichen Zeit um eine erneute Allianz
mit Mailand und Venedig, die 1474 auch zustande kam. Doch wirk-
ten diese Vereinbarungen spannungsverschärfend, da es nicht gelang, den König von Neapel in die Allianz zu integrieren; auch der
Papst hielt sich fern.

Mord im Dom

Unter den Nachfolgern Eugens IV. hatte die Konsolidierung des
Kirchenstaates weitere Fortschritte gemacht. Die Verschwörung
des Stefano Porcaro, eines römischen Ritters, scheiterte (vgl.

S. 141f.); Nikolaus V., den er mit eigens vorbereiteten goldenen Ketten hatte fesseln wollen, ließ ihn an einer Zinne der Engelsburg aufknüpfen. Die Mitverschwörer des Porcaro endeten an Galgen, die auf dem Kapitol errichtet worden waren. Der «Humanistenpapst» erwies sich hier als harter Staatsmann. Zeichen seiner wachsenden Macht – und damit überhaupt der des Heiligen Stuhles – war, daß er energisch die urbanistische Umgestaltung Roms in die Hand nahm; Bisticci schreibt anschaulich von der Bauleidenschaft Parentucellis (vgl. S. 138f.), dessen Pontifikat mit dem Heiligen Jahr 1450 einen Höhepunkt erlebte. Mit römischem, gewöhnlich von der Medici-Bank verwaltetem Geld wurden jene toskanischen Künstler bezahlt, die das Werk der Erneuerung der Ewigen Stadt ausführten: Fra Angelico, Benozzo Gozzoli, Domenico Ghirlandaio, Sandro Botticelli . . . Der römische Hof wurde zu einem neuen Zentrum der Renaissance. Nikolaus' V. Nachfolger Kalixt III. (Papst 1455–1458) trieb den Zentralisierungsprozeß im Kirchenstaat voran, allerdings vor allem mit Hilfe des recht ambivalenten Instruments des Nepotismus. Seine Nachfolger wandten die Methode, die eigene Macht und die des jeweiligen Clans zu festigen, indem man Verwandte und Landsleute förderte, nicht weniger schamlos an – mit der Folge, daß ein neugewählter Papst gewöhnlich erst einmal alle Hände voll zu tun hatte, die Günstlinge des Vorgängers loszuwerden und die Macht von dessen Sippe zu brechen. Solche Auseinandersetzungen führten zwar immer wieder zu Unruhen im Patrimonium Petri, der langfristige Trend zur festen Etablierung der päpstlichen Herrschaft aber wurde durch sie nicht gebrochen. Und: Nach der Überwindung des Schismas und dem Scheitern der konziliaren Bewegung wurde der Heilige Stuhl wieder zum unbestrittenen Zentrum der Christenheit. Der politische Kampf, den die Päpste seit Kalixt III. um die Organisation eines Kreuzzugs gegen die Türken führten, ist Ausdruck neu gewonnenen Selbstbewußtseins und erweiterter Handlungsspielräume. Doch scheiterten diese hochfliegenden, ja phantastischen Pläne, den Türken Einhalt zu gebieten, weitgehend. Dies hatte nicht zuletzt damit zu tun, daß den Päpsten – wie den von ihnen für den Türkenkrieg gesuchten Verbündeten – das italienische Hemd näher war als die universale Jacke.

Wie schon Paul II. richtete auch Sixtus IV. begehrliche Blicke auf die Toskana; Florenz, die kleinste unter den italienischen «Großmächten», mochte als die am ehesten verwundbare erscheinen. Lorenzo de' Medici hatte sich zur Zeit des Volterra-Unternehmens zur Sicherung seines Staates um die Erneuerung des Systems der *lega italica* bemüht. Mit Venedig und Mailand kam in der Tat 1474 eine

Allianz zustande, doch gelang es dem Medici nicht, den Papst und den König von Neapel für das Bündnis zu gewinnen. Die Entfremdung zwischen der Medici-Republik und dem Stuhl Petri war durch Streitigkeiten um den Besitz Imolas – wieder ein Ort in der Emilia Romagna, dem «Wetterwinkel» am Rande der Einflußsphären! – gewachsen; nun drängte der Konflikt zur Eskalation, es kommt zu jenen Ereignissen, deren schaurige Schlußszenerie wir an den Beginn unseres Berichts gestellt haben.

Florenz, Sonntag, 26. April 1478. Im Dom wird feierlich das Hochamt zelebriert. Die Vornehmen des Staates sind anwesend, auch Lorenzo de' Medici und dessen jüngerer Bruder Giuliano nehmen am Gottesdienst teil. Mit der Wandlung gelangt die heilige Zeremonie zu ihrem Höhepunkt; der Priester erhebt die Hostie. In diesem Moment geschieht Ungeheuerliches: «Lauter Lärm erfüllte die Kirche», berichtet ein Augenzeuge. «Ich stand eben im Gespräch mit Messer Bongianni, als allgemeine Bestürzung die Ritter und alle Anwesenden ergriff. Der eine floh hierhin, der andere dorthin; die Leute der Pazzi hatten alle die Waffen in den Händen.» Wer näher zum Altar unter Brunelleschis Kuppel steht, sieht, wie jemand auf Giuliano de' Medici zueilt, ihm ein kurzes Schwert in die Brust stößt; der bricht tödlich getroffen zusammen. Zugleich dringen zwei andere auf Lorenzo ein, ein Dolch trifft ihn am Nakken. Geistesgegenwärtig rafft der Medici den Mantel zusammen, zieht selbst die Waffe. Gedeckt von einigen Anhängern erreicht er die Sakristei, Angelo Poliziano schlägt die schwere Bronzetür hinter dem Bedrohten zu.

Die Sache der Pazzi ist mit dem Scheitern des Mordanschlags auf das Haupt des Medici-Clans verloren. Jacopo de' Pazzi versucht wohl, die Florentiner mit der altbekannten Parole «Freiheit und das Volk» für den Aufstand zu gewinnen, doch wie er das, durch die Gassen reitend, ruft, schallen ihm nur Flüche und der Ruf *«Palle, palle»* entgegen: Man zog die Kugeln des Medici-Wappens einer Freiheit von Gnaden der Pazzi vor. Am Abend hingen die Rädelsführer der Verschwörung, unter ihnen auch Francesco Salviati, der Erzbischof von Pisa, mit dem Kopf nach unten von den Fensterstöcken des Palazzo Vecchio. Das Schicksal noch des toten Jacopo de' Pazzi haben wir bereits erzählt.

Daß die Verschwörer kaum beabsichtigt haben dürften, dem Volk von Florenz seine alten republikanischen Freiheiten wiederzugeben, daran kann kein Zweifel bestehen. Die Protagonisten des Putschversuches repräsentierten nichts anderes als einen mit der Medici-Familie rivalisierenden Clan, der schon zur mächtigen Feudalaristokratie der Toskana zählte, als die Familie mit den Kugeln im Wappen in Florenz noch völlig unbekannt war. Auch die Pazzi-Verschwörung war somit nichts anderes als eine Auseinandersetzung innerhalb der Elite der Stadt. Es ging nicht um Republik oder Monarchie, um Freiheit oder Unterdrückung, sondern um die Frage, welcher Familie samt ihres Klientelnetzes die bestimmende Rolle im Staat zukommen würde. Wenn die Florentiner auf Jacopo de' Pazzis Freiheitsruf kühl reagierten und sich um das Medici-Emblem scharten, zeigt dies, daß sie diese Zusammenhänge begriffen hatten.

Im Hintergrund der Pazzi-Verschwörung hatte, das ist kaum zweifelhaft, Papst Sixtus IV. gewirkt. Er war mit der innerflorentinischen Opposition gegen das Regiment des «Prächtigen» in Verbindung getreten (auch ein Volterraner war unter den Verschwörern). Als Ziel schwebte ihm zumindest vor, ein dem Kirchenstaat gewogeneres, vielleicht sogar vom Heiligen Stuhl abhängiges Regime am Arno zu etablieren. Der «Pazzi-Krieg», in den Florenz nach der Niederschlagung des Staatsstreiches verwickelt wurde, erwies sich als äußerst kostspielig und verlustreich. Lorenzo de' Medici konnte ihn durch eine riskante Aktion beenden: Im Dezember 1479 begab er sich überraschend mit nur wenigen Begleitern an den Hof König Ferdinands von Neapel – in die Höhle des Löwen sozusagen, denn der Aragonese pflegte im Zweifelsfall wenig zimperlich mit seinen Gegnern umzugehen. Man wußte, daß er es liebte, seine Feinde möglichst in seiner nächsten Nähe zu haben – in Ketten oder als einbalsamierte Leichname.

Der Mut Lorenzos wurde durch einen Friedensvertrag belohnt, zumal der Aragonese einsah, daß der Krieg in der Toskana wenn, dann dem Papst und nicht ihm nützte. Die diplomatische Kunst des Medici trug so auch dazu bei, daß das italienische Gleichgewicht noch über ein weiteres Jahrzehnt bewahrt blieb. Im Innern von Florenz aber war die Macht Lorenzos fest etabliert. Zusehends verging selbst der Schein alter republikanischer Freiheiten – sie hatte es ohnehin mehr in der Florenz-Panegyrik einiger Humanisten gegeben als in der politischen Realität.

Bürgerhumanismus gegen die Zeit

Das Florenz Lorenzos des Prächtigen war, nach allem, was wir wissen, nicht mehr die Stadt, die Vespasiano da Bisticci geliebt, deren politisches System er bewundert hatte. Er nahm, wie einige hellsichtige Bemerkungen in der Vita Cosimo de' Medicis erkennen lassen, die Erosion der republikanischen Verfassung – oder sollen wir sagen, das Zerbröckeln einer schon lange im Verfall begriffenen Fassade? – durchaus wahr. Mit dem Regiment Cosimos mag er seine altrömischen Ideale immerhin noch eher in Einklang gebracht haben können als mit der Herrschaft von dessen Enkel. Cosimo war ein geschickter Marionettenspieler gewesen, keiner, der in goldschimmernder Rüstung selbst den Part des Hauptdarstellers übernommen hätte.

So träumt unser Buchhändler in seinen Lebensbeschreibungen oft von einer besseren Vergangenheit, und er macht Pergament aus seinen Träumen. Im Reden über die Erlebnisse in einer verklärten Zeit, im Diktieren, das zugleich zur Selbstreflexion werden konnte, holte er sich all dies Verlorene nochmals zurück in die Einsamkeit von Antella, das sich so von einer *terra oblivionis* eigentlich zu einem Ort der Erinnerung wandelte. Es gibt einige Stellen in den ‹Vite›, wo gleichsam mit Händen zu greifen ist, wie die Erinnerung an Gesehenes, Erlebtes umschlägt in Begeisterung, wie sich Gefühle des Erzählers bemächtigen. So, wenn er von der Bibliothek Herzog Federicos von Montefeltro schreibt: «[. . .] es gab kein Buch von Lateinern und von griechischen Autoren, deren Werke in Latein vorlagen, das seine Herrlichkeit nicht in seiner Bibliothek hätte sehen wollen. Dann die heiligen Doktoren, die es in Latein gibt – er wollte sämtliche Werke der Kirchenväter. Und in welcher Schrift! [. . .] Und in welcher Pracht! Nein, vor irgendwelchen Kosten hatte er keine Scheu.»

Unverkennbar ist, daß Bisticci, wenn er vom blühenden Zeitalter der Wissenschaften und Künste schrieb, dies im Bewußtsein tat, von etwas unwiederbringlich Vergangenem zu handeln. Er rühmt die Sitten, schildert die wissenschaftlichen und künstlerischen Leistungen «jener Zeit», redet von etwas, was vorbei ist. Am deutlichsten wird das in der Vorrede zur Vita Papst Nikolaus' V., die ursprünglich das ganze Werk einleiten sollte: «Da ich in jenem Zeitalter gelebt und so viele einzigartige Männer gesehen habe [. . .] und damit der Ruhm so bedeutender Männer nicht vergehe, habe ich – auch wenn das meinem Beruf fern ist – eine Erinnerung an all jene gelehrten Männer, die ich in jener Zeit kennengelernt habe, verfertigt.» Inzwischen, befindet er, seien die Wissenschaften untergegangen, und er führt das darauf zurück, daß es keine Mäzene mehr gebe, die Auftraggebern wie Alfonso von Neapel, Nikolaus V. oder dem Herzog von Urbino gleichkämen.

Was Bisticci eigentlich wahrnahm, war nicht ein allgemeiner Rückgang von Kunstaufträgen oder der für die Wissenschaften aufgewandten Mittel, kein Abdanken der großen Mäzene, sondern vielmehr ein Strukturwandel des Marktes für Talent, der mit einer

Veränderung der humanistischen Gesellschaft zusammenhing. Unabhängig davon, welche konkreten politischen Hintergründe Bisticcis Ausweichen nach Antella gehabt hat, dürfte sein eigenes Geschick darüber hinaus Aspekte dieses Wandels spiegeln. War der frühe Humanismus – so hat es Eugenio Garin, auf Forschungen Hans Barons aufbauend, formuliert – eine «Hymne auf die Werte bürgerlichen Lebens» gewesen, auf den freien Bau einer irdischen Stadt durch Menschen, zeige das späte 15. Jahrhundert Weltflucht und eine deutliche Wendung hin zur Kontemplation. Er sah diesen Wandel in enger Beziehung zur wachsenden Macht der Fürsten, zum Bedeutungsverlust der Kommunen, erkannte darin eine Verlagerung der politischen Gewichte, die Konsequenzen hatte für die Stellung der Humanisten (und, so könnte man hinzufügen, für jene, die in enger Beziehung zur humanistischen Kultur standen, wie Vespasiano da Bisticci). Wenn Signori wie Lorenzo der Prächtige, so Garin, die *letterati* häufig förderten, dann sei nichtsdestoweniger wahr, daß sie sie dadurch zu Höflingen gemacht hätten. Dabei sei es unvorstellbar gewesen, daß sie ein von politischen Angelegenheiten durchdrungenes Denken als ihren Beruf hätten beibehalten können. Im Schatten der Fürsten also sei jene auf aktive Mitwirkung am politischen Leben der Gemeinschaft, der Polis, zielende Richtung der humanistischen Bewegung, die Baron mit dem Begriff des «Bürgerhumanismus» umschrieb, verblüht. Gewiß erfuhr diese Kategorisierung durch die spätere Forschung Kritik und Differenzierung; so wies Paul Oskar Kristeller darauf hin, daß der Renaissance-Humanismus als Ganzer keineswegs mit diesem Florentiner bürgerlichen Humanismus gleichgesetzt werden könne, und er erinnerte daran, daß es während des ganzen 15. Jahrhunderts in Italien durchaus einen «despotischen Humanismus» gegeben habe. Auch sei es völlig unmöglich, die gesamte Literatur der Renaissance oder jene Bereiche der humanistischen Schriften, die sich nicht mit politischen Fragen auseinandersetzten, mit solchen Kategorien zu fassen. Dennoch ist Barons Begriff gerade für die Analyse der intellektuellen Herkunft und der politischen Haltung Vespasiano da Bisticcis hilfreich. In seinem Werk finden sich Idealbilder guter Fürsten und für ihr Gemeinwesen handelnder Staatsmänner, die ihre Herkunft aus der Ideenwelt des Florentiner Bürgerhumanismus nicht verleugnen können. Allerdings ist das nur eine, wenngleich eine wichtige, oft dominierend hervortretende Seite seines Wertesystems, das von asketischen, «mönchischen» Idealen kaum weniger bestimmt wird. «Antella» erscheint aus dieser Perspektive als Chiffre für die Option der Weltflucht, für die sich ein Mann entscheidet, der sich dem Prinzip der *vita activa*, dem Ziel, für den

Staat zu wirken, eigentlich nicht weniger aufgeschlossen zeigt. Das ist im übrigen schon deshalb kaum verwunderlich, weil Werke der profiliertesten «Bürgerhumanisten», insbesondere Leonardo Brunis, seiner eigenen Arbeit als Quelle dienten und ihr Vorbilder lieferten. Folgerichtig erscheint die Flucht aus Florenz jedoch, wenn man sich klarmacht, welche Diskrepanz zwischen den älteren, von Leuten wie Bruni, Palmieri oder Leon Battista Alberti vertretenen Anschauungen und der politischen Realität in Florenz nach der gescheiterten Pazzi-Verschwörung bestand. Bisticci verließ ein politisches Ambiente, das er nicht mehr als das seine empfinden konnte, da dessen Herrscher es kaum noch für nötig hielt, seine Macht mit einem republikanischen Mäntelchen zum umkleiden.

Wenn man wissen will, was sich unser Autor unter einem idealen Politiker – und Bürger – vorstellte, lese man die Vita des Domenico di Lionardo di Buoninsegni (S. 376–378). Buoninsegni ist gebildet, beschlagen in der lateinischen Literatur; er ist ein guter Familienvater, ein gläubiger Christ, der den Orden seines Namensheiligen mit milden Gaben unterstützt und dem Kloster Bücher aus seiner Bibliothek hinterläßt. In seinen Ämtern erweist er sich als rechtschaffen, unbestechlich, und er pflegt eine offene Rede. Die bürgerlichen Lasten trägt er bereitwillig, und um seine Steuern bezahlen zu können, läßt er sich sogar dazu herbei, die ‹Kosmographie› des Ptolemäus abzuschreiben und einige Exemplare davon zu verkaufen. Umsturz und Verfassungsänderungen steht er entschieden ablehnend gegenüber, in allem erweist er sich als ein Mann des Maßes und der Mitte, geduldig, freundlich, niemals Opfer der eigenen Leidenschaften.

Unbedingtes Pflichtgefühl gegenüber dem Gemeinwesen und Loyalität, selbst wenn die Vaterstadt sich als schwierig oder gar undankbar erweist, sind weitere Ideale in Vespasianos Bürgerhumanismus. Giannozzo Manetti, der eine große Zahl wichtiger Ämter gerecht, ausgleichend und klug verwaltet hatte, bis er sich genötigt sah, nach Rom und Neapel zu gehen – die Erzählung von seinem tränenreichen Abschied von Florenz zählt zu den Glanzstücken der ‹Vite› –, bleibt seiner Stadt treu verbunden; ebenso Palla Strozzi: «So blieb Messer Palla für 26 Jahre im Exil in so großer Ehrbarkeit, so großer Bescheidenheit, daß er der ganzen Welt ein Beispiel war», schreibt Bisticci in der Vita Alessandra de' Bardis. «Und stets sprach er mit größter Ehrerbietung von seiner Vaterstadt, ohne jemals wem auch immer Gehör zu schenken, der sie zu beleidigen trachtete.» Strozzi, bis zur Verbannung nach der Rückkehr Cosimo de' Medicis 1434 der reichste und einer der mächtigsten Florentiner, erscheint als von der mißgünstigen *fortuna* bezwungener Titan, aus dem Glanz höchsten Glücks gestoßen in den Schatten eines traurigen Exils; als tragische Gestalt von altrömischem Format: «Hätte Messer Palla in der römischen Republik gelebt, zu jener Zeit, als sie blühte an einzigartigen Männern, [. . .] er hätte hinter unzähligen großen Römern nicht zurückstehen müssen.»

Und so war das glänzende Florenz in Bisticcis Augen ein zweites Rom, ja wohl dem wirklichen, zur Ruine verfallenen Rom seiner Gegenwart vorzuziehen. In der Vorrede zur Vita Nikolaus' V. führt er «archäologische» Belege für seine Meinung an: Aquädukte, das Theater von Fiesole, auch das Baptisterium S. Giovanni, das unser Autor – einer gängigen Auffassung folgend – mit einem antiken Marstempel gleichsetzt. Antiquarische Studien zeigen sich als ethisches Tun: Die antiken Überreste verweisen nicht nur auf moralische Grundlagen des eigenen Gemeinwesens, in der Rekonstruktion des Alten aus Ruinen und Texten gewinnt der Bürgerhumanist Maßstäbe und Argumente für die Politik der eigenen Zeit.

Auf die Wiederentdeckung dieser Traditionen durch die humanistischen Schriftsteller folgte die Renaissance des Altertums in Architektur und bildenden Künsten – eine Entwicklung, die sich in Bisticcis Werk kaum gespiegelt findet – und, zögernd zunächst, in Formen staatlicher Repräsentation. Man griff auf das Vorbild der Lorbeerkrönung des toten Coluccio Salutati – im Mai 1406 – zurück, wenn man Leonardo Brunis Leichnam im Rahmen einer eindrucksvollen Totenfeier, bei der Giannozzo Manetti den Nachruf sprach, mit Lorbeer bekränzte. Das war am 9. März 1444; ein Akt nach dem Brauch der Alten, «secondo la consuetudine degli antichi», wie wir in Manettis Vita lesen.

Wahrscheinlich war Vespasiano als junger Mann Anfang zwanzig unter den Zuschauern der Zeremonie gewesen; er mag da im von der geschickten Hand Cosimo de' Medicis ausbalancierten Florenz erlebt haben, wie sich der untergehende Bürgerhumanismus nochmals prunkend feierte: Manetti an der Bahre Leonardo Brunis – daß da eine Epoche der Florentiner Geistesgeschichte sich symbolisch das eigene Leichenbegängnis ausrichtete, dessen dürfte sich der junge Vespasiano damals kaum bewußt gewesen sein.

Antella

Die Geschichte der italienischen Renaissance hat eine Schlüsselszene, die uns Machiavelli in einem Brief vom 10. Dezember 1513 beschreibt. Er schildert darin dem florentinischen Gesandten in Rom seinen Tageslauf auf dem Landgut in S. Casciano, wo er nach der Mediceischen Restauration in erzwungenem Abstand von politischen Geschäften lebt; wie er Drosseln jagt, Bäume beschneidet, am Vogelherd Dante, Petrarca, vielleicht auch einmal Tibull oder Ovid liest, mit Bäckern, dem Müller, dem Metzger Karten spielt, seine Mahlzeiten von jenen Produkten, die das kleine Landgut bietet, nimmt. Er erzählt, wie er sich an der Straße, die an der *hostaria* des Landgutes entlangführt, mit den Vorüberkommenden unterhält, nach Neuigkeiten fragt, manches erfährt, die verschiedenen Anschauungen und unterschiedlichen Phantasien der Menschen wahrnimmt. Am Abend jedoch wandelt sich die freundliche, belanglose Szenerie ins Erhabene. Der gestürzte Kanzler der Republik Florenz streift die verschmutzten Alltagskleider ab, umhüllt sich mit königlichen, höfischen Gewändern und begibt sich in seine Schreibstube. «Wieder angemessen bekleidet, trete ich in die antiken Höfe der antiken Männer ein, wo ich mich, liebevoll von ihnen empfangen, von jener Speise nähre, die allein mir gehört und für die ich geboren bin; wo ich mich nicht schäme, mit ihnen zu sprechen, sie nach den Gründen ihrer Taten zu fragen; und sie antworten mir in ihrer Freundlichkeit. Keine Langeweile empfinde ich für die Zeit von vier Stunden, jeden Kummer vergesse ich, fürchte nicht mehr die Armut, und der Tod schreckt mich nicht: Ganz versetze ich mich unter sie.»

S. Casciano wird zum Tusculum einer wunden Seele. Die imaginäre Konversation mit den Großen der Antike wird zum therapeutischen Gespräch, der *scrittoio* zum idealen Ort, zum Utopia in einer aus den Fugen geratenen Welt: In der Schreibstube des an der Wirklichkeit Gescheiterten eröffnet sich ein Reich der Freiheit und Schönheit, umgeben von einem Paradiesgarten, in dem sich mit den Großen der Vergangenheit disputieren läßt; der, obgleich schon hinter der Pforte des Inferno, dem Geist Erquickung bietet.

Die Epoche kennt viele solcher Fluchten; Fluchten nicht mehr nur in die Einsamkeit eines Eremitendaseins, in die Abgeschiedenheit eines Klosters (Schreibstube und *studio* scheinen weltliche Klosterzellen zu sein), sondern Fluchten in die Sphären des Schönen. Sie haben angenehme Diskurse zum Ziel, heitere, von Pinien und Olivenhainen umschattete Orte, die Blicke freigeben übers weite, ins Blau verfließende Land – nach Vaucluse, nach Arcquà, nach Arkadien jenseits der Städte. Man findet sich fern der Pest des Erdendaseins: Die berühmteste dieser Fluchten, jene, die Boccaccio im ‹*Decamerone*› beschreibt, hat symbolische Bedeutung.

Die «doppelte Flucht», die Vespasiano da Bisticci 1478 versucht – die nach innen und jene andere in die Einsamkeit von Antella –, führt zunächst den Arno entlang, dann ein Stück hinauf in die *colli fiorentini*. Der Ort schmiegt sich an die Pfarrkirche S. Maria, einen nicht kleinen romanischen Bau, durch dessen schlichtes, von einem Bogen aus abwechselnd grauem Tuff und weißem Marmor bekröntes Portal Bisticci oft gegangen sein muß, um die Messe zu hören. Antella gehörte zur Podesteria von Bagno a Ripoli. Hier hatten viele wohlhabende Florentiner ihre Landsitze, von denen aus Weinberge, Olivenhaine, Äcker und Viehweiden verwaltet wurden; wohin man sich zur Sommerfrische begab oder zu Pestzeiten flüchtete. Wandert man vom Ort aus auf einen der leicht ansteigenden Hügel, etwa auf den Montesoni, öffnet sich eine elegische toskanische Szenerie. Zwischen die sanft zu den Tälern des Arno und des Greve hin abfallenden Hänge fügen sich die Gehöfte, manche Klöstern oder Burgen nicht unähnlich; über die Weinberge ragen da und dort die schwarzen Silhouetten hoher Zypressen und die Schirme der Pinien, es blitzt und knistert das Silber der Olivenbäume im hellen Sonnenlicht: Ein Land, das nicht durch dramatische Effekte und Überraschungen bewegt, keine Perspektiven in metaphysische Weiten öffnet, vielmehr eine Stimmung freundlicher Ruhe verströmt.

Bisticcis Landgut warf gewöhnlich genug zum Leben ab. Zeitweilig nutzt man das Holz aus zwei Wäldchen, baut Getreide an, Gerste und Bohnen, läßt Feigen wachsen. Eine Viehzucht erbringt zu Zeiten 70 Pfund Fleisch, aus den Oliven lassen sich acht Fässer Öl pressen, und im Herbst wird Wein gekeltert, wohl 25–30 *barili* (Fässer). Das Zentrum der Landwirtschaft bilden zwei kleinere Bauernhäuser und – die Ländereien sind nicht zusammenhängend, sondern zweigeteilt – eine *chasa da citadino*, wohl Vespasianos Wohnhaus, neben dem sich die Unterkunft der Bauern befindet. Einen Ofen bzw. ein Backhaus gibt es, einen Stall und einen Schuppen, wo die Ölpresse steht. Ein schöner Ruhesitz.

Bisticci findet mit der Zeit lyrische Worte, um sein Antella zu beschreiben. Er will auf diese Weise seinen Freund Pierfilippo Pandolfini bewegen, ihn zu besuchen. Von Wäldern schwärmt er, von erhabenen Bergen, Quellen, Wasserfällen, kristallklaren Bächen. Die Bäume, schreibt Vespasiano, «bewahren dir die Blätter, auf daß du kommst, bevor sie sie verlieren» – das Jahr geht zur Neige. Eine Kammer wartet auf Filippo, dazu manch schöne Annehmlichkeit. Es gebe da keine sorgenvollen Gedanken, die ihn auch nur eine Stunde, ja nicht einmal einen Augenblick beschweren würden, keinerlei Arten von Tieren, die den Schlaf störten, wie Stechmücken und dergleichen; eine Luft sei da, daß jeder Leib, «wie schwach und krank er auch sei», sofort seine früheren Kräfte zurückgewinne.

Auch versucht er seinen Freund mit dem Hinweis zu locken – wir haben die entsprechende Briefstelle bereits zitiert –, es gebe keine Frauen in Antella. Ob das allerdings ein gutes Argument war? Vespasianos Freuden im bukolischen Ambiente waren anderer, gleichwohl durchaus leiblicher Art. Um Pierfilippo einen Vorgeschmack zu geben, was ihn bei einem Besuch noch erwarte, fährt der Briefschreiber mit der Erzählung von einer Wanderung fort, die er am Tag zuvor mit einem Gefährten über die Berge der Umgebung unternommen habe: «Von dort sahen wir das ganze Arnotal und das weite Land bis Pisa. All das ist reich an lieblichen Quellen, und unter dem Gipfel war eine ausgedehnte Ebene, wo wir Hirten mit ihrem Vieh fanden. Wir gingen weiter an einem Gehölz entlang, in eine ganz bewaldete Bergschlucht; und da trafen wir auf eine Kirche und fanden den Priester. Der fachte gleich ein großes Feuer an und bereitete die Tische, nachdem er sie aufgestellt, mit blendend weißen Tüchern. Die besten Früchte brachte er und einen alten Wein, einen der großartigsten, die ich in diesem Jahr getrunken habe.»

Hier also, in einer von Weinreben und Olivenhainen bestandenen Landschaft, sind während eines langen, nahezu zwei Jahrzehnte währenden Lebensabends die ‹Vite› geschrieben worden. Florenz, gut acht Meilen nah, war doch ferngerückt: Bisticci sah die Höhe der Geschichte seiner Vaterstadt ebenso aus räumlicher wie aus zeitlicher Distanz, doch gewiß dauerte sein Interesse für das politische Geschehen in ihren Mauern fort. Vom Tod Lorenzos des Prächtigen muß er gehört haben; die Quellen schweigen darüber, was Bisticci bei der Nachricht vom Hinscheiden des «Magnifico» empfunden hat. Er erlebte das Zerbrechen des Gleichgewichtssystems von Lodi, das Ende einer Epoche relativer libertà für die italienischen Mächte unter den Schlägen der Invasionsarmee Karls VIII. von Frankreich, der 1494 seinen Siegeszug bis nach Neapel unternahm. Mit Aufmerksamkeit wird er das Ende der Medici-Herrschaft registriert, die Errichtung des Florentiner «Gottesstaates» durch Girolamo Savonarola im Jahre 1494 wahrgenommen haben. Wieder brannten in Florenz Scheiterhaufen der Eitelkeit, und neben Perücken und anderem Putz gingen auch Gemälde Botticellis in Rauch auf. Ob dieser extreme Versuch, das Gemeinwesen zu moralisieren, nicht Bisticcis eigener religiöser Haltung entgegenkam?

Der letzte Brief, der von Vespasianos Hand erhalten ist – er wurde am 24. April 1497 verfaßt –, spricht eher gegen eine solche Ansicht. «Wehe jener Stadt», schreibt er darin, «die dem Volk in die Hände fällt! Siehe, wie Aristoteles dies verdammt, es als die schlechteste

Regierung, die es gibt, ansieht, vom ‹Unflat des Volkes› – *fes popularis* in Latein – spricht; und wir stecken bis zu den Augen darin!» Er fährt fort mit Klagen über Bürgerkrieg und Uneinigkeit, die verabscheuten *discordie civili*, die ihm als das größte Übel der Welt gelten. Und er läßt durchblicken, daß er selbst die Folgen dieses Übels erfahren hat: «Wenn in den bürgerlichen Zerwürfnissen ein Bürger ins Exil geschickt wird, scheint es sein eigener Schaden zu sein; bedenkt man die Sache aber gut, ergibt sich, daß es allen Bürgern ein Schaden ist.»

Man hat diesen Brief, etwas übertreibend, als Bisticcis «politisches Testament» bezeichnet. Sein «Bürgerhumanismus» erweist sich hier nochmals als durchaus aristokratisch: Mit Volksherrschaft, mit dem Regiment der Masse hat sein Republikanismus nichts zu schaffen. Bisticcis Idealstaat wird getragen von guten Bürgern und «*uomini singolari*», jenen «einzigartigen Männern», die im Zentrum der ‹Vite› stehen. Nicht ohne Bitternis wird Bisticci beobachtet haben, wie sich die Dinge in Florenz zum Schlechten wandten. Schon an der Schwelle des Todes, könnte er vom Ende Savonarolas noch erfahren haben. Am 25. Mai 1498 wurde der Mönch gehenkt; seinen Körper verbrannten die Schergen auf der Piazza della Signoria. Bisticci segnete zwei Monate später, am 27. Juli, das Zeitliche. Man brachte seinen Leichnam nach Florenz, wo er im Hauptschiff von S. Croce bestattet wurde.

Wenn der *cartolaio* so seine letzte Ruhestätte in diesem Pantheon der Florentiner fand, nicht weit von den Gräbern Leonardo Brunis und Carlo Marsuppinis, dann war das nicht ohne gutes Recht. Bisticci war der «Mann eines flüchtigen historischen Moments» – so Vittorio Rossi –, einer Sternstunde des abendländischen Geistes, der seinen Brennpunkt für mehr als ein Jahrhundert in der Vaterstadt unseres Buchhändlers hatte: Indem Bisticci diesen Moment in seinem Werk spiegelte, ihm Dauer zu verleihen bemüht war in Buchkunstwerken von einzigartiger Schönheit, wurde er selbst zu einem nicht geringen Hilfsgeist der Weltgeschichte.

DIE LEBENSBESCHREIBUNGEN

DAS LEBEN PAPST EUGENS IV.

ABRIELE CONDULMER, von Geburt ein Venezianer, der dann als Papst Eugen IV. war, ist ein Mann von heiligmäßigem Lebenswandel gewesen. Sein Vater starb, als er noch sehr jung war. Er ließ ihn sehr reich an irdischen Gütern zurück. Frühzeitig erfuhr er so freilich Eitelkeit und Elend des irdischen Daseins, und er wollte die Fesseln, mit denen Geld und Gut an diese unglückliche Welt ketten, lösen und verschenkte um der Liebe Gottes willen zwanzigtausend Dukaten.

War so der zeitliche Besitz verteilt, entschloß er sich, die Erbschaft ewiger Güter anzustreben. Deshalb tat er sich mit Messer Antonio, einem Venezianer aus dem Haus der Correr, zusammen: einem Edelmann, der von Jugend an von größtem Ansehen war und später Kardinal von Bologna werden sollte. Die beiden kamen überein, der Welt und ihrem Glanz zu entsagen und das Joch klösterlichen Gehorsams auf sich zu nehmen. So traten sie den Brüdern von S. Giorgio d'Alga bei – jenem Orden also, dessen Brüder blaue Kutten tragen. Sie richteten ihr Augenmerk darauf, es zu geistlicher Vollkommenheit zu bringen und befleißigten sich, alles – wie die anderen – mit der größten Demut zu verrichten.

Papst Eugen hatte ebenso wie Messer Antonio sehr gute Lateinkenntnisse. Er verschwendete niemals seine Zeit, begab sich zu allen Stundengebeten, tagsüber und zur Nacht, feierte die Messe, las, betete oder schrieb, war er doch ein guter Schreiber: So nutzte er die Zeit, wie er nur konnte. Mit eigener Hand schrieb er ein Brevier, nach dem er noch als Papst die Messe las. So lebten die beiden im Kloster S. Giorgio, über dessen Mauern jeden Tag der Ruhm ihrer einzigartigen Tugend drang.

In jedem Kloster der Observanten gibt es – neben dem Bruder Pförtner – einen Religiosen, der gemäß ihren Regeln Fremden, die zum Kloster kommen, Auskunft gibt und sie empfängt. Dieses Amt hatte der Betreffende manchmal für einen Tag, manchmal für eine Woche inne. Als Messer Gabriele eines Tages, weil er an der Reihe war, dieses Amt versah, klopfte ein Mönch an die Klosterpforte, der gekleidet war wie ein Eremit. Nachdem sie in den Kreuzgang getreten waren, nahm Messer Gabriele, wie gewöhnlich, den Fremden bei der Hand und hieß ihn mit größter Güte willkommen. Darauf gingen sie – ebenfalls nach ihrer Gewohnheit – in die Kirche, um zu beten. In den Kreuzgang zurückgekehrt, wandte sich der Eremit an Messer Gabriele und [. . .] sagte zu ihm: «Ihr werdet zum Kardinal gemacht und dann Papst werden. Und ihr werdet in eurem Pontifikat viele Widerwärtigkeiten haben, das achtzehnte Jahr darin erleben und dann sterben.» Nachdem er dies gesagt hatte, nahm der Eremit seinen Abschied von Messer Gabriele und zog weiter. Dieser sah ihn nie wieder und erfuhr auch niemals, wer der Mann gewesen war.

Papst Eugen hat diese Geschichte oft und jedem, der sie hören wollte, erzählt. Tatsächlich gewann diese Prophezeiung auf dem Basler Konzil, wo einer der Beschlüsse gegen Eugen gerichtet war, an Glaubwürdigkeit.

Nicht viel Zeit verging, da wurde Gregor zum Papst gewählt, ein Venezianer aus dem Haus der Correr, ein Mann von größtem Ansehen. Er war ein Onkel Messer Antonios, des Gefährten Herrn Gabrieles. Kaum auf den Stuhl Petri erhoben, war er darauf bedacht, seinen Neffen zum Kardinal zu machen. Gefragt, ob er dazu bereit sei, antwortete dieser, er wolle den Purpur nicht, wenn seine Heiligkeit nicht auch Messer Gabriele, mit dem er aufgewachsen und Mönch geworden war, zum Kardinal erhebe. Papst Gregor war's zufrieden, und so wurde auch Herr Gabriele Kardinal. Papst Gregor blieb danach nicht mehr lange auf dem Heiligen Stuhl. Es kamen Papst Alexander und Papst Johannes, auf sie folgte Martin. Nicht viel Zeit verging, da ernannte Papst Martin Messer Gabriele zum Legaten in Bologna. Dort bewährte er sich ganz außerordentlich. Nach dem Tod Martins V. war ein neuer Papst zu wählen. Das Votum fiel auf Eugen.

Er hatte Auseinandersetzungen mit den Römern, die ärgerliche Menschen sind. Eugen war nicht der erste Pontifex, dem sie so mitspielten: Sie gingen in ihrer Schlechtigkeit so weit, ihm Gewalt antun und ihn einsperren zu wollen. Als dies dem Papst von seinen Freunden hinterbracht worden war, legte er das pontifikale Gewand ab und streifte eine Mönchskutte über; er floh zu einem Hafen, den man Ripa nennt und ging auf ein Schiff. An Bord verbarg er sich unter einer Ladung Estragon, damit die Römer ihn nicht erkennen sollten. Doch die trieben ihre Bosheit so weit, daß sie ihn verfolgten; da sie seiner nicht wie beabsichtigt habhaft werden konnten, beschossen sie die Galeere mit Pfeilen, und hätte man nicht, wie gesagt, den Papst unter Gewürzsäcken verborgen, hätten sie ihn getötet. Seinen Neffen, den Vizekanzler – auch er wollte fliehen –, fingen sie und warfen ihn in den Kerker. Dort hielten sie ihn für ungefähr zwei Jahre fest.

Papst Eugen jedoch erreichte auf der Galeere den Hafen von Pisa – ohne jeden Besitz, gerade mit dem nackten Leben. In Pisa legte

8 Papst Eugen IV. vor dem hl. Petrus. Bronzerelief von Filarete
(Antonio di Pietro Averlino), 1433–1445. Rom, St. Peter

er sein päpstliches Gewand wieder an und erholte sich. Von den Florentinern wurde ihm die größte Ehre erwiesen. So entschied er sich dafür, nach Florenz zu übersiedeln, da ihm diese Stadt für seine Hofhaltung als außerordentlich geeignet erschien. Papst Eugen kam 1433, im Juni besagten Jahres hielt er seinen Einzug in Florenz. Man hatte angeordnet, ihm einen höchst ehrenvollen Empfang zu bereiten. Alle vornehmen Bürger der Stadt gingen ihm entgegen. Teils hatten sie ihn schon von Pisa aus begleitet, teils waren sie unterwegs zu ihm gestoßen. Zunächst begab er sich zum Landgut des Agnolo di Filippo Pandolfini, wo er so lange blieb, bis die Vorbereitungen für die Feierlichkeiten abgeschlossen waren.

Der Einzug wurde zu einem staunenswerten Ereignis. Alle Ritter, die Ersten der Stadt, kamen dem Papst bis Signa entgegen und begleiteten ihn bis Florenz. Dabei wurde aller kirchliche Prunk nach der Tradition der Päpste aufgeboten, ja noch mehr Glanz, wenn das überhaupt möglich war. Die Stadt hatte Überfluß zu jener Zeit an Bürgern von gutem Ansehen. Nach seiner Ankunft gab man dem Papst eine Wohnung im Kloster S. Maria Novella. Sie war so prächtig ausgestattet, daß es sich kaum beschreiben läßt. Zu dieser Zeit hat der Papst einen großen Teil des Kirchenstaats verloren, den er dann aber rasch zurückgewann.

So war Eugen IV. im Jahre 1433 [– dem Jahr der Albizzi-Verschwörung –] in Florenz; dann kam der Monat September 1434: Am achten Tag ergriff man die Waffen für die vornehmen Bürger, aus Furcht, daß die *Signori* einen Umsturz herbeiführen könnten. Als man nun auf der Piazza zusammenlief und sie besetzte, sandte Papst Eugen den Patriarchen, Kardinal Vitelleschi, zu den Streitenden: War der Papst doch ein Herr, der sich gern zwischen Gegnern ins Mittel legte, wie ja seines Amtes war. Auch war er sowohl von der *Signoria* als auch von anderen Bürgern, die wünschten, daß die Waffen ohne Aufsehen niedergelegt würden, gebeten worden. Vitelleschi sollte seinerseits den Häuptern der Parteien mitteilen, daß sie sich zum Papst begäben, damit jener ihre Streitigkeiten beilege. Dabei handelte der Papst in gutem Glauben. Wer Waffen trug, legte sie nieder und gab die Sache in seine Hände.

Noch während der Papst um einen Vergleich verhandelte, schickten die *Signori*, die damals regierten, Messer Rinaldo degli Albizzi, dessen Söhne, Rodolfo Peruzzi und andere Bürger in die Verbannung und riefen Cosimo de' Medici, der im Jahr zuvor seinerseits verbannt worden war, zurück. Angesichts dessen war Eugen äußerst empört: Mußte es doch so aussehen, als seien sie mit Zustimmung des Papstes in die Verbannung geschickt worden.

Das Gemüt Seiner Heiligkeit war nicht zu besänftigen. Der Papst hätte alles getan, um zu bewirken, daß den Verbannten die Vaterstadt wieder eröffnet werde, wofür er – wie man sehen kann – später den Beweis lieferte.

Während Seine Heiligkeit auf die geschilderte Weise in Florenz weilte, widmete er sich mit aller Sorgfalt der Kirchenreform: Er versuchte, nach seinen Möglichkeiten zu erreichen, daß die Mönche ihren Ordensregeln gemäß lebten, und wollte die Konventualen zu Observanten machen. Er visitierte mehrere Klöster und reformierte S. Marco in Florenz, ein Kloster der Konventualbrüder, und zwar nicht der Dominikaner, sondern des anderen Ordens, der Franziskaner. Zehn oder zwölf Mönche lebten darin. Eugen wünschte, daß Cosimo [de' Medici] dieses Kloster für die Observanten der Dominikaner – denen er es übertragen hatte – einrichtete. Cosimo versprach Seiner Heiligkeit, 10 000 Dukaten für diese Stiftung auszugeben – und brachte es am Ende auf 40 000.

Außerdem reformierte Eugen die Florentiner Badia, wo wohl die Observanz beachtet wurde, nichtsdestoweniger aber ein Abt auf Lebenszeit installiert war. Und weil Seine Heiligkeit befürchtete, daß die Badia mit der Zeit und unter einem anderen Papst – etwa während einer Vakanz des Abtsstuhles – zur Kommende gemacht werden könnte, übertrug er dem Abt, einem Portugiesen, eine Abtei in Portugal und unterstellte die Badia von Florenz der Kongregation von S. Giustina. Weiterhin verfügte er, daß jedes Jahr Abtswahlen stattzufinden hätten, so, wie es dort bis zum heutigen Tag gehalten wird. Er brachte auch das Kloster S. Salvi – vom Orden des heiligen Giovanni Gualberto – zur Observanz; dort regelte er die Frage der Abtswahl in derselben Weise wie in der Badia. Aus Arezzo ließ er einen Bruder des Alamanno Salviati kommen, einen Mann von heiligmäßigem Lebenswandel; daneben einen anderen Aretiner, aus der Familie der Nicolini. Mit Hilfe dieser beiden Religiosen reformierte Papst Eugen das Kloster. Der gerade erwähnte Bruder Alamanno Salviatis war ein bedeutender Kaufmann gewesen, der [nach Aufenthalten in der Fremde] sehr vermögend nach Florenz zurückgekehrt war. Da er den Lug und Trug der Welt wohl erfahren hatte, gab er den Teil seines Besitzes, der sein Gewissen belastete, zurück, den Rest – der ihm rechtmäßig und ehrenhaft erworben schien – stiftete er um Gottes Lohn. Nachdem er das getan hatte, barg er sich im sicheren Schoß des Glaubens. Doch kehren wir zu Papst Eugen zurück.

Settimo, eine uralte, zum Orden S. Bernardos von Cestello gehörende Abtei, war zum Teil Laienpfründe, zum Teil in der Hand eines Abtes, der sie zugrunde gerichtet und ihre Güter verkauft hatte. Wo sonst vierzig oder fünfzig Mönche lebten, gab es noch ganze zwei. Als Papst Eugen das bemerkte, übertrug er die Abtei

dem Kardinal von Fermo, einem ganz heiligen Mann, damit dieser
sie reformiere und – gestützt auf die Autorität des Heiligen Stuhls
– zahlreiche [entfremdete] Güter aus der Hand gewisser Magnaten
zurückgewänne. Dann veranlaßte Eugen bestimmte Brüder der Florentiner Badia, in Settimo einzutreten und das Ordenskleid des
S. Bernardo überzustreifen. Der Kardinal reservierte einen Teil der
Klostereinkünfte für sich selbst, einen Teil gab er den Mönchen. Er
bemühte sich, dem Kloster seinen Besitz zurückzugewinnen und es
in Ordnung zu bringen; jeden Tag erwarb er ein Landgut zurück. In
kurzer Zeit stieg die Zahl der Mönche wieder auf über vierzig. Der
Kardinal, in der Tat ein heiligmäßiger Mann, dachte an nichts anderes als an die Rückführung der Klostergüter und verfügte, daß die
Abtei nach seinem Tod unabhängig bleiben sollte. Und so geschah
es. Er hatte erheblich mehr in die Abtei hineingesteckt, als an Gewinn aus ihr gezogen.

Papst Eugen unterstellte den Brüdern von Settimo Cestello ein
Nonnenkloster. Während seines Aufenthaltes in Florenz sandte er
zu ungewöhnlicher Stunde die Kardinäle von Piacenza und Fermo
nach Cestello. Sie betraten das Kloster, und mit gewissen apostolischen Mandaten in Händen verfügten sie, daß die Nonnen, die
dies wünschten, in ein anderes Kloster – S. Donato in Polverosa –
übersiedeln sollten; jene, die nicht gehen wollten, gaben sie ihren
Vätern zurück. Der Papst reformierte auch dieses Kloster S. Donato
unter größten Schwierigkeiten [. . .]; mehrere Klöster des Gebiets
an unterschiedlichen Orten, die nicht mehr zu reformieren waren,
hob er auf – etwa S. Maria della Neve, S. Silvestro und andere mehr.
Wo es ihm möglich war, führte er die Religiosen zum guten Leben
zurück, und wo er dies nicht konnte, hob er die Klöster auf, um
die Ungebühr zu beseitigen, die sie verursachten.

Die Badia von Fiesole befand sich in der Hand eines Abtes, der
dort einen oder zwei Kapläne unterhielt [welche die priesterlichen
Aufgaben besorgten]. Papst Eugen nahm ihm das Kloster und übertrug es regulierten Augustinerchorherren.

Danach baute Cosimo de' Medici die große Mauer, die noch
heute dort steht, und übertrug besagten Brüdern das aufgelöste
Nonnenkloster S. Maria della Neve, damit sie bei ihrer Ankunft
in Florenz ein Dach über dem Kopf vorfänden. Papst Eugen brachte auch die Serviten zur Observanz, und das hatte für einige Zeit
Bestand. Als der Papst indessen aus Florenz abgereist war, entledigten sich die Brüder dieser Regel wieder. Überhaupt bemühte er
sich, wo es nur ging, darum, die Observanz einzuführen. Er dachte
sogar daran, alle Konventualenklöster aufzulösen, alles zur Observanz zu bringen. Er pflegte zu sagen, wenn Gott ihm nur genug

9 *Die Einweihung des Florentiner Domes durch Papst Eugen IV.,*
rechts: Kardinal Giuliano degli Orsini.
Miniatur von Francesco di Antonio del Chierico, um 1470.
Florenz, Biblioteca Medicea Laurenziana (edili 151, fol. 7r.)

Gnade verleihe, so werde er alle Religiosen zur Observanz zurück-
führen. Und er tat, was er konnte, doch legte man ihm Steine in
den Weg.

Auch Vernia war in der Hand von Konventualen. Eugen brachte
das Kloster zur Observanz und übergab es den Brüdern der Franzis-
kanerobservanz. Damit ihnen keine Schwierigkeiten gemacht würden, eximierte er auf Bitten S. Bernardinos diesen Zweig der Ob-

servanten von der Zuständigkeit des Franziskanergenerals. Nur die
Vikare verblieben unter dessen Jurisdiktion. Sie sorgten dafür, daß
die Observanten einen Vikar aus ihren eigenen Reihen bekamen;
und dieser sollte auch nur über die Observanten Jurisdiktionsbefug-
nisse haben und nicht länger als zwei oder höchstens drei Jahre
amtieren. In ähnlicher Weise verfuhr der Papst mit den Dominikanern.

Im Kirchenstaat führte er, wo immer es ging, die Observanz ein;
in Rom im Franziskanerkonvent von S. Maria in Aracoeli. Und er
beauftragte [Tommaso Parentucelli, den späteren] Papst Nikolaus,
der damals als apostolischer Subdiakon amtierte, das Kloster von
S. Giovanni in Laterano – das sich zu dieser Zeit in der Hand von
Weltgeistlichen befand – zu visitieren. Er fand heraus, daß das
Kloster 400 Jahre lang den Augustinerchorherren gehört hatte. Daher gab Papst Eugen es diesen Ordensbrüdern zurück. Er ließ auf
eigene Kosten zum Nutzen der Mönche ein großes Gebäude errichten: 50 bis 60 waren dort. [. . .] Papst Eugen vereinigte viele lobenswerte Eigenschaften in sich. Wenn sie einmal aufgeschrieben werden, wird er sich als nicht geringer erweisen als irgendeiner der
anderen Päpste, die gelebt haben durch die Zeiten.

In Florenz weihte er mit ganz außerordentlicher Pracht die Kirche S. Maria del Fiore [den Dom]. Für diese Zeremonie hatte man
einen kostbar geschmückten Steg gebaut, der von der Treppe von
S. Maria Novella bis zu S. Maria del Fiore führte. Er war bedeckt
mit blauen und weißen Tüchern, den Farben des Papstes; sie wurden getragen von mit Myrte, Lorbeer, Fichten- und Zypressenzwei-
gen umflochtenen Stangen. Fahnen wehten von einer Kirche zur
anderen, Schmucktücher und Banktücher säumten den Weg, und
das Gerüst war von der einen zur anderen Kirche mit Teppichen
versehen, was einen staunenswerten Anblick bot.

Über diesen Steg schritt der Papst mit allen Kardinälen und dem
ganzen römischen Hofstaat: Eugen IV. selbst im Pontifikalornat mit
der Mitra, die Kardinäle im prächtigen Pluviale, die Kardinalbischöfe
mit damastenen Mitren und dann die Bischöfe mit Mitren aus
weißem Bekassin, vor ihnen, nach päpstlicher Art, das Kreuz, und
mit ihnen die apostolischen Subdiakone, entsprechend der Gewohnheit. Die Mitglieder des römischen Hofes waren jeweils entsprechend ihrem Rang geschmückt. Damals war in Florenz ein
glänzender Hofstaat von Prälaten und Gesandten aus aller Herren
Länder versammelt. Sie alle, Papst und Kurialen, schritten über das
Festgerüst, das ganze Volk zu Füßen: Es war ein großer Auflauf von
Leuten aus der Stadt und von Untertanen der Florentiner.

Schließlich langten der Papst und sein ganzer Hof am Dom an.

Die Kirche war prachtvoll ausstaffiert, voller Schmuck und Draperien und anderer Dinge, die gewöhnlich für solche Feierlichkeiten
gebraucht werden. Der Altar war aufs schönste hergerichtet. Vor
ihm hatte man eine stattliche Plattform errichtet; sie war ganz mit
Tapisserien bedeckt. Hier fanden sich Kardinalskollegium und Prälaten ein; die Kardinäle saßen auf Bänken, sie umgaben den Papst,
der sich auf einem ganz mit weißem und goldenem Damast bedeck-
ten Sessel niederließ. Dieser Sitz war auf der Seite, wo das Evangelium gelesen wird; gegenüber nahmen die Sänger Aufstellung, auf
der anderen Seite Bischöfe, Erzbischöfe und Prälaten, dazu die Botschafter, zur Rechten des Papstes, gemäß ihrer Würde.

Am Morgen darauf zelebrierte Eugen IV. eine Pontifikalmesse,
wie es Brauch ist: eine würdige Zeremonie, die man schon seit
uralten Zeiten feiert.

Auf die gleiche Weise, im Beisein des ganzen päpstlichen Hofes,
weihte Eugen IV. auch S. Marco in Florenz.

Nachdem er einige Zeit in dieser Stadt geblieben war, begab er
sich nach Bologna; von dort ging er nach Ferrara.

Da seit langer Zeit die römische und die griechische Kirche voneinander getrennt waren, gedachte Papst Eugen, die Griechen auf
seine Kosten nach Italien kommen zu lassen, damit sie sich wieder
mit der römischen Kirche vereinigten. Der Kaiser von Konstantinopel, der Patriarch und alle bedeutenden Prälaten, welche diese
Nation hatte, kamen. Und sie reisten alle auf Kosten des Papstes
nach Ferrara, in sehr großer Zahl. Als dort die Pest ausbrach, begab
der Papst sich nach Florenz, stellte dort Unterkünfte für die Griechen bereit und befahl, sie zu versorgen – Monat für Monat. Als
sie in Florenz eingetroffen waren, wurde in S. Maria Novella – auf
Rat vieler einzigartiger Männer des römischen Hofes – eine sehr
schöne Estrade mit Bänken und anderen Sitzplätzen errichtet. Man
nannte die Versammlung das «Konzil der Griechen». In Basel war
nämlich ein [anderes] Konzil einberufen worden, das gegen Papst
Eugen stand; anfangs war dem Basler Konzil das Schicksal günstig,
Kardinäle nahmen daran teil und Gesandte aller Nationen der Welt.
Doch [mit der Zeit] schickten die Kardinäle sich an, abzureisen.
Insbesondere der Umstand, daß der Kardinal von S. Angelo, der den
Vorsitz der Versammlung führte, aus Basel abreiste, leitete den Nie-
dergang des Konzils ein.

Wie nun das «Konzil der Griechen» einberufen war, auf Rat der
bedeutendsten Kardinäle, die sich am Hof des Papstes befanden –
insbesondere jenes von Piacenza –, zitierte man das Basler Konzil
nach Florenz. Unwillig wählten sie unter sich einen [Gegen-]Papst,
von geringem Ansehen, und dieser war Papst Felix, der Herzog von

10 Kaiser Johannes VIII. Palaiologos. Medaille von Pisanello
(Antonio di Puccio Pisano, um 1395 – um 1455).
London, British Museum

Savoyen, der einige Zeit zuvor seiner Herrschaft entsagt und sich
dem Leben eines Einsiedlers gewidmet hatte. Als er Papst war, gehorchte ihm niemand außerhalb seines Staates: Es dauerte freilich
nicht lange, bis er bereitwillig auf sein Papsttum verzichtete, um
Kardinal und Legat, nur in seinem Herzogtum, zu bleiben. Das [Bas-
ler] Konzil hat sich so in kurzer Zeit selbst zur Bedeutungslosigkeit
verurteilt, und dies wurde durch das «Konzil der Griechen» bewirkt.
In jenen Tagen kamen Jakobiten, Äthiopier und Gesandte des Priesterkönigs Johannes zum römischen Pontifex, und dieser übernahm
für alle die Kosten. Er ließ auch alle gelehrten Männer, die es in
Italien und darüber hinaus gab, [nach Florenz] kommen; und als
genügend am Papsthof eingetroffen waren, versammelten sie sich
Tag für Tag, um in Anwesenheit des Papstes und der Kurie über die
Differenzen, die es zwischen der römischen und der griechischen
Kirche gab, zu disputieren. Der erste und wichtigste Punkt war, daß
sie [die Griechen] behaupteten, der Heilige Geist gehe nur von Gott-
vater und nicht auch vom Sohn aus, während die römische Kirche
wollte, daß er vom einen wie vom anderen komme. Am Ende stimmten die Griechen der römischen Auffassung bei.
    Damals weilte, wie schon an anderer Stelle erwähnt, ein gewisser
Niccolò Secondino aus Negroponte am römischen Hof; er fungierte

als Dolmetscher zwischen Griechen und Lateinern. Es war unglaublich, zu sehen, wie er es verstand, von einer Sprache in die andere zu übersetzen – vom Griechischen ins Latein, wenn die Byzantiner sprachen, und auch vom Lateinischen ins Griechische. Schließlich, nach schier endlosen Disputationen, gaben die Griechen den Lateinern in allen Streitpunkten nach, ebenso Jakobiten, Äthiopier und die Gesandten des Presbyters Johannes.

Und dann, es war ein feierlicher Tag, begaben sich der Papst mit dem römischen Hof und dem Kaiser der Griechen und alle lateinischen Bischöfe und Prälaten nach S. Maria del Fiore. Hier war eine ansehnliche Tribüne errichtet worden, so daß den Prälaten der einen wie der anderen Kirche Sitzplätze zugewiesen waren, Papst Eugen und die Kardinäle und Prälaten der römischen Kirche ließen sich dort nieder, von wo das Evangelium verkündet zu werden pflegt, gegenüber der Kaiser von Konstantinopel mit allen griechischen Bischöfen und Erzbischöfen. Der Papst hatte den Pontifikalornat angelegt, die Kardinäle trugen das Pluviale, die Kardinalbischöfe Mitren aus weißem Damast, die Bischöfe – lateinische wie griechische – Mitren aus weißem Bekassin und Paramente, die Lateiner dazu das Pluviale. Die Griechen hatten sehr reich geschmückte Gewänder – und die Art der griechischen Gewänder erschien als viel ernster und würdiger als jene der Kleidung der lateinischen Prälaten.

Der Papst zelebrierte eine feierliche Messe. In ihrem Verlauf wurden mit größter Feierlichkeit die Texte der Privilegien über die Kirchenunion mit den Griechen verlesen. Diese versprachen, künftig von der römischen Kirche nicht mehr – wie sie es in der Vergangenheit getan hatten – abzuweichen. Der Kaiser unterzeichnete diese Privilegien, ebenso alle Würdenträger. Doch war ihr Patriarch nicht anwesend: Er erkrankte, nachdem er seine Zustimmung gegeben hatte, und starb wenige Tage später, versöhnt mit der römischen Kirche.

[. . .] Die ganze Welt war in Florenz zusammengekommen, um diesen bedeutenden Vorgang zu sehen. Der griechische Kaiser saß auf einem mit Seidendraperie geschmückten Sessel, gegenüber dem Stuhl des Papstes. Er war nach griechischer Art gekleidet, mit einem Gewand aus reichstem Brokatdamast, und er trug ein griechisches Hütchen, an dessen Spitze ein wunderschöner Edelstein war. Der Kaiser war ein sehr schöner Mann mit einem nach griechischer Mode geschnittenen Bart. Er war umgeben von vielen Edelleuten aus seinem Gefolge, die, nach griechischer Art, ebenfalls aufs reichste gekleidet waren. Diese Gewänder – sowohl die der Geistlichen als auch jene der Laien – waren von großer, ernster Würde. Es war wundersam, das alles zu sehen, mit vielen erhabenen Zeremonien. Man las das Evangelium in beiden Sprachen, in Griechisch und Latein, so, wie es am römischen Hof am Vorabend des Weihnachtstages zu geschehen pflegt.

Aber ich will nicht weiterberichten, ohne die Griechen besonders gelobt zu haben. Die Griechen haben seit 1500 oder mehr Jahren die Art ihrer Kleidung nicht mehr verändert. Dieselben Gewänder, die sie zu jener Zeit hatten, trugen sie auch in den Tagen des Konzils. Das läßt sich noch auf Marmorreliefs in einer Gegend in Griechenland erkennen, welche «Felder von Philippi» genannt wird. Diese zeigen auf die damalige Art gekleidete Männer.

Aber kehren wir zu den Unionsfeierlichkeiten zurück. Am selben Vormittag vereinigten sich auch Armenier, Jacobiten, die Gesandten des Presbyters und andere, die gekommen waren, mit der Kirche Gottes. Der Kardinal von S. Angelo, Cesarini, ließ von allen diesen Vorgängen Aufzeichnungen anfertigen. Weil es in Florenz geschehen war, wünschte der Kardinal, daß die Schriftstücke – zur Erinnerung an dieses bedeutende Ereignis – in der Stadt bleiben sollten. Und er wollte auch, daß sämtliche Originalurkunden der Kirchenunion im Palast der *Signori* – *ad perpetuam rei memoriam* [zum ewigen Angedenken] – aufbewahrt werden sollten. Er ließ eine mit Silber gezierte Kassette anfertigen, legte alle Dokumente der Griechen, der Armenier, Jakobiten und Inder hinein und übergab sie der *Signoria* zum ewigen Andenken an einen so bedeutenden Vorgang.

Nachdem die Kirchenunion geschlossen worden war, ernannte Papst Eugen in Florenz achtzehn Kardinäle, darunter zwei Griechen – Nicenus und Rutenus – und Papst Paul. Er machte ihre Ernennung an ein und demselben Tag öffentlich. Und um sich den Florentinern durch die Erhebung von zwei oder drei Kardinälen gefällig zu erweisen, ließ er sich eine Namensliste anfertigen. Er kannte alle [der darauf Genannten]. Wenn einer darunter war, dessen Erhebung er gutgeheißen hätte, dann war es der Bischof von Camerino, Kardinal Alberto degli Alberti, ein Mann von größter Güte und aus vornehmem Haus.

Nachdem Papst Eugen nun mehrere Jahre in Florenz geblieben war, kam es zwischen ihm und denen, die regierten, zu Streitigkeiten. So wollte er nach Siena abreisen und sich von dort nach Rom wenden. Da den Florentinern bewußt war, daß er nicht gerade als großer Freund ihrer Stadt scheiden würde, waren sie unsicher, ob sie den Papst ziehen lassen sollten – vor allem auch, weil die Venezianer durch Briefe und über ihren Florentiner Gesandten dazu rieten, ihn nicht abreisen zu lassen. So fand eine Versammlung

mehrerer Bürger statt. Die Weisesten rieten, den Papst nicht aufzuhalten, sondern ihn seines Wegs ziehen zu lassen, weil die Venezianer nur Empfehlungen gäben, die sie selbst nicht befolgten. In-
itiator des Antrages, dem Papst nichts in den Weg zu legen, war
Messer Leonardo [Bruni]; er begründete sein Votum mit unzähligen
Argumenten. Der Beschluß wurde denn auch einstimmig gefaßt.
Man beauftragte Messer Agnolo Acciaiuoli, dem Papst zu sagen, er
könne sich überall hinbegeben, wohin er wolle. Und so reiste Eugen
noch am selben Tag nach Siena ab.

Ich will nicht weitererzählen, ohne noch etwas über die Persön-
lichkeit des Papstes – eines Mannes von größtem Ansehen – gesagt
zu haben. Vor allem war er hochgewachsen, von sehr schönem
Äußeren, hager und ernst; sein Anblick war in höchstem Maße
ehrfurchtgebietend. Er war so, daß keiner diesen Mann, der so große
Autorität ausstrahlte, unverrückt anblicken konnte. Die päpstliche
Würde wahrte er auf staunenswerte Weise. Während der Zeit seines
Florentiner Aufenthalts ließ er sich niemals sehen; er verließ sein
Haus, das bei S. Maria Novella war, nur an den Vorabenden der
Feste und an hohen kirchlichen Festtagen selbst. Seine Erscheinung
erweckte so große Andacht, daß nur wenige, deren Blicke er auf
sich zog, die Tränen zurückhalten konnten. So begab es sich eines
Abends, daß ein angesehener Mann zu ihm kam, um mit ihm zu
sprechen. Er senkte vor dem Papst das Haupt, konnte ihm nicht
ins Gesicht sehen. Eugen bemerkte das und fragte ihn, warum er
den Kopf so gesenkt halte. Der Mann gab sofort zur Antwort, Seine
Heiligkeit biete von Natur aus eine solche Erscheinung, daß er sie
um nichts in der Welt ansehen könne.

Ich erinnere mich daran, wie der Papst mit den Kardinälen mehrmals auf einer kleinen Tribüne bei der Türe zum Kreuzgang von
S. Maria Novella stand; die Piazza, ja nicht nur sie, sondern auch
alle zu ihr führenden Straßen wimmelten von Menschen. Da war
die Ehrfurcht so groß, daß sie wie betäubt stehenblieben, wenn sie
des Papstes ansichtig wurden. Keiner sprach mehr ein Wort, alle
wandten sich dem Pontifex zu. Und als dieser seine Rede begann
mit der gewöhnlichen Formel: «*Auditorium nostrum in nomine
Domini*» [Unsere Zuhörer im Namen des Herrn], da hörte man
Weinen und Klagen auf dem Platz, und Gott wurde angerufen um
Mitleid wegen der großen Ehrfurcht, die sie angesichts Seiner Heiligkeit empfanden. Es schien, als sähe dieses Volk nicht nur Christi
Stellvertreter, sondern die Gottheit in Person. Der Papst, ebenso
die Kardinäle um ihn, zeigten sich in tiefster Devotion – wahrhaft,
zu jener Zeit schien er selbst der zu sein, den er auf Erden vertrat.
Kommen wir nun zu der Lebensführung, die er seit langem pfleg-

te. Wein hat er nie getrunken, nur Wasser mit Zucker und etwas Zimt und nichts anderes. Er wünschte stets nur einen Gang, der meist gekocht sein sollte. Er aß davon nach Lust und Laune; deshalb hielt die Küche stets allein ein Gericht bereit, damit es aufgetischt werden konnte, wenn der Papst speisen wollte. War noch Zeit, aß er gerne Obst und Gemüse.

Wer zur Audienz vorgelassen werden wollte, dem gewährte er sie nach Erledigung seiner Angelegenheiten, vor allem den Dienern Gottes und Leuten, von denen er wußte, daß sie gut waren. Er war sehr freigebig und verteilte Almosen im großen Stil. Er gab allen, die ihn darum baten. Geld achtete er nicht, und er hortete es auch nicht; so war er immer verschuldet.

Papst Eugen beherbergte in seinem Haus viele vornehme Leute, aus dem Königreich Neapel und von anderen Orten. Er gewährte ihnen Apanagen und ließ sie unter seinem Dach um Gottes Lohn leben. Und er hatte auch einige Neffen weltlichen Standes, die im Haus des Papstes auf die gleiche Weise ihre Tage verbrachten. Vom materiellen Besitz der Kirche wollte er aber, daß diese Nepoten nichts bekämen, war er doch der Auffassung, nichts verschenken zu können, was nicht sein Eigentum war.

Eines Tages kam einer unserer Mitbürger – er hieß Felice Brancacci und lebte mittellos und fern der Heimat im Exil – zu Seiner Heiligkeit und bat ihn um Unterstützung in seiner Not. Der Papst ließ sich einen Beutel voller Fiorini reichen, befahl, ihn zu öffnen, und bot Brancacci an, zu nehmen, was er wolle. Felice, ein schamhafter Mann, griff schüchtern in die Geldtasche, der Papst aber wandte sich lachend an ihn und sagte: «Greift nur zu ohne Scheu, denn ich gebe es euch gerne!» – und so nahm Brancacci, soviel er konnte, ohne zu zählen. Nie hortete er Geldvorräte im Hause: Wie er es bekam, verteilte er das Geld.

Als man dem Papst einmal vier- oder fünftausend Fiorini brachte, beauftragte er [seinen Sekretär] Messer Bartolomeo Roverella, der eben bei ihm im Zimmer war, das Geld aufzubewahren. Da Roverella gerade beschäftigt war, steckte er die Fiorini einfach unter die Matratze der päpstlichen Bettstatt, und dort blieben sie für einige Zeit. Eines schönen Tages weilte Eugen in jenem Raum und wollte jemandem Geld geben lassen. Er sagte Messer Bartolomeo, dieser solle das Säckchen herbeibringen. Der wußte wohl, daß der Papst es übel aufnehmen werde, daß er das Geld im Bett versteckt hatte, und zierte sich, es zu holen. Da der Papst aber darauf bestand, blieb ihm nichts übrig, als das Geld herauszuwühlen, wo er es hingesteckt hatte, es in Anwesenheit des Papstes aus dem Bett zu ziehen. Der Papst war äußerst ungehalten, machte Roverella Vorwürfe, daß

dieser ihm das Geld ins Bett gesteckt hatte, denn so habe es den
Anschein, als schätze er – der Papst – solche Güter sehr. Er befahl
ihm, einen solchen Fehler kein zweites Mal zu machen, und führte
auf diese Weise vor Augen, daß man Geld nicht achten dürfe.
Vier Mönche waren ihm zu Diensten: zwei vom Orden von
S. Giustina, also der Badia von Florenz, und zwei von den *Azzurrini*
[den blauen Mönchen], zu deren Orden Papst Eugen selbst gehörte.
Er hatte auch einen Weltpriester bei sich. Und diese alle waren sehr
würdige Männer. Mit ihnen erfüllte er seine Gebetspflichten, bei
Tag und bei Nacht. Immer stand er früh auf, um die Matutin beten
zu können; nie unterließ er es. Er schlief in einem Hemd aus grober
Wolle. Er hatte angeordnet, daß immer zwei in seinem Zimmer
wachen mußten, während er schlief; alle drei Stunden wechselten
sie sich ab. Für Zeiten, zu denen er wach lag, hatte er Bücher neben
dem Bett, die er dann lesen wollte. In diesem Fall gab er den wach-
habenden Dienern einen Wink und setzte sich auf. Die Diener
reichten ihm ein Kissen und sein Buch, dazu wurden zwei brennen-
de Kerzen aufgestellt. Er las manchmal eine, manchmal zwei Stunden, wie es ihm gefiel. Wollte er seine Lektüre beenden, gab er ein
Zeichen, worauf die Diener Buch und Lichter entfernten. [. . .]
Der Kirche Gottes wahrte er ihre hohe Autorität. Kein König,
kein Fürst konnte seine Haltung in Angelegenheiten, welche die
Würde der Kirche betrafen, je ändern. So wollte der König von
Frankreich einiges, was der Kirche gehörte, nicht anerkennen und
wollte das vom Papst zugestanden haben – andernfalls drohte er
mit Aufkündigung des Gehorsams. Der Papst aber bewahrte
schließlich diesen Besitz. Mit den Venezianern entstanden Diffe-
renzen, weil diese – gegen die Würde der Kirche – Dinge unterneh-
men wollten, die ihnen nicht zustanden.
Doch kehren wir an den Punkt zurück, wo wir aufgehört haben.
Nach seiner Abreise aus Florenz begab der Papst sich deshalb nach
Siena, weil er ungern nach Rom zurückkehren wollte, wegen des
Betragens, das die Römer gegenüber der Ehre Gottes und gegenüber
der Kirche an den Tag gelegt hatten. So blieb er einige Zeit in Siena.
Und bevor er nach Rom weiterreiste, wollte er von den Römern die
Bedingungen erfahren, unter denen er zurückkehren mußte.
Rom war wegen der Abwesenheit des Papstes wieder zu einem
Platz für Kuhhirten geworden. Schafe und Kühe weideten dort, wo
heute die Tische der Kaufleute stehen; alles lief mit großen Kapu-
zen aus Ziegenfell und in Stiefeln herum, weil sie so lange Jahre
ohne den Papsthof hatten leben müssen und wegen der Kriege, die
sie geführt hatten.
Nachdem dann der Papst mit einem schönen Hofstaat zurückge-

kehrt war, kleideten die meisten sich wieder und machten sich zurecht, wie es sich geziemt. Sie zeigten nun mehr Ehrerbietung gegenüber Seiner Heiligkeit als in der Vergangenheit.

Er sandte Messer Tomaso da Sarzana und Messer Giovanni Carvagialle, den Auditor der Rota, [als päpstliche Legaten] über die Alpen. Sie erledigten diese Mission mit größter Umsicht, und so schickte der Papst ihnen zwei rote Hüte nach Viterbo entgegen: Es waren dies die letzten Kardinäle, die er während seines Pontifikats kreierte. Sie zogen in Rom mit großer Pracht ein. Als sie den Papst aufsuchten, um ihm von ihrer Legation zu berichten, sagte Papst Eugen zu Herrn Tommaso: «Du wirst mein Nachfolger sein.»

So war er im achtzehnten Jahr seines Pontifikats angelangt. Eines Nachts, er war gerade aufgestanden, um die Matutin zu beten, seufzte er, nahm das Brevier und legte es nieder. Keiner der vier Mönche, die um ihn waren, wagte vor Ehrfurcht zu fragen, was er habe. Als Papst Eugen sich wieder gefaßt hatte, wandte er sich an die Brüder und sagte: «Wenn das Gebet beendet ist, fragt mich, was ich habe, und ich werde es euch sagen.» Und er fuhr mit seinem Beten fort. Als er am Ende angelangt war, fragten die Mönche, die zu wissen begehrten, was ihn bewege, nach dem Grund seines Seufzens. Er antwortete: «Das Ende meines Lebens naht. Denn jener Einsiedler, der mir im Kloster S. Giorgio, wo ich Mönch war, prophezeite, daß ich Kardinal werde und dann Papst – dieser Einsiedler sagte auch, ich werde das achtzehnte Jahr des Pontifikats erreichen und dann sterben. Jetzt bin ich dort angelangt und weiß, daß mir nur noch wenig Lebenszeit bleibt. Wenn also jemand etwas von mir will, fragt mich, bevor ich aus diesem Leben scheide, denn mir bleibt wenig Zeit.»

Alle begannen zu seufzen und zu weinen. Am folgenden Tag ließ er die Pforte von St. Peter verschließen und begab sich mit seinen Familiaren in den Dom. Neben der dritten Tür, die nach draußen führt, sah er ein Marmorepitaph mit der Inschrift «EUGENIO PAPA TERZO» – [die Grabtafel jenes Papstes], der ein Schüler des hl. Bernhard gewesen ist. Da wandte sich Seine Heiligkeit an seine Begleitung und sagte: «Hier, neben diesem Grab, möchte ich eine Grabstätte mit der Inschrift ‹EUGENIO QUARTO›».

Bald nachdem er sich wieder in seine Gemächer begeben hatte, erkrankte er. Er wußte, daß er nun sterben würde, und beachtete all das, was ein tiefgläubiger Christ wie er in einer solchen Situation zu tun hatte. Er wandte sich an die Prälaten und Mönche, die ihn umstanden, und sagte seufzend: «O Gabriele» – das war sein Taufname –, «wieviel besser wäre es für das Heil deiner Seele gewesen, wärst du weder Papst noch Kardinal geworden und statt dessen als

Bruder deines Ordens gestorben! Ach, wir Elenden, erst an unserem Ende erkennen wir uns!»

Er nahm alle Sakramente der Kirche und gab den Geist seinem Erlöser zurück, auf die heiligste Weise, so, wie er gelebt hatte. Das war das Ende dieses großen Papstes, der ein Licht und eine Zierde der Kirche Gottes war.

Ich habe hier nicht seinen Lebenslauf erzählt, sondern nur einen kurzen Kommentar gegeben. Es gäbe so viele bedeutende Dinge von Seiner Heiligkeit zu berichten, daß ein Buch daraus würde. So mag dies auf die Weise einer kurz abgefaßten Erinnerung genügen.

DAS LEBEN NIKOLAUS' V.

Vorwort

EHRMALS habe ich bei mir selbst erwogen, von welch erleuchtetem Verstand die Schriftsteller der Alten und auch die neueren Autoren gewesen sind, da sie die Taten der einzigartigen Männer und vieler bedeuten- der Leute aufzeichneten: Ihr Ruhm wäre untergegan- gen, wäre da nicht jemand gewesen, der ihre Werke dem Gedächt- nis der Buchstaben anvertraut hätte. Wenn es zur Zeit des Scipio Africanus nicht Livius und Sallust und andere bedeutende Schrift- steller gegeben hätte, dann wäre der Ruhm eines so großen Mannes zusammen mit ihm selbst vergangen, noch gäbe es Erinnerungen an Metellus, an Lykurg, Cato, Epaminondas oder an unzählige an- dere Männer unter den Griechen und Lateinern. Weil diese indes äußerst fähige Autoren unter den genannten Nationen waren, ha- ben sie ihre Werke auf würdige Weise geschrieben, und so liegen sie zutage und sind bekannt noch in den gegenwärtigen Zeiten, dabei sind es nun tausend oder mehr Jahre, seit jene lebten. Die einzigartigen Männer können beklagen, wenn es zu ihren Zeiten keine Schriftsteller gibt, die ihre Taten niederschreiben! Allgemei- ne Ansicht bei Messer Leonardo [Bruni] und anderen bedeutenden Autoren ist, daß die Florentiner ihre Anfänge bei den Rittern des Lucius Scilla gehabt hätten; so wollen es diese, wenngleich diese Meinung sehr zweifelhaft ist. Noch Plinius scheint die Meinung zu hegen, Florenz sei sehr alt, wenn er schreibt, daß die Florentiner sich «Fluentini» nannten, weil die Stadt mitten zwischen zwei Flüssen, Arno und Mugnone, gelegen sei. Deshalb sei die Stadt «Fluentia» genannt worden. Das ist ein bedeutendes Zeugnis ihres Alters, und man könnte als weiteren Beleg dieses Sachverhalts die sichtbare Gestalt des Theaters und den Marstempel – nämlich S. Giovanni –, der, wie man sieht, etwas sehr Altes ist, hinzufügen, dazu gewisse Aquädukte nennen, die noch teilweise aufrecht stehen. Bei all dem muß man mit Mutmaßungen zu Werke gehen, da es eben keine Schriftsteller gab, die es dem Gedächtnis der Buch- staben anvertraut hätten. Daher mußte Messer Leonardo, als ihm die Geschichte von Florenz zu schreiben oblag, die größte Mühe auf sich nehmen, da er keinerlei Nachrichten – außer für etwa 150

Jahre – fand: Für das Übrige mußte er auf das Zeugnis der oben erwähnten Dinge zurückgreifen. Man bedenke, daß es vom Beginn der Stadt Florenz an bis zu Dante keine Schriftsteller gab, und das sind mehr als tausend Jahre! Es folgte Petrarca, dann Boccaccio, die zwar schrieben, der Ursprünge der Stadt aber keinerlei Erwähnung tun, da sie davon keine Kenntnis hatten.

Nach Dante gab es zwei andere Dichter, nämlich Messer Coluccio und, auf dem Feld der Theologie, Maestro Luigi Marsilli, ein ganz einzigartiger Mann, der auch in anderen Fächern, wie der Astrologie, der Musik, Geometrie und der Arithmetik hervorragte: Vom Leben jener Männer habe ich noch keine ins einzelne gehende Darstellung verfaßt. Es [gibt] allgemeine Erwähnungen bei manchen anderen Autoren. Im gegenwärtigen Zeitalter blühte Florenz in jedem Fach an einzigartigen Männern. Hätte man doch ihre Lebensbeschreibungen der Erinnerung der Buchstaben anvertraut, wie es die Alten taten: Schließlich gab es hier unzählige Schriftsteller! Ja, zu dieser Zeit blühten alle Sieben Freien Künste durch vorzügliche Männer, und nicht allein die lateinische Sprache, sondern auch das Griechische und das Hebräische hatten ihrer höchst gelehrte und beredte Autoren, die nicht geringer waren als jene der Vergangenheit.

Aber um zur Malerei, zur Bildhauerei und zur Architektur zu kommen: All diese Künste waren auf höchster Stufe, wie vor Augen liegt; unzählige Werke ließen sich anführen. Kein Ruhm verbreitete sich von ihnen, bloß, weil es niemanden gab, der von ihnen geschrieben hätte. Keineswegs fehlte es an Autoren – da waren höchst beredsame und gelehrte –, aber jene wollten diese Mühe nicht auf sich nehmen, weil sie vor allem wußten, daß es niemanden gab, der eine solche Arbeit so zu würdigen oder zu schätzen gewußt hätte, wie sie es verdiente. Man sieht das zu den Zeiten – glücklichen Angedenkens – des Papstes Niccolò [Nikolaus V.] und des Königs Alfonso; denn damals wurden sie belohnt und standen in höchstem Ansehen: Wie viele bedeutende Schriftsteller, wie viele wichtige Werke gab es, übersetzte wie neu verfaßte, dank der dafür von so erhabenen Fürsten – wie es die beiden erwähnten waren – gegebenen Belohnungen! Ihr Ruhm wird ewig bleiben. Und es waren nicht nur diese Belohnungen, sondern auch, daß die Autoren geehrt und hochgehalten wurden.

Auf jene beiden Fürsten folgte ein überaus würdiger Nachfolger, nämlich der Herzog von Urbino. Er ahmte jene so bedeutenden Herren nach, indem er die gelehrten Männer ehrte und belohnte und sie auf die höchste Stufe stellte. Er war ihr Schirmherr in jeder Angelegenheit; bei ihm fand jeder einzigartige Mann mit all seinen

Bedürfnissen Zuflucht, denn er verabfolgte ihnen die reichlichsten
Belohnungen für viele Werke, auf daß sie übersetzten und schrieben. Und sie taten das auf eine Weise, daß sie ihm durch ihre
Schriften ein ewiges Gedächtnis schufen. Nachdem nun der Herzog
von Urbino gestorben war, es weder am Hof von Rom noch am Hof
irgendeines anderen Fürsten jemanden gab, der ihnen Gunst zugewandt noch sie geschätzt hätte, erfolgte daraus, daß die Wissenschaften untergegangen sind. Jeder hat sich zurückgezogen, angesichts dessen, daß nun, wie gesagt, kein Preis mehr zu erhoffen war.
Da ich in diesem Zeitalter gelebt und so viele einzigartige Männer
gesehen habe, von denen ich auch ziemliche Kenntnis hatte, und
damit der Ruhm so bedeutender Männer nicht vergehe, habe ich –
auch wenn das meinem Beruf fern ist – eine Erinnerung an all jene
gelehrten Männer, die ich in jener Zeit kennengelernt habe, verfertigt. Ich habe das in der Weise eines kurzen Kommentars getan;
und ich habe diese Arbeit aus zwei Gründen in Angriff genommen:
Der erste ist, daß der Ruhm so einzigartiger Männer nicht untergehe, der zweite, daß, wenn jemand sich der Mühe unterziehen
will, diese Lebensbeschreibungen in lateinischer Sprache abzufassen, er das Mittel vor sich hat, mit dem er dies tun kann. Und
damit all diese einzigartigen Männer einen würdigen Feldherrn
haben, dem sie nacheifern können, und weil das Geistliche in jeder
Sache den Vorrang haben muß, setze ich Papst Nikolaus als Haupt
und Führer aller hierher. Ich werde alle der Kenntnis werten Dinge
über Seine Heiligkeit in größtmöglicher Kürze erzählen – über einen wegen seiner rühmlichen Eigenschaften so bedeutenden Mann,
daß, hätte er zu den Zeiten der Alten gelebt, sie ihn mit ihren
Schriften gerühmt hätten. Am Leben eines so großen Papstes ist zu
sehen, welche Kraft die Tugenden hatten: Er wäre nicht zu dieser
Würde gelangt, wenn nicht – so wird zu erkennen sein – durch
dieses Mittel. Kommen wir nun zum Leben dieses so bedeutenden
Papstes.

MAESTRO TOMMASO DA SARZANA [Tommaso Parentucelli],
der spätere Papst Nikolaus V., kam in Pisa auf die Welt; seine Eltern
waren niederen Standes. Sein Vater wurde kurz darauf, im Zusammenhang mit Bürgerkämpfen, verbannt und ging nach Sarzana. Er
sorgte dafür, daß Maestro Tommaso schon im zartesten Jugendalter
Grammatikstudien betrieb; und dieser lernte dank seines hervorragenden Verstandes rasch.

Als Tommaso neun Jahre alt war, starb sein Vater. Er hinterließ
zwei Söhne: neben Tommaso noch Messer Filippo, den späteren
Kardinal von Bologna. Tommaso erkrankte in besagtem Alter. Seine

11 *Papst Nikolaus V. Medaille von Andrea Guazzalotti, 1454.*
London, British Museum

Mutter, die, gerade zur Witwe geworden, die größte Hoffnung auf diese Söhne setzte, geriet deshalb in äußerste Angst und Schmerz. Mit inständigen Gebeten flehte sie zu Gott, ihr diesen Sohn zu retten. Und nachdem sie, in dauernden Gebeten verharrend und in Furcht, der kranke Sohn sterbe, schlafen gegangen war, da – schon dämmerte der Tag, und ihr schien, als schliefe sie nicht – wurde sie beim Namen gerufen und [eine Stimme] sagte: «Andreola» – so nämlich hieß sie – «Andreola, zweifle nicht daran, daß dein Kind von der Krankheit befreit werden wird.» Und es schien ihr in dieser Vision, als werde ihrem Sohn der päpstliche Ornat angelegt; es wurde ihr gesagt, Tommaso werde dereinst Papst werden. Sie solle nur die feste Hoffnung hegen, daß das, was ihr prophezeit worden sei, auch sein werde.

Kaum erwacht, sah Andreola nach ihrem Sohn und fand, daß es ihm schon sehr viel besser ging. Allen im Haus erzählte sie von der Vision, die sie gehabt hatte. Sie glaubte fest an die Verheißung und trieb den Knaben – kaum, daß er genesen war – an, in seinen Studien fortzufahren – was eigentlich bei Tommaso gar nicht nötig gewesen wäre, denn schon von seiner Natur her war er überaus fleißig. Er oblag seinen Studien auf eine Weise, daß er bereits im Alter von sechzehn Jahren über beste Kenntnis in Grammatik verfügte und in Latein viel gehört und gelesen hatte. Auch begann er

in diesem Alter, sich mit Logik zu beschäftigen, um dann zur
Philosophie und zur Theologie zu gelangen. Er verließ Sarzana
zum Studium in Bologna. Dort hörte er Vorlesungen in allen Fa-
kultäten; Logik und Philosophie studierte er und erntete dabei die
schönsten Früchte. Er brachte es in kurzer Zeit zu Gelehrsamkeit
in allen Sieben Freien Künsten. Bis in sein achtzehntes Lebensjahr blieb er in Bologna; an der Artistenfakultät erlangte er den
Magistergrad.

Geldmangel zwang ihn, zur Mutter nach Sarzana zurückzukehren, damit diese ihm unter die Arme greife. Andreola hatte inzwischen wieder geheiratet. Aber sie war arm, und ihr Mann war auch
nicht gerade reich. Tommaso, nicht dessen leiblicher Sohn, sondern nur ein Stiefkind, konnte kein Geld von den Eheleuten bekommen, beschloß aber, sein Studium trotzdem fortzusetzen. Er
faßte den Gedanken, nach Florenz zu gehen, zu jener Zeit Mutter
der Studien und aller Tugenden. Kaum eingetroffen, begegnete er
Messer Rinaldo degli Albizzi, einem einzigartigen Mann, der ihn
bei guter Entlohnung als Hauslehrer für seine Söhne anstellte.
Nach Ablauf eines Jahres verließ Messer Rinaldo Florenz. Tommaso hingegen wollte bleiben und verdingte sich deshalb bei Messer Palla di Noferi Strozzi, der ihm ein sehr gutes Salär gewährte.
Im Hause Palla Strozzis wurde er wegen seiner Tugenden ebenso
hoch in Ehren gehalten, auch, damit die Söhne des Hauses ihn
respektvoll behandelten. Als ein weiteres Jahr vergangen war, hatte er bei diesen beiden Florentiner Bürgern so viel verdient, daß
er es sich leisten konnte, in Bologna seine Studien wieder aufzunehmen. Freilich hatte er in Florenz seine Zeit nicht verschwen-
det, wurden doch auch dort in allen Disziplinen Vorlesungen gehalten.

[. . .] In Bologna gelangte er ans Ziel seiner Wünsche, nämlich
zum Theologiestudium. Hochgelehrt in Philosophie und Magister
der *artes,* promovierte er in kurzer Zeit zum Doktor der Theologie.

Den mittlerweile Zweiundzwanzigjährigen forderte der Bischof
von Bologna, Messer Niccolò degli Albergati – ein Kartäusermönch,
der spätere Kardinal von S. Croce –, auf, in seine Dienste zu treten.
Er ging dorthin; als der Bischof seine Tüchtigkeit erkannt hatte,
wurde ihm von diesem die Gesamtleitung des bischöflichen Hauses
übertragen. Auch in diesem Amt ließ er keine Stunde ungenutzt
verstreichen; und er beteiligte sich an Disputationen in den gelehrten Zirkeln [Bolognas]. Als gelehrter Theologe hat er sich, wie ich
von ihm selbst hörte, mit dem gesamten Werk des Meisters der
Sentenzen [Petrus Lombardus] nebst sämtlichen Kommentaren
dazu beschäftigt: Denn wo bei dem einen etwas fehlte, da ergänzte

es der andere. Tommaso Parentucelli hatte nicht nur Kenntnis von modernen Gelehrten, sondern auch von allen alten, den griechischen wie den lateinischen. Es gab wenige Autoren dieser Sprachen, und zwar in allen Disziplinen, deren Werke er nicht gekannt hätte. Die Bibel hatte er auswendig im Kopf; er pflegte bei passendem Anlaß immer aus ihr zu zitieren. Damit legte er während seines Pontifikats viel Ehre ein, etwa in den Antwortschreiben, [die er zu verfertigen hatte].

Im Alter von 25 Jahren wurde er [durch seinen Herrn, den Bischof von Bologna] zum Priester geweiht. Kurz darauf wurde der Bischof von Papst Eugen – der von dessen gutem Ruf gehört hatte – zum Kardinal erhoben. Er erhielt S. Croce in Gerusalemme und mußte sich somit nach Rom begeben. Maestro Tommaso begleitete ihn in jene Stadt; unzählige einzigartige Männer gab es dort, mit denen Maestro Tommaso stets den Disput über Theologie und Philosophie suchte, wenn ihm die Zeit dazu blieb. Um das umfassende Wissen nicht zu übergehen, mit dem ich ihn sprechen hörte: Er hatte bei mehreren Schriftstellern gelesen, daß Italien 450 Jahre lang in den Händen der Barbaren gewesen sei – besetzt von Goten, Vandalen, Geten, Hunnen, Langobarden und Herulern. So sei es ein Wunder, daß überhaupt noch Bücher oder anderes von Belang überkommen sei.

Zur Zeit des Aufenthaltes von Maestro Tommaso in Rom faßte Papst Eugen, ein sehr heiliger Mann, den Entschluß, einen Ausgleich zwischen den Königen von Frankreich und England sowie dem Herzog von Burgund zu vermitteln. Da der Papst die Redlichkeit und Treue des Kardinals von S. Croce kannte, beschloß er, ihn mit der Legation in diese Länder – wo er hohes Ansehen genoß – zu betrauen. Maestro Tommaso gab bei dieser Gesandtschaft beste Proben seiner Fähigkeiten und erwarb sich an der Kurie und überall, wo sich die Gesandtschaft aufhielt, viel [Anerkennung]. Dank der Unterstützung und der Sorgfalt Tommasos gelang es dem Kardinal, sehr viel Gutes zu bewirken und die Parteien zusammenzubringen. Viele Kriege und Streitigkeiten, die es unter diesen Ländern gab, konnte er beenden. [. . .] Als der Kardinal mit diesem Friedensschluß in Händen nach Rom zurückkehrte, gefiel sein Werk dem Papst wohl; und da er so die Geschicklichkeit des Kardinals von S. Croce in solchen Angelegenheiten kennengelernt hatte, schickte er ihn nach Deutschland. Unter den Fürsten dieses Landes herrschte viel Uneinigkeit. Der Kardinal blieb dort ein Jahr, stiftete Frieden in allen oder wenigstens dem größeren Teil der Konflikte – teils durch seine eigene Vertrauenswürdigkeit und Güte, teils durch den Eifer und die Sorgfalt Maestro Tommasos. Wegen der Roheit der Menschen dort,

die etwas Barbarisches an sich haben, hatte die Gesandtschaft große
Entbehrungen auf sich zu nehmen.

Kaum nach Rom zurückgekehrt, wurde der Kardinal nach Ferrara
gesandt, wo zwischen Herzog Filippo, den Venezianern und den
Florentinern um Frieden verhandelt wurde. Auch hier gaben sich
der Kardinal und Maestro Tommaso große Mühe, den Frieden zu
vermitteln; und sie ruhten nicht, bis er geschlossen war. Das war
von segensreichster Wirkung, da ganz Italien damals niederge-
drückt war von Krieg und Verwirrung durch Söldnerhaufen. So waren endlich all diese Schändlichkeiten beseitigt. [. . .]

Als Papst Eugen wegen gewisser Hinterhältigkeiten, welche die
Römer gegen ihn ins Werk setzten, nach Florenz reiste, gingen auch
der Kardinal von S. Croce und Maestro Tommaso mit ihm. Dort
hielten sich, ähnlich wie am Hof des Papstes, viele einzigartige
Männer auf. Und weil diese Gelehrten – Messer Leonardo von
Arezzo, Messer Giannozzo Manetti, Messer Poggio, Messer Carlo
d' Arezzo, Messer Giovanni Aurispa, Maestro Gaspare von Bologna
und unzählige andere – sich morgens und abends an der Ecke des
Palazzo della Signoria einfanden, um alle möglichen Fragen zu disputieren und zu bereden, kam auch Maestro Tommaso dorthin,
sobald er den Kardinal in dessen Palast gebracht hatte. Er ritt auf
einem Maultier, begleitet nur von zwei Dienern zu Fuß; meist trug
er ein blaues Gewand, seine Amtsdiener hatten graue oder blaue
Kleider an, die lang und geschlossen waren, auf dem Kopf trugen
sie Priesterkäppchen – man prunkte am römischen Hof noch nicht
so wie heute!

[. . .] Papst Eugen begab sich dann nach Bologna, an den Bischofs-
sitz des Kardinals von S. Croce. Die Bischofsresidenz indes war im
selben Zustand wie die meisten Priesterhäuser, und der war
schlecht. Der Kardinal beriet mit Maestro Tommaso, als dieser in
Bologna eingetroffen war, über Baumaßnahmen und beauftragte ihn
mit der Leitung dieser Angelegenheit: In kürzester Zeit ließ Tommaso die Bischofsresidenz völlig neu bauen.

Papst Eugen begab sich dann nach Ferrara, wo er die Griechen zur
Kirchenunion mit Rom zu bringen suchte. [Es folgt erneut eine
Schilderung des Unionskonzils von Ferrara/Florenz, wobei besonders die Rolle hervorgehoben wird, die Tommaso Parentucelli bei
den Disputationen und Verhandlungen spielte.] In allen Angelegenheiten erwies sich seine Tüchtigkeit. Ungeachtet seines rühmenswerten Ranges pflegte er den freundlichsten Umgang mit allen, die
ihn kannten. Er war sehr zu Scherzen aufgelegt und sagte keinem
anderes als nur die verbindlichsten Dinge. Wegen seiner löblichen
Manieren und seiner lobenswerten Art wurden nur wenige, die mit

ihm sprachen, nicht auch zu seinen Anhängern. Der Umgang, den er mit allen Nationen der Welt gehabt hatte, brachte ihm Ehre. Immer hatte er mit großen und würdigen Männern zu tun. Er war gegenüber jedermann von größter Freigebigkeit; das, was er besaß, betrachtete er nicht als sein eigen. Geiz kannte er nicht, und nur der, welcher nicht fragte, bekam auch nichts von ihm.

Er gab mehr aus, als es ihm eigentlich möglich gewesen wäre, weil er zu jener Zeit viele Kopisten beschäftigte – und die bedeutendsten, die zu haben waren. Auf den Preis schaute er dabei nicht. Er setzte sein Vertrauen auf seine Fähigkeiten: So wußte er, daß es ihm an nichts fehlen konnte. Er pflegte zu sagen, daß er zwei Dinge tun würde, wenn er jemals Geld ausgeben könne: nämlich Bücher kaufen und bauen. Das eine wie das andere tat er während seines Pontifikats dann auch tatsächlich. Obwohl er damals arm war, wollte er nichtsdestoweniger, daß die Bücher, die er sich fertigen ließ, in jeder Hinsicht aufs schönste gemacht sein sollten. Er besaß Bücher aller Wissensgebiete: neben anderem Werke des hl. Augustinus in zwölf prächtigen Bänden, alle neu gemacht und in größter Ordnung; gleichermaßen die Werke der alten und der modernen Gelehrten. Soviel er nur konnte, gab er für Bücher aus. Und er besaß nur wenige, die er nicht studiert und eigenhändig mit Randbemerkungen versehen hätte. Seine Schrift war sehr schön, ihr Stil stand zwischen der alten und neuen Weise. In einigen Büchern brachte er Hinweise an, wenn er etwas wiederfinden wollte.

Noch heute befindet sich in S. Spirito – hinter der Bibliothek der Mönche – eine weitere Bibliothek, die «des Boccaccio» genannt wird. Niccolò Niccoli ließ sie nämlich einrichten und die Werke Boccaccios darin aufbewahren, damit sie nicht verlorengingen. Darin liegt ein Buch – mit der Schrift des hl. Augustinus gegen Julian den Pelagianer und gegen andere Ketzer –, das voller Anmerkungen von Tommasos Hand ist, in jener Schrift, von der ich bereits gesprochen habe.

Er begab sich mit seinem Kardinal nie auf Gesandtschaftsreisen ins Ausland, ohne nicht irgendein neues Buch mitzubringen, das es in Italien nicht gab. Darunter waren etwa die ‹Sermones› des Papstes Leo, die Postille des hl. Thomas von Aquin über den hl. Matthäus und anderes – sehr bedeutende Werke, die es zuvor in Italien nicht gegeben hatte.

Es gab keinen lateinischen Autor – welcher Disziplin auch immer –, von dem er keine Kenntnis gehabt hätte; er kannte alle Schriftsteller, lateinische wie griechische. Wenn es darum ging, eine Bibliothek mit Büchern aller Wissensgebiete einzurichten, dann gab es keinen, der das besser verstanden hätte, als eben Messer Tommaso. Deshalb schrieb Cosimo de' Medici, als es darum ging, die Bibliothek von S. Marco einzurichten, an ihn, ob er ihm nicht ein Verzeichnis anfertigen könne, wie eine solche Büchersammlung beschaffen sein müsse. Er schickte ihm einen Plan [. . .]: Und so wurden die Bibliotheken von S. Marco und der Badia in Fiesole nach Tommasos Schema aufgestellt, ebenso jene des Herzogs von Urbino und des Signore Alessandro Sforza. Und wer in künftigen Zeiten eine Bibliothek aufzubauen haben wird, wird dies ohne diesen Katalog nicht bewerkstelligen können. Alle Gelehrten haben eine große Dankesschuld gegenüber Papst Nikolaus, weil er ihnen seine Gunst bezeugte und Büchern und allen Autoren große Reputation verschaffte. Öfter geschah es ihm, daß er aus Geldmangel Bücher auf Kredit erwerben mußte; um Schreiber oder Miniaturmaler bezahlen zu können, lieh er sich sogar Geld. Es lag in seiner Natur, freigebig zu sein – auch als Armer: Freigebigkeit ist eine gesegnete Eigenschaft, ihr Widerpart, der Geiz, hingegen verflucht. Sagt doch schon der hl. Johannes Chrysostomus, daß ein Geiziger so unersättlich sei, daß er nie zufrieden werde, selbst wenn sich die ganze Welt vor ihm zu Gold wandelte. Eher würde ein Mensch in der Luft fliegen, als daß ein Geizkragen freigebig werde! [. . .]

Maestro Tommaso verfügte über umfassendes Wissen [. . .]; göttlich war sein Geist, göttlich sein Gedächtnis. Er war von offener, großzügiger Art, konnte nicht lügen oder etwas vortäuschen und war Feind aller Heuchler und Simulanten. Und er war auch ein Gegner von Zeremoniell und Schmeichelei, gegen jedermann pflegte er die größte Vertraulichkeit. In all seinen Würden – als Bischof wie als Gesandter – ehrte er alle, die ihn besuchen kamen; wer mit ihm sprechen wollte, mußte sich neben ihn setzen, da ließ er nicht locker – und wenn der Gast nicht wollte, nahm er ihn am Arm, und er mußte Platz nehmen, ob er nun wollte oder nicht. Handelte es sich um Leute von Stand, begleitete er sie – je nach Rang – aus dem Zimmer oder bis zur Treppe.

Eines Tages besuchte ihn Messer Giannozzo Manetti, der – als Gesandter Papst Eugens – auf dem Weg nach Frankreich in Florenz Station machte. Da Maestro Tommaso ihn aufs höchste achtete, erwies er ihm größte Ehre. Nachdem Giannozzo Manetti sich einige Zeit mit ihm im Zimmer aufgehalten hatte, begleitete er ihn zum Abschied bis zum Ende des Saales und weiter bis zur Treppe, gegen den Willen des Besuchers; und er ging mit ihm hinunter: Da blieb Messer Giannozzo stehen und wollte nicht, daß Tommaso ihn noch weiter begleitete, doch mußte er sich in Geduld fassen. Ja, Tommaso stieg nicht nur die Treppe hinab, sondern blieb bis zum Eingang seiner

Herberge, des Albergo del Leone, an der Seite Giannozzos, war dieser doch – wie gesagt – Gesandter des Papstes. Darauf wandte er sich an einige, die da waren, und sagte viel Rühmendes über Messer Giannozzo, etwa, daß dieser ein so würdiger Bürger sei, daß er keinem Bürger der römischen Republik in ihrer größten Blütezeit nachstehe. War es auch seine Art, mit seinen Hausgenossen sehr bescheiden umzugehen, so wollte er doch auf einen Wink verstanden werden. Wie er selbst fleißig war in allen Angelegenheiten, so erwartete er dasselbe von seinen Bedienten. Er war von cholerischem Temperament, verstand es jedoch sehr gut, es durch seine Klugheit zu mäßigen. Unter den Familiaren, die in seinem Dienst standen, war kein Italiener, alle waren entweder Deutsche oder Franzosen. Gefragt, aus welchem Grund er keine Italiener habe, antwortete er, diese seien zu stolz, während der Deutsche und der Franzose mit jeder Arbeit, die man ihm gäbe, zufrieden sei, wenn er nur das Nötige habe. Sie wollten nicht höher hinaus, auch wenn man ihnen eine wie auch immer geartete niedrige Tätigkeit zuweise, so seien sie doch stets sehr treu.

Für längere Zeit blieb Maestro Tommaso ohne Pfründe, gab man dergleichen doch nicht – wie das heute üblich ist – jedermann. Sein erstes Amt war das des apostolischen Subdiakons, zu jener Zeit, als Papst Eugen in Florenz weilte, der ihn mit dieser Würde ausstattete. Diese Subdiakone tragen dem Papst das Kreuz voran und ministrieren ihm in der Messe, einer aus ihrem Kreis liest bei päpstlichen Messen die Epistel. Es gibt zwei Ränge unter den Subdiakonen, ordentliche und außerordentliche; die einen erhalten ein gewisses Gehalt, das bis zu 300 Dukaten im Jahr betragen kann. Zu dieser Kategorie der *numerarii* zählte Maestro Tommaso. Auch hatte er noch ein Erzdiakonat in Frankreich, das nicht mit Seelsorgeverpflichtungen verbunden war. Andere Pfründen besaß er damals nicht.

Als Papst Eugen aus Florenz abreiste und sich nach Siena begab, gingen der Kardinal und Maestro Tommaso mit ihm. Da erkrankte der Kardinal sehr ernst an einem Steinleiden, an dem er auch starb. Mit Erlaubnis des Papstes hatte er ein Testament gefertigt. Viel vermachte er für fromme Zwecke; Maestro Tommaso hatte er zum Testamentsvollstrecker eingesetzt, soviel Vertrauen setzte er in den Mann, der ihm zwanzig Jahre gedient hatte. Aus der Leiche des Kardinals holte man einen Stein, der so groß war wie das Ei einer Gans und achtzehn Unzen wog. Das Bistum Bologna übertrug Papst Eugen *motu proprio* [aus eigenem Antrieb] Maestro Tommaso.

[Bisticci berichtet nun von Gesandtschaftsreisen Parentucellis nach Florenz, Neapel, nach Frankreich und Deutschland. Seine

Geldschwierigkeiten aber hören nicht auf, da Bologna sich der Obe-
dienz Eugens IV. verschließt und keine Zahlungen an den neuen
Bischof leistet; Hilfe bringen Kredite Cosimo Medicis.]
   Ich werde nun davon sprechen, was eines Morgens vor der Abreise
Tommasos aus Florenz geschah. Er hatte den gerade in Florenz
weilenden Gesandten Bolognas zum Mittagsmahl gebeten. Auch
ich befand mich an jenem Morgen dort. Es war in der Adventszeit;
obwohl auf Reisen, fastete Maestro Tommaso, hielt die Gebote ein.
Für den Gesandten aber ließ er geziemend auftischen. Als Tommaso sich zu Tisch gesetzt hatte, nahm er, bevor man mit dem Mahl
begann, die ‹Collationes› des hl. Johannes Cassianus zur Hand und
sagte: «Meine stete Gewohnheit ist es, vor dem Essen zu lesen, auf
Reisen oder wo immer ich mich befinde.» Nach seiner Gewohnheit
hatte er auf seinem Tisch zwei Karaffen, deren jede zwei Becher
voll faßte – eine mit Rotwein, die andere mit Weißem gefüllt, sehr
gut mit Wasser verdünnt. Er trank sie nicht einmal aus. Ich berichte
das hier, weil es einige übelwollende, neidische Menschen gibt, die
ihn als Trinker verleumdet haben. Die kannten ihn nicht; wohl ließ
er während seines Pontifikats manch guten Wein kommen, aber
das tat er nicht für sich selbst, sondern für gewisse Prälaten und
Herren aus Frankreich, Deutschland oder England – aus Ländern
also, wo er ja gewesen war und die er daher sehr gut kannte. Diesen
Gästen setzte er, wenn sie nach Rom kamen, den Wein vor; aus
diesem Grund also ließ er ihn kommen.
   Bei besagtem Mittagsmahl nun wandte er sich an den Gesandten
Bolognas und sagte: «Es schmerzt mich sehr, daß ihr mir die Einkünfte aus dem Bistum vorenthalten habt, so daß ich so weit gebracht wurde, die liebsten Dinge, die ich besaß – meine Bücher –
zu verkaufen, um meinen Lebensunterhalt bestreiten zu können.
Aber noch mehr tut mir weh, daß ihr aus dem Bischofspalast, der
ein Haus Gottes ist, eine Unterkunft für Gesindel gemacht habt:
Alle Leute, die nach Bologna kommen, schickt ihr in den Bischofspalast. Bei Gott! Irgendwann werdet ihr eure Irrtümer erkennen.»
Von Florenz wandte sich Tommaso mit seiner Gesandtschaft nach
Frankreich und Deutschland. Ich werde hier berichten, was er mir
über diese Mission gesagt hat. Er erzählte mir, daß in ganz Deutschland die Leute vor ihnen, als apostolischen Legaten, niedergekniet
seien, wenn sie des Wegs gekommen seien. Überhaupt wurden ihnen in ihrer Eigenschaft als Legaten des Papstes in allem die größten Ehren erwiesen. Bis Padua wurde es so gehalten, dann ging die
Ehrerbietung gegenüber dem, was sie jenseits der Alpen erlebt hatten, zurück.
   [Vespasiano würdigt die diplomatische Tätigkeit seines Helden,

der in Florenz von Cosimo Medici erneut einen hohen Geldbetrag erhält. Auf der Reise von Florenz nach Rom, in Viterbo, bekommt er von Papst Eugen den Kardinalshut. Als der Papst kurz darauf stirbt, hält Parentucelli ihm die Leichenrede; während des Konklaves wird ihm in einem Traum prophezeit, er werde nun auch Papst werden, was dann tatsächlich eintrifft.]

Als er, wie es Brauch ist, ergriffen und auf den Thron gehoben worden war, verharrte er für lange Zeit wie verwirrt, war doch alles ganz plötzlich geschehen, und er hatte diese Wahl nicht erwartet: Ja, man kann sagen, daß sich die Dinge wie ein Wunder vollzogen – war er doch in nur achtzehn Monaten Bischof, Kardinal und Papst geworden, und das alles wegen seines rühmenswerten Verhaltens.

Während seines Pontifikats zeigte er, daß Gottes Mitleid ihn erhoben hatte – um Italien zur Ruhe zu bringen, das seit vielen Jahren in zahlreiche Kriege verstrickt und von Ängsten bedrückt war. [. . .] Nicht lange nach seiner Wahl zum Papst ging ich, um Seine Heiligkeit zu besuchen. Es war Freitag abend, an dem ich ihn besuchte, die Zeit, zu der er einmal in der Woche öffentliche Audienz abzuhalten pflegte, und dies war einer jener Tage. Als ich den Audienzsaal betreten hatte, ungefähr um die erste Nachtstunde, nahm er mich sofort wahr. Mit lauter Stimme rief er, daß ich willkommen sei und Geduld haben solle, da er mit mir allein sein wolle. Darauf verging nicht viel Zeit und mir wurde gesagt, ich solle zu Seiner Heiligkeit gehen. Das tat ich und küßte ihm – nach der Gewohnheit – die Füße. Er sagte, ich solle mich erheben, erhob sich, entließ alle Anwesenden und sagte, die Audienz sei beendet.

Mit mir ging er in ein abgesondertes Gemach, das sich neben einer Tür befand, die sich zu einem Balkon über einem Garten öffnete. In dem Raum waren etwa zwanzig doppelarmige Leuchter angezündet, vier Personen traten zum Papst; auf einen Wink hin entfernten sie sich. Nachdem alle weg waren, lachte er und sagte zu mir: «Das muß viele Hochmütige verwirrt haben, Vespasiano – hätte das Volk von Florenz wohl geglaubt, daß ein Priester, der zum Glockenläuten bestellt war, zum Papst gemacht werden würde?» Ich antwortete ihm, man habe geglaubt, daß Seine Heiligkeit aufgrund seiner Tugend zu jener Würde erhoben worden sei und daß die Florentiner die feste Hoffnung hegten, der Papst werde Italien zum Frieden bringen. Darauf antwortete er: «Ich bete zu Gott, daß er mir die Gnade erweist, ausführen zu können, was ich im Sinne habe, und daß ich, um zum Ziel zu kommen, während meines Pontifikats keine Waffen einsetzen muß außer jener, die Christus mir zu meiner Verteidigung überantwortet hat, nämlich sein Kreuz

– und das werde ich in meiner gesamten Amtszeit gebrauchen.» Dann wandte er sich mir zu und fuhr fort: «Du weißt, wie viele Wohltaten mir Cosimo de' Medici erwiesen hat in meinen Nöten. Ich will es ihm vergelten und werde ihn morgen früh zu meinem Depositar ernennen. Man kann nicht irren, wenn man gegenüber dankbaren Menschen freigebig ist.» In der Tat ergab es sich einmal, daß die Medici-Bank im Jubeljahr über 100 000 Fiorini an kirchlichen Geldern verwaltete, wie ich von einer vertrauenswürdigen Person, die mit den Medici verkehrte, gehört habe.

Dann sagte er zu mir: «Ich will den Florentinern morgen früh eine große Ehre erweisen: Ich werde ihnen eine Audienz im öffentlichen Konsistorium gewähren, wo man sonst Könige und Kaiser empfängt – um ihnen dieses Präjudiz zu gewähren und ihnen diese Ehre zu geben.» Weiterhin sagte er: «Es wäre gut, Ser Filippo aus der Verbannung zurückzurufen.» Ich bestärkte ihn in seiner Absicht, empfahl, dies [von den Florentinern] als Gunstbezeugung zu erbitten, und entsprechend handelte er. Dann schlug ich vor, Messer Piero degli Strozzi eine Pfründe zu übertragen. Er sagte zu, ihm die erste, die frei würde, zu geben. Er hielt sich daran, denn als gleich darauf die Pfarrei von Ripoli vakant wurde und ihm ein entsprechendes Gesuch vorgelegt wurde, erinnerte er sich an sein Versprechen und übertrug sie *motu proprio* [aus eigenem Antrieb] an Messer Piero.

Mehrmals forderte er mich dazu auf, ihm mitzuteilen, was ich selbst von ihm wünschte; unerfahren, wie ich war, bat ich ihn um nichts. Nachdem ich so lange Zeit bei ihm gewesen war, sagte er zu mir: «Bleibt diesen Abend hier»; er rief Messer Piero da Noceto und sagte: «Morgen vormittag speist ihr mit Uns.» Er ging persönlich in das Zimmer, das neben dem seinen lag, und sagte: «Hier bleibt ihr diese Nacht.» Für den Imbiß – es war gerade Fastenzeit – ließ er alles herrichten. Er beklagte mir gegenüber, daß der Palast Eugens völlig ausgeraubt und die Betten der Familiaren alle erbettelt seien. Er sagte vieles – aber da ich das Leben Papst Nikolaus' schreiben muß, und es nicht den Anschein haben soll, als wollte ich über mich sprechen, lasse ich es beiseite.

Er begann sein Pontifikat zur großen Freude aller, die ihn kannten. Der Apostolische Stuhl erwarb sich größtes Ansehen in der ganzen Welt, angesichts einer so würdigen Wahl, die aufgrund der Tugend des Gewählten zustande gekommen war. Alle gelehrten Männer der Welt kamen zum römischen Hof, aus freien Stücken; mitunter schickte Papst Nikolaus auch nach ihnen, wollte er sie doch in seiner Umgebung haben. So versammelte sich hier eine enorme Zahl einzigartiger Männer.

Er begann, im öffentlichen Konsistorium Audienz zu geben. Unter den Gesandten der italienischen Staaten und der Männer von Ansehen waren die Florentiner die ersten. Des Morgens gab er ihnen im Konsistorium Audienz: Viele Ausländer, Gelehrte, Leute von Rang waren anwesend, und viele kamen noch dazu, angezogen vom Ruhm Messer Giannozzo Manettis, der einer der sechs Gesandten von Florenz war: neben Messer Agnolo Acciaiuoli, Messer Giannozzo Pitti, Messer Alessandro degli Alessandri, Neri di Gino und Piero di Cosimo de' Medici; Messer Giannozzo Manetti war damals noch kein Ritter.

Die Gesandten waren mit 120 Pferden gekommen, und sie waren alle auf dieselbe Weise gekleidet. Sie trugen sechs Gewänder von reichstem Karmesin; die Ärmel waren offen, und das Futter war von Fehrücken. Begleitet wurden die Florentiner von zwölf Jünglingen, die genauso gewandet waren, in mit Fehrücken gefütterte Kleider aus karmesinrotem Damast.

Der Audienzsaal war ganz voll mit sehr bedeutenden Männern: dem Kardinalskollegium, allen Personen von rühmenswertem Stand, Botschaftern aus aller Herren Länder. Messer Giannozzo hielt eine wohlgesetzte Rede, die eineinviertel Stunden dauerte. Er sprach auf eine neue Weise, derer man sich seit langer Zeit nicht mehr bedient hatte. Man lauschte mit gespanntester Aufmerksamkeit, so, daß keiner sich rührte. Auch der Pontifex verharrte in äußerster Konzentration, ganz entrückt, so daß es schien, als schliefe er. Einer seiner Diener neben ihm berührte ein paarmal seinen Arm, damit er wachbleibe. Nachdem die in drei Abschnitte gegliederte Rede beendet war, hatte es den Anschein, als könne Papst Nikolaus sie auswendig. In seiner Antwort nahm er die Fäden wieder auf, antwortete wunderbar auf einen Teil nach dem anderen. An diesem Morgen erwarb er sich größtes Ansehen, und in ähnlicher Weise gewann der Botschafter [Giannozzo Manetti] an Reputation. Mit all seinen Antworten legte Papst Nikolaus größte Ehre ein, so gut antwortete er. Alle entließ er in zufriedener Stimmung.

[Bisticci berichtet nun von den erfolgreichen Bemühungen um eine Beendigung des Schismas, um die Resignation des Gegenpapstes Felix V. Er schreibt dann von den Bemühungen des Papstes um die Befriedung Italiens, wobei er seinen Anteil am Zustandekommen des Friedens von Lodi [1454] und der italienischen Liga im selben Jahr im hellsten Licht erscheinen läßt. Auch Nikolaus' Kirchenpolitik wird gerühmt; ausführlich geht Bisticci auf die Kardinalserhebungen während seines Pontifikats ein. Unter den neuen Purpurträgern war, neben dem Halbbruder des Papstes, auch Nikolaus von Kues.]

[. . .] Nikolaus, genannt von Kues, war hochgelehrt in allen freien Künsten und ein sehr bedeutender Theologe, ein Mann von größter Autorität, der Nation nach ein Deutscher, nicht aber in seiner Art. [. . .] All diese Kardinäle wurden aufgrund ihrer persönlichen Fähigkeiten mit dem Purpur bedacht, andernfalls hätte Papst Nikolaus sie nicht zu Kardinälen gemacht – schon aufgrund seiner eigenen Einstellung, aber auch deshalb, weil es in der Kirche Gottes nur wenige bedeutende Prälaten gab, die er nicht kannte.

In diese Zeit fiel das Jubeljahr [1450] – ein echtes, wie es nach den Regeln der Kirche jeweils nach 50 Jahren zu begehen ist. Rom war voller Menschen, niemand konnte sich an Vergleichbares erinnern. Es gab keinen oder nur wenige der großen Herren in der Christenheit, der nicht zur Feier des Jubeljahres gekommen wäre, und es war zum Staunen, diese große Zusammenkunft der Völker zu sehen. Die Wege von Rom nach Florenz waren so voll, daß sie Ameisenstraßen glichen. Und so viele Völkerscharen sah man da, daß an der Engelsbrücke ein Auflauf von Menschen jeden Alters entstand, in dem alles stockte und man weder vor noch zurück konnte. Jeder wollte zu seinen Ablässen gelangen. Es gab viel Streit zwischen denen, die eintrafen, und anderen, die schon da waren. Dabei kamen mehr als 200 ums Leben, Männer und Frauen. Als Papst Nikolaus, der ein sehr barmherziger Mensch war, dies erfuhr, schmerzte es ihn sehr, und er sorgte dafür, daß dergleichen nicht mehr geschehen konnte. Zur Erinnerung an dieses bittere Unglück, an ein solches Blutbad, ließ er am Fuß der Brücke zwei kleine Kirchen errichten. Und er ließ alle Opfer begraben.

Dem Apostolischen Stuhl floß damals ungeheuer viel Geld zu. Deshalb begann der Papst, an mehreren Orten zu bauen; und er ließ griechische und lateinische Bücher kommen, von welchem Ort auch immer er sie erhalten konnte, ohne auf Preise zu achten. Er stellte unzählige Schreiber an, die fähigsten, die zu gewinnen waren, und er gab ihnen ununterbrochen zu tun. Zahlreiche gelehrte Männer unterhielt er, damit sie neue Werke verfaßten oder Bücher, die noch nicht vorhanden waren, abschrieben. Er gab ihnen fürstliche Honorare, bezahlte reguläre Gehälter und dazu Sondervergütungen. Und wenn sie ihm die fertig übertragenen Bücher brachten, gab er ihnen noch eine hübsche Menge Geldes, damit sie das, was zu tun war, um so lieber verrichteten: Er gab gelehrten Männern sehr viel Geld. So brachte er eine riesige Menge von Büchern aller Fächer zusammen, griechische wie lateinische, 5000 Bände an der Zahl. Nach seinem Tod fand man durch ein Inventar heraus, daß seit den Zeiten des Ptolemäus nicht einmal eine halb so große Menge von Büchern zusammengekommen war [wie Papst Nikolaus anfertigen ließ]. Es gab nur wenige Orte, wo Seine Heiligkeit nicht seine Schreiber hatte: Bücher, die er nicht fand und auch auf anderen Wegen nicht bekam, ließ er abschreiben. Wie erwähnt, hatte Papst Nikolaus viele Gelehrte bei hohen Gehältern angestellt; so schrieb er auch nach Florenz an Messer Giannozzo Manetti, damit dieser nach Rom komme, um Bücher zu übersetzen und zu schreiben. Manetti wurde, in Rom eingetroffen, vom Papst, wie es dessen Gewohnheit entsprach, ehrenvoll empfangen. Er überwies ihm zusätzlich zu seinem Gehalt als päpstlicher Sekretär 600 Dukaten und beauftragte ihn mit der Übersetzung mehrerer Bücher der Bibel und des Aristoteles und mit der Fertigstellung eines von Manetti selbst begonnenen Buches, ‹Contra Judaeos et gentes› – eines wunderbaren Werkes, wäre es vollendet worden. Er stellte zehn Bücher davon fertig. Und er übersetzte das Neue Testament und den Psalter ‹De hebraica veritate› nebst fünf apologetischen Büchern zur Verteidigung dieses Psalters, wobei er zeigte, daß in der Heiligen Schrift keine Silbe steht, in der nicht ein tiefes Mysterium ist.

Papst Nikolaus hatte die Absicht, in S. Peter eine Bibliothek zum allgemeinen Gebrauch des päpstlichen Hofes einzurichten, was eine wunderbare Sache gewesen wäre, hätte der Papst seinen Plan durchführen können. Aber der Tod verhinderte es, das Vorhaben zu Ende zu bringen.

Er brachte Licht in die Heilige Schrift durch unzählige Kommentare, die er übersetzen ließ; ähnlich hielt er es mit den Gentiles und einigen Grammatikbüchern, die nötig für den Umgang mit der lateinischen Sprache waren, und der ‹Orthographie› Messer Giovanni Tortellos, der zum Gefolge Seiner Heiligkeit gehörte und von Nikolaus zum Leiter der Bibliothek gemacht wurde. Dieses Buch ist für die Grammatiker wirklich ein bedeutendes und nützliches Werk. Außerdem ließ er die ‹Ilias› Homers übertragen; Strabons ‹De situ orbis› ließ er von Guarino übersetzen und gab ihm für jeden Teil – also für die Beschreibungen Asiens, Afrikas und Europas – je 500 Fiorini, was 1500 Fiorini machte. Herodot und den Historiker Thukydides ließ er von Messer Lorenzo Valla übersetzen, und er gewährte ihm eine außerordentlich hohe Belohnung für seine Mühe. Xenophon und Diodor wurden von Messer Poggio, Polybius von Niccolò Perotti – dem er 500 päpstliche Dukaten, alle neu, in einer Börse, schenkte – übertragen. Der Papst sagte zu Messer Poggio, das entspreche wohl noch nicht seinem Verdienst; aber mit der Zeit werde er ihn zufriedenstellen. Auch ließ er die Werke Philons des Hebräers übersetzen, höchst bedeutende Werke, von denen die lateinische Sprache keine Kenntnis hatte. Zwei sehr wichtige Bücher – ‹De plantis› von Theophrastos und die ‹Problemata› des Ari-

stoteles – übersetzte der sehr gelehrte und redegewandte Grieche
Theodoro; die Übertragung von Platons ‹Staat› und von dessen ‹Gesetzen›, der ‹Analecta posteriora›, der ‹Ethik› und der ‹Physik›, der
‹Magna Moralia›, der ‹Metaphysik› und der ‹Großen Rhetorik› besorgte Trabisonda; Aristoteles' ‹De animalibus›, ein hochbedeutendes Werk, wurde ebenfalls von Theodoro übertragen. [Kommen wir
nun zur] sakralen Literatur. Da wären die Werke des Dionysius
Aeropagita – ein bewunderungswürdiges Buch, das Frate Ambrogio übersetzt hat –, bisher waren da nur mehrere ausschließlich
barbarische Übersetzungen. Ich hörte Papst Nikolaus äußern, daß
diese Übersetzung so gut sei, daß hier der reine Text besser zu
verstehen sei als in anderen Ausgaben mit einer endlosen Fülle von
Kommentaren. Da wäre das wunderbare Buch ‹De praeparatione
evangelica› des Eusebius Pamphilus, ein Werk, das von ungeheu-
rem Wissen zeugt, zu nennen, auch viele Schriften des hl. Basilius
und des hl. Gregor von Nazianz, dann etwa achtzig Homilien des
Chrysostomus über den hl. Matthäus, die 500 Jahre oder länger
verschollen gewesen waren, ist doch ein halbes Jahrtausend vergangen, seit fünfundzwanzig dieser Homilien von Oronzius übersetzt
wurden. Dieses Werk war von den Alten ebenso wie von den Neueren heiß begehrt. So ist überliefert, daß der hl. Thomas von Aquin,
als ihm dieses Werk auf dem Weg nach Paris kurz vor seiner Ankunft dort gezeigt wurde, gesagt habe: «St. Johannes Chrysostomus
über St. Matthäus wäre mir lieber als Paris» – er hielt dieses Werk
in hohen Ehren. Für Papst Nikolaus übersetzt hat es Trebisonda.
Schließlich sind zu nennen Cyrills Kommentare zur Genesis und
zu St. Johannes.

Noch viele andere Werke wurden auf Wunsch Seiner Heiligkeit
übersetzt und geschrieben, von denen ich nicht weiß; ich habe nur
über jene berichtet, von denen ich Kenntnis habe.

Papst Nikolaus war ein Licht und eine Zierde der Wissenschaften
und der Gelehrten, und wäre auf ihn ein weiterer Pontifex dieses
Schlages gefolgt, die Wissenschaften hätten eine außerordentliche
Höhe erreicht. Stattdessen ging es immer schlechter, die Tugenden
gelten nichts mehr.

Papst Nikolaus' Freigebigkeit und sein Vorbild führten dazu, daß
viele, die das sonst nicht getan hätten, sich den Wissenschaften
zuwandten. Überall, wo er Gelehrte ehren konnte, tat er dies und
ließ es an nichts fehlen.

[Bisticci führt als Beispiel für die Großzügigkeit des Papstes an,
wie dieser Francesco Filelfo, der auf der Reise zum König von Neapel in Rom Station macht, einfach 500 Fiorini schenkt.]

Papst Nikolaus ließ in Rom mehrere Kirchen bauen. Insbesondere begann er mit der Errichtung jenes wunderbaren Palastes bei St. Peter, wo der ganze römische Hof Platz fand. In allen Kirchenprovinzen der Welt baute er wundervolle Gebäude, wie Messer Giannozzo Manetti in seiner Lebensbeschreibung des Papstes ausführt. Allein das [gerade erwähnte] Bauwerk [der Vatikanspalast] wäre selbst einem jener römischen Kaiser, welche die ganze Welt beherrschten, angemessen gewesen und nicht nur einem Papst. Außer daß er baute, ließ er prächtigen Schmuck für die Gottesdienste ins Werk setzen, was ein Vermögen kostete. Er tat gut daran, sein Geld auszugeben und es nicht nur anzuhäufen, wie das unzählige andere tun.

Im Jubeljahr kanonisierte er S. Bernardino aus Massa mit den feierlichen Zeremonien, die bei einer solchen Gelegenheit üblich sind, und nahm ihn wegen seiner zahllosen Wunder und wegen seines bewunderungswürdigen Lebens in die Liste der Heiligen auf.

So stand der Papst auf der Höhe seines Ruhmes und seines Ansehens [. . .]: Aber der allmächtige Gott will, daß wir uns selbst erkennen, sterbliche Menschen zu sein, und gibt uns zu Zeiten Schläge. Denn unversehens brach in Rom wie anderswo eine grauenvolle Pest aus, an der sogar die Familiaren des Papstes erkrankten und starben. Es war so schlimm, daß der Papst selbst von Furcht befallen wurde; es geschah ihm, was der hl. Paulus in seinem Brief an die Korinther schreibt, daß man sich vor lauter Ruhm und Größe nicht überheben solle. [. . .] Als der Papst sah, daß die Pest sich immer rascher ausbreitete, reiste er aus Rom nach Fabriano ab. Auf dem Weg erkrankte er in Tolentino so schwer, daß [sein Arzt] Maestro Bavera glaubte, Nikolaus werde sterben, so krank, wie er ihn sah. In der Nacht aber war es Nikolaus, als erschiene ihm Papst Eugen, um ihm zu sagen, er solle keine Zweifel daran hegen, daß er an dieser Krankheit nicht zugrunde gehen werde und daß er leben werde bis ins achte Jahr seines Pontifikats. Am folgenden Morgen kam Maestro Bavera zu ihm und fand sein Befinden sehr verbessert; Nikolaus sagte ihm, was ihm in der Nacht geschehen war. In wenigen Tagen wurde er gesund und ging nach Fabriano. Während seines Aufenthaltes dort erlaubte er weder eine Unterbrechung der Bauaktivitäten noch der Arbeiten der Schreiber und Übersetzer. Alle von ihm begonnenen Werke wurden beständig fortgeführt.

Als er wieder in Rom war, trafen Gesandte aus Deutschland ein. Sie kamen vom neugewählten Kaiser Friedrich, um für diesen die Gunst zu erbitten, von Seiner Heiligkeit gekrönt zu werden. Nikolaus war damit einverstanden, daß jener komme, um die Krone zu empfangen. Und so reiste man aus Deutschland ab und erreichte

Italien unter größter Prachtentfaltung, mit stattlichem Gefolge an Baronen und Herren, die alle – Rösser wie Reiter – wundervoll geschmückt waren. Mit Friedrich kamen der vierzehnjährige König von Ungarn, der Herzog von Bayern und viele andere Herren. Zugleich traf Friedrichs Gemahlin, aus dem edlen Hause Portugal gebürtig – sie hieß Lionora –, ein. In ihrem Gefolge befanden sich viele Edelleute aus Portugal, um sich in Rom mit der Begleitung des Kaisers zu vereinigen. Es war herrlich, so viele Herren zu sehen, wunderbar geschmückt mit allem, was eine so würdige Zeremonie wie die Kaiserkrönung verlangte. Nachdem Kaiser und Kaiserin, begleitet vom gesamten Kardinalskollegium, vom römischen Hof und unzähligen geistlichen und weltlichen Herren, in großartiger Pracht in Rom eingezogen waren, stellte der Papst ihnen zwei sehr schöne Wohnungen zur Verfügung, eine für den Kaiser, eine für die Kaiserin, jedem eine für sich. Zu jener Zeit waren in Rom Gesandte aus nahezu der ganzen Welt.

Über die außergewöhnliche Begebenheit der Kaiserkrönung durch den Papst werde ich hier einiges berichten, was ich von einem Augenzeugen, der insbesondere bei dieser Krönung dabei war, gehört habe.

Der Papst saß auf seinem Thron, umgeben vom ganzen Kardinalskollegium, dem gesamten römischen Hof und allen Gesandten. Der Kaiser trat dem Papst vors Angesicht und kniete, als er ihn erblickte, sofort nieder. Dann näherte er sich dem Pontifex und küßte ihm den rechten Fuß und die rechte Hand. Der Papst neigte sich daraufhin zum Kaiser herab und küßte dessen rechte Wange. Nun hielt der Kaiser eine kleine Ansprache, die nur aus Bitten und Flehen, daß ihm die Krone gegeben werde, bestand. Der Papst antwortete ihm nach seiner Art auf die gütigste Weise. Dann trennten sie sich, und der Kaiser kehrte in seine Gemächer zurück.

Am folgenden Tag erschien die Kaiserin vor dem Pontifex und vollzog nochmals dieselben Riten, küßte ihm Fuß und Hand. Wieder einige Tage später begab sich der Papst in den Petersdom, mit demselben Hofstaat und in der gleichen Ordnung wie zuvor. Er ließ sich auf dem Thron nieder, dann traten Kaiser und Kaiserin ein, um die Krone in Empfang zu nehmen. Der Papst begann, eine feierliche Messe zu zelebrieren, wobei er bestimmte Gebete für den Kaiser sprach. Dieser kniete vor der Predella des Altars nieder. Nikolaus gürtete ihn mit einem goldverzierten Schwert und legte ihm das königliche Szepter in die Rechte und eine goldene Kugel in die andere Hand. Auf des Kaisers Haupt setzte er eine überaus reiche goldene und mit Edelsteinen bedeckte Krone. Dann verharrte er einen Moment, faltete die Hände und richtete folgendes Gebet, auf diese Art, an Gott: «Allmächtiger, ewiger Gott, der du zur Verkündigung der frohen Botschaft des himmlischen Königreiches das Römische Reich eingerichtet hast, gib, so bitten wir dich, diesem Friedrich III., deinem getreuen Diener, die Waffen des Himmels, damit er, nachdem die Barbaren und unmenschlichen Völkerscharen und Feinde des katholischen Glaubens durch den Frieden überwunden sind, dir diene in sicherer und unerschütterter Freiheit.» Friedrich antwortete darauf folgendermaßen: «Erhöre», sagte er, «so bitten wir dich, allmächtiger und ewiger Gott, die frommen und ergebenen Gebete des Nikolaus, deines höchsten Priesters, damit alle kirchlichen und weltlichen Völker, Prälaten, Staaten und Fürsten, nachdem alle Feinde des christlichen Glaubens völlig vernichtet und bis zum gänzlichen Untergang zerstört sind, ihm um so lieber dienen und wirksamer beistehen mögen, und daß durch diesen gewissen und sicheren Dienst aller unserer treuen Völker auch alle Christenmenschen angemessenen Lohn in beiden – dem gegenwärtigen und dem künftigen – Leben zu erlangen verdienen mögen.»

Nachdem nun der Kaiser auf diese Weise gekrönt worden war, krönte der Papst auch die Kaiserin ganz einfach, ohne weitere Zeremonien, indem er ihr die Krone aufsetzte. Nach der Krönung reiste das Kaiserpaar aus Rom ab und begab sich nach Neapel, um König Alfonso zu besuchen, der ihnen großartige und prunkvolle Ehrungen angedeihen ließ. Prunk, der jenem gleichgekommen wäre, kannte die Epoche nicht.

Nach der Abreise von Kaiser und Kaiserin verging nicht viel Zeit, und gewisse Schurken verschworen sich gegen den Papst, um ihn zu ermorden und die Stadt in ihre Gewalt zu bringen. Das taten sie trotz aller Wohltaten, die Nikolaus dem Volk von Rom ganz allgemein und im besonderen vielen einzelnen Bürgern hatte zukommen lassen; seit langem hatte kein Papst die Römer so begünstigt, wie Papst Nikolaus es getan hatte. Aber Gott der Allmächtige, der nicht im Stich läßt, wer auf ihn vertraut, wollte nicht, daß so viel Übles geschehe, und deshalb wurde die Verschwörung aufgedeckt. Der Urheber und Rädelsführer, Messer Stefano Porcari, ein gottloser Mensch, wurde gefangen und dem ordentlichen Richter vorgeführt. Er wurde gehenkt; obwohl sich viele an der Verschwörung beteiligt hatten, kam er als einziger um. Der Papst, der von äußerst mildem Charakter war, begnadigte alle anderen und ließ ihnen das Leben.

Dieser Stefano Porcari war, noch bevor das alles geschah, dem Papst eines Nachts im Schlaf erschienen; Nikolaus war es dabei so vorgekommen – wie er später sagte –, als wolle dieser ihm den Staat nehmen und ihn des Lebens berauben. Gott hat Papst Nikolaus die große Gnade erwiesen, ihm die meisten glücklichen wie auch widrigen Schicksale im voraus zu enthüllen. Alles sah er durch diese seine Visionen – wie man das nennen kann, traf doch das dabei Gesehene stets ein – voraus. Es gibt kein noch so großes Glück in diesem Leben: Auch die großen Männer müssen, wenn sie den Blick auf sich selbst wenden und gut darüber nachsinnen, erkennen, daß sie in äußerstem Elend sind.

Kurz vor seinem Tod schickte Papst Nikolaus in die Kartause von Florenz nach Don Niccolò da Cortona, einem heiligen Mann; er ließ auch Don Lorenzo da Mantova, den Prior von Pisa, ebenfalls einen Mann von heiligmäßigem Lebenswandel, nach Rom kommen. Als sie eingetroffen waren und den Papst besuchten, wollte er, daß sie in einem Zimmer neben dem seinen wohnten, damit er, wann immer er es wünschte, mit ihnen zusammen sein konnte, denn er schätzte sie ebenso wegen ihres frommen Lebenswandels als auch wegen der großen Klugheit, die er an ihnen kannte, sehr. Ich hörte von Don Niccolò, wie der Papst eines Abends allein in ihr Zimmer kam; er fand die Mönche sitzend und miteinander disputierend. Als der Papst eintrat, wollten sie sich erheben, doch Nikolaus ließ es nicht zu, befahl ihnen sitzenzubleiben, und setzte sich in die Mitte zwischen sie. Er begann seine Rede mit der Frage, ob es auf der Welt einen elenderen und unglücklicheren Menschen gebe als ihn: Neben anderem Unglück, das ihm beschieden sei, führte er an, daß niemand in sein Zimmer trete, der ihm die Wahrheit sage, was auch immer er zu hören bekäme; auch sei seine Seele in großer Verwirrung. Wenn es ihm sein Ehrgefühl erlaubte, hätte er sich gerne von seinem päpstlichen Amt zurückgezogen, um wieder Maestro Tommaso da Sarzana zu sein, wie er es einmal war. Damals habe er an einem Tag mehr Zufriedenheit gefühlt als jetzt in einem ganzen Jahr.

So klagte er ihnen sein Leid, ohne innezuhalten, bis ihnen fast die Tränen gekommen wären. Wie jeder weiß, ist dort, wo man große Glückseligkeit zu finden meint, oft nichts als großes Leid. Nikolaus war der seit langem vom Glück am meisten begünstigte Papst der Kirche Gottes, und nichtsdestoweniger nannte er sich den elendesten und unglücklichsten.

Mit jedem Tag verwaltete Nikolaus sein päpstliches Amt besser. Keinem seiner Verwandten oder Schwäger gab er je einen Staat oder eine *Signoria*, außer Ämtern auf Zeit, wie sie nun einmal der Papst vergibt – mit der gewöhnlichen Besoldung. Zu Kardinälen ernannte er während seines Pontifikats nur die Besten; da er den Purpur in seinem Ansehen erhalten wollte, gab er ihn nur würdigen Männern und niemandem sonst.

Das ständige Stehen und die dauernde Beanspruchung ließen ihn krank werden, an der Gicht und anderen Leiden. So hatte er schon mehrere Monate vor dem achten Jahr seines Pontifikates nach den oben erwähnten beiden Mönchen aus der Kartause, Don Niccolò da Cortona und Don Lorenzo da Mantova, geschickt: Auf diese Weise sorgte der allmächtige Gott vor, daß er, in einer Zeit so großer Not, in der man über das Heil der Seele disputiert, zwei so würdige und heilige Väter wie diese um sich habe. Obwohl der Papst an stärksten Leibesschmerzen trug, blieben die Standhaftigkeit und die Tapferkeit seines Geistes so groß, daß ihn niemand je schreien oder sich beklagen hörte. So blieb er stets ausgeglichen, sang oder ließ sich Psalmen, Hymnen und Gebete im göttlichen Angesicht des Herrn vorsingen. Damit legte er den Grund dafür, daß Gott ihm Geduld schenke und ihm seine Sünden vergebe, und er tat das mit größter Andacht. Um ihn waren damals die zwei heiligen Brüder aus der Kartause und viele bedeutende Männer. Sie trösteten ihn in seinen schweren Schmerzen, während er allen auf die demütigste Weise antwortete. Viele erhabene Aussprüche tat er in dieser seiner Krankheit, die mehrere Tage dauerte. Nur einen davon möchte ich hier mitteilen; er richtete ihn an [Kardinal Giovanni] den Bischof von Arras, der weinend am Fuße seines Bettes saß. Dieser war ein in der Theologie und den Sieben Freien Künsten hochgelehrter Mann und dazu von großer Beredsamkeit, wie er durch mehrere öffentliche Ansprachen bewiesen hat. Der Papst richtete den Blick fest auf den Bischof und sah dessen Augen voller Tränen; er wandte sich an ihn mit sehr freundlichen Worten und sagte: «Mein Atrabatense, richte deine Tränen an den allmächtigen Gott und bitte ihn mit einfachen und andächtigsten Worten, daß er mir meine Sünden vergeben möge», und er fuhr fort, sich dem Kardinal nun ganz zuneigend: «Aber erinnere dich gut daran, daß dir Papst Nikolaus stirbt, dein wahrer und guter Freund.» Nach diesen Worten richtete er die Augen auf Giovanni – jeder mag selbst urteilen, ob jener nicht Anlaß hatte, traurig zu sein, angesichts der Liebe, die er für den Papst empfand! Nach Nikolaus' Worten jedenfalls konnte er den Strom der Tränen und Seufzer nicht zurückhalten; er konnte nicht bleiben und mußte sich zum Gehen wenden.

Die beiden Kartäuser waren ständig bei ihm, verabreichten dem Kranken die Sakramente und verließen ihn weder tags noch zur Nacht. So hatte Seine Heiligkeit das Glück – nur wenige haben es! –, daß es ihm weder für den Körper noch für die Seele an etwas fehlte. Sein Ende war wie sein Leben.

[Bisticci berichtet, Papst Nikolaus habe ihm selbst oft von den rühmenswerten Eigenschaften eines der beiden Kartäuser, Niccolò da Cortona, erzählt und teilt weiteres von den heiligmäßigen Eigenschaften dieses Mannes mit.] Als der Papst seine Todesstunde nahen sah, fühlte er sich trotzdem voll geistiger Kraft. Er ließ das Kardinalskollegium zu sich rufen; auch viele Prälaten waren anwesend. Da begann er auf folgende Weise zu sprechen, mit Worten, die von den Anwesenden im Gedächtnis behalten und von Messer Giannozzo Manetti, einem Mann von größter Glaubwürdigkeit, aufgezeichnet wurden; er sagte also: «Im Bewußtsein, daß sich die Stunde meines Todes nähert, liebste Brüder, möchte ich ein feierliches und wichtiges Testament machen, zur größeren Würde und zum größeren Ansehen des Apostolischen Stuhls. Ich möchte es nicht dem Gedächtnis von Buchstaben anvertrauen, nicht auf Tafeln oder Pergament schreiben, sondern ich will es euch, damit es mehr Gewicht besitzt, mit lebendiger Stimme sagen. So bitte ich euch: Hört zu – Papst Nikolaus macht angesichts des Todes sein Testament vor euch, meinen Brüdern.

Zunächst möchte ich dem höchsten Gott für die unzähligen Wohltaten danken, die ich empfangen habe. Vom Tage meiner Geburt an bis heute wurde mir seine unendliche Barmherzigkeit zuteil. Jetzt empfehle ich euch jene so schön geschmückte Braut Christi, die Kirche. So gut ich nur konnte, habe ich sie erhöht und verherrlicht, wie jeder von euch augenscheinlich weiß. Ich habe das getan, weil mir bewußt ist, daß es der Ehre Gottes dient: wegen ihrer großen Würde und aufgrund ihrer umfassenden Privilegien, die sie von einem so erhabenen Urheber hat wie dem Schöpfer des Universums. Ich habe getan, was man von einem jeden Christen erwartet und erst recht vom Hirten der Kirche; bei gesundem Geist und Verstand habe ich die Beichte abgelegt und dann den heiligsten Leib Christi reumütig empfangen, die Hostie mit beiden Händen ergriffen und Gott, den Allmächtigen, gebeten, mir meine Sünden zu vergeben. Darauf bin ich zur letzten Ölung gelangt, zum letzten Sakrament als Heilmittel für meine Seele. Nochmals empfehle ich euch die römische Kirche, so gut ich kann, obwohl ich das bereits getan habe. Aber das scheint mir zum Wichtigsten zu zählen, was ihr im Angesicht Gottes und der Menschen erfüllen müßt. Sie ist die wahre Braut Christi, die er mit seinem Blut erlöst hat; und er wollte, daß das ganze Menschengeschlecht durch sein Verdienst an der Erlösung teilhabe. Da die ganze Welt durch Adams Sündenfall verloren war, ist es Christus darum zu tun gewesen, sie durch sein kostbarstes Blut zu erlösen.

Diese Kirche ist jenes Gewand ohne Naht, welches die unfrommen Juden teilen wollten, ohne es zu können; sie ist das Schifflein des heiligen Petrus, des Fürsten der Apostel, hin- und hergeworfen durch die Zufälle des Windes; und obwohl von soviel Wechselfällen verwirrt und bewegt, wurde dieses Schiff von Gott dem Allmächtigen gehalten, so daß es nicht untergegangen und versunken ist. Stützt und haltet es mit allen Seelenkräften; es bedarf der Hilfe durch eure guten Werke, des Beispiels eures Lebenswandels und eurer Sitten. Wenn ihr das Schiff der Kirche mit all eurer Kraft achtet und liebt, wird Gott es euch sowohl in diesem als auch im künftigen Leben – wo ihr ewigen Lohn haben werdet – vergelten. So sehr Wir vermögen, geliebte Brüder in Christo, bitten Wir euch darum, so zu handeln.»

Nachdem der Papst diese Worte gesprochen hatte, hob er die Hände zum Himmel und sagte: «Allmächtiger Gott, schenke der heiligsten Kirche und diesen Vätern einen Hirten, der sie erhalte und gedeihen lasse; gib ihr einen guten Hirten, der deine Herde führt und leitet, ja, sie vollkommener führen und leiten kann [als ich es konnte]. Und ich bitte, ermutige, fordere euch auf, so gut ich es verstehe und kann, daß es euch gefallen möge, mich in eure Gebete an Gott einzuschließen.» Nachdem er seine Rede geendet hatte, hob er den rechten Arm, öffnete sein Herz und sprach: «Es segne euch Gott Vater und Sohn und Heiliger Geist.» Er redete mit gehobener Stimme, ganz ernst, als Papst.

Die Kardinäle hatten alle den Blick auf ihn gerichtet; es flossen viele Tränen. Kurz darauf, vor Augen ein Kreuz und die heiligsten Geistlichen, schied seine heiligste Seele aus diesem Leben. [. . .] Es hat lange keinen Papst mehr gegeben, der so starb wie Papst Nikolaus. Es kam einem Wunder gleich, daß ihm bis zum letzten Augenblick weder Sprache noch Geisteskraft fehlten.

So also starb Papst Nikolaus, Licht und Zierde der Kirche Gottes und seines Jahrhunderts.

DAS LEBEN KÖNIG ALFONSOS VON NEAPEL

LFONSO war ein sehr bedeutender Fürst. Sein Leben wurde zwar bereits von Messer Bartolomeo Fazio, einem hochgelehrten und sehr beredten Mann, in zehn Büchern beschrieben, doch wird darin nur von Waffentaten berichtet; er schrieb ein Geschichtswerk und begann mit Papst Martin. Über Alfonsos Privatleben schreibt er nichts. Deshalb habe ich über die Dinge geschrieben, die Fazio – der nur auf die großen Angelegenheiten blickte – beiseite ließ. Obgleich vielen, die ihm nahestanden, einiges [was ich im folgenden berichten werde] bekannt sein dürfte, werde ich also mitteilen, was ich von glaubwürdigen Männern, die im Dienst Seiner Majestät standen, gehört habe.

König Alfonso war belesen und erbaute sich an den heiligen Schriften, insbesondere an der Bibel, die er fast ganz auswendig konnte. Von Messer Giannozzo Manetti, der Seine Majestät sehr gut kannte, habe ich gehört, daß er sie und den Kommentar des Nikolaus von Lyra oft zitierte. Messer Giannozzo wunderte sich, daß der König die Heilige Schrift so gut im Kopf hatte, und fragte ihn eines Tages nach dem Grund. Alfonso antwortete, er habe sie mehrmals zusammen mit diesem Kommentar ganz gelesen.

Er pflegte bei allen Handlungen all das zu beachten, was einem guten Christen ansteht: insbesondere sehr mildtätig gegenüber den Armen zu sein; sehr fromm täglich drei Messen zu hören – zwei ohne, eine mit Gesang. Dies versäumte er nie. So wurde er eines Tages, als er die Messe am Vorabend des Weihnachtsfestes hörte, gewarnt, er solle sofort gehen, denn der Kardinal Messer Giovanni Vitelleschi begehe Verrat und rücke mit einer Söldnertruppe an, um ihm Schmach anzutun. Der König meinte darauf nur, niemand solle sich vom Platz rühren, sitzenbleiben, bis die Messe beendet sei, und keine Furcht haben, da er auf Gott vertraue. So geschah es, und erst nach dem Ende der Messe ging der König. Kaum hatte man den Altar abgeräumt, traf der Kardinal ein – da er König Alfonso nicht fand, zog er zum Meer weiter. Hätte er dort nicht Schiffe abfahrbereit gehabt, die ihn in Sicherheit brachten, die Strafe für seine Treulosigkeit hätte ihn sofort ereilt. [. . .]

Von Alfonsos Religiosität und der Andacht, die er während des Gottesdienstes zeigte, berichtete mir Messer Giannozzo Manetti.

Als dieser in diplomatischer Mission für Florenz in Neapel weilte, ließ ihn Seine Majestät zum nächtlichen Gottesdienst vor dem Weihnachtsfest laden. Als er zur Nachtstunde in die Kapelle des Königs kam, traf er ihn kniend an; ohne Kopfbedeckung folgte er der Messe, die bereits ihren Anfang genommen hatte. Vor sich hatte er eine aufgeschlagene Bibel, in der er ununterbrochen las; er verharrte dabei ganz regungslos, bewegte sich nicht. So groß war die Ausdauer des Königs, daß er sich von der ersten bis zur vierzehnten Nachtstunde nicht aus seiner knienden Haltung erhob, wobei er ohne Kopfbedeckung blieb. Keiner der großen Herren seines Hofes, keiner der Gesandten konnte in gleicher Weise soviel Unbequemlichkeit auf sich nehmen; er war sehr gewissenhaft in Fragen des religiösen Kults.

Am Gründonnerstag wusch er so vielen Armen die Füße, wie er Jahre hatte. Er tat das, wie man muß, trocknete die Füße ab, machte demütig ein Kreuzzeichen auf den jeweils rechten Fuß, den er dann küßte. Allen schenkte er ein weißes Gewand und ein Paar Strümpfe und einen Alfonsino, einen Fiorino, einen Carlino, und ich weiß nicht, was noch für Geld. Dann ließ er ein Abendessen bereiten und hieß alle diese Armen sich setzen. Nachdem er der Küche angeordnet hatte, was sie zu essen haben sollten, stellte der König sich an den Tisch, mit einem Tuch um den Hals und mit einem zweiten umgürtet, und nahm die Speisen, die aus der Küche gebracht wurden, entgegen, setzte sie den Armen auf die demütigste Weise vor; mit dem Wein hielt er es ebenso und nicht weniger mit allem anderen, was sie brauchten. Er wollte nicht, daß jemand anders sie bediente außer ihm selbst, dem König, der dieses Werk eigenhändig verrichtete.

Täglich betete er beständig das Offizium, wobei er sich sehr andächtig zeigte. Jede Nacht stand er auf, um zu beten, und kniete dabei für lange Zeit nieder. So hielt er es immer, solange er lebte. Dazu befolgte er alle vorgeschriebenen Fastenzeiten, so an den Tagen vor den Festen Christi und der ruhmreichsten Jungfrau Maria. Auch an sämtlichen Freitagen fastete er bei Wasser und Brot, ließ niemals davon ab und wollte selbst bei schwerer Krankheit diese Übung nicht aufgeben. Wurde der Leib Christi zu einem Kranken getragen und passierte dabei den König, kam dieser, wenn er davon erfuhr, aus dem Haus, um die Hostie zu ihrem Bestimmungsort zu begleiten. Dabei ließ er zahlreiche zweiarmige Leuchter mit brennenden Kerzen mitführen. Dann kehrte er in sein Haus zurück. Am alljährlichen Fronleichnamsfest nahm Seine Majestät stets teil und lud alle anwesenden Botschafter und Herren ein; er hielt [in der Prozession] die erste Stange des Baldachins, der sich über den Leib

12 König Alfonso von Neapel. Marmorrelief, um 1470/80.
London, Victoria and Albert Museum

Christi spannte. Dabei ging er barfuß und ohne Kopfbedeckung. All
seine Handlungen, sein ganzes Verhalten in religiösen Dingen zeug-
ten von großer Frömmigkeit.

   Aus Menschlichkeit pflegte er zuweilen Leute zu besuchen, die
an schweren Leiden erkrankt waren. Da war ein junger Mann aus
vornehmstem Geschlecht, jung, in der Blüte seiner Jahre, der in
Diensten des Königs gestanden hatte und den er wegen seiner
Tugend sehr schätzte. Die Ärzte hatten ihn aufgegeben; als König
Alfonso das vernahm, ging er persönlich zu dem jungen Mann;
dieser nannte sich Gabrielletto. Am Krankenbett wandte er sich
an ihn, begann ihm zuzusprechen, in dieser seiner schweren
Krankheit Geduld zu haben. Er sagte ihm, daß es Gottes Wille sei,
ihn zu sich zu rufen; daß sich, in einer so bitteren Situation, die
Seele vom Körper lösen müsse. Und da dies nun einmal der Wille
des Herrn sei, müsse er sich auch darein finden und ihn auf demütigste Weise darum bitten, ihm seine Sünden zu vergeben. Darum bat ihn der König so inständig er konnte, er möge sich in
Gottes Ratschluß fügen und erkennen, daß dieses elende und un-

glückliche Leben nur vorübergehend sei und hinfällig, daß es bald zu Ende gehe: Man könne wenig Hoffnung setzen auf die Dinge des Lebens, die alle vergänglich seien und schnell dahinschwänden. All das müsse Grund genug sein, daß er sich entscheide und Geduld habe in einer so traurigen Lage, wenn er aus diesem elenden Leben scheiden müsse. Nach dem, was Messer Antonio Panormita, der bei dieser Ermahnung zugegen war, schreibt, hatten die Worte Seiner Majestät soviel Kraft, daß der Jüngling seinen Seelenfrieden fand und sich dem Willen Gottes ergab. Alfonso vollbrachte viele solche frommen, religiösen Taten, die alle leuchtende Beispiele waren.

Grausamkeit war ihm völlig fremd. Er war vielmehr sehr fromm und äußerst milde. Einmal geschah es, daß die Flotte Genuas den neapolitanischen Hafen bedrängte, was Seine Majestät aufs heftigste erregte. Damals befand sich ein Ingenieur und Feuerwerker in Neapel, der dem König vorführte, wie er die gesamte Flotte samt ihrer Besatzung in Flammen aufgehen lassen könne, wenn dieser das wünsche. Experimente demonstrierten König Alfonso, daß dies in der Tat möglich gewesen wäre. Als der Herrscher das sah, wandte er sich an den Ingenieur und die anderen Anwesenden und sagte: «Weder gefiele es Gott, noch will er, daß ich zum Grund werde, aus dem so viele Menschen ums Leben kommen. Lieber will ich meinen Staat verlieren, als die Ursache für so viel Unheil sein.» Deshalb entließ er diesen Maestro [. . .].

Er verzieh allen, die ihn beleidigten, leicht. So lebte in Frankreich ein französischer Edelmann, der sehr schlecht über König Alfonso gesprochen hatte und nicht davon abließ. Keiner kehrte aus diesem Land zurück, der König Alfonso nicht davon berichtet hätte, was dieser französische Herr über Seine Majestät sagte. Da fügte es sich, daß bei Alfonso ein Edelmann war, der äußerst empört war über die Anmaßung dieses Franzosen und beschloß, ihn aufzusuchen und zu sehen, wie er ihn für seine Reden wohl strafen könne. Er reiste aus Neapel ab und begab sich mit Pferden und Gefolge nach Frankreich. Dort angekommen, fand sich Gelegenheit, mit jenem Franzosen Umgang zu pflegen; man lud sich einige Male gegenseitig zu Mittag- und Abendessen ein [. . .].

Eines Tages, als sie im Landhaus des französischen Edelmannes waren, befahl er seinen Bedienten, diesem die Hände auf dem Rükken zusammenzubinden und ihn nach Neapel zu schaffen. Man knebelte ihn und bewerkstelligte es, ihn aus jenen Landen fortzubringen und vor König Alfonso zu führen. Bei ihm mit seinem Gefangenen angelangt, sprach jener Edelmann: «Heilige Majestät, ich hatte beschlossen, euch nicht mehr unter die Augen zu treten, bevor ich diesen Franzosen nicht mitbringen kann.» Als König Alfonso den Entführten erblickte, sagte er zu ihm: «Sei in Zukunft weiser als in der Vergangenheit! Ich verzeihe dir großzügig, aber spreche nie schlecht über große Fürsten, da sie sehr lange Arme haben und ihre Macht überall zur Geltung bringen können [. . .].» – Nachdem er das gesagt hatte, entließ er den Franzosen. Dieser blieb verstört, weil er vom König in Anbetracht der schlechten Reden, die er über diesen getan hatte, Schlimmes befürchtet hatte. Angesichts von so viel Milde war er so verwirrt, daß er nun das Gegenteil dessen, was er bisher getan hatte, unternahm und Seine Majestät nun gar nicht genug loben und rühmen konnte. König Alfonso vollbrachte unzählige Taten dieser Art, da ihm dergleichen gefiel.

Auch war er unendlich freigebig, bedenkenlos gab er jedem. So werde ich nun einiges über seine ungeheure Freigebigkeit erzählen. Zunächst pflegte er zu sagen – und das entsprach der Wahrheit –, daß er nie im Leben Geld bei sich trage und auch keines in seiner Obhut habe. Da hatte einmal einer seiner Leute, welche die Feuerstellen-Steuer eintreiben, 10 000 Fiorini gebracht und sie auf einem Tisch abgelegt, bis der Schatzmeister käme; König Alfonso befand sich ebenfalls in dem Raum, mit einem jungen Mann aus bestem Hause, der am Hof von Neapel lebte. Mit maßloser Begierde blickte dieser junge Mann auf das Geld.

Der König bemerkte dies und fragte ihn, was er denn anschaue; der Jüngling antwortete, es sei dieses Geld – wenn er es besäße, wäre er selig und glücklich. Auf diese Worte wandte sich König Alfonso ihm zu, legte die Hände auf den Geldhaufen und sagte: «Du magst selig und glücklich sein, weil ich dich dazu mache» – und schenkte ihm das ganze Geld, um zwei Dinge zu beweisen: als erstes, daß er das Geld nicht achtete; und als zweites, wenn Seligkeit und Glück im Geld liegen sollten, sei er nicht der Mann, den es selig und glücklich mache.

Er handelte oft so freigebig. So hatte er zahlreiche Gelehrte aller Fächer um sich; in seinem Todesjahr bezahlte er an sie 20 000 Dukaten.

Messer Bartolomeo Fazio aus Genua gab er einen Lohn von 500 Dukaten. Dieser widmete sich der Arbeit an der Geschichte König Alfonsos, an der er sich mehrere Jahre mühte und die er schließlich in zehn Büchern niederlegte – es war ein hochbedeutendes Werk. Auch nach dem Abschluß des Werkes erhielt er weiter sein Gehalt; als es fertig war, begehrte er 200 oder 300 Fiorini zusätzlich zu seinem regulären Lohn, und er sprach darüber mit dem Panormita und mit Messer Matteo Malferito. Sie wiesen ihn an, das fertige

Geschichtswerk dem König an einem Morgen zu übergeben, und sie waren dabei, als er es überreichte. Der König nahm es zur Hand und las darin die Beschreibung der Eroberung eines Kastells. Sie gefiel Alfonso ausnehmend gut; ihm schien, als wäre er dabeigewesen. Auf die Lektüre hin wandte er sich an Messer Antonio Panormita und an Messer Matteo und lobte die Geschichte sehr. Messer Antonio ließ nun Messer Bartolomeo, der vor der Türe gewartet hatte, eintreten; [. . .] der König rief einen seiner Kämmerer und verlangte, daß dieser ihm 1500 Fiorini in einem Beutel bringe, die er Messer Bartolomeo überreichen ließ. Er wandte sich an den Autor, dankte ihm für das Werk, das er geschrieben hatte, und sagte: «Ich schenke euch 1500 Fiorini – aber nicht als Bezahlung für das Werk, das ihr geschaffen habt, denn das läßt sich mit Geld nicht bezahlen. Und selbst wenn ich euch eines meiner besten Landgüter schenkte, wäre das kein zufriedenstellender Ausgleich; aber mit der Zeit werde ich dafür sorgen, daß ihr zufrieden seid.» Messer Bartolomeo, der geglaubt hatte, vielleicht 200 oder 300 Fiorini zu erhalten, war verwirrt, als er die 1500 sah. Er wußte nicht mehr, wo ihm der Kopf stand, zumal er von Natur aus ziemlich furchtsam war. Messer Antonio und Messer Matteo sprangen für ihn ein und dankten dem König.

Zur Zeit Papst Calixts begab es sich, daß ein Bedienter Messer Giannozzo Manettis mehrmals Gold aus dem Königreich Neapel geschmuggelt hatte, gegen das dort geltende Gesetz, das dafür Strafen an Leib und Gut vorsah. Der junge Mann wurde angeklagt, man nahm ihm seine Rechnungsbücher, und so fand sich, daß es wahr war. Er wurde daraufhin ins Gefängnis gesteckt, alles – auch alle schriftlichen Dokumente – wurde ihm genommen. [Bisticci beschreibt, wie Giannozzo Manetti bei Papst Calixt III. ein Breve zugunsten des Mannes erwirkt, das beim König – der in Auseinandersetzungen mit dem Kirchenstaat verwickelt ist – allerdings eher Mißfallen auslöst. Trotzdem läßt er Gnade vor Recht ergehen.] Seine Majestät wandte sich an Messer Giannozzo und sagte zu ihm: «Ich schenke euch euren jungen Diener und all dieses Hab und Gut, was nach Recht und Gesetz eigentlich mir gehörte. Dem jungen Mann ging es ans Leben, und ich bin's zufrieden, euch all das gerne zu schenken.» Gleich rief er einen seiner Diener, ließ den jungen Mann aus dem Gefängnis holen und gab ihm alles zurück, großzügig, ohne Einschränkung. So handeln Fürsten, die wirklich großmütig sind.

Zu dieser Zeit kamen einige Bauern aus Barcelona nach Neapel, die mit Bürgern ihrer Stadt im Streit lagen und sich deshalb an Seine Majestät wandten. Und weil sie lange Zeit in Neapel bleiben mußten, bis König Alfonso sich ihre Argumente anhören konnte, ließ er ihnen 1 000 Dukaten für ihre Unkosten zukommen. Einer seiner Berater, dem dies eine zu hohe Summe schien, wandte sich an ihn und sagte: «Heilige Majestät, diese Leute sind Bauern», da er nicht wollte, daß sie soviel bekämen. Um dem Mann seine Dummheit zu zeigen, antwortete König Alfonso auf katalanisch in folgender Weise: «1 000 Dukaten sind wenig – gebt ihnen 1500.» Und diese Summe erhielten die Bauern denn auch; sie hatten noch nie in ihrem Leben soviel Geld gesehen. Seine Majestät zeigte in diesem Fall seine unerhörte Freigebigkeit – und die Ignoranz seiner Leute, die ihn lehren wollten, wie man antwortet.

Eines Tages begab sich der König in die Umgebung Neapels. Bei dem Fluß Gargliano, beim Passieren einer Brücke, sah er eine weinende arme Frau. Alfonso, der sehr leutselig und barmherzig war, ließ sie vor sich treten und fragte sie, was sie hätte. Da sagte sie ihm: «Ich hatte einen Ochsen und bearbeitete das Land gemeinsam mit einer Nachbarin [die auch einen Ochsen besitzt] mit jenen zwei Ochsen. Und jetzt – ach ich Unglückliche! – ist mein Ochse von dieser Brücke gestürzt, er ist tot und ich werde das Land nicht mehr bearbeiten können, werde Hungers sterben mit meinen vielen Kindern.» Da ließ der König der Frau mit dem einen Ochsen, bevor er wieder aufbrach, ein Paar Ochsen kaufen; und der anderen, die ebenfalls nur einen und nicht mehr Ochsen gehabt hatte, ließ er einen Gefährten zu jenem geben, so daß jede ihr Land bearbeiten konnte, ohne auf die andere angewiesen zu sein.

Man beachte bei dieser Geschichte zweierlei: einmal die unerhörte Barmherzigkeit und Menschlichkeit, die der König zugleich mit seiner großen Freigebigkeit an den Tag legte; dann seine Rechtschaffenheit und Gerechtigkeit, mit der er seinen Untertanen, den kleinen wie den großen, gegenübertrat.

Dann gab es einen jungen Mann von königlichem Geblüt in Neapel, der vom König sehr geliebt und geschätzt wurde, weil er mit diesem in einer gewissen verwandtschaftlichen Beziehung stand. Der Jüngling hatte viele rühmenswerte Eigenschaften, er war vielgelobt und vielgeliebt vom ganzen Hof. Aus Frömmigkeit war er ins Heilige Land gezogen; König Alfonso schätzte ihn darob dermaßen, daß er ihm persönlich einige Meilen entgegenging, als er nach Neapel zurückkehrte. Dort angelangt, ging der junge Mann eines Tages spazieren und sah – wie der Feind des Menschengeschlechts [der Teufel] es anstellt – ein wunderschönes, eitles junges Mädchen, das ihm, der dreißig oder weniger Jahre alt war, Blicke zuwarf, und er gab ihr diese zurück. So ging er mehrmals die Straße [an der die Schöne wohnte] entlang, wenn sie aus dem Fenster schaute.

Eines Abends nun veranlaßte die Frau den unglücklichen Jüngling, zu ihr ins Haus zu kommen, während ihr Ehemann – der in Diensten König Alfonsos stand – bei Hofe weilte. Der junge Mann, der dem Befehl der Frau gefolgt war, blieb länger bei ihr, als es nötig gewesen wäre. So geschah es, daß der Gatte – der einen Haustürschlüssel bei sich hatte – ihm begegnete, als er gerade die Treppe herabkam. Als der Ehemann seiner gewahr wurde, sparte er nicht mit bösen Worten, beklagte sich über die Schmach, die ihm angetan worden sei; dann riß er ein Messer von der Seite und stieß es dem Jüngling in die linke Seite der Brust, so daß der Unglückliche tot niederstürzte.

Als der Edelmann sah, was er in seinem Zorn angerichtet hatte, wurde ihm klar, daß er sich in eine schlimme Lage gebracht hatte – wußte er doch, daß sein Opfer mit dem König verwandt war, Alfonso ihn schätzte und ihm sehr verbunden war. Er begann nachzudenken, ob es irgendeinen Ausweg gäbe, und er dachte daran, daß die königliche Majestät von äußerster Milde war, und wenn es eine Hoffnung gab, dann die, sich an ihn zu wenden. Gedacht, getan – obwohl es die sechste oder siebente Nachtstunde war und die Leiche des jungen Mannes im Saal seines Hauses lag, ging er ins Castel Nuovo, wo König Alfonso seinen Aufenthalt hatte. Er pochte an die Pforte des Kastells, bis einer der Torwächter kam und nach seinem Begehren fragte. Er sagte dem Mann, er müsse Seine Majestät in einer Angelegenheit von größter Wichtigkeit sprechen.

Daraufhin schickte man ihn zum König, den er um eine Unterredung unter vier Augen bat; Alfonso hieß alle Anwesenden gehen. So erzählte der Edelmann Seiner Majestät, was ihm geschehen war. Alfonso blickte ihn an und sprach: «Sieh zu, daß du mir die Wahrheit sagst.» Doch sprach der Edelmann so, daß der König wohl verstand, daß er Wahres redete. So sagte Alfonso zu ihm: «Geh' und bemühe dich, Gutes zu tun, wie du es bis jetzt getan hast. Und habe keine Angst, weder vor den Brüdern [des Ermordeten] noch vor sonst jemandem: Denn wenn dir in irgendeiner Weise Gewalt angetan werden sollte, wäre es so, als geschähe dies meiner Person. Fürchte dich nicht, ich werde alle erforderlichen Vorkehrungen treffen, damit das, was ich dir zugesagt habe, eingehalten wird.» In derselben Nacht noch schickte der König nach den Brüdern des Toten und berichtete ihnen, was sich zugetragen hatte; er sagte, daß jener Edelmann das getan hatte, was er getan hatte, und zwar das Richtige. Sie sollten sich um die Leiche kümmern und sie bestatten lassen. Und dem Täter sollten sie kein einziges Haar krümmen, bei Strafe seiner Ungnade.

Sie fügten sich dem, was Seine Majestät der König gesagt hatte, und der Edelmann lebte weiterhin [unbehelligt] in Neapel. Niemand war je so kühn, ihn auch nur mit Worten anzugehen. Das sind die gerechten Urteile, wie man sie von den Fürsten erwartet! [Bisticci erzählt nun eine weitere Begebenheit, bei der sich König Alfonsos Großzügigkeit gezeigt habe: Wie, wiederum durch engagierte Vermittlung des Humanisten Giannozzo Manetti, einigen Florentiner Kaufleuten der Wert konfiszierter Waren erstattet wurde. Er fährt dann fort mit einer anekdotischen Erzählung, die Alfonsos «Abschwören» gegenüber dem Glückspiel schildert.] Alfonso pflegte oft die Gefährlichkeit des Glücksspiels zu betonen; er sagte, daß man es verabscheuen und verfluchen müsse. Er erzählte, wie er als Achtzehnjähriger in Barcelona – an einem Abend zur Weihnachtszeit – um die 5000 Fiorini verloren hatte; deshalb rief er einen seiner Diener und wies ihn an, Geld herbeizuschaffen. Dann spielte er weiter und begann, wieder zu gewinnen. Er gewann alles Verlorene wieder zurück, ja auch alles dazu, was seine Mitspieler besaßen. Als der König nun einen solchen Berg von Fiorini vor sich liegen hatte, sagte er, jeder solle an seinem Platz bleiben, und befahl dem Diener, das Büchlein Unserer Lieben Frau zu bringen. Er ließ es aufschlagen und schwor dann, beide Hände auf das Buch gelegt, und versprach bei Gott und der Jungfrau Maria, daß er nie wieder spielen werde; daran hielt er sich bis zum Tage seines Todes. Dann wandte er sich an die Anwesenden und sagte: «Damit nur keiner von euch glaubt, daß ich das aus Geiz getan habe!» – und bei diesen Worten nahm er die Fiorini auf dem Tisch mit beiden Händen und gab sie all denen, die gerade mit ihm gespielt hatten; alles verteilte er. Nach dieser großzügigen Tat sprach der König: «Ich habe eingesehen, daß mir dieses Spiel, hätte ich mich von ihm umgarnen lassen, den Verstand abgetötet hätte. Ich hätte an nichts von Bedeutung mehr denken können, so sehr würde es meinen Geist binden. Daher wird mich nie wieder jemand spielen sehen.» So verhalten sich große Fürsten, die viele rühmenswerte Eigenschaften haben.

Die Gelehrten schätzte Alfonso sehr, wie ich bereits gesagt habe. Wenn er in Neapel war, ließ er sich täglich von Messer Antonio Panormita aus den ‹Dekaden› des Livius vorlesen; wenn Panormita solche Vorlesungen hielt, kamen viele Herren, um zuzuhören. Der König ließ sich auch andere Texte vorlesen, etwa aus der Heiligen Schrift, aus den Werken Senecas oder philosophischen Schriften. Nur wenig Zeit verging, die er nicht auf angemessene Weise nutzte.

So war er mit seinem Heer in den Marken, um der Kirche jene Gebiete zurückzuerobern, die zu Zeiten Papst Eugens Herzog Francesco Sforza besetzt hatte. Der Kirche alle entfremdeten Besitzungen zurückzugewinnen, war ein für nahezu ein Wunder gehaltener Erfolg, der auch Resultat seiner Autorität war, hielt er sich doch in Person bei den Truppen auf. Zusammen mit Niccolò Piccinino, den Herzog Filippo Maria gesandt hatte, war ihm dies in kurzer Zeit gelungen. Während dieses Feldzugs zur Sommerszeit las Panormita ihm ebenfalls jeden Tag eine Lektion aus Livius. All jene Herren, die Alfonso bei sich hatte, nahmen an diesen Vorlesungen teil. Es war erhebend, anzusehen, wie Seine Majestät an einem Ort, wo viele ihre Zeit mit Spielen vergeudet hätten, diesen Lektionen beiwohnte.

Der König hatte ganz einzigartige Meister der Theologie und Philosophie bei sich. Neben anderen waren zwei höchst außergewöhnliche Männer bei ihm, einer hieß Maestro Soler, und er erhielt vom König später das Bistum Barcelona; der andere nannte sich Ferrando. Er war ein wunderbarer Mann, von heiligmäßigem Lebenswandel, dazu ein großartiger Theologe und Philosoph. Er führte ein so heiliges Leben, daß Alfonso ihn wegen der Hochachtung, die er ihm entgegenbrachte, nicht nur aufs höchste schätzte, sondern ihn geradezu fürchtete – wenn Ferrando nämlich von irgendeiner Tat des Königs vernahm, die nicht gerecht oder ehrenhaft war, so machte er ihm Vorwürfe.

[Bisticci geht nun auf die Stellung Giannozzo Manettis in Neapel ein, insbesondere auf die hohe Bezahlung, die dieser erhielt – 900 Dukaten jährlich gegenüber den 600, die ihm Papst Nikolaus bezahlt hatte; Manetti erhielt sein Salär – nach Bisticcis Bericht – aus den Erträgen der Salzsteuern; daß die Anwesenheit dieses Humanisten dem neapolitanischen Hof viel «Ehre und Ansehen» brachte, wußte der König wohl.] Er schätzte indessen nicht nur die Gelehrten, sondern auch die Guten und all jene, bei denen er gewisse Tugenden erkannte; zu jedermann verhielt er sich sehr freundlich. Es ist tatsächlich so, daß Herren aus edlem Geschlecht und von adeligem Blut eine andere Natur haben als jene, welche sich den Adel anmaßen wollen, ohne adelig zu sein. Ihre Handlungen und ihre Manieren bringen den Unterschied dann an den Tag.

Eines Tages – der König ging der Jagd nach, was er sehr gerne tat – verlor er, einem Wild nacheilend, die Jagdgesellschaft und fand sich unversehens allein. Als er so dahinritt, begegnete er einem armen Mann, dem sein mit Mehl beladener Esel gestürzt war. Der Bauer, der nicht erkannte, daß es der König war, bat: «O edler Herr, ich bitte dich, hilf mir, diesen Esel wieder aufzurichten!» Alfonso stieg vom Pferd und legte zusammen mit dem armen Mann Hand an die Mehlsäcke. Kaum hatten sie das Tier wieder auf den Beinen, trafen die Herren und Edelleute der Jagdgesellschaft ein und zeigten dem König ihre Ehrerbietung. Dem armen Mann schien, als habe

er etwas Schlechtes getan, er fiel auf die Knie und bat um Verge-
bung. Da brach Alfonso in Lachen aus und hieß ihn aufstehen; und
er befahl ihm, nach Neapel zu kommen, wo er ihm einige Dinge
zu seiner Notdurft schenkte. Das sind bedeutende Fürsten, die
solch rühmenswerte Eigenschaften haben!

Gelegentlich amüsierte sich Seine Majestät der König auch an
einem ehrbaren Spaß oder Vergnügen. So hielt sich in Neapel einmal ein Gesandter Sienas auf, der, gemäß der Natur der Sienesen,
aufgeblasen war. Während König Alfonso sich meist schwarz kleidete, einige Spangen am Hut oder Goldketten um den Hals trug
und selten Gewänder aus Damast oder Seide, umhüllte sich dieser
Gesandte mit reichem Goldbrokat. Und immer, wenn er zum König kam, hatte er diesen Goldbrokat an. Der König lachte mit seinen Familiaren über diese Art, sich in Brokat zu kleiden.

Eines Tages sagte er lachend zu einem der Seinen: «Ich will doch
in der Tat, daß wir erreichen, daß dieser Brokat seine Farbe verändert!» Daher legte er eines Morgens fest, daß die Audienz in einem
ganz armseligen Raum stattfinden sollte; er ließ alle Botschafter
dorthin kommen. Mit einigen seiner Leute machte er aus, daß sie
sich im Gedränge alle an dem Sieneser Gesandten reiben und so
den Brokat abscheuern sollten. Wirklich wurde der Mann an diesem Morgen nicht nur von den Gesandten, sondern auch von Seiner
Majestät bedrängt und gerieben – als er den Hof verließ, war ihm
der Brokat dermaßen abgerieben worden, daß niemand, der diese
Geschichte kannte, das Lachen zurückhalten konnte. Vom karmesinroten, mit Seidenfäden gewirkten Gewand war das Gold abge-
fallen, nur der gelbe Seidenstoff war geblieben: Es schien nun das
häßlichste Ding der Welt zu sein. Als der König das sah – den
Gesandten in seinem völlig zerknitterten und beschädigten Brokat
–, konnte er das Lachen nicht zurückhalten und verließ den
Audienzsaal. Mehrere Tage lang tat er nichts anderes, als über diese
Geschichte zu lachen. Der Sieneser Gesandte bemerkte nie, welchen Streich man ihm gespielt hatte.

Dann war da ein anderer Gesandter aus Siena nach Neapel gekommen; er besaß einen Umhang mit langen Schlitzen, so, wie
man es früher getragen hat. Als der König das sah, konnte er das
Lachen nicht zurückhalten. Eines Tages beschloß er, auf die Jagd
zu gehen; er ritt am Haus dieses Botschafters vorbei und ließ ihn
eiligst rufen. [. . .] Der Gesandte bestieg sein Pferd mit besohlten
Strümpfen, einem langen Gewand und in besagtem geschlitztem
Umhang. An diesem Morgen ließ Seine Majestät beim Jagen keine
Hecke aus, ja, er suchte sie geradezu: So erlitt der Umhang das
Schicksal, daß alle Fransen, der größte Teil des Umhanges und auch

manches vom Gewand, das der Gesandte anhatte, in den Hecken hängenblieb; ein Stück blieb da, ein anderes dort. Es war zudem ein regnerischer Morgen gewesen, fortwährend gab es weitere Schauer; Seine Majestät begab sich absichtlich unter freien Himmel, um mit dem Gesandten zu reden, so daß er sich vom Wasser durchweichen ließ, damit auch der Gesandte durchweicht werde. Am Abend, bei der Rückkehr nach Neapel, war der Gesandte bis zu den Fußspitzen durchnäßt. Die besohlten Strümpfe waren eiskalt, der Umhang war in der Hecke geblieben, so daß nur noch ein Stück, so lang wie der Sattel, blieb – und alle Fransen waren am Boden liegengeblieben, so daß es schien, als wären sie nie dagewesen. Der Gesandte war wie das seltsamste Wesen der Welt anzusehen: ohne Mantel, mit Umhang und besohlten Strümpfen, durchnäßt, wie sich denken läßt, da er ja ohne Mantel war. Seine Majestät hatte über den Mann im Brokatgewand gelacht; über diesen Fall indes ergötzte sich der ganze Hof mehrere Tage lang – man tat nichts anderes, als über diese Geschichte zu lachen, die allen Herren und großen Gelehrten [am neapolitanischen Hof] bekannt wurde.

Da Könige so viele und verschiedenartige Pflichten haben, daher ist es nötig, daß sie sich zum Ausgleich ab und zu einen ehrbaren Spaß machen. Und jeden Tag gibt es so viele Unannehmlichkeiten für sie, daß sie – ohne irgendeine Erholung – nicht herrschen könnten.

Nachdem ich also von einigen ehrsamen Freuden Seiner Majestät erzählt habe, möchte ich nun einiges über das Gegenteil schreiben, wie es sich im Alltag der großen Herren zuträgt.

Es war eines Abends, zur sechsten Nachtstunde, und der König hatte sich bereitgemacht, ins Bett zu gehen. Er war schon in der Kammer, um sich zu entkleiden, als der Sekretär eintrat, mit einem Berg von Briefen, die Alfonso alle noch lesen und unterschreiben mußte, bevor er ins Bett ging. Als der König jene Briefe sah, wandte er sich an die Umstehenden und sagte: «Gibt es auf der Welt einen elenderen und unglücklicheren Menschen als mich? Gibt es einen Knappen an diesem Hof, der jetzt nicht schläft und sich ausruht? Und ich muß wach bleiben, um diese Briefe zu lesen und zu unterschreiben, bevor ich mich zurückziehen und schlafen kann.» Einige aus seiner Umgebung antworteten darauf: «Heilige Majestät, es ist doch eine wunderbare Sache, König zu sein, wie Eure Majestät, und unter so guten Umständen, wie ihr es seid!» Alfonso sagte darauf, daß er seine Lage sehr genau kenne und daß sie nicht elender und trauriger sein könne. Es gebe auf der Welt keinen unglücklicheren Menschen als ihn und auch keinen elenderen. Er wisse, wie es um ihn stehe; viele, die man für glücklich halte, seien ganz elend dran,

und unter diese zähle er sich selbst. Freilich läßt sich, worüber man
nichts weiß, nur schwer beurteilen. König Alfonso pflegte zu sagen, er würde sein Hemd ins Feuer
werfen, wäre er der Meinung, dieses kenne seine Geheimnisse, das,
was er im Inneren denke. Was die wichtigen Angelegenheiten, um
die er sich zu kümmern hatte, betraf, war er sehr verschlossen und
verbat sich Ratschläge. Es schien ihm, als genügte er sich selbst,
um guten Rat zu finden. Das werden die meisten tadeln, hat es
doch jeder, so groß er auch sein mag, nötig, beraten zu werden. In
manchen Angelegenheiten mußten Berater weit ausholen, bevor sie
zur Sache kommen konnten. So überaus freundlich der König sonst
in jeder Hinsicht war – ich habe davon berichtet –, so wenig schien
er geneigt, jemandem den Vortritt zu lassen, um zuzuhören, was
doch wirklich des Menschen Schuldigkeit gebietet.

[Es folgt die ausführliche Darstellung einer politischen Episode.
Papst Nikolaus V. habe König Alfonso um eine Truppenhilfe von
2000 Reitern ersucht, um kriegerischen Entwicklungen im Gebiet
von Perugia entgegenzutreten. Alfonso habe die Gerüchte, dort
werde zum Krieg gegen den Papst gerüstet, als Versuch einer Pro-
vokation gedeutet, die Nikolaus als Friedensbrecher erscheinen lassen sollte, und die Militärhilfe verweigert. Der Papst sei verärgert
gewesen und habe auch die vom König angeführten Argumente
nicht akzeptiert, habe sich indessen der Einsicht nicht verschlossen, daß ein Fürst, der vierzig Jahre regiert habe, über mehr politische Erfahrung verfügen müsse als er selbst. Die weitere Entwicklung habe die Richtigkeit von Alfonsos Verhalten gezeigt.]

Der König besaß in allen Dingen ein vortreffliches Urteil. Er war
redlich und gut, ohne Arglist oder Doppelzüngigkeit. Verstellung
oder Heuchelei war ihm völlig fremd. Oft tadelte er die Italiener,
die ihn getäuscht und eine Sache für eine andere ausgegeben hätten,
was seiner offenen und ehrlichen Natur absolut fern war.

So wären viele der Erinnerung würdige Dinge zu erzählen: der
Krieg gegen die Ungläubigen, wie Alfonso das Königreich Neapel
gewann, die Hauptstadt belagerte; es wäre zu schreiben von seinem
triumphalen Einzug, der ihm nach der Eroberung einer so bedeutenden Stadt in Neapel bereitet wurde: als einem Triumphator nach
Art der Alten. Aber all diese Begebenheiten sind in der Geschichte
Alfonsos, die Bartolomeo verfaßt hat, beschrieben. Ich werde indes
berichten, was er beim Aufenthalt des Kaisers in Neapel unternommen hat, als jener mit bedeutendem Gefolge und unter großer
Prachtentfaltung kam, um Seine Majestät den König zu besuchen.

Die Ehren, welche ihm König Alfonso dabei bereitete, wurden von
den Zeitgenossen nie wieder erreicht, und der Aufwand, den der

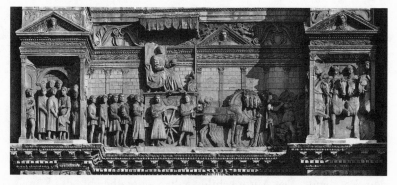

13 Der Triumphzug König Alfonsos V. von Neapel.
Relief am Triumphbogen des Castel Nuovo in Neapel. Francesco Laurana
(um 1420/25 – vor 1502). Neapel, Castel Nuovo

König trieb, wäre selbst einem Kaiser der Antike nicht unwürdig
gewesen. [. . .] Der Pomp, den König Alfonso für den Kaiser aufbot,
kostete mehr als 150000 Fiorini.

So veranstaltete er eine Jagd, an der eine unendliche Zahl großer
Herren und Edelleute teilnahm; es gab ein Festmahl, wie man es
in der ersten Stadt Italiens nicht hätte ausrichten können. An jeder
der zahllosen Tafeln speiste man raffinierteste Gerichte von Silbergeschirr; alle Arten von Konfekt, die sich denken lassen, waren für
jeden, der wollte, vorhanden – [ja, es war solcher Überfluß,] daß
vieles weggeworfen wurde. Auf den Feldern hatte man zahlreiche
Brunnen aufgebaut, aus denen sprudelten griechischer Wein, Mus-
kateller oder Rotwein aller Art, alles prächtige Weine. An jedem
dieser Brunnen gab es silberne Schalen, Diener standen bereit, und
wer wollte, begab sich dorthin, um zu trinken. Jene Deutschen
versahen sich mit solchem Getränk, wie es sich gehört. Wäre dieses
Jagdfest nicht schon von Bartolomeo Fazio, Panormita und anderen
dargestellt worden, und wäre hier davon zu erzählen – es wäre eine
großartige Sache, es [auch hier] beschrieben zu sehen.

König Alfonso machte dem Kaiser viele Geschenke von größtem
Wert. Er machte ihn zum Ritter der Heiligen Jungfrau Maria, indem
er ihm das Wappen der *Banda*, das zu ihren Ehren getragen wird,
überreichte. Als der Kaiser auf der Rückreise wieder in Rom einzog
– tagsüber, an einem Samstag –, wurden ihm alle Kardinäle und
Edelleute des römischen Hofs entgegengeschickt; sie sahen jenes
Wappen und sprachen scherzend: «Als Kaiser ist er nach Neapel
gegangen, als Ritter der *Banda* kommt er zurück!»

Noch viel der Erinnerung Würdiges ließe sich berichten, Dinge, die von den fähigsten Schriftstellern aufgezeichnet wurden, in zierlichem und elegantem Latein und nicht in der Volkssprache, mit deren Worten man die Dinge nicht in solchem Glanz darstellen kann. Doch lasse ich unendlich vieles [. . .] weg, um dem Leser nichts Überflüssiges zu bieten.

[Die Beschreibung kommt nun zum letzten Lebensabschnitt und zur Schilderung des Sterbens des Königs; Bisticci berichtet, wie er «an einer Krankheit, die von den Ärzten Harnfluß genannt wird *(diabetica passione)*», erkrankt und dann, als sich die Gewißheit verdichtet, daß der Tod naht, von zwei heiligmäßigen Männern betreut wird: den bereits erwähnten Giovanni Soler und Ferrando, dem Katalanen. Der Autor schildert die Generalbeichte des Königs, wie er sich aus den Meditationen des hl. Anselm vorlesen läßt; wie dann ein Eremit aus Ferrara im König trügerische Hoffnungen auf eine Überwindung der Krankheit weckt, die das ganze Werk der religiösen Reinigung zunichte zu machen drohen – eine Krise, die überwunden wird. Alfonso kann das Königreich Neapel noch seinem Sohn übergeben, er empfängt die letzte Ölung und stirbt in Frieden. Zweifel am Wahrheitsgehalt dieses Berichts sucht Bisticci zu zerstreuen, indem er darauf verweist, daß Giovanni Soler und Ferrando selbst die Gewährsleute seien, auf deren Zeugnis er sich stütze. Ferrando interpretiert gegenüber Bisticci den guten Tod des Königs als Resultat seines guten und frommen Lebens; Ferrando selbst wird geschildert als ein «Spiegel der Buße», groß, hager, ausgezehrt, von ernster Sprechweise und abgeneigt allem Pomp und Prunk der Welt – wieder als ein heiligmäßiger Mann, dessen Wort Bisticci als «so wahr wie das Evangelium» kennzeichnet.]

Wer diesen Kommentar zum Leben König Alfonsos aufmerksam liest, wird viele Taten, vieles an Lebensführung und Sitten dieses Fürsten der Nachahmung wert finden. Alles, was ich geschrieben habe, habe ich von glaubwürdigen Männern mit vortrefflicher Lebensführung, Sitten und von größtem Ansehen erfahren. Ich habe mich nicht um irgendwelche Ausschmückungen gekümmert, sondern wollte nur die Wahrheit selbst berichten. Da Alfonsos Erinnerung ansonsten von den Lateinern gefeiert wird, ist es gut, wenn nun auch in der Volkssprache einiges bekannt wird.

König Alfonso ließ viele Werke übersetzen; hätte ich von allen Kenntnis – ihre Zahl wäre unendlich groß. Hätte es einen zweiten Papst Nikolaus und einen zweiten König Alfonso gegeben, gäbe es kein einziges unübersetztes griechisches Buch mehr. Einige Titel, von denen ich weiß, werde ich unten aufzählen.

Wenn ich in diesem Kommentar zum Leben des Königs Alfonso nicht immer der Chronologie gefolgt bin, möge sich niemand darüber wundern; ich habe alles aufgeschrieben, wie es mir ins Gedächtnis kam, ohne auf die zeitliche Abfolge zu achten. Dies habe ich jenem überlassen, der sein Leben beschrieben hat. Werke, die König Alfonso übersetzen ließ: Onosander, ‹De perfecto imperatore›; Aelianus, ‹De instruendis aciebus›; Die ‹Cyropaedie›, übersetzt von Poggio; ‹Die Schätze des Cyrill›, übersetzt von Trabisonda; Arrian, ‹Über das Leben Alexanders des Großen›; den Psalter ‹Über die jüdische Wahrheit›; das Neue Testament; zehn Bücher ‹Contra Judaeos et gentes›; ‹De dignitate et excellentia hominis›; ‹De animalibus›; Appian, ‹De bello civili›; ‹Vita Socratis et Senecae›.

MESSER GIULIANO CESARINI, KARDINAL VON SANT' ANGELO

ESSER GIULIANO CESARINI war Kardinal von S. Angelo und zählte zu den bedeutenden Mitgliedern des Kardinalskollegiums. Er war von geringer Herkunft. Sein Elternhaus verließ er, noch sehr jung, als sein Vater ihn zum Studium nach Perugia schickte. Da er ohne großes Vermögen war, verdingte er sich im Haus der Buonitempi als Repetitor.

Zu jener Zeit herrschte Braccio da Montone, ein vortrefflicher Kriegsmann, über Perugia. Sein Statthalter dort war Bindaccio da Ricasoli, ein sehr edler Herr, selbst gelehrt und ein Liebhaber der Gelehrten. Da Messer Giuliano in Perugia von seinen Verwandten nicht mit Mitteln versehen wurde, konnte er nur unter Schwierigkeiten seinen Studien obliegen. Er verkehrte im Haus des Bindaccio und legte dort größte Ehre ein, da er das Zivilrecht studiert hatte und von ganz hervorragendem Verstand war.

Nachdem er sich mit den *studia humanitatis* beschäftigt hatte, verstand er sich gut darauf, in Reimen wie auch in Prosa zu sprechen. Er schrieb Verse und schenkte sie Bindaccio, der ihm gelegentlich den einen oder anderen Dukaten gab, damit er sich in seinen Bedürfnissen behelfen konnte. Weil er höchst eifrig dem Studium oblag, weder tags noch nachts Zeit verlor, verbrachte er auch einen großen Teil der Nachtzeit damit. Es werden mehr zu einzigartigen Männern in der Armut, als in Reichtum und Überfluß.

Messer Giulianos Verstand war göttlich. Er hatte mit geliehenen Büchern zu lernen, da er sie nicht kaufen konnte. Es dünkte ihn eine schlechte Übung, Notizen in fremde Bücher zu schreiben.

Er zeigte mir alle Gesetzestexte, die er besaß; um Geld zu sparen, hatte er jene erworben, die man «Pandekten» nennt, Texte ohne Glossen. Er hatte sie dann alle – hatte er doch eine sehr zierliche Schrift – eigenhändig mit Glossen versehen. Das führte er in staunenswert kurzer Zeit durch. Ebenso besaß er von seiner Hand geschriebene Vorlesungen und Sammlungen von Mitschriften dessen, was er in den Vorlesungen der Gelehrten vernommen hatte, ganz so, wie es Art sorgfältiger Scholaren ist. Hochangesehen war Giuliano in diesem Studium wegen seiner unerhört reichen Fähigkeiten.

Nachdem er den Doktorgrad erworben hatte, verließ er Perugia und begab sich an den römischen Hof. Dort lebte er im Haus des Kardinals von Piacenza. [Aufgrund seiner Tugend sei er schließlich selbst zum Kardinal erhoben worden; Bisticci kommt dann auf Cesarinis Teilnahme an den Konzilien von Basel und Florenz zu sprechen. Daraufhin fügt er einige anekdotenhafte Bemerkungen über Cesarinis Persönlichkeit ein.]

Vor allem bestand am römischen Hof, wo er gelebt hatte, die feste Meinung, er habe immer keusch gelebt. Immer schlief er angezogen, bekleidet mit einem Hemd aus Rasch. Jeden Freitag fastete er bei Brot und Wasser; überhaupt hielt er die Fastenzeit nach dem Brauch. Jene des Advents befolgte er ebenso wie die andere [vor Ostern]. Zur Matutin sprach er das Offizium, und stets stand er zur Nacht auf, wobei er den Kaplan rief, auf daß dieser es mit ihm gemeinsam begehe. Mehrmals zu den Nachtstunden sprach er es, und zwar in der Kirche der Serviten, in deren Nähe er wohnte. Er hatte eine Treppe bauen lassen, die dorthin, wo sich heute Christi Leib befindet, führte. Da verließ er dann sein Zimmer, ging diese Galerie über dem Kreuzgang entlang und begab sich über die Treppe in die Kirche, wo er die Matutin, die Prim und die Terz betete. Auch hatte er einen heiligmäßigen und verständigen Priester in seinem Haus, einen alten und erprobten Mann von deutscher Nation. Jeden Morgen legte der Kardinal die Beichte bei jenem ab und feierte die Messe. Morgens zu beichten versäumte er nie. Er war unerhört freigebig von Natur, wollte um Gottes Lohn alles, was er besaß, geben, mehr konnte er nicht verteilen. Nie kam jemand zu ihm, der nicht hätte mitnehmen können, um was er gebeten hatte, und nicht zufrieden von ihm geschieden wäre. So waren eines Tages bestimmte Observantenbrüder bei ihm, welche die Almosen, um die sie baten, erhalten hatten. Als sie im Gehen waren, war ich da mit einem seiner Kammerherren – er war dem Kardinal ähnlich –, der mir sagte: «O, wenn du Monsignore eines Tages ohne Mantel zum Palazzo gehen siehst, verwundere dich nicht, denn er gibt um Gottes Lohn das, was er hat; und auch das, was er nicht hat.» Auf diese Weise griff er allen Bedürftigen unter die Arme.

Da er während der Zeit seines Studiums, wie ich vorhin gesagt habe, Not gelitten hatte, empfand er Mitleid mit armen Scholaren. So wollte er, als er in Florenz weilte, wissen, ob am römischen Hof oder zu Florenz – wo ein sehr bedeutendes *studio* war – irgendein armer junger Mann sei, der die Studien wegen seiner Bedürftigkeit nicht aufnehmen konnte, gleichwohl guten Verstandes war. Er schickte nach solchen jungen Leuten, nahm sie für zwei oder drei Monate in sein Haus auf, um zu erkunden, ob sie geeignet waren,

zu lernen; auch wollte er ihren Lebenswandel und ihre Sitten ken-
nenlernen. Erkannte er, daß einer gut war und von guten Gewohnheiten, kaufte er ihm das ganze Corpus des Zivilrechts und bezahlte dann der *Sapienza* zu Perugia, Bologna oder Siena – je nachdem,
wo der Schüler am liebsten war – auf sieben Jahre die üblichen
Studiengelder. Er gab ihm die Texte des Zivilrechts oder des kanonischen Rechts und verabfolgte ihm viele Dukaten für die Unkosten, bis hin zu den Kosten für jene *Sapienza*, welche der Scholar
aufsuchte. Er kleidete ihn ein, stattete ihn mit Hosen von ordent-
lichem Tuch aus. Wenn er das getan hatte, rief er ihn zu sich und
sagte zu ihm: «Komm her, mein Sohn – ich habe dir das getan, was
mir nicht getan wurde, allein zu dem Ende, daß du ein tüchtiger
Mensch wirst. Vor allem liebe und fürchte Gott. Hältst du es so,
wird dir alles gut gelingen. Immer, wenn du etwas brauchst, bitte
mich darum; solange ich lebe, wird es dir nie an etwas fehlen.» Auf
diese Weise sorgte er für viele junge Männer, für ebensoviele, die
er mit den genannten Eigenschaften begabt fand.

Dies sind die wahren und guten Almosen. So muß jeder würdige
Mann handeln, der über die Mittel dazu verfügt. Dabei sei, wer
diese Vita lesen wird, daran erinnert, daß Giuliano Cesarini keine
Einkünfte hatte außer jenen, welche ihm der Kardinalshut und das
Bistum Grosseto brachten. Weitere wollte er nicht haben.

In seinem Hause lebte er aufs sparsamste, keine Kostbarkeit umgab ihn, jeder Prunk war ihm fremd. Vorkostungen von Speisen und
Getränken ließ er nicht durchführen. Wenn er aß, begehrte er nicht
mehr als nur eine einzige Speise. Mitunter speiste er allein in seinem Zimmer, nachdem man sein Essen herbeigetragen hatte. Das
Wasser für die Hände ließ er sich reichen, ohne zu wollen, daß
jemand dabei niederkniete. Nur zwei hielten ihm das Handtuch,
und einer hatte das Becken in den Händen, auf ganz einfache Weise.
Saß er dann an der Tafel, wünschte er, daß ihm nur je zwei oder
drei Knappen draußen aufwarten sollten. Die übrigen gingen ihrerseits zum Essen. Trank er Wein, goß er sich so wenig ein, daß kaum
der Boden der Schale davon bedeckt war. Dann füllte er sie mit
Wasser, so daß er eigentlich gefärbtes Wasser trank. So war sein
Haus das am besten geordnete des Hofes. Seine Liebe war so groß,
daß ich mich meiner selbst schäme, wenn ich daran denke.

[Bisticci gibt weitere Beispiele für die Mildtätigkeit des Kardinals:
So habe er, als einige seiner Diener erkrankten, für alles Sorge ge-
tragen und sie zweimal am Tag besucht, selbst den Niedrigsten.
Seinem Kanzler Bartolomeo Battiferro leistete er beim Sterben Bei-
stand. Der Kardinal von Piacenza habe gesagt: «Wäre die Kirche
Gottes ganz untergegangen und nur der Kardinal von S. Angelo

übriggeblieben, er allein reichte hin, sie wieder zu erneuern.» In 500 Jahren habe die Kirche keinen solchen Mann gehabt, meint Bisticci. Um Almosen geben zu können, habe er sogar Bücher verkauft.]

Von den dreißig Personen, die in seinem Hause lebten, waren fünfzehn Diener, die anderen Kapläne und rechtschaffene Leute, die ihn in großer Zahl umgaben. Wie gesagt, war Prunk ihm fremd, da ihm so zahlreiche Tugenden eigneten: Und diese waren sein Schmuck.

Er hielt etwa achtzehn oder zwanzig Maultiere. Wenn er mit seinem Gefolge zum Palazzo ging, wie es die Kardinäle tun, ging seine ganze Dienerschaft, während er beim Papst war, spazieren. Der Kardinal wollte keine Zeit vergeuden; sah er, vom Pferd gestiegen, daß im Palazzo nichts zu tun oder der Papst beschäftigt war, begab er sich nach Hause zurück. Mehrmals geschah es so, daß dann außer seinen Kaplänen niemand da war – doch scherte er sich nicht darum, einen Schwanz an Leuten hinter sich herziehen zu können, bestieg vielmehr sein Pferd und wandte sich so, zusammen mit seinen Kaplänen, von S. Maria Novella zu den Serviten, wo er auf sein Begehren seine Unterkunft hatte.

Er war sehr geduldig und liebte die Guten sehr. Nie ließ er davon ab, jedermann darin zu bestärken und dazu zu ermahnen, Gutes zu tun; und auch die Juden, zur christlichen Religion überzutreten. So lebte zu seiner Zeit ein jüdischer Arzt in Florenz, der hochgelehrt war im Gesetz seines Glaubens und sich Maestro Giovanni Angelo nannte. Er war seiner Nation nach ein Spanier. Dem Kardinal tat es leid, daß er Jude war, und von Tag zu Tag unternahm er nichts anderes, als ihn anzutreiben, sich zum Christentum zu bekehren. So sehr bedrängte er ihn, bis er ihn schließlich dazu brachte, die Taufe zu nehmen. Auch Messer Giannozzo Manetti hatte großen Anteil an dieser Bekehrung, da er der hebräischen Sprache kundig war.

Nachdem der Kardinal den Juden dazu gebracht hatte, einverstanden zu sein, wollte er, daß dieser in feierlicher Weise zu S. Giovanni getauft werde. Er bat Messer Agnolo Acciaiuoli und Giannozzo Manetti, ihn zusammen mit ihm zur Taufe zu geleiten; und so geschah es. In der Kirche hatte man über dem großen Becken eine schöne, von Tüchern bedeckte Plattform errichten lassen. Dort taufte der Kardinal ihn mit eigener Hand und vollzog alle Zeremonien.

Daraufhin ließ er ihn zur Gänze mit rotem Stoff neu einkleiden. Zusammen mit Messer Agnolo und Messer Giannozzo begab man sich zu den Serviten, wo der Kardinal ein schönes Festmahl ausrichtete, weil er jenen Mann zum wahren Licht unseres Glaubens geführt hatte. Seine Herrlichkeit wollte, daß er mit ihm in seinem Hause wohne, und wünschte auch stets, daß er mit ihm am selben Tisch speise. Die allergrößte Ehre erwies er ihm, ließ ihm eines der schönsten Zimmer, die es bei ihm gab, zuweisen und gab ihm einen Diener, dazu zwei Reittiere. Immer wollte er, daß er in seinem Haus einkehre. Nicht anders behandelte er ihn, als wäre er sein Sohn. Das sind die Früchte, welche die Prälaten der Kirche Gottes tragen sollen!

[Der Kardinal habe sich jeden Samstagabend im Oratorium der Bruderschaft von S. Girolamo religiösen Exerzitien unterzogen – «viel Weinen und Schluchzen und eine so wunderbare Andacht» habe es da gegeben, daß «kein Herz hart genug war, nicht bewegt zu werden». Bisticci berichtet dann von einem verlockenden Angebot.] Einmal – ich war noch nicht sehr alt – ging ich zu Seiner Herrlichkeit. Er fragte mich, ob ich in einer jener Laiengemeinschaften, die es für Knaben gäbe, sei; ich verneinte. Aber seht nun die unerhörte Mildtätigkeit dieses Herrn! Er sagte nämlich zu mir: «Ich möchte, daß du in die Bruderschaft des Ser Antonio di Mariano eintrittst; du wirst in meinem Namen zu ihm gehen» – und so machte ich es. Ich habe dies hier erzählt, daß man sieht, wie er sich zum Wohl des Nächsten nicht allein um die großen Dinge, sondern auch um die kleinsten Angelegenheiten kümmerte.

Er fragte mich dann, ob ich Priester werden wolle; er würde mir helfen, studieren zu können, auch mit einer Pfründe, von der ich leben könne. Er gab mir fünfzehn Tage Bedenkzeit und fragte mich, als diese Zeit abgelaufen war, was ich nun zu tun begehre. Ich antwortete, doch nicht Priester werden zu wollen. Darauf meinte er, daß er mir dann nichts weiter Gutes tun könne, sonst hätte er es getan. Nichts anderes war in ihm als Mildtätigkeit und Liebe.

[Bisticci erzählt dann, wie sehr der Kardinal in seinem Haus auf Ordnung gehalten habe; so hatte jeder mit dem Ave-Maria-Läuten zu Hause zu sein. Ein Diener, der sich dieser Verfügung entzog, sei entlassen worden. Auch erinnert der Autor daran, daß der Kardinal Papst Eugen veranlaßt habe, das Kloster der Serviten zur Observanz zu bringen.]

Der Kardinal sah darauf, alles in seiner Macht Stehende für das Seelenheil jener zu unternehmen, die er durch seinen Einfluß dazu bewegen konnte, Gutes zu tun. Oft ging er in die Kammern seiner Dienerschaft, vor allem zu ungewöhnlichen Stunden, und fragte dann auf vertrauliche Weise, was sie so machten. Als er eines Tages in das Zimmer eines seiner Sekretäre eintrat, hatte der ein Buch in der Hand, das ‹Hermaphroditus› hieß und von Panormita verfaßt war. Als der Sekretär dessen gewahr wurde, daß der Kardinal kam,

warf er das Buch sofort hinter eine Truhe – doch konnte er es nicht
so schlau anstellen, daß dieser nichts bemerkt hätte. Der fragte ihn,
was er da lese. Der Sekretär schämte sich, zögerte damit, es zu
sagen. Der Kardinal, der von Natur sehr heiter war, lachte und
sagte: «Du hast es hinter diese Truhe geworfen!» Und so beichtete
der Sekretär, daß dem so sei. Er holte das Buch dann hervor und
zeigte es dem Kardinal voller Scham. Messer Giuliano tadelte ihn
auf sehr zurückhaltende Art und sagte zu ihm, es sei nicht gut,
dieses Buch zu lesen, stehe doch – gemäß der Verfügung Eugens –
die päpstliche Exkommunikation auf die Lektüre. Daraufhin ließ
er den Sekretär das Buch aufheben und befahl ihm, es zu zerreißen,
was dieser auch tat. Lachend sagte er dann: «Wenn du mir zufällig
zu antworten gewußt hättest, hättest du es nicht zerreißen müssen.
Die rechte Antwort, die du mir schuldig gewesen wärst, ist, daß du
einen Edelstein unter einem Berg von Mist gesucht habest!»
Er befleißigte sich dieser Freundlichkeit, damit der junge Mann
sich nicht erschrecke und nicht meine, der Kardinal habe eine
schlechte Meinung von ihm.

[Bisticci schildert dann, wie ein Diener eines der Maultiere des
Kardinals verloren habe. Bevor er den Mann anweist, nach dem Tier
zu suchen, bleibt er «eine Weile in Gedanken versunken»; von den
Begleitern nach dem Grund seiner Geduld gefragt, antwortet er:]
«Ihr habt euch darüber gewundert, wie ich es aufschob, zu antworten. Ich tat es zu folgendem Zweck: Bevor ich antwortete, wollte
ich, daß die Vernunft wieder an ihren Platz zurückkehre. Nachdem
sie es war, antwortete ich auch. Nach dieser Art sind die Weisen
beschaffen, daß sie nicht wegen irgendeiner Sache die Fassung verlieren.» Der Kardinal war eigentlich von lebhafter und jähzorniger
Natur, er geriet leicht in Zorn, mäßigte sich aber auf die gerade
genannte Weise. In all seinen Handlungen zeigte er seine Tugend.

[Der Text fährt fort mit der Erzählung, wie der Kardinal dem Bruder
Cosimo de' Medicis, Lorenzo, im Sterben beigestanden und ihn bei
seinem Begräbnis geehrt habe. Bisticci nimmt dann den Faden seines
Berichts über die Rolle Cesarinis in der «großen Politik» wieder auf;
er schreibt von dessen Disputationen mit den Hussiten, dann von
Ereignissen um das Florentiner Konzil; Cesarinis Anteil am Zustandekommen der Kirchenunion wird gebührend herausgestellt. – 1444
wird der Kardinal als päpstlicher Legat nach Ungarn geschickt, um
dem christlichen Heer unter Vladislav III. im Kampf gegen die Türken beizustehen.]
Als er im christlichen Feldlager in Ungarn eingetroffen war, begann er, den Leuten, dem ganzen Lager zu predigen, und zwar so –
wie ich von glaubwürdigen Männern hörte –, daß alle Soldaten sich

zu Mönchen wandelten; voll tiefer Andacht waren sie, dank der guten Werke des Kardinals und des Beispiels, das sein Leben bot. Als sie einmal wegen eines Ablasses vom Lager aus mehrere Meilen weit zu gehen hatten, ging der Kardinal ihnen mit bloßen Füßen voran; auf dieselbe Weise, in größter Demut, schritten auch alle Soldaten zu diesem Ort: Soweit hatte er sie gebracht. Immer, wenn gegen die Türken zu Felde gezogen wurde, predigte er zuerst und las dann die Messe; den geweihten Leib Christi ließ er vorantragen, begleitet von fünfzig doppelarmigen Leuchtern. Viele folgten der Prozession mit Ehrerbietung.

[Anfängliche Erfolge bleiben nicht aus; doch am 10. November 1444 kommt es bei Varna zu einer Schlacht, die mit einer furchtbaren Niederlage des christlichen Heeres endet. Auch der Kardinal wird getötet.]

Dies also war das Ende dieses hochwürdigen Kardinals, eines wahren Märtyrers Christi. [. . .] Und wahrlich war Messer Giuliano Cesarini einzureihen in die Zahl der großen Heiligen und Märtyrer, welche die Kirche Gottes besaß [. . .]. Ich bitte jeden, der gedenkt, sich die Mühe zu machen, seine Vita in lateinischer Sprache zu verfassen: Er möge dies wirklich tun, denn ein vorzüglicheres Werk über Frömmigkeit und voll guter Beispiele als die Lebensbeschreibung eines solchen Mannes, wie es Messer Giuliano war, läßt sich nicht schreiben. Er war der ganzen Welt ein Beispiel all der großen Eigenschaften, die in einem Menschen sein können.

KARDINAL NICENO [JOHANNES BESSARION], EIN GRIECHE

ESSER BESSARION, von griechischer Nation, Bischof und Kardinal, war in der Kirche Gottes ein Mann von größtem Ansehen. Er war Mönch im Orden des hl. Basilius gewesen; nach Italien gelangte er im Gefolge des griechischen Kaisers. Er zählte zu den vorzüglichsten der bedeutenden Männer, die damals kamen.

Nach Vollzug der Kirchenunion mit den Griechen erhob ihn Papst Eugen aufgrund seiner einzigartigen Tugenden in Florenz zum Kardinal, gemeinsam mit achtzehn anderen Kandidaten – darunter ein weiterer Grieche namens Ruteno.

Er hatte [wie gesagt] in der Kirche einen vorzüglichen Ruf, und in allem, was es an Mühsal und Schwierigkeiten zu seiner Zeit gab, wandte man sich an ihn. Er war Bischof von Tusculum und ging als Legat an mehrere Orte. Überall wurden ihm größte Ehrbezeugungen zuteil, war er doch ein gerechter Mann von rühmenswerter Lebensart. Längere Zeit war er Legat in Bologna, das er auf bewunderungswürdige Weise regierte. Wegen seines gerechten Regiments war er dort hochgeehrt. [. . .]

Er ging als Legat nach Frankreich, wo er sich in allem, was ihm zu tun oblag, höchsten Respekt erwarb. In der griechischen und in der lateinischen Sprache hatte er beste Kenntnisse, und er war voller Liebe für die Wissenschaften und für gelehrte Männer. Während andere die Lehre des Aristoteles schätzten, hing er entschieden jener Platons an. Und weil es einige gab, welche Platons Philosophie bekämpften, verteidigte er sie und verfaßte zu diesem Zweck ein hochbedeutendes, weithin sehr angesehenes Buch, dessen Titel ‹Die Verteidigung Platons› lautet. Auch übersetzte er ein Buch, nämlich ‹Über die denkwürdigen Taten und Reden des Sokrates›.

Im Kardinalskollegium brachte er es zu so großer Wertschätzung, daß er, nach dem Tod Pius', für eine Nacht Papst war. Im Konklave war er im zweiten Wahlgang gewählt worden, und jene, die gegen diese Entscheidung waren, bekannten: «Nun gut, er ist Papst; wir haben nichts dagegen, und morgen früh, im ersten Wahlgang, werden wir es öffentlich machen.» Man war's zufrieden; indessen tat man die ganze Nacht nichts anderes, als dafür zu arbeiten, daß er

nicht Papst werde – wobei es den Urhebern [dieser Intrigen] später
übel erging. Sie begaben sich von einem Kardinal zum anderen und
redeten ihnen zu: «Nur wenige Jahre ist es her, da war Niceno noch
ein Ketzer. Wollen wir, daß man sagt, wir hätten einen Ketzer zum
Papst gemacht? Wäre das nicht eine Schande?» Sie mochten wohl
auf diese Weise reden, ihre wirkliche Absicht war, einen Papst nach
ihrem Geschmack zu kreieren, wie es dann ja auch gelang. Als man
nämlich am folgenden Tag zur Abstimmung schritt, fiel die Wahl
auf Paul. Es war ein korrektes Verfahren ohne weitere Absprachen,
dem Kirchenrecht gemäß. Bessarion ließ man fallen. Klug, wie er
war, machte Bessarion keine Einwände und ließ den Dingen ihren
Lauf. Der neue Papst bewahrte trotz dieser Vorgänge wegen seiner
Fähigkeiten größte Achtung für ihn. Dabei blieb es bis zum Tode
Papst Pauls, auf den Sixtus folgte.

Während der ganzen Zeit, die Bessarion am Papsthof weilte, war
er darauf bedacht, griechische und lateinische Bücher aller Wissensgebiete abschreiben zu lassen. Er ließ nicht nur abschreiben, er
kaufte auch alle Werke, die er nicht besaß; einen großen Teil der
Summen, die ihm von seinen Einkünften blieben, gab er für Bücher
aus und somit für einen lobenswerten Zweck. Nachdem er bereits
eine große Zahl von Kodizes – griechischen wie lateinischen, geistlichen wie weltlichen – zusammengebracht hatte, faßte er den Entschluß, sie an einen würdigen Ort zu bringen, insbesondere die
griechischen Schriften. Dabei erwog er, daß seine Bücher in seiner
unglücklichen Heimat verlorengegangen waren; und wenn Byzanz
jemals wieder in seine früheren Verhältnisse gelangte, sollten sie
an einem Ort sein, wo sie auch [von dort aus] wieder bequem zugänglich wären. Ihm schien es so keinen geeigneteren Ort in Italien
zu geben als Venedig: eine Seestadt, in die jeder, der aus Byzanz
anreist, kommen wird. Deshalb – und weil er den Venezianern
durch beste Freundschaft verbunden war – entschied er sich dafür,
dort eine öffentliche Bibliothek einzurichten, in die jeder gehen und
aus ihr Nutzen ziehen mochte. Mit *Signoria* und Dogen legte er
fest, daß – auf der Grundlage eines feierlichen Beschlusses – ein
Bibliotheksgebäude errichtet werden sollte; die Präsenz von zwei
Beauftragten hatte zu gewährleisten, daß jedermann, der wollte,
Zugang hatte. Und entsprechend wurde entschieden. Die Zahl der
griechischen und lateinischen Bände betrug mehr als 600; Bessarion
schickte sie noch zu seinen Lebzeiten nach Venedig und ließ sie an
einem vorbestimmten Ort aufstellen. Diese Bücher kosteten ein
ungeheures Vermögen. Kein anderes Mitglied des Kardinalskollegiums hatte ein so freigebiges Herz wie jener Kardinal, der diese
Bibliothek einrichtete. Mit dieser Unternehmung wollte er nicht

14 Johannes Bessarion. Der Kardinal kniend vor einem Vortragekreuz, mit zwei Mitgliedern der Scuola della Carità in Venedig. Gemälde von Gentile Bellini, 1472 oder wenig später. Wien, Kunsthistorisches Museum

nur etwas für sich selbst Nützliches tun; er dachte an den allgemeinen Nutzen jener, deren Wunsch es war, sich den Wissenschaften zu widmen. Es sollte ihnen nicht an Büchern fehlen.
Gelehrte Männer begünstigte und förderte Kardinal Bessarion
stets. Der Patrizier Lauro Quirino, ein in Griechisch und Latein
beschlagener Mann und dazu ein ausgezeichneter Philosoph, lebte
längere Zeit im Haus des Niceno. Messer Niccolò Perotti, der [spä-
tere] Bischof von Siponto, kam zusammen mit Messer William
Gray, damals Prokurator des englischen Königs, nach Rom; er hatte
den Wunsch, sich gute Kenntnisse der griechischen Sprache anzueignen, bat um die Gunst, dies bei Bessarion ins Werk setzen zu
können, und tat es dann auch. Im Haus des Kardinals eignete er
sich beste Kenntnisse an, und dieser verschaffte ihm später sein
Bistum; Messer Niccolò führte dem Kardinal den ganzen Haushalt.
Durch den Einfluß Bessarions gewann er nicht nur jenes Bistum.
Durch dessen Vermittlung erhielten Niccolòs Vater und die Seinen
Kirchenämter: Er machte sie reich und ließ seinen Vater gar zum
Ritter erheben. Das alles gewann er zusätzlich zu seinem Wissen
und zu den Würden, die er erhielt.

So waren ihm alle gelehrten und rechtschaffenen Leute sehr verbunden. Als Maestro Francesco da Savona, der spätere Papst Sixtus,
an den römischen Hof kam, nahm er ihn in sein Haus auf und ließ
ihn gewisse Vorlesungen über Scotus halten, war er doch ein hervorragender *Scotista*. Und da Francesco da Savona ihm ein gelehrter
Mann zu sein schien, verwandte er sich bei Papst Paul für ihn, daß
jener ihn zum Kardinal erhebe, was ohne die Fürsprache Bessarions
niemals möglich gewesen wäre. Er hat das später ziemlich bereut,
ging die Sache doch anders aus, als er erwartet hatte. Es geschieht
eben immer, daß große Wohltaten mit dem größten Undank ver-
golten werden.

Als Papst Paul starb, wurde also Maestro Francesco da Savona,
der durch Bessarion zum Kardinalat gelangt war, auf den Stuhl Petri
erhoben; wie das kam, darüber enthalte ich mich eines Urteils.
Bessarion jedenfalls gab ihm im Konklave seine Stimme nicht,
schien ihm der Mann doch zu schwach für das Gewicht dieser
Würde. In seinem Amt hat er sich dann auch nicht gerade durch
viel Sachkenntnis ausgewiesen.

Eines Tages ging Sixtus in die [Engels-]Burg, um die Juwelen Papst
Pauls zu sehen; da knieten sich zu seinen Füßen zwei venezianische Kardinäle nieder – Nepoten Papst Pauls –, die unter bestimmten Bedingungen zugestimmt hatten, ihn zum Papst zu wählen,
und nun nach der Mitgift für einige ihrer Schwestern, die ihnen
versprochen worden war, verlangten. Da wandte sich Sixtus zu Bes-

sarion und sagte – denn er schämte sich vor ihm, der doch ein Mann von so großem Ansehen war: «Das ist Kirchengut», worauf der Kardinal hinzufügte: «Und es ist Kirchengut, das ihr für diese Sache weder verschleudern dürft noch könnt.»

Für dieses Mal entließ der Papst die beiden Kardinäle, ohne ihnen etwas zu geben – nur wegen der Autorität Kardinal Bessarions. Dem Papst fiel seine Anwesenheit am römischen Hof lästig – war er doch gerade erst zum Kardinalsrang gebracht worden, von demselben Bessarion, der sich in Rom so großen Einflusses erfreute wie er selbst. Deshalb ernannte der Papst ihn zum Legaten in Frankreich, in der Hoffnung, daß Bessarion auf dieser Reise sterben werde, war er doch schon alt und schwach und litt insbesondere an einem äußerst schmerzhaften Steinleiden.

Bessarion ging, wenngleich übel zufrieden, da er um die Gründe seiner Ernennung wußte, nach Frankreich. Als er dort eintraf, wurde er, wegen der schlechten Einstellung des Königs, seiner Launenhaftigkeit und Unbeständigkeit, nicht gut aufgenommen. Es war unausweichlich, daß er, ohne viel Achtung erworben zu haben, abreiste. Da Bessarion um die Bedeutung der Ehre wußte und sie sehr schätzte, reiste er somit nach Italien zurück. Alt, schwach und unzufrieden, erkrankte er und starb nach wenigen Tagen.

Die menschlichen Dinge nehmen meist ein solches Ende, insbesondere, wenn sie auf sich selbst und auf weltliche Ehre gegründet sind. Deshalb ist es bei all unserem Tun erforderlich, sich an Gott auszurichten.

Kardinal Bessarion hat noch mehr bedeutende Taten vollbracht, von denen keine Kenntnis zu mir gelangt ist. Wer mehr darüber weiß, wird sein Leben beschreiben können, was verdienstvoll wäre.

KARDINAL VON GERONA, EIN SPANIER

ESSER GIOVANNI DE' MARGHERITI war Sproß eines sehr vornehmen Geschlechts; zum Kardinal machte ihn Papst Sixtus. Er war Bischof von Gerona [. . .]; das Bistum erhielt er zu Zeiten von Papst Nikolaus. Zu Beginn von dessen Pontifikat hielt er sich am Papsthof auf; damals war er noch sehr jung, gleichwohl sehr angesehen, er war dem Papst lieb und wert und wurde von diesem hochgeschätzt. Eine der ersten Würden, die er Giovanni übertrug, war jene eines ordentlichen Kammerklerikers – das sind solche, die ein Einkommen haben. Der Papst hatte ihm gesagt, er solle zur apostolischen Kammer gehen, dort den Habit in Empfang nehmen und das Amt antreten; dort aber nahm ihm der Kämmerer – damals Maestro Luigi, der Patriarch [von Aquileia] – das Gewand wieder ab und weigerte sich, ihn aufzunehmen. Messer Giovanni, klug, wie er war, sagte darauf gar nichts, besann sich aber gleich, was zu tun sei. Und er tat das Richtige, denn er warf sich dem Papst zu Füßen und sagte: «Heiliger Vater, wenn Eure Heiligkeit meinen, daß mir dieses Amt nicht zusteht, hättet ihr mich nicht zur apostolischen Kammer schicken dürfen, auf daß mir der Patriarch zu meiner Schande das Gewand vom Leibe zog, wie er es tat.» Nichts konnte Seine Heiligkeit, unseren Herrn, mehr erzürnen, als wenn man sich gegen seinen Willen stellte; auf Giovannis Klage geriet er in größten Zorn und schickte sofort nach dem Kämmerer, daß er zu ihm komme. Er sagte zu ihm: «Monsignore, ihr wißt, daß ich längere Zeit mit meiner Zustimmung zu eurer Ernennung als Kämmerer gezögert habe, da ich euer Wesen kannte. Und nun war eine eurer ersten Amtshandlungen, Messer Giovanni de' Margheriti, den ich aufgrund seiner Tugend zum Kammerkleriker ernannt habe, die Amtstracht zu nehmen und ihm das Amt zu verweigern; um das zu tun, genügte euch ein Blick. Ich will euch nicht behandeln, wie ihr es eigentlich verdientet – sonst freilich würde ich euch euren Fehler vor Augen führen und euch wohl zeigen, was ein Papst vermag.» Da sah der Kämmerer, daß er falsch gehandelt hatte, bat den Papst inständig um Verzeihung und übertrug Messer Giovanni, als dieser wieder zur apostolischen Kammer ging, sofort sein Amt. Er meinte, indem er den Willen des Papstes erfüllt hatte, nicht wenig getan zu haben. Messer Giovanni verhielt sich in dieser Angelegenheit äußerst klug. Er erzählte, daß Papst Nikolaus zu sagen pflegte, daß er sich in seinem Pontifikat niemals der Autorität seines Amtes habe bedienen wollen, außer gegenüber dem Patriarchen, um dessen Hochmut ein wenig zu dämpfen. So gestattete er allen Kardinälen außer dem Patriarchen, wenn sie zu ihm kamen, sich, nachdem sie sich erhoben hatten, gleich wieder zu setzen. [. . .] [Bisticci schreibt nun von jenem Konflikt um Perugia, von dem er bereits in seinem Kommentar zum Leben König Alfonsos gehandelt hatte (vgl. S. 158); Giovanni de' Margheriti hatte in dieser Affäre als päpstlicher Legat gewirkt. In Neapel ersuchte er im Auftrag Nikolaus' V. erfolglos König Alfonso, 2000 Reiter zu stellen; in Rom berichtet er von seiner Mission.] Er berichtete dem Papst, was der König gesagt hatte, welche Beweggründe er für sein Verhalten gehabt hatte. Dem Papst, der von cholerischem Naturell war, schien, daß König Alfonso sich nun nicht an Versprechen hielt, die für den Fall, daß Hilfe nötig sei, gemacht worden waren. So beklagte er sich beredt über den König. Dann schwieg er. Der Bischof wandte sich daraufhin Nikolaus verständig zu und fragte ihn, ob Seine Heiligkeit alles, was sie sagen wolle, gesagt habe; der Papst bejahte. Messer Giovanni kam also auf den Grund zu sprechen, warum König Alfonso die 2000 Reiter nicht geschickt habe: «Er tut das deshalb nicht, weil der Gegner, der behauptet, 2000 Reiter nach Perugia in Bewegung zu setzen, dies nicht tun wird. Alles unternimmt er nur zu dem Ende, daß Eure Heiligkeit der erste sei, der den Frieden in Italien bricht. Man will Eurer Heiligkeit die Schuld daran zuschieben, wie die Erfahrung Euch zeigen wird.» Nachdem der Bischof gesprochen hatte, antwortete Papst Nikolaus: «Diese Argumente könnten meine Haltung nicht ändern, und Geduld hätte ich auch nicht. Es gibt nur eine Erwägung, die mich geduldig bleiben läßt – daß nämlich Seine Majestät seit vierzig oder mehr Jahren regiert. So muß ich wegen seiner langen Erfahrung eher ihm glauben als mir selbst, der ich erst seit kurzem an der Regierung bin.» Und so beruhigte sich das Gemüt des Papstes.

Nicht viel Zeit verging, und Seine Heiligkeit sah ein, daß König Alfonso ihm die Wahrheit gesagt hatte; es traf genau das ein, was Seine Majestät gesagt hatte. Der Bischof versäumte es nicht, dem Papst dies ins Gedächtnis zu rufen; Nikolaus erkannte, daß König Alfonso den richtigen Weg gegangen war.

[Im folgenden beschreibt Bisticci, wie Giovanni de' Margheriti nach Navarra, an den Hof Johanns II. von Aragon geht, wo er als Erzieher des späteren Königs Ferdinand des Katholischen wirkt. Er erzählt von der Situation in den spanischen Königreichen, geht kurz auf die Erbfolgeregelungen ein und kommt dann auf die Unsicherheit und Unordnung im Land zu sprechen. Ausführlich referiert er zwei Fälle von Kriminaljustiz, von denen sich der eine um die Unterschlagung der mit Wertsachen gefüllten Tasche eines Edelmannes dreht; dann geht es um einen Straßenraub. Bisticci kommt anschließend auf diplomatische Missionen zu sprechen, die der Kardinal von Gerona im Auftrag des aragonesischen Königs und des Papstes insbesondere in Italien durchführte. So weilte er 1459 in Florenz – Bisticcis Bekanntschaft mit ihm datiert wohl aus dieser Zeit –, um die Florentiner zur Einhaltung eines 1455 mit König Alfonso geschlossenen Friedensvertrages zu bewegen; dabei ging es insbesondere um eine Beistandsverpflichtung der Republik für den Fall, daß Neapel angegriffen würde.]

Nach seiner Ankunft in Florenz traf ich ihn, als er gerade auf dem Weg [zum *Palazzo della Signoria*] war, um den Grund seiner Mission darzulegen. Ich nahm mir heraus, ihn zu fragen, ob er auf lateinisch oder italienisch zu sprechen beabsichtige, worauf er antwortete, er habe seine Rede in Latein vorbereitet. Da sagte ich, es würde angesichts des Umstandes, daß es in Florenz nur wenige gebe, die diese Sprache beherrschten, mehr Früchte tragen, wenn er in *Volgare* und nicht lateinisch sprechen werde. Er dachte einige Zeit nach und sagte, er werde es so halten.

So ging er in den Palast, wo die *Signoria*, die Kollegien und viele *richiesti* seiner harrten. Er trug seine Rede in geschliffener Weise auf italienisch vor, so daß sie sehr gerühmt und gelobt wurde – sowohl wegen der Aussprache, war er doch ein Ausländer, als auch wegen ihrer Klugheit. Er tat alles, was er konnte, um die *Signoria* und die Bürger zur Einhaltung der erwähnten Vertragsbestimmungen anzuhalten und den König zu unterstützen, wie sie verpflichtet waren. Und die Florentiner taten das dann auch in mancher Hinsicht.

Anschließend reiste der Bischof nach Rom zum Papst, kehrte dann nach Neapel und Katalonien zurück, wo er sich sehr bemühte, nach dem Verlust von Barcelona Vereinbarungen [mit den aufständischen Katalanen] zustande zu bringen. So bewirkte er unendlich viel Gutes, wie es immer seiner Natur entsprach. Schließlich kam er wieder nach Italien und begab sich – zu jener Zeit, als der König Otranto [an die Türken] verloren hatte – nach Neapel. Und er ging nach Rom, um als Gesandter des Königs von Spanien den Papst darin zu bestärken, in Zeiten so großer Not König Ferdinand gegen die Ungläubigen zu unterstützen. Seine Heiligkeit, unser Herr, tat seine Schuldigkeit; er sandte einen apostolischen Legaten aus und unternahm alles, was für sein Heil nötig war.

Der Bischof von Gerona wandte sich darauf nach Venedig, um die
Venezianer – als Christen und Seemacht ersten Ranges – zu ermahnen, sie mögen in Zeiten so großer Not bereit sein zu helfen: einer
Zeit der Not nicht nur für König Ferdinand, dem die Türken Otranto genommen hatten, zur großen Schmach der ganzen Christenheit
und mit schlimmster Schändung des allerheiligsten Namens des
Herrn. Sie sollten helfen, damit nicht nochmals soviel Übel komme, wie man schon hatte geschehen sehen.

Der Bischof aber konnte sie während seines Aufenthaltes in Venedig nicht erweichen; ach, wollte Gott, daß ihre Gunst nicht ihrer
Mißgunst unterlegen wäre! Giovanni de' Margheriti war ratlos angesichts von soviel unerhörter Grausamkeit, die er bei den Venezianern sah – ohne daß sie Gottesfurcht oder Respekt vor Gottes
Ehre gezeigt hätten. Weder durch Mahnungen noch auf irgendeine
andere Weise konnte er ihren Sinn ändern.

Zu jener Zeit war auch ein Botschafter des Königs von Frankreich
– des Allerchristlichsten Königs – in Venedig, der die Serenissima
in derselben Richtung zu beeinflussen suchte. Aber weder der eine
noch der andere konnte helfen.

Doch wollte Gott der Allmächtige, der die offenkundige Gefahr
für die Christenheit sah, als ihr Vater und Wohltäter, nicht, daß sie
untergehe; unversehens schuf er Abhilfe, indem er dem Türken
[Sultan Mahomet II.] das Leben nahm. Hätte Gott nicht auf diese
Weise Vorsorge getroffen, kein anderer Ausweg wäre mehr in Sicht
gewesen – angesichts der Nachlässigkeit der schlechten Christen,
die doch eigentlich die Hand hätten reichen müssen zu einem so
vortrefflichen Unternehmen, aber sich entweder neutral hielten
oder gar dem Türken manch geheimen Vorteil verschafften.

O dieses sündige Volk! O diese unerhörte Sündhaftigkeit! Als
wahrer und guter Christ und Verehrer seiner Religion tat der Bischof nichts anderes, als den Dogen und die *Signoria* zu dieser
Unternehmung zu ermahnen; er konnte sie aber weder durch Bitten
noch durch Drohungen zu etwas bewegen. Darüber hinaus bot er
ihnen für die Dauer des Krieges gegen den Türken vierzig bewaffnete Galeeren an, deren Kosten der König von Spanien übernommen hätte. Er sagte zu, daß den Venezianern alles, was sie eroberten, auch gehören solle, und zeigte ihnen entsprechende Verpflich-
tungserklärungen des Königs und – zur größeren Sicherheit – auch
der Königin und aller Großen des Königreiches. Trotzdem konnte
er sie nie zu etwas bewegen. Immer redeten sie zu ihm nur mit
allgemeinen Worten; das einzige, was sie für diese Unternehmung
taten, war, daß ihre Schiffe ständig zwischen der türkischen Flotte
und der ihren hin- und herfuhren. Der Bischof konnte, als er ihre

Kleingläubigkeit und ihre Undankbarkeit gesehen hatte, keine Geduld mehr aufbringen.

Da nun die Dinge so standen, sorgte der allmächtige Gott – wie zuvor schon gesagt – vor und nahm den gottlosen und verbrecherischen Herrn der Türken von dieser Welt. Auf diese Neuigkeit hin gingen der Gesandte des französischen Königs und der Bischof von Gerona – als Botschafter des Königs von Spanien – zum Dogen und zur Signoria; sie wollten daran erinnern, welch große Gnade ihnen von Gott dem Allmächtigen erwiesen worden war, als er diesen unfrommen und grausamen türkischen Tyrannen von der Erde getilgt hatte. Deshalb [so schlugen die beiden Diplomaten vor] sollten die Venezianer eine feierliche Prozession veranstalten, um Gott für seine Wohltat Dank abzustatten. Die Venezianer aber blieben ganz starrsinnig und wollten von solchem Ansinnen nichts hören. Dabei gebrauchten die Gesandten Worte, welche die Venezianer beschämen mußten. Diese jedoch rührten sich nicht, um Gott zu loben, außer, daß sie tatsächlich eine Prozession abhielten. Man hätte die Glocken läuten müssen, wie es recht und billig gewesen wäre, und Freudenfeuer hätten angezündet gehört. Allein, die Venezianer gaben zu nichts ihre Zustimmung und verharrten bei ihrer Halsstarrigkeit.

Es war der Tag vor dem Fest der Himmelfahrt, an dessen Morgen die beiden Botschafter bei der Signoria vorstellig geworden waren, um dann ohne irgendeinen Erfolg wieder ihren Abschied zu nehmen. Da gefiel es dem allmächtigen Gott, daß in einigen der Bretterbuden – die sich, vorwiegend aus Tüchern und Brettern gefertigt, auf dem Markusplatz drängten – Feuer ausbrach, so daß schließlich alles verbrannte, was dort stand. Deshalb begannen alle Glocken der Stadt zu läuten – es war ein großes Feuer, die Glocken läuteten die ganze Nacht hindurch. Auch die Fassade von S. Marco, vor der sich ein Standbild Unserer Lieben Frau befand, brannte. Dabei wirkte Gott das Wunder, daß aller Schmuck, der die Madonna an den Seiten und zu ihrem Haupt umgab, ein Opfer der Flammen wurde, während sie selbst völlig unversehrt blieb.

Die Botschafter, die während der ganzen Nacht das Glockenläuten vernommen und das große Feuer wahrgenommen hatten, gingen, nachdem sie am nächsten Morgen aufgestanden waren, zum Dogen und zur *Signoria*. Der Bischof von Gerona, ein Mann von freimütigstem Sinn, sagte: «Erlauchtester Fürst, da Eure Herrlichkeit nicht wünschten, daß man wegen des Todes des Sultans die Glocken läute und auch keine Freudenfeuer entzünde, hat der allmächtige Gott selbst dafür gesorgt, daß Feuer gemacht und die Glocken während der ganzen Nacht geläutet wurden.» Sie antworteten nicht, nahmen es aber übel auf, daß der Bischof so gesprochen hatte. Der französische Botschafter, freimütig, wie die Natur der Franzosen ist, meinte, der Bischof von Gerona habe wahr gesprochen und er selbst hätte es nicht besser sagen können; darauf gebe er sein Wort. Beide waren über das Benehmen der Venezianer verärgert.

Während sie so mit den beiden Botschaftern in Verhandlungen standen, war die einzige «Verbesserung», die sie machten, daß sie Gesandte zum neuen Sultan schickten, um den Vertrag, den sie mit dessen Vorgänger geschlossen hatten, zu bestätigen. Als der Botschafter davon hörte, war er mit seiner Geduld am Ende und machte aus seinem Herzen keine Mördergrube. Er hielt ihnen nochmals vor, was bisher mit ihnen verhandelt worden war, und nahm dann, mit größter Verachtung, seinen Abschied: Dabei sagte er den Venezianern, er werde, wo auch immer er sei, sein Herz öffnen und überall von ihrem Verhalten gegen die christliche Religion sprechen.

Er reiste ab und begab sich nach Florenz, wo er von seinen Verhandlungen dort berichtete, den Botschaftern und überhaupt allen, die davon hören wollten. Dann reiste er nach Rom und machte auch dort öffentlich, was die Venezianer getan hatten. Was für Leute die Venezianer waren, führte er allen vor Augen, die sie noch nicht kannten. Dann ging er nach Neapel, wo er eine Zeitlang blieb.

Da nun die Venezianer ein Bündnis mit dem Papst geschlossen hatten, um Ferrara in Besitz nehmen zu können, schien es König Ferdinand richtig, den Bischof von Gerona nach Rom zu schicken, damit dieser einen Frieden aushandle; er sollte den Papst dazu bewegen, in eine Allianz mit Ihrer Majestät, mit Mailand und den Florentinern gegen Venedig einzutreten, zur Verteidigung Ferraras, damit die Serenissima diesen Staat nicht an sich brächte. In Rom eingetroffen, führte er Seiner Heiligkeit, unserem Herrn, mit den stärksten Argumenten vor Augen, daß man von ihm die Verteidigung Ferraras als Teil des Kirchenstaats erwarte; er tat das, wie er es schon immer konnte, auf sehr beredte Weise und mit der größten Überzeugungskraft, die man sich denken kann, machte dem Papst die Treulosigkeit der Venezianer klar und ihre Beweggründe für diese Militäraktion. Tatsächlich zeitigten seine Worte beim Papst und dem ganzen Kardinalskollegium große Wirkung, so daß man begann, die Allianzverhandlungen aufzunehmen. Er führte die Verhandlungen mit seiner Autorität und mit dem Gewicht seiner Gründe auf eine Weise, daß er den Frieden schloß und die Liga zwischen dem Papst, dem König, dem mailändischen Staat und den Florentinern gegen die Venezianer zustande brachte. Wie jedermann bekannt ist, stellte der Papst nun jene Söldner, die er zuvor an der Seite der Venezianer kämpfen lassen wollte, gegen sie ins Feld.

Den Bischof von Gerona erhob der Papst aufgrund seiner zahlreichen, unerhörten Tugenden und seiner angeborenen Güte mit Zustimmung des Kardinalskollegiums zum Kardinal, was er bis heute ist. Man hätte noch viel über ihn sagen können. Das aber sei jenem überlassen, der einmal seine Biographie abfassen will.

Er ist hochgelehrt sowohl im Zivilrecht als auch im Kanonischen Recht; in Theologie, Philosophie, in den humanistischen Studien und in Geschichte sind seine Kenntnisse umfassend, er ist ein Kosmograph ersten Ranges und hat überhaupt universale Kenntnis in allen Dingen. Aber er besitzt noch eine einzigartige Fähigkeit: In allen Dingen der Welt ist er sehr kundig – Frucht der langjährigen Erfahrung, die er von Jugend an bis zum heutigen Tag in Staatsangelegenheiten gesammelt hat.

Dazu kommt, daß er, wie man an mehreren seiner Werke sieht, von größter Beredsamkeit ist. So verfaßte er ein Buch mit dem Titel ‹Die Krone des Fürsten›, eine bewunderungswürdige Leistung, formt es doch die Krone für einen König mit allen Edelsteinen daran, und jedem Juwel schreibt er Ähnlichkeit mit dem zu, was der Königsherrschaft wohl ansteht. Das Werk ist dem König von Spanien zugeeignet; es wird darin vor Augen gestellt, wie das Leben eines guten Fürsten aussehen soll.

Auch schrieb er eine Geschichte des Königreichs Spanien, in der sich alles Erinnerungswürdige bis in die Zeit des Autors findet; Dinge, die er aufs beste kannte. Von anderen Werken des Kardinals habe ich keine Kenntnis. Davon zu handeln bleibt jenen, die in Zukunft über die Taten eines so bedeutenden Herrn schreiben wollen, der seine einzigartigen Fähigkeiten bewies, als er am römischen Hofe weilte. Sein Rat war von größter Weisheit und von großem Einfluß am ganzen römischen Hof.

Er hätte seine Tugenden noch mehr unter Beweis gestellt, hätte er das Leben noch länger gehabt. Doch erkrankte er an einem Steinleiden, an dem er zu Rom verstarb. Sein Tod war so, wie sein Leben gewesen war. An diesen einzigartigen Männern herrscht nun allenthalben größter Mangel; sie sind dahingegangen, und keiner kommt mehr nach.

So haben wir bis hierher in Kommentarform einiges Denkwürdige über Papst Nikolaus und König Alfonso aufgezeichnet, um dann auf einige Kardinäle zu sprechen zu kommen, die durch eigene Tugenden zum Purpur kamen. Nun werden wir über einige Erzbischöfe und Bischöfe schreiben, und zwar zuerst über diejenigen, die – wie sich an ihren Werken zeigt – die Welt abwiesen, um von Gott aufgenommen zu werden.

ERZBISCHOF ANTONINO, EIN FLORENTINER

RZBISCHOF ANTONINO war von Nation ein Florentiner. Er stammte aus einer sehr ehrbaren Familie,
und er wurde Mönch bei den Observanten des hl. Dominikus, denen er große Gunst gewährte. Man kann
sagen, daß der hl. Bernardino und der Erzbischof Antonino es gewesen sind, die bewirkten, daß die Observantenbewe-
gungen des einen wie des anderen Ordens [der Franziskaner und der
Dominikaner] in feste Formen gebracht wurden und um sich griffen
[. . .]. Der hl. Antonino widmete sich dem Studium der Theologie,
wurde zu einem Theologen der *Summa;* er wandte sich dann jener
praktischen und notwendigen Theologie zu, der es um Gewissens-
fragen geht. Er war darin ganz hervorragend, wie sich dann an seiner Lebensführung zeigte und auch an den Werken, die er über
Fragen des Gewissens verfaßt hat. Er widmete sich zwei höchst
notwendigen Übungen: der Beichte und der Predigt; sowohl in der
einen als auch in der anderen trug sein Wirken die schönsten Früchte. Da er sich, wie gesagt, mit den Problemen des Gewissens befaßte, wurden ihm alle Zweifelsfälle oder wichtigen Fragen vorgelegt, damit er sein Urteil abgebe oder seine Meinung äußere.

Damals hielt er sich schon seit einiger Zeit in einem neapolitanischen Kloster seines Ordens auf, wo er sich aufgrund seines heiligmäßigen Lebens und seiner guten Sitten bestes Ansehen erwarb.
Hier schrieb er auf Verlangen eines Edelmannes ein Büchlein über
die Beichte, eine knappe Darstellung, die große Verbreitung fand.

[. . .] Während er auf so lobenswerte Weise sein Klosterleben führte, geschah es – zu Zeiten des Papstes Eugen –, daß im Erzbistum
Florenz eine Vakanz eintrat. So schrieb die *Signoria* auf sehr höfliche Weise an Seine Heiligkeit, unseren Herrn, er möge sich dazu
bereitfinden, einen Erzbischof zu erwählen, der einer Stadt vom
Range Florenz' angemessen sei. Ähnlich – und ebenfalls sehr höflich – schrieb auch Cosimo de' Medici; er bat um die Wahl eines
der Stadt Florenz würdigen Kandidaten, ohne sich in besonderer
Weise für den einen oder anderen zu verwenden. Der Papst antwortete, daß sie keineswegs daran zweifeln sollten, daß er ihnen einen
Hirten erwählen werde, mit dem sie wohl würden zufrieden sein
können. Er ließ den Erzstuhl vier Monate lang unbesetzt, um einen
Bischof nach seinem Maßstab zu finden. Da er Kenntnis von An-

*15 Erzbischof Antonino (Antonino Pierozzi).Ausschnitt
aus einem Alesso Baldovinetti (um 1425–1499) zugeschriebenen Gemälde.
Florenz, Museo di San Marco (Inv. Nr. 277)*

tonino hatte, entschied er sich, als es an die Wahl ging, für ihn; und
weil er, vertraut mit dessen Natur, wußte, daß er die Wahl nicht
annehmen werde, fertigte er ein Breve aus, das Antonino unter
Strafe der Exkommunikation befahl, den Ruf zu akzeptieren; außerdem war darin festgehalten, daß Seine Heiligkeit ihm das Erzbistum Florenz *motu proprio*, also aus freier Entscheidung, übertragen habe.

Das mit einer Bulle versehene Breve übergab er einem Boten, der
Antonino aufsuchen und ihm das apostolische Breve und die Briefe, die ihm seine Wahl anzeigten, aushändigen sollte. Antonino –
der einige Hinweise auf die Wahl erhalten hatte – suchte sich
einen Begleiter und war gesonnen, sich an einen Ort zu flüchten,
wo er nicht aufgespürt werden konnte. So begaben sich die beiden,
mit ihren Mönchskutten um die Schultern, in die Wälder von
Corneto.

Sie waren schon einige Zeit durch den Wald gewandert, als dem
Boten, der das Breve und die päpstlichen Schreiben bei sich hatte,
nach einiger Suche beschrieben wurde, wie Antonino den Weg in
jenen Wald genommen hatte. Dieser Bote gab sich die größte Mühe,
sie zu finden, weil er meinte, eine schöne Summe Geldes zu erhalten, wenn er die Neuigkeiten von einem so bedeutenden Erzstuhl
überbrachte – er wußte ja nicht, daß der Mönch floh, weil er sich
der Ernennung entziehen wollte. Als er die flüchtenden Klosterbrü-
der mit ihren hochgeschlagenen Kutten erreicht hatte, überreichte

er Breve und Begleitschreiben, in der Erwartung, daß Antonino sich nun sehr freuen würde. Der aber erblaßte und verharrte nachdenklich. Als der Bote, der sein Trinkgeld erwartete, ihn so schweigend dastehen sah, fragte er ihn nach der Belohnung. Der Erzbischof aber sagte zu ihm: «Für eine schlechte Nachricht – und ich hätte keine schlechtere als diese bekommen können – auch noch Geld? Mein Begleiter da und ich haben nur wenig Geld und die Kutten, die du siehst.» So fand sich der Bote in seinen Hoffnungen getäuscht. Der Erzbischof war bestürzt, als er das Breve öffnete, das ihm die Annahme des Amtes bei Strafe der Exkommunikation befahl.

Ich möchte an dieser Stelle berichten, was mir Papst Nikolaus erzählte, als er noch Bischof von Bologna war. Papst Eugen habe ihm berichtet, er habe während seines gesamten Pontifikats die Vakanz eines Bistums niemals durch Androhung der Exkommunikation für den Kandidaten beendet – nur im Falle des Bruders Antonino, dessen Art er gekannt habe und von dem er gewußt habe, daß dieser sonst nicht akzeptiert hätte. Eugen habe ihm noch etwas anderes gesagt; daß er nämlich während der ganzen Zeit auf dem Stuhl Petri drei Prälaten erwählt habe, deren Wahl ihm keine Gewissensbisse bereitet habe: Der eine war der Patriarch von Venedig, ein wirklich heiliger Mann; der andere der Bischof von Ferrara, ein Ordensbruder der Jesuaten und von ähnlicher Art wie der Patriarch; der dritte war Erzbischof Antonino.

[Bisticci berichtet von weiteren Versuchen Antoninos, sich dem Amt des Erzbischofs zu entziehen.] Da der Papst aber an seiner Entscheidung festhielt, mußte er sich fügen, wenngleich er es widerwillig tat. Als es ans Einkleiden ging, rieten ihm viele, einen langen Umhang mit einer Schleppe zu tragen. Davon aber wollte er nichts wissen und wählte eine Kutte, die nur bis zum Boden reichte und nicht länger war; auch sollte sie von grobem Stoff aus Perpignan gefertigt sein. Da nun die Kutte zwei Finger länger gemacht worden war als jene der anderen Brüder, ließ er das Stück abschneiden. Gelegentlich kam es vor, daß er, wenn er einen Ordensbruder in schäbiger Kutte sah, die seine abnahm, sie dem Mönch gab und sich eine neue schneidern ließ.

Seine ganze Kleidung entsprach der eines einfachen Mönchs; sein Hemd war aus Tuch, und auch sein Bett war wie das anderer Brüder, mit Strohsack, Matratze und Bettüchern aus perpignanesischem Stoff. Und wie im Kloster lag auf dem Bett keine andere Decke. Er hatte keine Teppiche, ja, eigentlich war gar nichts in seinem Haus, keine Stuhlbezüge waren da, und er wollte auch nicht, daß Vorhänge vor den Eingängen angebracht würden, damit sein Haus jedermann offenstehe, um ihn zu sprechen. Seinen Bedienten befahl er, die Sitzbänke reinzuhalten, damit sich, wer sich darauf niederließ, nicht beschmutze.

Zwei Brüder leisteten ihm [gewöhnlich] in seinem Zimmer Gesellschaft. Er nahm sich einen Vikar, der ihm selbst, was den hervorragenden Lebenswandel und die Sitten anbelangte, ähnlich war; in ganz Italien gab es keinen zweiten Vikar, der diesem Mann gleichgekommen wäre. Diener nahm er nur so viele an, wie die äußerste Notwendigkeit gebot. Pferde hielt er nie; er hatte nur ein einziges kleines Maultier im Haus, das er vom Kloster S. Maria Novella geliehen hatte. Das war der «Schmuck» seines Hauswesens – er hatte weder große Pferde noch Maultiere mit goldenen Beschlägen. Die Einkünfte seines Bistums beliefen sich damals auf 1500 Fiorini. Antonino nahm davon, was er für das Allernötigste in seinem Haus brauchte, nämlich 500 Fiorini. So blieben 1000 übrig, die er um Gottes Lohn an Bedürftige verteilte.

Er brachte seinen Hof in Ordnung und beseitigte alle simonistischen Praktiken, ja überhaupt alles, worauf auch nur der Schatten von Simonie lag. Bei den Prüfungen vor Priesterweihen wünschte er anwesend zu sein; er weihte nur jene, von denen er wußte, daß sie dies verdienten, ansonsten tat er es nicht. Von den Kandidaten für die Weihen nahm er keinerlei Geldzahlungen. Er gestand nur zu, daß, wer über die empfangenen Weihen eine vom Notar auf Pergament geschriebene Bescheinigung begehrte, den Notaren fünf Soldi zahlen sollte und nicht mehr. So hatte er jede Kleinigkeit geregelt.

Im Klerus, wo größte Mißstände eingerissen waren, schaffte er Ordnung. Er verbot die besohlten Strümpfe und verfügte, daß die Priester in schicklichen Schuhen gehen sollten. Daß Priester lange Haare trugen, duldete er nicht.

Alljährlich visitierte er das ganze Erzbistum. Dabei reiste er, ohne Kosten zu verursachen – wollte er doch aus den Pfarreien, die er besuchte, nicht über Gebühr Vorteile ziehen. Er wollte, daß jeder Priester ein Brevier besitze; in jedes Exemplar schrieb er eigenhändig eine Nummer, verzeichnete die Bücher (oder ließ sie verzeichnen), geordnet nach Nummern, in einer Kladde, damit die Priester sie weder verkaufen noch anderweitig weggeben konnten. Und damit den Pfarreien keine Kosten erwuchsen, besuchte er sie, ohne es vorher wissen zu lassen. Weder um sein Essen noch um sonst etwas sorgte er sich, nur darum, daß er die Bedürfnisse der Seelen befriedigen konnte. Er strafte und züchtigte viele liederliche Priester; Halsstarrigen nahm er wegen ihres schlechten Betragens die Pfründe, wenn er sah, daß sie wirklich unverbesserlich blieben. [. . .] Das Ansehen einer Person galt ihm nichts, dem Armen wie dem Reichen sprach er Recht; er behandelte alle gleich, ohne Unterschied. Die Nonnenklöster seiner Diözese züchtigte er und führte sie auf den richtigen Weg zurück. Er regierte, wie es seiner ganzen Art entsprach. Ein Erzbistum, das er in großer Unordnung vorgefunden hatte, ordnete er so, daß es darin keinen Priester gab, der nicht seinen Vorstellungen entsprochen hätte.

Eines Tages ging einer unserer Bürger zu Cosimo de' Medici, dem damals vornehmsten Mann der Stadt, um ihn zu bitten, sich in einem vor dem Gericht des Erzbistums anhängigen Prozeß für ihn zu verwenden. Cosimo antwortete dem Bittsteller, dies sei nicht nötig: Wenn er im Recht sei, dann werde ihm auch Recht gegeben werden. Der geringste Mann in Florenz vermöge [bei Antonino] soviel wie er, Cosimo – wenn er im Recht sei.

Man brachte ihm eine solche Verehrung entgegen, und er hatte einen solchen Ruf, daß sich überall, wo er vorbeikam – mit jener Mönchskutte auf dem Leib, umgeben von nur wenigen Dienern –, die Leute vor ihm auf die Knie warfen. Und ohne Pferde, ohne üppige Kleider und Dienerschaft, mit schmuckloser Wohnung, wurde er mehr geschätzt und verehrt, als wenn er mit solchem Pomp dahergekommen wäre, wie die meisten Prälaten. Dieses Ansehen besaß Antonino nicht nur in Florenz, sondern auch am ganzen römischen Hof. So überstellte Eugen IV. während seines Pontifikats dem Florentiner Erzbischof zahlreiche Rechtsstreitigkeiten zur Entscheidung. Weder vom Papst noch vom Kardinalskollegium oder der Kurie wollte Antonino irgend etwas, was ihm nicht ohnedies, aufgrund seines Ansehens, zugestanden worden wäre.

Zu jener Zeit herrschte in Florenz eine große Hungersnot. In Stadt und *Contado* war die Zahl der Armen groß; für sie ließ Antonino große Mengen an Brot backen. Von ihm beauftragte Almosenverteiler sollten das Brot nicht nur den «öffentlichen Armen», sondern auch den verschämten Hausarmen geben, für all deren Bedürfnisse sie im stillen sorgen sollten. Es war Erzbischof Antonino, der die noch heute bestehende Bruderschaft für die verschämten Armen ins Leben rief. Mit den 1000 Fiorini, die ihm von seinen Einnahmen übrigblieben, konnte er die Hilfe für soviel Not nicht bezahlen; so mußte er mehrmals an Papst Eugen schreiben, damit dieser ihn mit Geld versah. Der schickte in der Tat oft Geld, damit Antoninos Werk weitergeführt werden konnte. In ähnlicher Weise bat der Erzbischof einige Florentiner Bürger um Hilfe: Jeder half, um der großen Not auch im häuslichen Bereich zu begegnen. Witwen und unmündige Waisen unterstützte er in ihrer Not, ganz im stillen; Mädchen half er, damit sie heiraten konnten. Und noch andere fromme Werke tat er, so daß zu seiner Zeit alles blühte, im Weltlichen wie im Geistlichen.

Von überallher kamen Leute zu ihm, die erfahren wollten, ob Verträge rechtmäßig seien oder nicht. Eines Tages war ich zufällig bei Seiner Exzellenz, als einige Verträge von anderen Orten zu ihm gebracht wurden, da man sein Urteil über ihre Rechtmäßigkeit erfahren wollte. Der Erzbischof sagte, man solle sie vorlesen; während das geschah, hielt er den Kopf gesenkt, so daß es schien, als schlafe er. Derjenige, der den Text vortrug, sagte, er möge doch zuhören; der Erzbischof indes meinte, er solle fortfahren, und als jener seine Lesung beendet hatte, nahm er zu allen Verträgen, zu einem nach dem anderen, Stellung, wobei er ausführte, welche erlaubt und welche dies nicht seien. So zeigte sich, daß er nicht geschlafen hatte.

Erzbischof Antonino wollte nicht, daß das für die Mitgiften bestimmte Kapital junger Mädchen – das [beim *Monte delle doti*] angelegt werden mußte – im Fall, daß die künftige Braut starb, verloren sein sollte; entsprechende Verträge, so wollte er, sollten nicht rechtens sein. [. . .] Seine Zeit verbrachte der Erzbischof auf bewundernswerte Weise; so widmete er sich den Stundengebeten, oder er gewährte jenen Audienz, die dies wünschten. Morgens stand er stets vor Tagesanbruch auf; nach der Matutin, die er um die frühe achte Stunde betete, arbeitete er an der Abfassung seiner Summen, die für die christliche Religion so bedeutend und nützlich sind. Ungeachtet all seiner Beanspruchungen schrieb er den größten Teil des genannten Werkes während seiner Zeit auf dem Florentiner Erzstuhl und schloß es auch zu dieser Zeit ab, wußte er doch, wie er seine Zeit zu verbringen hatte.

Pflichtgemäß begab er sich jeden Tag in den Dom, wo er während der gesamten Messe anwesend blieb, sie niemals verließ, morgens wie zur Vesper. Manchmal predigte er auch, im Dom oder anderswo, wo es eben nötig war. Am Tag des hl. Stefan ging er in dessen Kirche zur Vesper; nachdem er gepredigt hatte, schritt er mit einem Kreuz zur Loggia der Buondelmonti und stürzte die Spieltische der dort versammelten Spieler um. Warf er da einen Blick in die Runde, gab es keinen, der sich nicht – beschämt, beim Spiel angetroffen worden zu sein – auf die Knie geworfen hätte. Dergleichen tat er oft, um selbst ein gutes Beispiel zu geben und Ungebühr abzuschaffen.

So ging er nach S. Maria del Fiore an Tagen, an denen im Gottesdienst gesungen wurde – da waren jene Bänke, in denen die Frauen saßen, umgeben von müßiggehenden und eitlen jungen Männern, und der Erzbischof blickte sie an, so daß es keinen gab, der sich nicht vor Hochachtung und Furcht weggeschlichen hätte.

[Bisticci beschreibt, wie sich der Ruhm des Erzbischofs immer weiter ausbreitet; wie dessen einfache Art ihm auch in Rom große Hochachtung, ja Verehrung entgegenschlagen läßt. Er erzählt, daß

sich Antonino wieder nur mit großer Mühe der Erhebung in den
Kardinalsrang entziehen kann. Auch als Mitglied der Gesandtschaft, die Florenz an den Tiber sandte, um dem neugewählten
Papst Calixt III. die Ergebenheit der Stadt zu bezeugen, habe er
einen tiefen Eindruck hinterlassen. Der Autor führt dann wieder
ein Exempel für die Gerechtigkeitsliebe Antoninos an; er beschreibt, wie dieser von einem einflußreichen Florentiner Bürger
wegen eines vor dem erzbischöflichen Gericht anhängigen Falles
hartnäckig bedrängt wird, aber nicht nachgibt – selbst dann nicht,
als der Mann gewalttätig wird. Bisticci wertet den Umstand, daß
dieser Mann und sein Sohn schließlich in Unglück und Elend geraten, als Beleg für die strafende Gerechtigkeit Gottes.]

Ich sah überhaupt viele in Florenz, die es keineswegs hinnahmen,
daß ihre Fehler bestraft wurden – Prälaten und andere, welche die
Strafen, die ihnen zu Recht auferlegt waren, nicht ertrugen. So sprachen sie manches Mal gegen alle Gerechtigkeit abfällig über Erzbischof Antonino. Alle sah ich noch zu meiner Zeit schlecht enden.
Verböte es nicht die Schicklichkeit, ich würde sie beim Namen
nennen – unterlasse es aber, um niemanden zu beleidigen.

Dem Erzbischof mißfiel außerordentlich die Art, wie man in Florenz – sowohl im Palast der *Signoria* als auch andernorts – Eide
schwur, um sie anschließend nicht mehr zu beachten. So war er
mehrmals in besagten Palazzo gegangen, um die *Signoria*, die zu
jener Zeit an der Macht war, zu ermahnen. Ähnliches tat er gegenüber verschiedenen Bürgern, und auch in seinen Predigten verdammte er dieses Verhalten. Insbesondere kritisierte er, daß sie sich
nicht daran hielten, die Wahlbohnen, nachdem sie einen entsprechenden Eid geleistet hatten, verdeckt abzugeben. Und er ermahnte
sie noch wegen vieler anderer Eide. Um das Jahr 1458 sah er, daß
jedermann Schwüre brach und insbesondere jenen, die Wahlbohnen
geheim abzugeben, denn sie legten sie unverdeckt nieder. Um dem
Abhilfe zu schaffen, ließ er öffentliche Verlautbarungen an allen
Kirchen von Florenz anschlagen. Darin befahl er erneut, daß jeder,
nachdem der Eid geschworen sei, die Bohnen verdeckt abgeben
müsse – bei Strafe der Exkommunikation.

[Daraufhin hätten mächtige Florentiner auf den Erzbischof Druck
ausgeübt.] Er antwortete [auf ihre Drohungen] nur, er habe das Amt
eines guten Hirten versehen, sich nämlich darum bemüht, ihre
Seelen zu retten, damit sie nicht wegen ihrer Meineide der Verdammung anheimfielen. Diese Leute aber griffen ihn mit Worten immer heftiger an und ereiferten sich mit rauhen Reden, während der
Erzbischof ihnen immer auf die demütigste Weise antwortete.
Nachdem sie alles versucht hatten, kamen sie schließlich dahin,

ihm zu sagen, sie würden ihm sein Erzbistum nehmen. Da brach
Antonino in Lachen aus und sprach: «Ach, bei Gott, macht das nur,
ich bitte euch darum! Ich wäre euch zu Dank verpflichtet, ihr würdet mir eine große Bürde von meinen Schultern nehmen. Ich werde
mich ins Kloster S. Marco in meine Zelle, deren Schlüssel ich hier
bei mir trage, zurückziehen und dort in heiligem Frieden leben.
Eine größere Freude könnte ich nicht haben.»

[Man kann also den Bischof nicht wankend machen; einer seiner
Freunde entgeht knapp einem Anschlag. Bisticci berichtet, daß wiederum die meisten der nicht näher identifizierbaren Bürger, die
Antonino bedrängten, ungünstige Schicksale erlitten hätten. Er
fährt fort mit der Schilderung der Rolle des Erzbischofs als Mitglied
einer Florentiner Gesandtschaft nach Rom anläßlich der Wahl
Papst Pius' II. Auch hier habe er – trotz eines Schwächeanfalls –
eine bewunderte Rede gehalten. Bisticci behauptet, Antonino habe
bei der Papstwahl drei Stimmen erhalten, von jenen, «welche die
Kirche Gottes erneuern wollten». Nochmals wird ein Blick in das
mit einem einfachen Bett, mit Stuhl und Schreibpult versehene
Zimmer geworfen; dann geht es an den Bericht über das Ende des
Erzbischofs, der sich in ein Kloster außerhalb von Florenz zurückgezogen hatte, um Ruhe und Erholung zu finden. Als er sein Ende
nahen fühlt, gibt er das ihm leihweise überlassene kleine Maultier
dem Spitalverwalter von S. Maria Novella zurück.]

Ihm gehörten keine Bücher als Eigentum außer seinem Brevier
und dem, was der Konvent seines Klosters gemeinschaftlich besaß.
Er hatte aber aus Baumwollpapier gefertigte Kladden, die seine Werke enthielten und aus denen man die Texte jener Summen, die er
verfaßt hatte, abschrieb. Was er an Literatur brauchte, lieh er sich
Tag für Tag entweder von S. Marco oder von S. Domenico. Hausrat
besaß er kaum; was da war, wurde bei seinem Tod auf 120 Lira
Wert geschätzt.

O Pracht, o Schätze der Welt! O ihr hochmütigen Prälaten, die
ihr so viel Vermögen hinterlaßt! War nicht jener Antonino in dieser
seiner freiwilligen Armut glücklicher als viele in ihrem stolzen
Reichtum? O selig, glücklich, wer seinen Sinn einrichtet auf solche
Demut wie jene des Erzbischofs. Da läßt sich zitieren, was der hl.
Hieronymus in seiner Lebensgeschichte des hl. Paulus über den hl.
Antonius, den ersten Eremiten, gesagt hat: der habe sein aus Pal-
menblättern gefertigtes Gewand den Reichtümern des Darius vorgezogen. Erzbischof Antonino konnte sich selig und glücklich nennen, weil er seinen Geist so geformt hatte, daß er nichts begehrte
und zufrieden blieb mit jener einfachsten Armut, in welcher der
Bischof zu leben begehrte.

Er wollte, daß seine Verwandten aus dem Erzbistum nichts erhielten; sie bedürften dessen nicht, und – so sagte er ihnen – der Besitz des Bistums gehöre nicht ihm, sondern den Armen. Erzbischof Antonino endete sein Leben auf die heiligste Art. Wie er gelebt hatte, so starb er auch. Man meinte, daß er im Kloster von S. Marco, dem seine Hoffnung und seine Liebe gehört hatten, nun auch bestattet sein wollte. So brachte man seinen heiligen Leib dorthin, hielt die Totenmesse, wie es seinem Verdienst entsprach – als religiöse Feier, ohne jeden Pomp, weder an schmückenden Drapierungen noch an sonst etwas. Niemand hatte jemals sein Wappen gesehen, niemand wußte, was für eines er führte, da er nicht wollte, daß es je irgendwo angebracht werde – nicht zu seinen Lebzeiten, und schon gar nicht nach seinem Tode.

Der Erzbischof Antonino lag zwei Tage offen aufgebahrt in seiner einfachen Mönchskutte und seinem Umhang, so, wie er während seiner Amtszeit gekleidet gewesen war. Die ganze Stadt kam, um dem Leichnam die Füße und die Hände zu küssen. Eine beeindruckende Menschenmenge fand sich da ein, Männer, Frauen, auch Fremde, die gerade in Florenz weilten. Wer des Erzbischofs Leben zu beschreiben hätte und dies nicht nur in Form einer kurzen Erinnerung, wie ich das getan habe, unternähme, für den gäbe es viel aufzuschreiben, was ewigen Angedenkens wert ist – obgleich ich glaube, daß Francesco da Castiglione das in der von ihm verfaßten Vita bereits getan hat.

SAN BERNARDINO AUS MASSA
IN DER MAREMMA

AN BERNARDINO wurde in Massa als Kind sehr ehrbarer Leute geboren. Als er zehn Jahre alt war, schickte der Vater ihn nach Siena, wo er Grammatikstudien aufnahm. Da er die vortrefflichsten Geistesgaben hatte, lernte er rasch, und es schien seinen Eltern, nachdem er dieses Studium abgeschlossen hatte, richtig, daß er nun mit Kanonischem Recht fortfahre. Dies tat er während der folgenden drei Jahre, doch meinte er danach, die Beschäftigung mit dieser Wissenschaft sei Zeitvergeudung: Sie gefiel ihm nicht. Vielmehr wollte er sich jener Disziplin zuwenden, in der sie ihre Quellen hatte – der Theologie, die auch für sein Seelenheil notwendiger war. So widmete er sich Tag und Nacht nichts anderem als dieser Wissenschaft, durch welche Gott der Allmächtige viele Sünden auszutilgen gedachte auf der Welt.

Bernardino hatte eine überaus menschenfreundliche Art. Gegenüber den Armen war er sehr freigebig, und den Kranken kam er in all ihren Nöten zu Hilfe. Nachdem diese Haltung in ihm gereift war und da er die Eitelkeit und Hinterlist dieser Welt kennengelernt hatte, wuchs in ihm von Tag zu Tag der Widerwillen gegen die Wege der Weltlichen; auf ihnen schien es ihm schwer möglich, zum Seelenheil zu gelangen. Er sah die Menschen in einem Meer, in dem von allen Seiten Schiffbruch drohte; auch sich selbst sah er in dieser Gefahr und fürchtete, den zweiten – also den ewigen – Tod sterben zu müssen. Mit den Jahren geriet er in immer größere Furcht. Er wälzte all diese Dinge in seinem Gemüt mehrmals hin und her; dabei überkam ihn soviel Verachtung gegenüber sich selbst, gegenüber dem Prunk und den Beschwerden der Welt, daß er schließlich alles hinter sich warf. Im stillen entschied er sich für das Leben eines Mönchs – das wahre Leben – und zog die Orden des hl. Franziskus oder des hl. Dominikus in Erwägung.

Auf diesen Entschluß hin verkaufte der nun Zweiundzwanzigjährige alles, was er besaß, um sich ganz von der Welt zu lösen. Es war ein sehr großes Vermögen, und alles gab er um Gottes willen weg. Nach eingehender innerer Prüfung wandte er sich schließlich dem Orden des hl. Franziskus zu. Dort eingetreten, begann er, sich

*16 San Bernardino von Siena. Gemälde von Jacopo Bellini, um 1450.
New York, Sammlung Dr. and Mrs. John C. Weber*

mit Hingabe im geistigen Leben zu vervollkommnen und darin seine Lebensführung zu festigen.

Der Königsweg zum Seelenheil schien ihm über das Predigen zu führen, und so wandte er sich dieser Tätigkeit zu. Es war zu verwundern, wie er sich in das Predigen fand – mit seiner Stimme, seinen Gesten, mit beeindruckendem Abscheu vor den Lastern, mit Ermahnungen zur Tugend. Sehr lange Zeit widmete er sich dem Predigen.

Kein zweiter war zu finden, der in seiner Person so viele Fähigkeiten vereinte. Es schien, als habe er jene einzigartige Begabung nicht nur von der Natur – vielmehr hatte es den Anschein, der allmächtige Gott selbst habe ihm all diese Geschenke an Geist und Körper als einzigartige Mitgift gegeben.

Seine Kenntnis aller Dinge war umfassend; mit seinem Predigen

*17 S. Bernardino von Siena predigt auf der Piazza del Campo
zu Siena. Gemälde von Sano di Pietro (1406–1481).
Siena, Opera del Duomo*

– dieses Amt übte er, wie gesagt, aus, daß es zum Staunen war – erleuchtete er die weite Welt. Zu jener Zeit lag sie, erblindet, in Finsternis und wußte nicht mehr um Gott. Besonders Italien war voller Verblendung, hatte jedes Maß für Sittlichkeit verloren und schien den Herrn vergessen zu haben: So tief waren die Menschen versunken und begraben unter verfluchten, abscheulichen, ruchlosen Lastern! Die waren so in Gebrauch gekommen, daß man weder Gott fürchtete, noch sich scheute um der Ehre der Welt willen. Verfluchte Blindheit! Wie ist doch alles aus den Fugen geraten – die schändlichen und übermäßigen Laster waren dermaßen zu verdammenswürdiger Gewohnheit geworden, daß sie niemandem mehr auffielen! Es war zur Zeit S. Bernardinos, daß sich in einer Stadt Italiens alle Arten von Lastern so vervielfacht hatten, daß es zum Himmel stank: Vor allem die verfluchte, abscheuliche und ekelhafte Sünde der Sodomie. So befangen waren die Menschen in ihrer Blindheit, daß Gott der Allmächtige noch einmal hätte Schwefel und Feuer vom Himmel regnen lassen müssen, wie zu Sodom und Gomorrha.

Als S. Bernardino diese so großen Ausschweifungen sah, verdammte und verfluchte er in seinen Predigten jene, die solche Schandtaten ins Werk setzten. Und mit Verwünschungen, mit schreckenerregenden Ausrufen erreichte er es, in jener Stadt alle Schande zu ersticken. Die Bürger versetzte er in Schrecken, erfüllte sie mit Abscheu vor jener verfluchten und verabscheuungswürdigen Sünde – und nicht nur vor jener, sondern vor jeder Art des Lasters. Seine Worte waren von solcher Kraft, daß er nicht nur jene Stadt reinigte, sondern ganz Italien, das voll des Übels war. Von dieser Stadt aus reiste er in viele andere Städte und Burgen Italiens. Florenz fand er zutiefst verdorben durch das Laster; er war bestrebt, es dort wie andernorts zu halten: die Sünden zu verdammen und zu verurteilen, jede ihrer Art nach. Da sich nun die Florentiner sehr gerne auf den Pfad der Tugend begaben, brachte er es dahin, diese Stadt zu verwandeln, ja, man kann sagen, daß er sie wiedergeboren werden ließ.

Damit die Haare, welche die Frauen tragen, die aber nicht die ihren sind, die Spiele und andere Eitelkeiten verschwänden, ließ Bernardino einen Scheiterhaufen vor S. Croce aufrichten und sagte, daß alle, die dergleichen nichtige Dinge besäßen, sie herbeitragen mögen. Das geschah; er legte Feuer an den Haufen und verbrannte alles. Wunderbar war es, die Sinneswandlung jener zu sehen, die ganz dem Prunk und Pomp der Welt verfallen gewesen waren – sagt doch schon der hl. Johannes Chrysostomus, für Gott sei es leichter, mit seiner gewöhnlichen Macht Himmel und Erde nochmals neu

zu schaffen, als den Sinn eines Menschen zu ändern, habe er ihm
doch die Willensfreiheit gegeben.

[Der Bericht fährt fort mit der Schilderung des segensreichen Wir-
kens S. Bernardinos, seinem Engagement für den Frieden zwischen
den Fürsten Italiens, für die Reform des Franziskanerordens; der
Anteil Bernardinos an der Einrichtung des Amtes eines General-
vikars über die Observanten-Brüder, der von diesen bestimmt und
in mancher Hinsicht dem Franziskaner-General gleichgestellt sein
sollte, hebt Bisticci gebührend hervor. Mehrfach, so der Autor, habe
S. Bernardino es abgelehnt, Bistümer – so insbesondere Siena – zu
übernehmen. Dann kommt er wieder auf Bernardinos Predigttätigkeit zu sprechen.]

Allenthalben verdammte er jegliches Laster, insbesondere den
verfluchten Wucher, dessen Rachen Städte, Häuser und ganze Pro-
vinzen verschlingt. Eines Abends, er hatte in S. Maria del Fiore über
Verträge, Rückerstattungen und insbesondere über das Leihhaus
und die Mitgiften der Mädchen gepredigt, ging er, wie es gelegentlich seine Gewohnheit war, zu den Buchhändlern. Dort geschah es,
daß er zufällig Messer Giannozzo Manetti begegnete; der sagte zu
S. Bernardino: «Ihr habt uns alle in die Verdammung geschickt!» –
worauf dieser antwortete: «*Ich* schicke niemanden dorthin, es sind
die Laster und Fehler der Menschen, die sie dorthin bringen.» Messer Giannozzo begann darauf mit S. Bernardino einen Disput über
die Mitgiftverträge, nach denen das Kapital fest anzulegen ist.
S. Bernardino bewies mit stärksten Argumenten, daß dergleichen
völlig unrechtmäßig sei. Er sagte dann, daß dieser Typ von Mitgift-
vertrag schlimmer sei als ein Vertrag, den ein Jude mit seinem
roten Tüchlein über ein Geldleihgeschäft schlösse. So räumte er bei
Messer Giannozzo alle Zweifel aus, mit schlagkräftigsten Argumenten und großer Freundlichkeit. Messer Giannozzo und alle anderen Anwesenden ließ er so sehr befriedigt zurück.

Unzählige suchten ihn Tag für Tag auf, um Rat über Verträge,
Rückzahlungen oder anderes einzuholen. Er stellte alle zufrieden.
Damit jedermann diese Fragen besser beurteilen konnte, verfaßte
er ein bedeutendes Buch, dem er den Titel ‹De restitutione› gab.
Darin behandelt er alle Typen von rechtmäßigen und unrechtmäßi-
gen Verträgen und erörtert die Form der einen wie der anderen; sehr
viele Fälle behandelt er in diesem Werk. S. Bernardino legt hier viel
strengere Maßstäbe an als Erzbischof Antonino.

Er hatte auch eine neue Form der Predigt gefunden, die für das
Volk überaus nützlich und notwendig war. Er verdammte die Laster, stellte sie als so grauenhaft dar, wie es nur ging; auf der anderen Seite lobte er die Tugenden und hielt sie hoch. Damit man aus

diesen Predigten noch nach seinem Tode Nutzen ziehen konnte, stellte er zwei überaus bedeutende Predigtbände zusammen. Der eine heißt ‹Das ewige Evangelium›; er vermittelt darin umfassendste Kenntnis von jeder Tugend und der Natur scheußlicher Laster, auf daß jeder sich vor ihnen hüten könne. Der andere ist das Buch der ‹Sermones›, die ebenfalls der Predigttätigkeit dienen. In diesen beiden Werken hat S. Bernardino alle Predigten zusammengestellt, die im Jahreslauf gehalten werden können. Ihr Inhalt zeugt von großem Wissen; viele Observantenbrüder hielten sich an S. Bernardinos Muster.

Zu seiner Zeit hatten sich die Laster dermaßen verbreitet, daß weder die Schriften des hl. Thomas oder Bonaventuras hinreichten [ihnen entgegenzuwirken]. Da bedurfte es schon neuer Autoren wie S. Bernardinos und des Erzbischofs Antonino, die durch ihre Feder die Welt aus soviel Blindheit befreiten. Und ebendies taten sie.

S. Bernardino hat 42 Jahre lang in ganz Italien, in Städten, Burgen und Dörfern gepredigt, auf daß Gottes Wort der ganzen Welt vertraut werde. Obwohl er eine sehr gute Konstitution besaß, zeigte sich doch, daß die Mühen, die er auf sich genommen hatte, über seine Kräfte gingen. Er wurde von der Gicht befallen, wurde dazu von Koliken gequält – also zwei sehr heftigen, schmerzhaften Krankheiten, zu denen noch eine dritte kam, nämlich Hämorrhoiden, die ihn mit Blutfluß plagten. Trotz dieser drei schweren Krankheiten ließ er, wenn er seine Sinne auch nur ein wenig beisammen hatte, nicht davon ab, zu predigen, zu schreiben und denjenigen Ratschläge zu erteilen, die ihn darum baten. Während sonst eine jede dieser Krankheiten für sich geeignet ist, die Menschen toll und verdrießlich werden zu lassen, änderte er sein Wesen in keiner Weise und ertrug alles mit größter Geduld.

Als der inzwischen Vierundsechzigjährige gerade in Mailand predigte, befahl ihm sein Vikar, nach L'Aquila zu gehen. Er sollte in jener Stadt – die zerrissen war von Parteiung und Aufruhr – durch die Kraft seiner Predigten den vielen Irrungen, in denen die Bürger befangen waren, entgegenwirken. Bevor er indes nach L'Aquila gelangte, erkrankte er an einem Fieber und starb – durch seine vielen Krankheiten schon geschwächt – nach wenigen Tagen. So heilig, wie er gelebt hatte, verschied er. Den Aquilesen half er durch zahlreiche Wunder, die sie von ihm erfuhren; sie regten zahlreiche Friedensschlüsse an. Schönste Früchte sind daraus erwachsen.

S. Bernardinos allerheiligster Leichnam wurde nach L'Aquila gebracht, drei Tage lang aufgebahrt und dann begraben. Staunenswert war der Zustrom der Leute, die nicht nur aus der Stadt, sondern auch aus den Burgen und Dörfern der Umgebung zu S. Bernardinos

Körper kamen: Schon in dieser Zeit wirkte er zahllose Wunder, wie
später, im Verlaufe des Verfahrens der Kanonisierung, nach sorgfältiger Prüfung mit feierlichen Befragungen, festgestellt wurde. So
wollte man wissen, aus welchem Ort die genesenen Kranken
kamen, auch jeweils den Namen des Vaters und die Art der Krankheit, von der sie geheilt worden waren, damit der Sachverhalt für
jedermann offen zutage lag.

Die Kunde von so vielen Mirakeln verbreitete sich über die ganze
Welt; von verschiedenen Orten fanden sich Pilger ein, um diesen
allerheiligsten Körper zu besuchen. Und auch zu Papst Nikolaus,
der zu jener Zeit auf dem Stuhl Petri saß, gelangten Nachrichten
von diesen Wundern. Nach der oben erwähnten sorgfältigen Prüfung hielt der Papst mit dem Kardinalskollegium ein feierliches
Konsistorium; unzählige einzigartige Männer nahmen daran teil.
Im Jahr 1450 wurde S. Bernardino – in Anwesenheit des gesamten
römischen Hofs – im Petersdom feierlich kanonisiert und damit in
die Schar der Heiligen aufgenommen.

Wer seine Vita in ausführlicherer Weise sehen möchte, lese jene,
welche Maffeo Vegio in Latein verfaßt hat, und die Biographie
S. Bernardinos, die Giannozzo Manetti in seinem Buch ‹Contra
Judaeos et gentes› niederschrieb. Ich habe diese kurzen Anmerkungen in Gestalt eines Kommentars für des Lateinischen nicht mächtige Leser geschrieben, damit auch sie einige Nachrichten von
S. Bernardino erhalten; auch wollte ich nicht, daß einiges, wovon
ich wußte – denn ich habe seine Person ziemlich gut gekannt –,
vergessen würde.

[Auf die Vita S. Bernardinos folgt eine Reihe meist sehr kurzer
Erinnerungen an italienische Bischöfe. Am Schluß der Vita des Bischofs von Siponto, Niccolò Perotti, schreibt Bisticci:]

*Nachdem wir bis hierher Päpsten, eines Königs, Kardinälen und
Bischöfen, die in Italien gewesen sind, Erwähnung getan haben,
tun wir es nun jener der Erinnerung würdigen auswärtigen Bischöfe, welche es zur selben Zeit gab.*

[Die Reihe beginnt mit William Gray, Bischof von Ely; nach einigen weiteren kurzen Viten folgt jene des Johannes Csezmiczei (Janus Pannonius), eines der bedeutendsten ungarischen Humanisten.]

DER BISCHOF VON FÜNFKIRCHEN,
VON SLAWISCHER NATION

MESSER GIOVANNI, der Neffe des Erzbischofs von Gran, war ein Slawe. Der Erzbischof schickte ihn – auf seine Kosten, da sein Neffe nicht sehr wohlhabend war – zur Erziehung zu Guarino nach Ferrara. Dieser Giovanni war von sehr schönem Äußeren und bewunderswerter Lebensart; in jener Schule wurde er deshalb und wegen seiner anderen, geradezu unerhörten Tugenden sehr bewundert – ja, es gab keinen, der nicht darüber staunte, wie er ohne jedes Laster, dafür voller Tugend war. Nicht nur kam niemals ein anderer von jenseits der Berge nach Italien, der ihm geglichen hätte; man sah auch keinen Italiener seines Alters, der ihm gleichgekommen wäre. Aus allem, was über seine Lebensführung zu hören war, erwuchs das Gerücht, er sei von jungfräulichem Leib.

Seine Zeit teilte er auf wunderbare Weise mit lateinischer und griechischer Lektüre ein; nie verlor er auch nur eine Stunde Zeit. Er besaß einen bewundernswerten Verstand. In Prosa und im Abfassen von Versen war er sehr geschickt, letzteres ging ihm mit größter Leichtigkeit von der Hand. So standen seine Fähigkeiten nicht nur in der Schule in bestem Ruf – in ganz Italien sprach man über nichts anderes, als über diesen jungen Mann. Haben doch die meisten dieser *oltramontani* sonst wenig Verstand; dieser aber übertraf nicht nur seine Landsleute von der anderen Seite der Berge, es gab auch keinen in Italien, dessen Verstand an den seinen herangereicht hätte.

Sein ganzes Wesen war auf Geistiges ausgerichtet, er war dem Materiellen völlig fremd. Ihn zu sehen, schien die schönste Freude der Welt – soviel Freundlichkeit brachte er jedem in seiner ganzen Art entgegen. Jeden Tag wuchs sein Ansehen weiter.

Nachdem er mehrere Jahre in Ferrara verbracht hatte, beherrschte er Griechisch und Latein sehr gut und besaß gute Kenntnisse in Philosophie. Mit den Schriften der Griechen und Lateiner hatte er sich eingehend beschäftigt. Da er nun in der einen wie der anderen Sprache beste Kenntnisse erworben hatte, forderte der Erzbischof von Gran ihn auf, nach Ungarn zurückzukehren, damit er ihn ehren könne, wie es seinen Fähigkeiten entsprach. Giovanni, der seine

Sehnsüchte erfüllt sah, war damit einverstanden, wollte zuvor aber noch nach Florenz reisen: Er war noch nie dort gewesen, der Ruhm der Stadt aber war an sein Ohr gedrungen. Allein deshalb wollte er dorthin kommen, um jene zahlreichen bedeutenden Männer zu besuchen, die Florenz damals besaß.

Als er mit Pferden und Dienerschaft eintraf, war ich der erste, mit dem er zu sprechen wünschte; ich sollte ihm das Gespräch mit mehreren gelehrten Männern vermitteln. Er trug ein pfauenblaues Mäntelchen, was einen sehr würdigen Anblick bot. «Seid willkommen», sagte ich zu ihm, als ich ihn sah, «ihr müßt Giovanni, der Ungar, sein!» – denn er schien mir der Beschreibung, die mir gegeben worden war, zu entsprechen. Auf diese Worte hin warf er sich mir an den Hals, umarmte mich und sagte, dem sei so – mit den artigsten und aufrichtigsten Worten, die ich je gehört habe. Dann sagte er, er habe, bevor er nach Ungarn gehe, aus vielen Gründen den Wunsch gehabt, Florenz zu besuchen, vor allem aber, um Messer Giovanni Argyropulos, um Cosimo de' Medici, Messer Poggio, Donato Acciaiuoli und all die anderen gelehrten Florentiner zu sehen.

Der erste, den er besuchen wollte, war Cosimo de' Medici. Da sich dieser nicht in Florenz, sondern in Careggi aufhielt, begleitete ich ihn dorthin. Ich ging zu Cosimo und sagte ihm, daß jener junge Ungar, den er schon wegen seines guten Rufes kannte, ihn sprechen wolle. Cosimo wollte gleich, daß er in sein Gemach komme, ließ einen Sessel bringen und hieß ihn sich setzen. Dann ordnete er an, daß alle den Raum verließen. Lange Zeit blieben sie darauf unter vier Augen zusammen; nachdem Giovanni seinen Abschied genommen hatte, trat ich ins Zimmer. Cosimo sagte zu mir, es sei ihm sehr lieb gewesen, mit ihm gesprochen zu haben, erscheine er ihm doch als ein so kluger und weiser *oltramontano*, wie nur irgendeiner, mit dem er – zeitlebens – eine Unterredung gehabt habe. Viele bedeutende Eigenschaften erkannte er an ihm; um nichts in der Welt habe er die Bekanntschaft mit Giovanni missen wollen. Dann sagte Cosimo zu mir, ich solle ihm anbieten, was auch immer für ihn getan werden könne, sehr gerne würde er es tun. Ja, Cosimo war in der Tat erstaunt über die vortrefflichen Eigenschaften dieses jungen Mannes.

Am selben Tag noch besuchte er Messer Giovanni in dessen Haus. Da waren viele junge Leute aus dem Kreis seiner Schüler, die darauf warteten, von ihm eine Vorlesung in Logik zu hören; darüber las er jeden Tag. Er sprach mit Messer Giovanni [Argyropulos], wobei er ihm viele Komplimente machte, und sagte schließlich, daß auch er diese Vorlesung über Logik hören wolle und am Morgen darauf eine über Philosophie.

Messer Giovannis Lehre gefiel ihm sehr. Seine Schüler, welche die Blüte von Florenz darstellten, leisteten Giovanni Gesellschaft, während er in dieser Stadt weilte. Am folgenden Tag besuchte er Messer Poggio. Er brachte ihm vierzig Verse, die er am Abend zuvor gefertigt hatte, mit. Messer Poggio und alle, die sie sonst noch sahen, lobten diese Verse; war er doch sehr geschickt im Schreiben von Prosa und Gedichten.

So besichtigte er die Stadt und alle ihre Bibliotheken, sprach mit allen gelehrten Männern von Florenz und schloß Freundschaft mit ihnen. Er kaufte einige Bücher und erledigte, was zu tun war; dann reiste er ab, und er führte die Zuneigung aller mit sich, nicht nur jener, mit denen er gesprochen, sondern selbst solcher, die ihn nur gesehen hatten. So groß war seine Liebenswürdigkeit!

Giovanni wandte sich zunächst nach Ferrara, um dort alles für die Reise nach Ungarn vorzubereiten. Dorthin also kehrte er nun auf Anhalten des Erzbischofs von Gran zurück, in ein Land, das er verlassen hatte, als er noch sehr jung gewesen war. Die Gewohnheiten der Leute dort schienen ihm nun sehr seltsam zu sein im Vergleich zu den Sitten in Italien, wo er erzogen worden war. Obwohl ihm König, Erzbischof und alle großen Herren an Ehren erwiesen, was nur möglich war, und man nicht in größerem Ansehen stehen konnte als er, hätte er – so sagte er mir selbst – kaum übler zufrieden sein können; besonders deshalb, weil er von Herz und Verstand so wanderlustig war, daß es sich kaum ausdrücken läßt. Wären da nicht die Bitten und Mahnungen des Erzbischofs gewesen, er hätte Ungarn verlassen und anderswo seinen Aufenthalt genommen, wohin er ehrenvoll gerufen worden war. Aber des Erzbischofs Bitten vermochten viel bei Giovanni, der er so überaus gebildet und von so überaus gutwilliger Art war, und so hielt er ihn in Ungarn zurück. Er blieb somit; da wurde das Bistum Fünfkirchen, eine sehr angesehene Pfründe, frei. Der König verwandte sich für ihn an der Kurie und sorgte dafür, daß er es erhielt. Er kümmerte sich in diesem Amt mit größter Sorgfalt um die bischöflichen Pflichten, widmete aber nichtsdestoweniger die verbleibende Zeit den Wissenschaften.

Zu jener Zeit zog der König von Ungarn mehrmals gegen die Türken. Der Bischof begleitete ihn auf all diesen Feldzügen; um Gottes Lohn scheute er weder Mühen noch Unbequemlichkeiten. Ich hörte einst von ihm, wie er mit dem König im Feldlager war und daß man – es war im Dezember, und es hatte geschneit – den Schnee vor den Zelten des Feldlagers wegschaufeln mußte, wenn man hinausgehen wollte. [. . .] Seine Zeit verbrachte er auf so lobenswerte Weise, daß er bei den Guten in großem Ansehen stand, bei den Schlechten aber den größten Neid erregte. Als er sich einmal in seiner Residenz befand, wurde ihm ein Schüsselchen mit einer Speise gebracht, die wir *fegatelli* nennen [gebratene Leberstückchen]; ein Prälat hatte sie ihm gesandt. Da er ein kluger Mann war, fürchtete er, vergiftet zu werden. So nahm er einen dieser *fegatelli* und warf ihn einem Hund vor. Der fraß ihn gleich – da wurde er aufgebläht und verendete dann. Der Bischof gab sich den Anschein, als habe er nichts bemerkt und ließ die Speise wegwerfen. Zu keinem seiner Hausgenossen sagte er etwas, um Aufsehen zu vermeiden.

[Bisticci berichtet nun von einer Gesandtschaftsreise nach Rom, nach dem Tod Papst Pius' II. (1464), die der Bischof im Auftrag des ungarischen Königs unternahm. Er schreibt kurz vom Aufenhalt der Legation, dann vom prunkvollen Einzug in Rom, von einer geschliffenen Ansprache Giovannis bei der Audienz, die der neue Papst Paul II. gab. Der Bischof habe erreicht, daß der neue Papst dem König von Ungarn nun bedeutende Subsidienzahlungen für den Türkenkrieg zur Verfügung stellte – 80000 Dukaten habe er gleich geschickt und sich verpflichtet, Jahr für Jahr weitere Summen zu überweisen. Bisticci fährt dann fort mit der Erzählung von Bücherkäufen des Bischofs.]

Da er eine ansehnliche Bibliothek aufzubauen gedachte, kaufte Giovanni in Rom alle Bücher, die er haben konnte, griechische wie lateinische, aus allen Wissensgebieten. Nach Florenz gekommen, tat er das nämliche, ohne auf den Preis der Bücher oder sonst etwas zu achten, denn er war sehr freigebig. Bei seiner Abreise ließ er einige hundert Fiorini hier, auf daß lateinische und griechische Bücher, die ihm noch fehlten, abgeschrieben werden könnten. Obwohl auf Reisen, war er immer – sobald er Zeit dazu hatte, nachdem er den Gottesdienst gefeiert hatte – mit Büchern in Händen bei eifriger Lektüre anzutreffen. Einmal nahm er, gleich nach dem Essen, den Platoniker Plotin zur Hand und begab sich in eine Schreibstube; dort begann er zu lesen und vertiefte sich – da die Materie schwierig war – derart, daß er auf diese Weise gut drei Stunden verharrte, ohne sich im geringsten zu bewegen. Nie hob er den Kopf von der Lektüre des Buches – nicht wie andere *oltramontani*, von denen die meisten sich nicht zu schwierigen Dingen hingezogen fühlen, sondern so, als sei er in Athen aufgewachsen, mit Sokrates als Lehrer. Nachdem er sich ein wenig aus seiner Betrachtung gelöst hatte, wandte er sich mir zu und sagte: «Wenn Ihr wissen wollt, was der Bischof von Fünfkirchen in Ungarn macht, so wißt, daß er den Platoniker Plotin übersetzt, sich den Angelegenheiten seines Bistums und sonst nichts anderem widmet.»

In Florenz gab er in Auftrag, was er gemacht zu haben wünschte,

und reiste nach Ferrara ab; alle Bücher, die er fand, erwarb er, dasselbe tat er auch in Venedig. So brachte er mit dem, was er abschreiben ließ und anderem, was er kaufte, in seinem Bischofspalast eine
bedeutende Bibliothek zusammen. Seine Zeit verbrachte er mit
würdigen Dingen, mit Lesen oder mit gelehrten Männern beim
Gespräch. An anderem erfreute er sich nicht, nicht an Kleidung,
nicht am Reden über unnützes Zeug. [. . .]
[Nochmals geht Bisticci auf politisch-diplomatische Aktivitäten
des Bischofs ein, insbesondere auf seine Rolle in den Auseinandersetzungen zwischen dem ungarischen König Matthias Corvinus
und dessen Großkanzler, dem Erzbischof von Gran, der zugleich
der Mentor des Pannonius war (vgl. S. 197). Bisticci scheint über
diese Vorgänge – so den Staatsstreichversuch des Großkanzlers zugunsten eines polnischen Kronprätendenten (1471) – nur vage
orientiert gewesen zu sein; er schreibt etwas diffus über Versuche
des Bischofs von Fünfkirchen, dem Onkel in dessen prekärer Lage
gute Ratschläge zu erteilen, wobei er dessen Teilnahme an der Revolte nur andeutet. Auf der Flucht vor Corvinus starb der Bischof
1472, im selben Jahr wie der Erzbischof von Gran.]
Wegen dieser Umbrüche starben sie, unglücklich, binnen kurzer
Zeit. Sie waren Zierden jenes Königreiches. Von ihrem Rang gab es
niemanden mehr in Ungarn. Sie hatten das Land auf allen Gebieten
des Wissens mit einzigartigen Männern geschmückt. Nach dem
Tod der beiden Prälaten verließen viele bedeutende Männer das
Reich, all diese einzigartigen Männer gingen, vom König schlecht
belohnt – aufgrund ihrer Fähigkeiten hätten sie wohl anderes verdient.
Von dem einen wie dem anderen könnte man noch viel schreiben,
doch möge das hier Gesagte als Erinnerung ausreichen.

DER BISCHOF VON MILETO

ESSER NARCISO, Bischof von Mileto, lebte am Hof König Alfonsos und stand bei Seiner Majestät in höchstem Ansehen. Von Nation ein Katalane, war er von bester Abkunft. Er war ein hochbedeutender Philosoph, dazu ein vortrefflicher Theologe; in allen Fächern besaß er eine umfassende Gelehrsamkeit, und er hatte ein wunderbares Gedächtnis – da gab es nichts, was er gelesen hätte, an das er sich nicht auch erinnerte. Zitierte er etwas, gab er nicht nur den Text wieder, sondern er teilte auch mit, an welchem Ort das Zitat zu finden war.

Am neapolitanischen Hof hatte er großen Einfluß. Seine Zunge war allmächtig. Er war ein offenherziger Mann, gütig in jeder Hinsicht; niemals verstand er es, etwas vorzutäuschen oder sich zu verstellen. Nach König Alfonsos Tod bewahrte er sich die Achtung König Ferdinands; er erhielt von ihm, was er nur wollte. Als in Deutschland ein Reichstag ausgeschrieben wurde, an dem zahlreiche bedeutende Männer teilnehmen sollten, sandte der König Messer Narciso dorthin, zählte dieser doch zu den Besten des Hofes. Auch hieß er einen seiner edelsten Höflinge nach Deutschland reisen – Messer Antonio Cincinello, einen vornehmen, in wichtigsten Angelegenheiten erfahrenen und geschickten Herrn.

Auf der Reise über Florenz blieb er dort einige Tage, denn er wollte alle Bibliotheken sehen und alle Gelehrten, die sich dort aufhielten.

Wie vorher schon gesagt wurde, war sein Gedächtnis so wunderbar wie umfassend. Als ich mit ihm einmal zur Kirche der Santissima Annunziata ging, er dort die vielen Bilder sah und bemerkte, wie die Mönche Handel damit trieben, da mißfiel ihm das; er zitierte die Autorität des hl. Epiphanius von Zypern, des Bischofs von Salamina: In einem vom hl. Hieronymus übersetzten Brief erzählt dieser, wie er einmal in die Hauptkirche gegangen sei und dort ein Tuch gesehen habe, auf welches die Figur Christi gemalt gewesen sei; es sei mit Schleiern und Tüchern verhängt gewesen, davor hätten viele Lampen gebrannt, und Bilder seien dort gestanden. Da habe er Tuch, Lampen und Bilder wegschaffen lassen und sich darauf an die Anwesenden gewandt und gesagt, die Figur, welche man anbeten müsse, sei der gesegnete Leib Christi, und er wolle, daß ihm ihre Verehrung gelte und nicht anderem. In mehreren Florentiner Kirchen tadelte er die so zahlreichen Gräber, die er dort sah. Die Kirche sei eine lautere, reine Sache, man solle sie nicht beschmutzen durch die Körper der Toten; es seien die Mönche gewesen, die diese Gewohnheit begründet hätten. In der Urkirche habe man nicht nur jene nicht in den Kirchen bestattet, die man heute dort begrabe, sondern sogar Schwierigkeiten bereitet, wenn es um den Einlaß der Leiber von Heiligen gegangen sei. Dazu führte er den Text der Verlautbarung eines Bischofs an, der beim Papst um die Erlaubnis nachgesucht hatte, die Leichen zweier Märtyrer in der Kirche begraben zu dürfen. Der Papst habe ihm geantwortet, man solle sie im Eingang bestatten und nirgendwo anders. Heute ist alles in großem Mißbrauch, ja, sie begraben gar öffentliche Wucherer in den Kirchen. Ehrfurcht hat man vor nichts mehr, zwischen Guten und Bösen wird überhaupt kein Unterschied gemacht.

Ich hörte von Messer Narciso, er habe Leute von so scharfem Verstand kennengelernt, daß diese fast die Gedanken eines anderen erraten konnten, wenn sie ihm ins Gesicht blickten. Dazu sagte er, das sei nichts Neues, sondern schon bei den Alten dagewesen. Und er zeigte mir dazu einen Text des hl. Augustinus im Buch über die Akademiker, wo er das Problem der göttlichen Vorsehung erörtert. Dazu erzählt Augustinus, wie er und zwei seiner Gefährten einmal spazierengegangen und auf dem Heimweg bei ihrem Freund, einem gewissen Allippio, eingekehrt seien. Dieser Allippio besaß die natürliche Gabe, viele geheime Dinge vorhersagen zu können. Da sie die Probe machen wollten, ob wahr sei, was sie über ihn gehört hatten, fragten sie ihn, ob er wisse, was an jenem Tag ihr Tun gewesen sei. Er bejahte die Frage und trat den Beweis dafür an, indem er zu einem von ihnen sagte: «Du hast ein Stück Land gekauft und die Papiere dafür ausgefertigt»; weiteres, was sie getan hatten, fügte er hinzu, alles erriet er. Einer fragte den Allippio dann, ob dieser wohl wisse, was er gerade denke. Er antwortete: «An den Anfang der ‹Äneis›, nämlich ‹*Arma virumque cano . . .*›» – und so kam er auf alles, nicht ohne daß dies von allen sehr bewundert worden wäre. Der hl. Augustinus fragte darauf einen seiner Begleiter, ob das nun die göttliche Vorsehung sei oder nicht – der so Gefragte wußte darauf nicht zu antworten. Soweit zur Frage, ob der Anblick eines Menschen Einsicht in dessen Gedanken zuläßt.

Da Messer Giovanni Argyropulos der Ruf des Bischofs zu Ohren gekommen war, machte er sich auf, ihn in S. Jacopo am Campo Carbolini zu besuchen. Lange disputierten sie zusammen, vor allem über Platons Ideenlehre. Der Lizentiat [Narciso] war ein sehr ungestümer und scharfsinniger Disputant; ich glaube nicht, daß seine Zeit einen anderen, ebenso gelehrten Mann besessen hat. Auch war er ein ganz großer Platoniker. Nachdem er nun, wie gesagt, mit Messer Giovanni Argyropulos lange disputiert hatte, begleitete er ihn zur Tür. Ich ging dann mit Messer Giovanni nach Hause und fragte ihn, was er von dem *licentiato* Narciso halte. Er sagte mir, dieser sei der gelehrteste Mann, den er in seinen Tagen gesehen habe; er meinte, daß Platons Anschauungen keinen gefunden hätten, der sie besser verstehe als Messer Narciso. Besonders würdigte er seine Kenntnis jener höchst erhabenen, so sehr gefeierten platonischen Ideenlehre. Er glaubte nicht, sagte Giovanni, daß ihm unter den Lateinern einer das Wasser reichen könne.

Der *licentiato* reiste dann aus Florenz ab und begab sich auf seine Gesandtschaftsreise zum Reichstag nach Deutschland. Hier fanden sich die gelehrtesten Männer, die Deutschland besaß, ein, und jeden Tag disputierte er mit ihnen. Dabei legte er größte Ehre ein und erwarb sich bei allen Ansehen als hochgelehrter Mann. Seiner Majestät dem König machte er alle Ehre. Nach Neapel zurückgekehrt, übertrug ihm Ferdinand – in Würdigung seiner Tugenden – das Bistum Mileto. In diesem Amt verfaßte er mehrere Werke, die ich – weil ich keine Kenntnisse über sie habe – hier nicht erwähne.

Dies alles habe ich nur als eine kurze Erinnerung geschrieben.

[Nach einer weiteren Bischofsvita, jener des Alvaro Alfonsi di Coimbra, schließt die Reihe der Lebensbeschreibungen Geistlicher.]

Es enden die Viten der Bischöfe und Erzbischöfe von außerhalb Italiens.

AUFZEICHNUNGEN ZUM LEBEN DES HERRN FEDERICO, HERZOG VON URBINO

Vorrede

IS hier habe ich von den auswärtigen Bischöfen und Erzbischöfen geschrieben, die etwas Erinnerungswürdiges ins Werk gesetzt haben; nun wollen wir auf einen sehr bedeutenden Heerführer kommen. Er besaß in hohem Maß jene rühmenswerten Eigenschaften, die in unseren Zeiten einen Mann von großem Ansehen auszeichnen; alle Tugenden, die einem vortrefflichen Menschen beizumessen sind, angefangen mit der Kriegskunst. Er war ein hervorragender Kenner der lateinischen Sprache und gelehrt in Philosophie, verfügte über beste Kenntnisse in den heiligen Schriften und in der Geschichte. Nicht nur die militärischen Dinge handhabe er aufs vortrefflichste; auf staunenswerte Art herrschte er, mit großem Weitblick. Seine Entscheidungen zeigten größte Weisheit. Lauterste Ehrbarkeit prägte seine Sitten. Er war ein bewundernswerter Architekt und sehr freigebig; liebte einzigartige Männer, war ihr Schirmherr und Bewahrer. Immer unterstützte er sie mit allen nur möglichen Gunstbeweisen. Von größter Barmherzigkeit zeigte er sich, von äußerster Milde und Freundlichkeit. Darin stand er über sämtlichen Zeitgenossen. Und wegen dieser Eigenschaften, die ihn als den ersten aller großen Männer zeigten, um seiner unerhörten Tugenden willen, geben wir ihm den Platz vor allen anderen gelehrten, einzigartigen Männern. Auch sie haben ihre guten Eigenschaften, ihn aber stellen wir hin als gleichsam ihren Fürsten, in dem alle Tugend vereint sich fand.

Kommentar zum Leben des Herrn Federico, Herzog von Urbino

MESSER FEDERICO aus dem Haus der Montefeltro war Herzog von Urbino. Obwohl sein Leben bereits aufgeschrieben wurde – in Form einer Historie –, will ich nicht darauf verzichten, über Seine Hochwohlgeboren einiges zu berichten, was der Erinnerung wert ist (habe ich doch einen solchen Kommentar noch von anderen bedeutenden Männern, welche diese Epoche ihr eigen nannte, verfaßt).

Federico begann schon als sehr junger Mann mit dem Kriegsdienst. Unter dem Kommando des Niccolò Piccinino, eines sehr bedeutenden Söldnerführers jener Epoche, ahmte er Scipio Africanus nach.

Messer Federico besaß viele einzigartige Tugenden; ja, seine Epoche hatte ihm keinen an die Seite zu stellen, der ein gleich bedeutender Mann gewesen wäre, und zwar hinsichtlich jeder nur denkbaren Tugend. Kommen wir aber zur Kriegskunst, seiner vornehmsten Tätigkeit. Er war ein Truppenführer, der tapfer war wie nur irgendeiner zu seiner Zeit; dabei gebrauchte er wohl Gewalt, indes verband er sie mit größter Klugheit. Nicht weniger Siege erfocht er durch seinen Verstand als durch Kraft. In allen Dingen ging er mit jener Vorsicht zu Werke, die Fabius Maximus gegen Hannibal einsetzte. Und mit dieser seiner Besonnenheit gelangen ihm unzählige Eroberungen, und nie – weder im Königreich noch sonstwo in Italien – wurde er besiegt.

So könnte man von unzähligen Siegen, die er erfocht, sprechen. Viele Orte hat er erobert, stets erwarb er sich Ehre dabei, wie man sehen wird, wenn man seine Geschichte oder eine wirkliche Lebensbeschreibung von ihm liest – darin sind alle seine bedeutenden Taten aufgeschrieben. Daher möchte ich hier nicht weitläufig werden, nur einen kurzen Kommentar über einiges Denkwürdige, was er getan hat, geben. Zunächst zum Gefecht, das bei S. Fabiano stattfand.

Der Herzog lag fieberkrank darnieder, während die Schlacht bereits seit einigen Stunden im Gange war; da stand die Niederlage der Truppen des Königs [von Neapel] zu befürchten. Der Herzog von Urbino sah diese Gefahr schon kommen, als das [gegnerische] Kriegsvolk, die braceschi, tatsächlich das Übergewicht gewann. Der Herzog erfaßte die Situation, erkannte die Bedrohung und nahm, trotz seiner Fieberkrankheit, die Sache in die Hand. Er bestieg sein Pferd, stürzte sich mitten in die Schlacht und gab den Soldaten gleich wieder den verlorenen Mut zurück. Man konnte schließlich sagen, daß den Truppen des Königs von Neapel der Sieg gehörte. So war Federicos gewohnte Umsicht der Grund dafür, daß das Treffen sie schließlich mehr im Vorteil als im Nachteil sah. Hätte er nicht eingegriffen, sie wären trotz ihrer tapferen Hauptleute ohne jeden Ausweg dem Untergang geweiht gewesen. Seine Anwesenheit war, wie gesagt, die Ursache ihrer Rettung.

Unzählige Eroberungen gelangen ihm im Königreich und außerhalb desselben. Da will ich gar nicht reden von der Belagerung Fanos, einer Stadt, die mit stärkster Besatzung versehen und sehr

*18 Federico da Montefeltro. Gemälde von Piero della Francesca,
um 1465. Florenz, Uffizien*

gut befestigt war; der herrliche Roberto von Rimini, der Sohn des
Herrn Sigismondo, führte in ihr das Kommando. Artillerie und alles, was zur Verteidigung vonnöten ist, war zur Genüge vorhanden,
die besten Männer des Signore Sigismondo standen zur Abwehr der
Angreifer bereit. Und dennoch eroberte Federico die Stadt durch
Klugheit und mit der Gewalt seiner Waffen. Dasselbe gelang ihm
mit allen anderen Städten des Herrn Sigismondo, in denen dieser
selbst die Verteidigung leitete. Und obwohl Sigismondo ein hoch-
angesehener und sehr geachteter Heerführer war, gelang es dem
Herzog von Urbino, ihm einen großen Teil seines Staates zu nehmen; er erhielt diese Eroberungen von Papst Pius II. und König
Alfonso von Neapel, den Feinden Sigismondos.

Ich will nicht übergehen, daß er – neben seinen anderen einzigartigen Tugenden – jene besaß, den einmal gegebenen Treueschwur

zu halten. Nie brach er dergleichen, beachtete solche Schwüre im Gegenteil stets aufs genaueste. All jene, denen er Treueversprechen gab, sind Zeugen dafür, daß er sie niemals zu brechen begehrte – so die [neapolitanischen] Könige Alfonso und Ferdinando, in deren Diensten er 32 Jahre oder länger stand. Nicht nur jenen gegenüber, denen er sich schriftlich verpflichtet hatte, blieb er loyal, er hielt auch sein einfaches Wort. Als die Venezianer Bartolomeo da Bergamo gegen Florenz marschieren ließen, hatte der Herzog von Urbino seine Abmachungen mit König Ferdinando erfüllt, und es hätte ihm freigestanden, sich mit dem zusammenzutun, mit dem es ihm gut schien. Doch auch in diesem Fall fiel kein Schatten auf seine Treue. Damals unternahmen die Venezianer alles, um ihre Pläne, nämlich die Herrschaft über ganz Italien zu erringen, auszuführen; sie sannen darüber nach, wie dieser langgehegte Wunsch in die Tat umgesetzt werden könnte. Sie wußten, daß alles vom Herzog von Urbino abhing; davon, ob eine Partei ihn für oder gegen sich hatte – wer ihn auf seine Seite ziehen konnte, hatte das Spiel gewonnen. Zur Zeit also von Bartolomeos Aufmarsch, angesichts dessen, daß der Vertrag Federicos mit König Ferdinando ausgelaufen war, schickten die Venezianer einen Gesandten zum Herzog von Urbino, der sich gerade im Feldlager zwischen Imola und Faenza aufhielt; auch die Kommissare König Ferdinandos, Mailands und Florenz' befanden sich dort. Der venezianische Botschafter sagte, er wünsche den Herzog zu sprechen, wisse man doch, daß er seine *condotta* beendet habe und es ihm freistehe, nun zu verhandeln, mit wem immer es ihm beliebe. Als er nun vor dem Herzog stand, erläuterte er das Ziel seiner Mission und bat namens der Regierung Venedigs darum, ihn [unter vier Augen] sprechen zu dürfen. Federico aber antwortete darauf, er wünsche, daß der Gesandte alles, was er zu sagen habe, in Anwesenheit der Kommissare der italienischen Liga ausspreche. Auch wenn sein Vertrag mit dem König von Neapel ausgelaufen sei, wie der Botschafter meine, so sei das Treueverhältnis damit doch nicht beendet, und er bleibe Seiner Majestät dem König verpflichtet.

Als der Gesandte nun sah, daß er seine Ziele nicht erreichen konnte, reiste er ab und begab sich nach Cervia. Von dort schrieb er einen Brief an den Herzog von Urbino und ließ ihn durch einen seiner Leute überbringen. Er bot ihm 100 000 Dukaten in Kriegszeiten und 60 000 Dukaten im Frieden an. Als Federico diesen Brief erhielt, wollte er ihn nicht lesen und gab ihn an die Kommissare der Liga weiter; darauf entließ er den Kurierreiter, ohne ihm einen Bescheid zu erteilen. Den Kommissaren und auch dem venezianischen Botschafter hatte er schließlich gesagt, was sein Wille sei, nämlich im Sold Seiner Majestät des Königs zu bleiben wie bisher. So bewies er das Maß seiner unverletzlichen Treue, indem er nicht nur das einhielt, wozu er gehalten war, sondern mehr, als seine Verpflichtung gebot.

Als Bartolomeo da Bergamo mit einem mächtigen Heer gegen Florenz zog, taktierte der Herzog von Urbino – der das Kommando über die gesamte Streitmacht der italienischen Liga führte – wie einst Fabius Maximus gegenüber Hannibal: Er hielt sich stets in Bartolomeos Nähe, ohne dabei zuzulassen, daß der sich in den Besitz irgendeines festen Platzes setzte. Immer blieb er mit seinen Truppen in zwei bis drei Meilen auf Tuchfühlung; sobald Bartolomeo ein Lager verließ, bezog es Federico. Solche Umsicht ließ er walten, da die Venezianer über die Blüte der Krieger Italiens geboten.

Dann war da der Frontwechsel Faenzas, das im Sold der Liga gestanden hatte und zu Venedig überging. Die Liga verlor damit die Söldner, die der Signore Faenzas unterhielt, überdies die Bequemlichkeit, diesen Ort von größter militärischer Bedeutung zu haben – wäre da nicht Federicos Klugheit gewesen, die nicht nur das jeweils gegenwärtige Geschehen im Blick hatte, sondern auch voraussah, was künftig noch geschehen mochte. [. . .]

In jenen Tagen, als der Signore Astorre im Sold der Liga stand, versuchte dieser mit aller Hartnäckigkeit zu erreichen, daß der Herzog von Urbino und alle seine Hauptleute in Faenza Quartier nähmen. Insbesondere, weil man außerhalb der Städte nur unter größten Unannehmlichkeiten lebte – die Witterung war ungünstig, noch schrieb man den Monat März –, wären alle damit einverstanden gewesen, dorthin zu gehen, doch wollte der Herzog von Urbino dem keineswegs zustimmen. Wäre man Astorres Drängen gefolgt, hätten die Venezianer die Partie für sich entschieden gehabt. Es war nämlich verabredet worden, geheimzuhalten, daß der Herr Astorre sich mit den Venezianern verbunden hatte, bevor sich nicht jene Heerführer in Faenza eingefunden hätten. Dann hätte man alle gefangengenommen, der Sieg wäre errungen gewesen. Dieser ganzen Gefahr entging man durch die Klugheit des Herzogs von Urbino, der eben nicht darin einwilligte, in Faenza Quartier zu nehmen. Als das Bündnis Astorres mit den Venezianern aufgedeckt wurde, urteilten alle, es sei der Herzog von Urbino gewesen, der das Heer gerettet und damit den Venezianern Florenz und die Romagna aus den Händen gerissen habe.

Nicht weniger durch Federicos Umsicht entging man einer weiteren Gefahr – einer von unzähligen; allein ihm gebührt der Ruhm, Italien vor dem Zugriff der Venezianer bewahrt zu haben, die nie-

mals eine bessere Gelegenheit gehabt hatten, es zu unterjochen:
Denn sie hatten den Herrn von Imola unter Vertrag genommen,
und er war dabei, mit ihnen zu einer Übereinkunft zu gelangen.
Der Herzog von Urbino wirkte dem nach Möglichkeit entgegen,
und da er wußte, daß der Signore sich mit Venedig eingelassen
hatte, setzte er seine ergebensten Truppen nach Imola in Bewegung.
Er erreichte dadurch, daß dieser alles widerrief; um sich dessen zu
versichern, verlegte er 500 Söldner des Königs von Neapel nach
Imola, wobei er jedem monatlich zehn Dukaten gab, angesichts
einer schrecklichen Seuche, die dort grassierte. Hätte sich Imola
ebenso wie vorher schon Faenza mit Venedig verbündet, wäre – wie
sich später erwies – auch Bologna in größter Gefahr verblieben, ja,
die Stadt hätte sich gezwungen gesehen, ihrerseits mit den Venezianern ein Bündnis einzugehen. In diesem Fall wäre das Mugello-
tal vom Krieg erreicht worden, während man bisher in Feindesland
hatte kämpfen können.

Der Herzog war vielen Gefahren entgangen, und stets waren ihm
dabei größte Ehre und höchstes Ansehen zugewachsen. Als er sich
im Feldlager der Liga unweit von Bartolomeos Lager befand – vier
Meilen entfernt, in einem zwischen Ferrara und Bologna gelegenen
Ort namens La Molinella –, wurde ihm von Kundschaftern hinterbracht, daß Bartolomeo sein Lager anzugreifen gedachte. Das Ge-
lände, in dem sich die Ligatruppen aufhielten, war so beschaffen,
daß hier die Infanterie gegenüber den Reitern im Vorteil war – und
Bartolomeo besaß 5000 Fußsoldaten gegenüber nur 1500 der Liga,
zudem war auch seine Reiterei viel zahlreicher als jene der Liga.
Wegen dieser Nachteile, so erkannte der Herzog von Urbino, war
die Armee der Liga in großer Gefahr, wenn man einfach nur auf
den Feind wartete. So sagte der Herzog seinen Hauptleuten, die
Geschicke Italiens lägen in ihrer Hand; würden sie geschlagen, so
hätte Venedig die Vorherrschaft gewonnen, dagegen sei kein Kraut
gewachsen. So begab sich Federico sofort auf die Suche nach einem
Mittel; alles nur Mögliche zur Rettung der Liga wollte er versuchen. Er sandte seinen Kanzler Piero de' Felici nach Bologna, um
vom Rat der Sechzehn 500 Söldner zu erbitten. Die Bolognesen aber
sahen die Überlegenheit des venezianischen Heeres gegenüber den
Truppen der Liga; sie fürchteten um ihren Staat und verweigerten
das Geforderte. Dem Herzog von Urbino teilten sie durch einen
Gesandten ihre Beweggründe mit: Sie hätten gesehen, wo die Truppen der Liga stünden und daß sie gegenüber jenen Bartolomeos in
großem Nachteil seien; sie sähen sich daher gezwungen, sich mit
den Venezianern zu arrangieren, wenn nicht auf andere Weise vor-
gesorgt werde. Als der Herzog diese Antwort vernahm, erschien sie

ihm befremdlich. Er ließ aber nicht davon ab, über geeignete Mittel, die aus dieser Situation helfen konnten, nachzusinnen.

Da nun der Versuch, Hilfe von Bologna zu erlangen, vergeblich gewesen war, versammelte Federico die Kriegskommissare und Hauptleute des Ligaheeres, um ihre Meinung und ihren Rat zu hören – über das, was die Feinde wohl zu tun beabsichtigten, und darüber, was die Liga ihrerseits tun solle, nämlich auf sie zu warten oder sie in ihrem Lager anzugreifen. Sowohl in der einen als auch der anderen Alternative erkannte man augenscheinliche Gefahren, und es galt, den Weg zu finden, der sicherer war und der Erhaltung der Liga zuträglicher. Die Entscheidung erheischte reifliche Überlegung, mußte sie doch, wie gesagt, weitreichende Folgen haben: Siegen, das hieß, den Venezianern die eitle Hoffnung zu nehmen, sie könnten Florenz erobern und überhaupt die meisten Staaten Italiens besetzen; ein Erfolg der Gegner aber hätte bedeutet, daß darauf ganz Italien – und nicht nur die Staaten der Liga – ihrer Willkür ausgeliefert gewesen wäre. Unter den Soldaten gab es unterschiedliche Auffassungen – entweder abzuwarten oder anzugreifen. Nichtsdestoweniger wußte man um die Gefahren, die sich bei jeder der beiden Optionen offenkundig ergaben. Die Meinung des Herzogs von Urbino war, in diesem Fall den Gegner zu stellen und nicht ihn abzuwarten. Letzteres zu tun, bringe die bekannte und augenscheinliche Gefahr mit sich, daß wegen der Geländebeschaffenheit – wie bereits gesagt – die Fußtruppen des Feindes gegenüber den Reitern in großem Vorteil seien; dazu käme, daß die Feinde über mehr als 3000 Mann mehr an Infanterie und auch über mehr Kavallerie verfügten als die Ligaarmee. Der richtige Weg sei also zweifelsohne, zum Lager des Feindes zu ziehen, nicht zu warten, sondern rasch eine Entscheidung zu suchen.

[Den Hauptleuten wird vom vergeblichen Versuch, aus Bologna Verstärkung zu erhalten, berichtet; der Herzog von Urbino hält dann eine Ansprache an die Hauptleute und Kriegskommissare und führt dabei aus:] «Bedenkt wohl, wie es um die Liga steht; ihr Schicksal liegt heute in eurer Hand. Ihr alle habt weise gesprochen und mit reiflicher Überlegung; nichtsdestoweniger ist dies eine Sache von so großer Bedeutung, daß jeder hier seine tiefsten Überzeugungen mitteilen muß.» [Er plädiert dafür, das feindliche Lager anzugreifen, da man von zwei Übeln das geringere wählen müsse – nur so lasse sich die Liga retten.] «Daher, meine Brüder, macht euch bereit, zu tun, was von jeher die Hoffnung der Liga bedeutete. Ganz Italien hallt wider vom Ruhm eurer Tugenden und der Tapferkeit eurer Herzen; mit den Taten, die ihr zu vollbringen hattet, habt ihr euch Ehre und ein Ansehen erworben, das geblieben ist bis

zum heutigen Tag. Nie zweifelte ich an euren kriegerischen Tugenden, und niemals werden wir an ihnen Zweifel hegen – habt ihr
doch viele Male Proben davon abgelegt. Wir meinen, daß euch weder Kraft noch Mut fehlen, und ich bin zufrieden, mein eigenes
Leben und mein Wohlergehen, wenn es sein muß, zusammen mit
euch aufs Spiel zu setzen. Und ich hoffe auf den allmächtigen Gott,
daß wir den Sieg davontragen werden – kämpfen wir doch für Gerechtigkeit und Vernunft gegen jene, die das Widerspiel davon tun.
Unter den Mächten der Liga ist nämlich keine, die nicht mit ihrem
gegenwärtigen Zustand zufrieden wäre; und den trachten sie mit
aller Anstrengung zu erhalten. Allein die Feinde sind nicht mit
ihrem Herrschaftsbereich zufrieden, sondern wollen – gegen alle
Gerechtigkeit –, was ihnen nicht gehört, in ihren Besitz bringen.
All das muß uns mit Mut erfüllen und zu Kühnheit anspornen
anzugreifen, mannhaft zu kämpfen und auf Gott zu hoffen, der uns
aus den genannten Gründen den Sieg verleihen wird.»

Als die Hauptleute des Herzogs Willen gewahr wurden und die
schlagkräftigen, zwingenden Argumente, die er anführte und denen
nichts entgegenzusetzen war, hörten, bedeuteten sie ihm ihre Zustimmung. Sie erkannten, daß sie auf keine Weise irrten, wenn sie
seinem Rat folgten. Sie waren von jetzt an bereit, ihr Leben mit
dem seinen einzusetzen zur Rettung dieses Heeres, das für die Rettung der Liga stand.

[Bisticci schreibt nun, wie Federico seine Truppen aufstellt und
sie nochmals, Einheit für Einheit, zu Gehorsam und Ordnung an-
hält – durch eine geschliffene Rede, wie es seine Art gewesen sei.
Angesichts der Schwierigkeit der Aufgabe habe er den Söldnern den
größten Ruhm in Aussicht gestellt, falls sie siegten; folgten sie
seinen Befehlen nicht, so habe er andererseits gedroht, seien ihnen
ewige Ehrlosigkeit und Schande sicher. Bisticci fährt dann mit der
Schilderung der Schlacht von La Molinella (25. Juli 1467) fort.]

Als sie die Nähe des feindlichen Lagers erreicht hatten – etwa zur
neunzehnten Stunde –, begannen sie gleich, kampfbereit vorzurük-
ken. Der Herzog schickte die Reiterei vor, damit sie den Waffengang begänne. Auf der einen wie der anderen Seite wurde tapfer
gekämpft, fanden sich doch in dieser Schlacht alle einzigartigen
Männer Italiens zusammen; bald hatten diese, bald jene die Oberhand, wie es in solchen Treffen zu sein pflegt.

Der Herzog hatte die Schlachtordnung auf staunenswerte Weise
eingerichtet; bei Todesstrafe hatte er verboten, daß jemand so ungestüm sei, sie zu durchbrechen. Auf beiden Seiten gab es viele
Tote und Verletzte, viel mehr jedoch bei den Gegnern als unter den
Leuten des Herzogs von Urbino. Tapfer schlug sich Borso d'Este,

der Herzog von Ferrara, und hätte ihn nicht ein Büchsenschuß an
der Ferse getroffen, so daß er vom Schlachtfeld weichen mußte, er
hätte seinen Mut noch mehr bewiesen. Zahllose Verletzte aus dieser Schlacht brachte man nach Ferrara, so daß diese Stadt voll von
ihnen war. So kämpften sie von der neunzehnten Stunde bis zur
ersten Stunde der Nacht, also sechs Stunden; da gab es auf keiner
Seite jemanden, der nicht erschöpft, ja wie tot gewesen wäre wegen
der äußersten Anstrengungen, die sie erduldet hatten.

Auch Bartolomeo da Bergamo hatte an jenem Tag eine sehr würdige Probe gegeben: von [seiner Kunst], die Schlachtordnung einzurichten, waren sie [die Truppen Montefeltros] doch unvorhergese-
hen eingetroffen, da man ihr Kommen nicht bemerkt hatte. Noch
voll des Ungestüms eines sechsstündigen Kampfes, ritt er schließlich nach vorne und rief: «Tapfere *capitani*, es ist schon spät – die
eine wie die andere Seite hat sich tapfer geschlagen. Es scheint mir
an der Zeit, den Waffengang zu beenden.» Der Herzog von Urbino
hielt ebenfalls dafür, [es sei der rechte Zeitpunkt,] mit dem Kampf
aufzuhören. Später pflegte er zu sagen, der Gegner habe die Gnade
erbeten, die Schlacht abzubrechen. Dabei konnten auch die Soldaten der Liga nicht mehr kämpfen; hätten sie nicht die Schande
gefürchtet, sie hätten ihrerseits um den Abbruch des Waffengangs
nachgesucht, und es war eine einzigartige Gunst für sie, daß der
Feind ihnen zuvorkam. Die Hitze hatte ihnen den Atem genommen, dazu kam der Anmarsch von ihrem Lager; ähnlich wie der
Gegner waren sie am Ende.

Nach dem Kampf wurde geurteilt, daß die Truppen der Liga gegenüber jenen Bartolomeos die Oberhand gewonnen hätten; man
sagte, der Herzog von Urbino habe eine sehr kluge Entscheidung
getroffen [als er Venedigs Lager angreifen ließ]; es habe kein anderes
Mittel zur Rettung für das Heer der Liga gegeben als jene.

Sie kehrten nach der Schlacht, wie gesagt, ohne irgendeine Behin-
derung in ihre Quartiere zurück, wobei gerade das Manöver, sich
vom Lager zu entfernen und unbehindert wieder dorthin zurückzukehren, zum Gefährlichsten zählt, was die Kriegskunst kennt. Und
all das wurde mit dem Verstand, der Entschlußkraft und dem Urteil
des Herzogs von Urbino ins Werk gesetzt. Diese Schlacht machte
auf die Venezianer großen Eindruck; angesichts der Klugheit Federicos mieden sie nun weitere Waffengänge. Der Herzog legte sich
stets mit zahlenmäßig dem Feind bei weitem nachstehender Streitmacht in dessen Gebiete und hielt so dessen Soldaten außerhalb
der Lande der Liga. Immer jedoch richtete er es so ein, daß sein
Heer in der Nähe des gegnerischen stand. [. . .]

Obwohl diese Geschichte, wie gesagt, in lateinischer Sprache auf-

gezeichnet werden soll, schien es mir gut, ihrer hier Erinnerung zu
tun, habe ich sie doch von einem gehört, der überall dabei war. Ich
glaube, daß sie in einem viel zierlicheren Stil geschrieben werden
wird als dieser Text. Aber von der Wahrheit selbst habe ich nichts
weggelassen.

[Im folgenden kommt Bisticci auf die Verteidigung Riminis zu
sprechen; Papst Paul II. hatte nach dem Tod Sigismondo Malatestas
versucht, diesen Staat der Kirche zurückzugewinnen. Federico von
Montefeltro agierte wieder auf der Seite der italienischen Liga, im
Sold des neapolitanischen Königs, der den Sohn Sigismondos – Roberto den Prächtigen – unterstützte. Entscheidend wurde eine
Schlacht bei Rimini, Ende August 1469 (29. oder 30. 8.), die mit
einem glänzenden Erfolg des Herzogs von Urbino endete – keinem
der Alten stünde dieser nach, erzählte man alle seine Waffentaten,
schließt Bisticci seinen Bericht. Er fährt fort mit der Schilderung
der Eroberung Volterras (1472).]

Ich möchte es nun nicht versäumen, vom Erwerb Volterras durch
Seine Herrlichkeit zu sprechen. Der gelang nur durch seine Klugheit, denn angesichts der Lage des Ortes hätte man nicht geglaubt,
daß dies mit Waffengewalt möglich sei; bekanntlich war dies auch
weder den Alten noch den Zeitgenossen jemals gelungen.

Der Herzog von Urbino stand im Sold des Königs [von Neapel]
und der Florentiner. Die Volterraner hatten sich aufgrund bestimmter Meinungsverschiedenheiten, die sie mit den Florentinern hatten, gegen deren Herrschaft aufgelehnt und regierten ihre Stadt nun
selbst. Als der König von diesen Vorgängen hörte, schrieb er sofort
dem Herzog von Urbino, er möge sich auf jede Anfrage der Florentiner hin in den Sattel setzen und mit seinen und ihren Söldnern
ins Feld ziehen. Für den Fall, daß die Truppen, die in der Romagna
standen, nicht genügten, sollte er sich der zwölf Kavallerieabteilungen, die ihm [dem König von Neapel] selbst gehörten, bedienen; er
habe ihnen befohlen, ihm [dem Herzog von Urbino] zu gehorchen
wie seiner eigenen Person.

Auf dieses Schreiben hin wandte sich der Herzog gleich an Florenz und teilte mit, wie des Königs Auftrag an ihn lautete. Und er
erinnerte daran, daß man Feldzüge tunlichst langsam anfängt, sich
Zeit dafür nimmt; es zwar leicht sei, dergleichen zu beginnen, aber
schwierig, aus einer solchen Unternehmung wieder herauszukom-
men. Dabei zu scheitern, bedeute nichts anderes, als den Staat zu
verlieren. Da die Dinge nun so lagen, antworteten die Florentiner
dem Herzog, sie würden ihn um Unterstützung bitten, wenn es
Zeit sei. Es vergingen einige Tage, bis sie in der Tat beschlossen,
das Unternehmen gegen Volterra ins Werk zu setzen. Gleich bedeu-

teten sie dies dem Herzog und sandten Bongianni Gianfigliazzi mit
Geld, um ihn zum unverzüglichen Aufbruch nach Volterra zu bewegen. Als Federico aus dem Mund Messer Bongiannis den Willen
der Florentiner Regierung vernahm und die Gefahr erkannte, die
im Zaudern liegt, ritt er mit so vielen Reitertruppen, wie er konnte,
los; doch ließ er, bevor er sein Pferd bestieg, an Piero de' Felici, der
als sein Gesandter in Florenz weilte, schreiben, dieser solle während des Volterra-Krieges von den Florentinern kein Geld einfor-
dern; er wolle sie verstehen lassen, daß er ihnen aus Liebe diene
und nicht um irgendeines Preises willen.

Die Volterraner suchten inzwischen bei allen Herren und Mächten Italiens um Hilfe nach, damit sie den Florentinern nicht wieder
in die Hände fielen – doch stieß ihr Ansinnen auf taube Ohren. So
hatte der Papst den Florentinern einige Abteilungen Reiterei zur
Unterstützung geschickt; andere Mächte, die zum Eingreifen bereit
gewesen wären, gab es nicht zu jener Zeit, angesichts der Lage, in
der Italien sich befand.

[Bisticci schildert, wie der Herzog nun einerseits mit den Volter-
ranern verhandelt, ihnen andererseits den Eindruck zu vermitteln
sucht, die Stadt jederzeit erstürmen zu können. Unter Federicos
Soldaten macht sich Ungeduld breit, der Herzog wird kritisiert:]
«Ach, Herr, da hatten wir jetzt einen großen Vertrag, um hier über
ein Jahr bleiben zu können – und Eure Herrlichkeit ist bestrebt, zu
einem Akkord zu kommen, sich die Unternehmung aus den Händen nehmen zu lassen und uns ins Armenhaus zu schicken. Wo
doch Eure Herrlichkeit Ihren Soldaten Gunst erweisen müßte, tut
Ihr das Gegenteil.» Jeder Tag bis zum Abschluß des Übergabever-
trags schien dem Herzog tausend Tage zu währen, war er doch von
seiner Natur her dem Weg des Friedens zugewandt.

[Von der Belagerung zermürbt, lassen sich die Volterraner nach
mehrtägigen Verhandlungen zu einer Einigung herbei.] Am Ende
wurde der Vertrag geschlossen. Die freie Stadt wurde den Florentinern übergeben, doch sollten Eigentum und Menschen unversehrt
bleiben. Ihr bisheriges Herkommen, den *Podestà* selbst wählen und
die *Signori* ernennen zu können, wurde aufgehoben. Vermittels dieser Artikel wurden sie unterworfen. Auf diese Vereinbarung hin
betrat der Herzog zusammen mit den Florentiner Kommissaren –
Messer Bongianni Gianfigliazzi und Jacopo Guicciardini – die Stadt.
Dabei befahlen sie bei Strafe des Hängens, daß keiner die Dreistig-
keit haben sollte, etwas anzurühren. Die Söldner des Herzogs von
Mailand aber überzogen die Stadt, kaum daß sie sie betreten hatten,
mit Plünderung. Der Herzog eilte, mit der Waffe in der Hand, zusammen mit den Kommissaren herbei, um das zu verhindern, indes

war es nicht möglich, so viel Übel zu begegnen. Die anderen Kriegs-
völker taten es den Mailändern gleich – da herrschte eine solche
Unordnung, daß nichts zu retten war. Der Herzog von Urbino unternahm, was er nur konnte, aber es gelang ihm nicht, die Stadt
ihren Händen zu entreißen.

Dies war eines der bittersten Erlebnisse, die dem Herzog je widerfuhren, ja, er konnte vor Verdruß und Schmerz die Tränen nicht
zurückhalten. Dabei hätte alles ein so gutes Ende genommen, wäre
nicht diese Unordnung gewesen. Der Herzog jedenfalls tat alles,
wie den Kommissaren und jedem, der anwesend gewesen ist, bekannt war.

Mit der Einnahme Volterras, so schien es allen [Florentinern], war
ihm eigentlich Unmögliches gelungen, in Anbetracht der Lage des
Ortes und der üblen Haltung der Volterraner. Man kannte diese
Gefahr besser nach der Einnahme der Stadt; hätte man vorher darum gewußt, hätte man das Unternehmen nicht gewagt. Allenthalben hielt man dafür, daß die Einnahme Volterras der Verstandes-
kraft und der Klugheit des Herzogs zu verdanken war. Seine Herrlichkeit pflegte nämlich zu sagen, daß die 500 Fußsoldaten, die in
der Stadt gewesen seien, genügt hätten, Volterra gegen ganz Italien
zu verteidigen.

Nach diesem Sieg begab Federico sich nach Florenz, wo ihm größte
Ehre erwiesen wurde. Alle Bürger gingen ihm entgegen. Das Haus
des Patriarchen wurde ihm bereitet, man übernahm die Unkosten
für sein ganzes Gefolge. Niemandem konnte größere Ehre bezeigt
werden, als die Florentiner dem Herzog zuteil werden ließen. Sie
schenkten ihm zwei Tücher von Goldbrokat, dazu zwei Schalen von
jenen der *Signoria*, die einen Wert von tausend Dukaten oder mehr
hatten. Und im Zeichen seines Sieges schenkte man ihm den Palazzo in Rusciano mit allen dazugehörigen Besitztümern. Alle Bürger
von Rang kamen, ihn in seinem Haus zu besuchen.

[Bisticci geht nun über zur Schilderung des Ferrara-Krieges (1481–
1484), der letzten großen Kampagne, an welcher Federico beteiligt
war und in der er – wohl an Malaria erkrankt – zu Tode kam (1482),
was der Autor aber erst am Schluß der Vita mitteilt. Er feiert den
Herzog als «Befreier Italiens von der Macht der Venezianer»; in der
Tat hatte dieser eine Schlüsselposition in der Auseinandersetzung
inne, in der Venedig und der Papst gegen Mailand, Florenz und
Neapel standen. Federico sah sich vor einer schwierigen Situation,
weil er stets sowohl dem Papst – dessen Lehnsmann er war – als
auch Neapel verbunden gewesen war. Von beiden Seiten als Heerführer umworben, entschied er sich gegen das mit dem Papst verbündete Venedig und stellte sich den übrigen Staaten der italieni-

schen Liga als Condottiere zur Verfügung. Bisticci schildert einen letzten Versuch der Venezianer, den Herzog doch noch auf ihre Seite zu ziehen.]

Die Venezianer kannten keinen, der die Unternehmung gegen Ferrara hätte verhindern können – außer dem Herzog von Urbino. Daher hatten sie nach ihm geschickt, um ihm 80 000 Dukaten im Jahr für den Fall anzubieten, daß er nicht in den Krieg eingreife. Es genügte ihnen, Montefeltro in ihrem Sold zu wissen. Ein venezianischer Gesandter machte ihm in Urbino ein entsprechendes Angebot. Als dieser den Raum verlassen hatte, meinte einer von Federicos Vornehmen, der Zeuge des Vorgangs gewesen war: «Es ist schon eine schöne Sache, für 80 000 Fiorini im Jahr zu Hause zu bleiben!» Der Herzog, wie es Klugen geziemt, antwortete: «Eine noch schönere Sache ist die Treue und ist das Handeln nach ihrem Maß. Das gilt mehr als alles Gold der Welt.»

[Die Erzählung kommt nun auf die strategischen Erwägungen des Montefeltro, auf das Kräftemessen mit dem venezianischen Condottiere Roberto da Sanseverino – einem Schüler Federicos – und auf die Verteidigung Ferraras zu sprechen. Insbesondere der Kampf um Ficarolo, das vom Gegner unter Artilleriebeschuß genommen wurde, findet Erwähnung. Erst durch Verrat, meint Bisticci, sei der Ort schließlich an die Venezianer gefallen.]

Nachdem ich bisher einiges über die Kriegstaten des Herzogs von Urbino gesagt und das meiste für jene, die seine Geschichte schreiben werden, aufgehoben habe, scheint es mir, daß ich nun von der Kenntnis, die er in der lateinischen Sprache hatte, handeln muß. Diese verband er mit der Kriegskunst; ist es doch schwierig, selbst für einen einzigartigen Kriegshelden, das Kriegswesen richtig zu handhaben, wenn er in den Wissenschaften nicht über solche Kenntnisse verfügt, wie sie der Herzog von Urbino hatte: Die Dinge der Vergangenheit sind Beispiel für jene der Gegenwart. Ein Heerführer, welcher Latein beherrscht, hat gegenüber einem, der diese Sprache nicht kann, einen sehr großen Vorteil. Der Herzog vollbrachte einen Großteil seiner Waffentaten, indem er die Alten und die Modernen nachahmte. Er lernte von den Alten aus der Geschichte, und von den Modernen, indem er schon als kleiner Junge mit Übungen im Waffenhandwerk aufwuchs. Insbesondere ging er, wie vorher schon gesagt wurde, zu Niccolò Piccinino – einem der bedeutendsten Heerführer seiner Zeit – in die Lehre.

Aber kehren wir zu den Wissenschaften zurück; der Herzog von Urbino hatte darin die besten Kenntnisse. Er kannte nicht nur die Geschichte und die Heilige Schrift, sondern hatte auch größtes Wissen in der Philosophie. Ihrem Studium widmete er sich unter An-

leitung eines einzigartigen Meisters der Theologie, der sich Maestro
Lazzaro nennt. Wegen seiner Tugend ließ er ihn später zum Bischof
von Urbino machen. Bei ihm hörte er die ‹Ethik› des Aristoteles,
mit und ohne Kommentare. Und er hörte sie nicht nur, er disputierte auch alle ihre schwierigen Stellen. Da er sich zuerst mit
Logik beschäftigt hatte, konnte er ihre Argumentation ausgezeichnet nachvollziehen. [. . .] Nachdem er so die ‹Ethik› mehrmals vollständig gehört hatte, verstand er sie in staunenswerter Weise, so
daß er seinem Lehrer in den Disputationen zusetzte. Am Ende
konnte er die ‹Ethik› nahezu auswendig.

Darauf ließ er sich die ‹Politik› lesen. Mit größter Sorgfalt studierte er sie. Als er wegen der Eroberung Volterras nach Florenz gekommen war, bat er Donato Acciaiuoli – der die ‹Ethik› kommentiert
hatte –, dieser möge in seiner Arbeit fortfahren und nun auch die
‹Politik› kommentieren. So geschah es, und Donato schenkte Seiner Herrlichkeit das Werk.

Nachdem der Herzog so die ‹Ethik› und die ‹Politik› gehört hatte,
wollte er über die naturgeschichtlichen Bücher des Aristoteles
hören. Er ließ sich die ‹Physik› und andere Werke des Aristoteles
lesen; man konnte ihn schließlich den einzigen und ersten der Signori nennen, der sich mit dem Studium der Philosophie beschäftigt hatte und einige Kenntnis darin besaß. Fortwährend achtete er
darauf, daß sein Verstand und seine Fähigkeiten immer weiter vor-
anschritten, er jeden Tag Neues lernte.

Nachdem er so Kenntnisse in Philosophie erworben hatte, wollte
er sich auch Wissen in der Theologie aneignen, die jene Wissenschaft ist, in welcher jeder Christ sich das Fundament nehmen
muß. So ließ sich der Herzog den ersten Teil [der ‹Summa theologica›] des hl. Thomas und einige andere von dessen Werken vorlesen. Er lernte dabei die Lehre des hl. Thomas außerordentlich zu
schätzen, da sie ihm sehr klar zu sein schien. Er hat dessen Doktrin
sehr verteidigt. Wenn man über den hl. Thomas oder über Scotus
redete, pflegte er zu sagen, die Lehre des hl. Thomas sei ungeachtet
der Scharfsinnigkeit der Anschauungen des Scotus die klarere.
Nachdem er sich das erste Buch des Scotus hatte lesen lassen, begehrte er noch weitere seiner Werke zu sehen. Es war zum Verwundern. Die Zeit, die der Herzog hatte, teilte er so ein, daß ihm alles
gelang; mehr, als es für einen Herrn nötig ist, war er beschlagen,
sowohl in der Moral- als auch in der Naturphilosophie, dazu in der
Heiligen Schrift und in den modernen Doktoren, die sich mit ihren
Gegenständen auseinandersetzen; in der Tat hatte er die größten
Kenntnisse von der Schrift, von den antiken Gelehrten wie St. Ambrosius, Hieronymus, St. Augustinus und St. Gregor, deren Werke

er alle haben wollte. Er kannte die griechischen Doktoren und alle Werke von ihnen, die sich in lateinischer Sprache fanden. Die Werke von Basilius, Johannes Chrysostomus, Gregor von Nazianz, Gregor von Nyssa, Athanasius, Cyrill, Ephrem und seine Predigten begehrte er. Er strebte nach vollständiger Kenntnis einer jeden heiligen wie auch heidnischen Schrift, von den Dichtern, von den Historien, welche er alle gelesen hatte und immer wieder las und lesen ließ: Livius, Sallust, Quintus Curtius, Justinus, die Kommentare Caesars, die er unendlich lobte; dann alle 48 Lebensbeschreibungen des Plutarch in Übersetzungen verschiedener Autoren. Alles hatte er gelesen: Aelius Spartianus neben jenen anderen Historikern der modernen Kaiser aus der Zeit des Niedergangs des Römischen Reiches, Aemilius Probus, ‹De excellentibus ducibus›, Cornelius Tacitus, Suetons ‹Leben der zwölf Kaiser›, beginnend mit Caesar. Gehen wir zeitlich etwas voran: Da hatte er Eusebius' ‹De temporibus› mit den Zusätzen des hl. Hieronymus, des Prosperus und des Matteo Palmieri.

Auch wollte er sich Kenntnis in der Architektur verschaffen. Es gab zu seiner Zeit keinen – da spreche ich nicht nur von Fürsten, sondern auch von Privatleuten –, der davon so viel verstanden hätte wie Seine Herrlichkeit. Man sehe an allen Gebäuden, die er errichten ließ, welche Beachtung er der großen Ordnung, den Maßen aller Einzelheiten zuteil werden ließ. Insbesondere gilt das für seinen Palast. Zu seiner Zeit wurde kein ansehnlicheres Gebäude errichtet, keines, das von vergleichbar großer Verständigkeit gezeugt hätte, in dem so vortreffliche Dinge gewesen wären, wie in jenem. Und obwohl Seine Herrlichkeit Architekten um sich hatte, bildete er sich beim Bauen doch sein eigenes Urteil, gab das Maß, überhaupt jede Einzelheit an. Hörte man Seine Herrlichkeit darüber reden, hatte es den Anschein, als wäre die vornehmste Kunst, die er je ausgeübt, eben die Baukunst gewesen, denn er verstand es, fachkundig darüber zu reflektieren und die Bauwerke nach seinem Plan zu verwirklichen.

Das war nicht nur beim Bau von Palästen und anderem so. Man sieht mehrere Festungen in seinen Landen, die nach seiner Anordnung auf eine neue Art errichtet wurden, stärker, als es die alten waren. Wo man früher in die Höhe baute, ließ Seine Herrlichkeit sie ganz im Gegenteil niedriger errichten, da er erkannte, daß der Beschuß mit Bombarden ihnen so nichts anhaben konnte. So zeigte Seine Herrlichkeit, daß er von der Architektur vollständige Wissenschaft hatte.

Auch in Geometrie und Arithmetik kannte der Herzog sich gut aus. Er hatte in seinem Haus einen gewissen Maestro Pagolo, der ein Deutscher war und ein sehr bedeutender Philosoph und Astrologe. Kurz bevor er starb, ließ er sich von diesem Meister Pagolo aus Werken über Geometrie und Arithmetik lesen, und er sprach über das eine wie das andere als einer, der völlig mit diesen Fächern vertraut war.

Er war ein großer Musikliebhaber, war sehr verständig darin, sowohl was Gesang, als auch was Instrumentalmusik betraf. Er unterhielt einen bedeutenden Chor, in dem die verständigsten Musiker sangen. Viele junge Leute waren da, die in *canto* und *tenore* sangen, so daß es der Kapelle zur Zier gereichte. Kein Musikinstrument gab es, welches Seine Herrlichkeit nicht im Hause gehabt hätte; an der Instrumentalmusik erfreute er sich sehr. Er hatte die vollkommensten Musiker etlicher Sparten bei sich. Die feinen Instrumente schätzte er mehr als die großen: An Trompeten und anderen großen Instrumenten delektierte er sich nicht so sehr, Orgeln und feine Instrumente dagegen gefielen ihm wohl.

Aber kommen wir zur Bildhauerei. Auch darin hatte er vorzügliche Kenntnisse – man denke an die Skulpturen, die sich in seinem Palast befinden und die er dafür fertigen ließ. Er wollte die größten Meister, die sich damals finden ließen. Hörte man ihn mit einem Bildhauer sprechen, ließ er sich so verständig vernehmen, daß es den Anschein hatte, als wäre es sein eigenes Handwerk.

Daneben war er ein vorzüglicher Kenner der Malerei. Weil er in Italien keine Meister fand, die nach seinem Geschmack Holztafeln mit Öl zu bemalen verstanden hätten, schickte er bis nach Flandern, um einen erhabenen Meister zu finden. Er ließ ihn nach Urbino kommen, wo er ihn mit eigener Hand viele großartige Gemälde fertigen ließ – insbesondere in seinem *studiolo*. Er veranlaßte ihn, darin Philosophen, Dichter und alle Doktoren der griechischen wie der lateinischen Kirche zu malen. Sie wurden mit einer wunderbaren Kunstfertigkeit ausgeführt, und der Meister porträtierte auch Seine Herrlichkeit nach der Natur, so daß nichts fehlte außer der Seele.

Auch ließ er aus Flandern noch weitere Meister kommen, welche ihm Tapisserien webten. Er veranlaßte sie, eine überaus ansehnliche, sehr reiche Ausstattung für einen Saal anzufertigen; alles war mit Gold- und Seidenfäden, die mit der feinen Wolle verwoben wurden, gewirkt. Die Bildnisse, die er so machen ließ, waren zum Verwundern: Mit dem Pinsel hätte sich Ähnliches nicht zustande bringen lassen. Und er ließ von diesen Meistern noch weiteren Schmuck für seine Zimmer fertigen.

In jeder Beziehung hatte er das beste, ja ein allumfassendes Urteil. Neben anderem ließ er für alle Türen seiner Zimmer so vorzügliche

[Intarsien-] Arbeiten herstellen, daß die Bilder, die dort waren, mit dem Pinsel nicht besser hätten gemacht werden können. Dann hatte er ein *studiolo*, welches mit einer solch wunderbaren Kunstfertigkeit gearbeitet war, daß keine Arbeit – mit dem Pinsel, von Silber oder im Relief – den Vergleich damit ausgehalten hätte. Da Seine Herrlichkeit äußerst verständig war, ließ er alle Dinge, die er in Auftrag gab, in höchster Qualität anfertigen. [. . .] Aber kehren wir zu seinen Studien in den Wissenschaften zurück, wo wir begonnen haben. Seit Papst Nikolaus und König Alfonso war dem Studium der Wissenschaften und den einzigartigen Männern bis jetzt keiner beschieden, der sie mehr geehrt, sie mehr belohnt hätte für ihre Mühen, mehr getan hätte, um ihnen Unterhalt zu gewähren, als der Herzog von Urbino. Er scheute keine Ausgabe. Nur wenige Gelehrte gab es zu jener Zeit, welche er nicht ausgezeichnet hätte, und zwar mit den größten Verehrungen. Campano, ein sehr gelehrter Mann, erhielt, als er sich in Nöten befand, tausend Dukaten oder mehr von ihm. Für einige bedeutende Bücher, die ihm übersandt wurden, schenkte er gelehrten Männern allein in Florenz die Summe von 1500 Dukaten oder darüber; ich spreche gar nicht von jenen Summen, die er in Rom, Neapel oder an anderen Orten gegeben hat, da sie mir nicht bekannt sind.

Und er war nicht nur unerhört freigebig. Die Gelehrten hatten auch keinen Herrn, der sie mehr verteidigt hätte als eben der Herzog von Urbino. Wäre er nicht für den Bischof von Siponto eingetreten, als dieser von Papst Sixtus verfolgt wurde, der Papst hätte es für den Bischof übel ausgehen lassen. [. . .] Niemals kam ein gelehrter Mann nach Urbino, ohne daß er – war Seine Herrlichkeit anwesend – geehrt oder gastlich aufgenommen worden wäre.

Ich möchte nun darauf zu sprechen kommen, wie Seine Herrlichkeit allen Schriftstellern, griechischen wie lateinischen, heiligen wie heidnischen, größte Ehrerbietung zollte. Allein er hatte das Herz, auszuführen, was seit tausend und mehr Jahren bis heute keiner zustande gebracht hat, nämlich eine Bibliothek einrichten zu lassen – und zwar die großartigste, die seit jenen Zeiten bis jetzt geschaffen wurde. Der Kosten oder sonstiger Dinge hat er nicht geachtet, und wenn er erfuhr, daß irgendwo inner- oder außerhalb Italiens irgendein bedeutendes Buch sei, hat er, ohne auf Geld zu sehen, danach geschickt.

Es ist nun vierzehn oder mehr Jahre her, daß er begonnen hat, diese Bibliothek zusammenzustellen. Ununterbrochen hat er, sowohl in Urbino als auch in Florenz, dreißig oder vierzig Schreiber unterhalten, die für ihn tätig waren. Er hat jenen Weg eingeschlagen, den nehmen muß, wer eine berühmte und bedeutende Biblio-

*19 Incipit der Schrift ‹De varietate fortunae› des Poggio Bracciolini.
Das Manuskript mit Miniaturen des Francesco di Antonio del Chierico
war ursprünglich im Besitz des Federico da Montefeltro, vgl. sein Wappen
und darunter die Initialen F(ridericus) C(omes). Rom, Biblioteca Vaticana
(Urb. lat. 224, fol. 2r)*

thek wie diese einrichten möchte. Denn man begann zuerst bei allen Dichtern lateinischer Sprache; gab es irgendeinen wichtigen Kommentar, ließ der Herzog ihn sich abschreiben. Darauf hat er sämtliche Werke aller Redner, das Gesamtwerk Tullios und die Arbeiten aller bedeutenden lateinischen Schriftsteller und Grammatiker kopieren lassen. Da blieb kein einziger Autor dieser Bereiche der lateinischen Literatur, dessen Bücher er für seine Bibliothek nicht begehrt hätte. Was die Geschichtswerke, die sich in Latein finden lassen, betrifft, so wollte er alle – nicht nur solche lateinischer Autoren, sondern auch alle Schriften griechischer Schriftsteller, die es in lateinischer Sprache gibt, rhetorische wie historische: Alles wollte er haben. Kommen wir nun zur Moral- und zur Naturphilosophie – es gab kein Buch von Lateinern und von griechischen Autoren, deren Werke in Latein vorlagen, das Seine Herrlichkeit nicht in dieser Bibliothek hätte sehen wollen. Dann die heiligen Doktoren, die es in Latein gibt – er wollte sämtliche Werke der Kirchenväter. Und in welcher Schrift! Und welche Bücher! Und in welcher Pracht! Nein, vor irgendeiner Ausgabe hatte er keine Scheu. Nachdem sie geschrieben waren, schritt er weiter und richtete sein Begehren auf das Gesamtwerk des hl. Bernhard und auf alle Werke der heiligen Autoren des Altertums, und er wünschte, daß keiner von ihnen fehle: Tertullian, Hilarius, Remigius, Hugo von Sankt Victor, Isidor, Anselm, Rabanus, alle alten heiligen Doktoren, die je geschrieben haben.

[Bisticci fährt fort mit der Aufzählung der auf Latein vorliegenden Werke griechischer, dann lateinischer «heiliger» Autoren und Doktoren; er nennt Schriften des Dionysius Aeropagita, des hl. Basilius, von Cyrill, Gregor von Nazianz, Johannes von Damaskus, Johannes Chrysostomus, Gregor von Nyssa, Ephrem, Origenes, dann des hl. Thomas von Aquin, von Albertus Magnus, Alexander von Hales, Duns Scotus, Bonaventura, Riccardo de Mediavilla und «alle Werke des Erzbischofs Antonino sowie alle modernen Doktoren von Ansehen bis hin zur ‹Conformità› des hl. Franziskus». Weiterhin habe Federico sämtliche Schriften über Zivilrecht – «wunderschöne Texte» – besessen, auch sämtliche Vorlesungen des Bartolus auf Ziegenlederpergament.]

Die Bibel [besitzt der Herzog] in einer äußerst prächtigen Handschrift, in zwei illuminierten Bänden: So reich und würdig, wie sich nur sagen läßt, waren sie, in Goldbrokat gebunden, mit wertvollsten Silberbeschlägen versehen. So kostbar hat er sie machen lassen, um sie als Haupt aller Schriften auszuzeichnen.

[Der Herzog, fährt Bisticci fort, habe auch alle Kommentare zur Bibel besessen, von denen er einige aufzählt; außerdem befänden sich in der Bibliothek – jeweils nebst den dazugehörigen Kommentaren – «alle» Werke über Astrologie, Geometrie und Arithmetik, über Architektur und Militärwesen; dann «alle Werke der Alten über Belagerungsmaschinen», Bücher über Malerei, Skulptur, Musik, Kanonisches Recht, die ‹Summa Ostiense›, das ‹Speculum innocentiae› und medizinische Literatur: Bisticci nennt die Schriften des Avicenna, des Hippokrates, des Galen und den ‹Continente› des Rhazes Muhamed ibn Zakarya. Auch die Werke des Averroës, des Boethius und Literatur über die Konzilien befänden sich in der Büchersammlung. Er kommt dann zu den «Modernen», deren Aufzählung mit den Werken Papst Pius' II., Petrarcas, Dantes und Boccaccios einsetzt und bis zu Autoren des für Bisticci zeitgenössischen Florentiner Humanismus reicht. Die Aufzählung fährt mit einem Überblick über griechische Codices fort – angefangen mit ‹Ilias› und ‹Odyssee›; neben vielem anderen findet eine Ptolemäus-Ausgabe mit «Miniaturen auf griechische Weise» Erwähnung. Den Abschluß bilden Hinweise auf hebräische Handschriften, Bibelkommentare, medizinische, philosophische und andere Literatur.]

Nachdem nun Seine Herrlichkeit diese so bedeutende Unternehmung mit Ausgaben von mehr als 30000 Dukaten durchgeführt hatte, wollte er – neben den anderen würdigen und löblichen Vorrichtungen, die er für seine Bücher geschaffen hatte – jedem Werk einen Einband geben, der mit Karmesin bespannt und mit Silber beschlagen sein sollte. [. . .] So gibt es dort unzählige Bücher dieser Art, was köstlich anzusehen ist. In jener Bibliothek sind alle Bücher im höchsten Maße schön, alle mit der Feder geschrieben; und es ist dort kein einziges gedrucktes Werk: Der Herzog hätte sich dessen geschämt. Alle sind auf die zierlichste Weise mit Miniaturen versehen, und keines ist dabei, das nicht auf Ziegellederpergament geschrieben wäre.

Diese Bibliothek hat noch eine Besonderheit, die sich nur bei ihr findet: Keinem der Werke – der heiligen wie der heidnischen Autoren, der unverändert zusammengestellten wie der übersetzten – fehlt auch nur ein Blatt, so daß es nicht abgeschlossen wäre. Dergleichen begegnet in keiner anderen Bibliothek. Denn alle haben einen Teil der Werke eines Schriftstellers, aber eben nicht alle, und es ist aufs höchste erhebend, eine solche Vollkommenheit erreicht zu haben. Kurz bevor er sich nach Ferrara begab, war ich bei Seiner Herrlichkeit in Urbino. Er hatte hier die Inventare sämtlicher Bibliotheken Italiens – angefangen bei jener des Papstes, der Bibliothek von S. Marco in Florenz und der von Pavia; selbst bis nach England hatte er geschickt, um das Inventar der Universität Oxford zu erhalten. Ich verglich sie mit demjenigen des Herzogs und fand, daß sie in

einem Punkt fehlen: Diese Bibliotheken haben dasselbe Werk unzählige Male, doch besitzen sie dann nicht das gesamte, vollständige
Werk eines Autors, wie die Bibliothek des Herzogs; auch gibt es dort
keineswegs Schriftsteller aller Disziplinen wie in Urbino.

Bis hierher habe ich nun von Waffentaten, dann von den Wissenschaften, die mit der Kriegskunst verbunden sind, gesprochen; nun
will ich zur dritten Bedingung kommen, nämlich der, zu wissen,
wie man die Staaten und Herrschaften regiert. Selten nur findet
man jemanden, der all jene Eigenschaften besitzt, welche der Herzog von Urbino in sich vereinigte. Kommen wir also zu der Art,
wie er über seine Untertanen und sein Haus regierte: Seine Zeit
kannte nichts Vergleichbares.

Vor allem war diese Regierung an der Religion ausgerichtet, denn
ohne Religion und das gute Beispiel, welches der Fürst in seiner
Lebensführung bot, kann sie nicht bestehen. So war er zuvörderst
sehr gottesfürchtig und beachtete die göttlichen Gebote auf das
genaueste. Des Morgens kam es nie vor, daß er die Messe nicht
gehört hätte, stets in kniender Haltung. Er hielt die von der Kirche
vorgeschriebenen Fastentage ein und auch alle Fastenzeiten. Im
Jahr, bevor er starb, gewann der Herr Ottaviano – der ihn sehr liebte
– den Eindruck, daß die Beachtung der Fastenzeit ihm schade, und
erwirkte beim Hof des Papstes einen Dispens, daß er sie nicht einhalten müsse. Eines Morgens, man saß während der Fastenzeit zu
Tisch, wurde ihm dieser Dispens vorgelegt. Da wandte er sich
Herrn Ottaviano zu, begann zu lachen; er danke ihm, sagte er, fuhr
aber fort: «Und wenn ich es tun kann, zu fasten vermag, welches
ist dann der Grund, weshalb du nicht willst, daß ich es tue? Welches Beispiel würde ich den Meinigen geben, wollte ich die Fastenzeit nicht einhalten?» Und er fastete weiter, wie er es bis zu jenem
Tag getan hatte.

Jeden Morgen hörten er und alle seines Hauses, dann auch Leute
aus der Umgebung, die daran teilnehmen wollten, die Predigt und
nahmen danach an der Messe teil. Und ebenfalls jeden Morgen ließ
er sich, während er speiste, irgendein heiliges Werk vorlesen, etwa
die Predigten des heiligen Papstes Leo oder andere heilige Sachen.
Wenn die Lesung an eine besondere Stelle gelangte, ließ er den, der
las, innehalten, denn er wollte nun besonders gut verstehen. Tagsüber ließ er damals den Meister Lazzaro etwas aus der Heiligen
Schrift lesen.

Kommen wir nun zu seiner Barmherzigkeit und zu den Almosen.
Der Herzog war sehr barmherzig, er war äußerst milde, mitleidig,
und er war sehr groß im Verzeihen. Sein Haus verabreichte gewöhnlich jeden Tag ein gutes Quantum Brot und Wein als Almosen, und

20 *Battista Sforza, Gemahlin des Federico da Montefeltro,*
Herzog von Urbino. Gemälde von Piero della Francesca, um 1465.
Florenz, Uffizien

daran fehlte es nie. [. . .] Er war, alles in allem, die Labung aller
guten Menschen. Daß man um Gottes Lohn den frommen Einrich-
tungen und bedürftigen Leuten spenden solle, hatte er angeordnet,
und gleichermaßen gab er andere notwendige Dinge: Viele heimli-
che Almosen schenkte er den verschämten Armen, und jedem, Ein-
heimischem wie Fremdem, der kam, ihn um Unterstützung in seinen Nöten zu bitten, half er.

Wo er nur konnte, hatte der Herzog in allen seinen Städten Brüder
der Observanz angesiedelt. Er zeigte ihnen durch Almosen und dadurch, daß er ihnen die Klöster auf seine Kosten einrichtete, seine
Gunst. So hatte er die Jesuatenbrüder von Monte Oliveto und die
von Scopeto zur Niederlassung bewogen; stets suchte er, dort noch
weitere unterzubringen. Er war wie ein Vater zu ihnen. Nie kam

ein Mönch, wer es auch sein mochte, zu Seiner Herrlichkeit, dem er nicht große Ehrerbietung bezeigt, den er nicht bei der Hand genommen hätte. Er wollte nicht mit einem solchen Mönch sprechen, bevor dieser sich neben ihm niedergelassen hatte. Die Religiosen ehrte der Herzog mehr als alle anderen Menschen, die ich zeitlebens gesehen habe.

Es gab in Urbino ein Kloster, in dem sehr heilige Frauen eingeschlossen lebten; ungefähr sechzig waren dort eingemauert. Dieses Kloster hatte Seine Herrlichkeit erbauen lassen, um sie in ihrem guten Vorhaben zu bestärken. Jede Woche ging er einmal dorthin; allein betrat er die Kirche, er wollte nicht, daß andere mitkämen. Er setzte sich vor ein Gitter, das da war [und durch das man mit den Nonnen sprechen konnte]: Dorthin begab sich die Oberin, eine alte, angesehene Frau, und zwar allein. Er sprach mit ihr und wollte hören, ob es dem Kloster auch an nichts fehle. [. . .] In die Gebete dieser hochheiligen Frauen setzte er größtes Vertrauen. Und für die Frauen war es der größte Ansporn zu guten Werken, einen Herrn so hohen Standes zu sehen, wie er sie mit solcher Leutseligkeit besuchte. In religiösen Angelegenheiten konnte er wirklich kein besseres Beispiel vor Augen führen als das eigene.

Aber kommen wir dazu, wie er sein Haus regierte: Und dies tat er nicht anders, als man ein Haus von Mönchen leitet. Mochte er in seinem Haus auch 500 oder mehr Münder – auf eigene Kosten – zu stopfen haben, schien es keineswegs ein Haus von Soldaten zu sein; in einem Kloster nämlich lebte man nicht nach anderer Ordnung als bei ihm. Da wurde weder gespielt noch geflucht, vielmehr sprach man mit größter Bescheidenheit.

Einige Herren hatten dem Herzog ihre Söhne anvertraut, damit sie die Kriegskunst erlernten und in den guten Sitten unterwiesen würden. Jenen jungen Leuten hatte er einen Edelmann aus der Lombardei vorgesetzt, der längere Zeit in seinem Haus gewesen und von dem er selbst erzogen worden war – einen Mann von feinsten Sitten. Dieser kümmerte sich um die jungen Leute nicht anders, als ob sie seine Söhne gewesen wären, und sie begegneten ihm mit außerordentlicher Verehrung. Die geringste Gebärde tadelte er an ihnen, so daß sie von ihm unter die Zucht der ehrwürdigsten Sitten gebracht wurden.

Der Herzog hatte einen legitimen Sohn von wunderbarer Tugend, den Grafen Guido, und mehrere eheliche Töchter. Sie waren ihm von Frau Battista, einer Tochter des Herrn Alessandro von Pesaro, – einer einzigartigen Frau – geboren worden. Sie starb, ihm den Knaben und jene Töchter als sehr kleine Kinder hinterlassend. Dem Knaben gab er zwei sehr würdige alte Männer zur Seite, die seine sittliche Bildung übernehmen und ihm das beibringen sollten, was er einmal zu tun haben würde. Dann vertraute er ihn einem höchst gelehrten jungen Mann zur Unterweisung in lateinischer und griechischer Literatur an. Wer ihn unterrichtete, erhielt den ausdrücklichen Befehl vom Herzog, ihn keinerlei Umgang mit Gleichaltrigen pflegen zu lassen, damit er sich früh an die Würde gewöhne, welche die Geburt ihm hatte zuteil werden lassen. Es ist bewundernswert, wie der Herzog ihn erziehen ließ; wunderbar auch bis heute, wie er von der Natur begabt ist: Guido ist von einer zurückhaltenden Art, daß es zum Staunen ist, und er besitzt ein großes Gedächtnis. Von diesem gab er viele Proben: Wenn ihm der Herr Ottaviano den Ptolemäus vorlegte, wußte er die Lage aller Orte der Erde zu zeigen. Fragte er ihn nach welcher Gegend oder welchem Ort auch immer, sofort fand er sie und wußte auch die Entfernung, die sich von Ort zu Ort ergab. Der *Signore* hatte eine illuminierte Bibel; wenn er sie aufschlug, waren da in den Historien aller Bücher weder ein Name noch ein Ort, von dem er nicht die hebräische Bezeichnung – äußerst seltsame Worte – gewußt hätte. So also wurde er aufgezogen, und ähnlich hält man es [am Hof von Urbino] noch heute: So zeigt sich Graf Guido als der würdigste Erbe des Vaters.

Dieser hatte noch einen weiteren Sohn, der ihm, bevor er Frau Battista geheiratet hatte, geboren worden war; er hieß Herr Antonio. Er wollte, daß dieser, ein junger Mann von löblichen Eigenschaften, sich der Kriegskunst widme.

Seine Töchter hielt der Herzog in einem Teil des Hauses, wo ihnen etliche vornehme Frauen von einem gewissen Alter und rühmenswerten Eigenschaften Gesellschaft leisteten. In diese Frauengemächer hatte niemand Zutritt außer dem Herrn Ottaviano oder dem Sohn des Herzogs. Fand sich dieser hier ein, blieben alle aus seiner Begleitung vor der Türe und warteten, bis er zurückkehrte. In all seinen Angelegenheiten achtete er auf Ordnung, wie es sich gebührt.

[. . .] Gegenüber seinen Untertanen verhielt er sich mit solcher Leutseligkeit, als seien sie nicht seine Untertanen, sondern seine Kinder. Er wollte nicht, daß irgend jemand an seiner Stelle zu ihnen sprach; sie konnten zu jeder Stunde mit ihrem Herrn selbst reden. Alle hörte er mit größter Freundlichkeit an, auf dieselbe Weise antwortete er ihnen, nichts ließ ihn verdrießlich werden. Handelte es sich indessen um Angelegenheiten, die sich gleich erledigen ließen, dann tat er das, ohne daß die Bittsteller nochmals hätten zu ihm kommen müssen. Da gab es nicht viel, was nicht am selben Tag, an dem es auftrat, auch wieder aus der Welt geschafft werden konnte, damit keine Zeit verloren wurde.

Sah der Herzog jemanden, der ihn wohl sprechen wollte, sich aber nicht traute, ließ er ihn rufen und machte ihm Mut: Er könne doch mitteilen, was ihm vonnöten sei. Er erzeigte sich so freundlich gegenüber seinen Untertanen, daß sie ihn liebten; ging er durch Urbino, knieten Männer und Frauen auf die Erde nieder und sagten: «Gott erhalte dich, Herr.» Oft wandelte er zu Fuß durch die Stadt, ging mal zu einem Laden, mal zu einer Werkstatt, und fragte die Leute, wie es ihnen gehe, ob ihnen auch nichts mangele – mit solchem Wohlwollen, daß alle ihn liebten, nicht anders, als die Kinder ihren Vater lieben.

So war es geradezu unglaublich, seine Regierungsweise zu sehen. Allen seinen Untertanen ging es gut; er hatte sie reich gemacht, indem er ihnen an den vielen Bauunternehmungen, die von ihm in Angriff genommen worden waren, Arbeit gegeben hatte. In den Städten seines Landes sieht man niemanden, der bettelte. Geschah es, daß jemand wegen irgendeiner Mißfälligkeit, oder weil er die Statuten und das Gesetz nicht eingehalten hatte, verurteilt wurde und zum Herrn kam, um Gnade zu erbitten, gewährte er, was sie begehrten, so daß jeder zufrieden schied. Gnade gewährte er in jedem Fall, mit einer Ausnahme: Wenn jemand Gott, seine Heiligen oder die Jungfrau Maria lästerte, dem wollte er weder Gnade noch Mitleid schenken.

Mit dieser unerhörten Freundlichkeit begegnete er nicht nur den Einwohnern Urbinos, sondern allen. Ich sah ihn schon am Markttag hinunter zur Piazza gehen, wo der Markt gehalten wurde, und die Frauen und Männer dort fragen, was sie für die Sachen wollten, die sie feilböten. Dann wandte er sich an die Umstehenden und sagte zum Spaß: «Ich bin der Herr, und ich habe kein Geld bei mir: Ich weiß, ihr gebt mir keinen Kredit, hättet ihr doch Angst, daß ich euch nicht bezahlte!» So erfreute seine Leutseligkeit jeden, die Großen wie die Kleinen. Ganz froh und zufrieden gingen diese Bauern dann heim, weil sie mit dem Herzog gesprochen hatten. Und dieser hätte doch mit ihnen tun können, was ihm beliebte.

Keinen gab es, wenn er zu Pferd des Wegs kam, den er nicht gegrüßt und gefragt hätte, wie es ihm gehe. Er ging durch die Stadt, mal mit wenigen, mal mit vielen, und er trug dabei keine Waffen – weder er noch jemand von seiner Begleitung. Hielt er sich zur Sommerszeit in Urbino auf, ritt er morgens, bei Sonnenaufgang, mit vier bis sechs Reitern – nicht mehr – und ein oder zwei Dienern, die ihm die Steigbügel hielten, aus, ebenfalls ohne Waffen. Er ritt hinaus aus der Stadt, drei oder vier Meilen weit, und kehrte zurück, wenn die anderen aufstanden. Angekommen, vom Pferd gestiegen, war der Besuch der Messe an der Reihe. Danach blieb er unten in seinem Garten, dessen Pforten alle offenstanden. Bis zur Essenzeit gewährte er dort jedem, der es wollte, Audienz. Auch nachdem er sich an die Tafel gesetzt hatte, blieben die Türen geöffnet: Jeder konnte zum Herzog kommen, der niemals speiste, ohne daß der Saal voll von Menschen gewesen wäre. Je nach Jahreszeit ließ er sich, wie bereits geschildert, vorlesen: in den Fastenperioden geistliche Dinge, sonst die Historien des Livius – alles auf Latein. Er speiste reichlich, Zuckerwerk aß er nicht. Aus Enthaltsamkeit trank er keinen Wein, außer solchem, der aus Granatäpfeln oder Früchten wie Kirschen oder Äpfeln gemacht war. Wer, während er aß oder nachdem er gegessen hatte, mit ihm sprechen wollte, durfte das.

Nach dem Mittag- oder Abendessen trug ihm sein Appellationsrichter – ein ganz einzigartiger Mann – die anstehenden Rechtsfälle vor, Streitsache für Streitsache, in lateinischer Sprache. Der Herzog entschied sie, wobei er sein Urteil ebenfalls in Latein formulierte. Jener gelehrte Richter sagte mir, daß die Urteile des Herrn so waren, daß weder Bartolus noch Baldus andere als er gefällt hätten. Dann legte ihm sein Richter auch Empfehlungsschreiben vor, darin aber mäßigte ihn der Herzog. Ich sah einmal einen für einen Arzt bestimmten Empfehlungsbrief, der gewünscht hatte, daß man bei den Anconitanern für ihn um eine Anstellung Fürsprache einlege. Da sagte der Herzog: «Schreibt folgenden Absatz dazu: Wenn sie ihn brauchen, sollen sie ihn nehmen, wenn nicht, mögen sie tun, was ihnen richtig scheint» – wollte er doch nicht, daß sie nur auf sein Schreiben hin etwas täten, was nicht ihrem Willen entsprach.

Hatte er sich, zur Sommerszeit, von der Tafel erhoben, vor und nach dem Essen Audienz gegeben, wer dies wollte, begab er sich in sein Zimmer. Dort erledigte er seine Angelegenheiten und hörte – wie oben gesagt – Vorlesungen, sofern Zeit dafür war. Um die Stunde der Vesper ging er hinaus und gewährte auf der Straße allen Gehör, die dies begehrten. Zu Fuß ging er auf der Straße; wer ihn sprechen wollte, näherte sich und sprach zu ihm, soviel er wollte: Und er war der geduldigste Zuhörer, den es je gegeben hat. Frauen, Witwen und andere, die Seiner Herrlichkeit bedurften, gingen auf ihn zu, und allen ließ er zukommen, was sie erbaten. Dann besuchte er, wie schon berichtet, die allerheiligsten Frauen von S. Chiara – jenes Klosters, das er, wie gesagt, erbaut hatte –, oder er ging zu einem Konvent des hl. Franziskus, wo eine wunderschöne große Wiese war; von dort hatte man eine schöne Aussicht. Hier ließ er sich nieder. 30 oder 40 junge Leute entkleideten sich bis auf das Wams und ertüchtigten sich mit Spießwerfen, dem Pomespiel oder mit Ringen: Es war ein ansehnliches Schauspiel. Liefen sie nicht gut oder waren sie ungeschickt beim Fangen, tadelte sie der Herr, und all das ordnete er an, damit sie sich übten und nicht müßig blieben. Während dieser Übungen konnte wiederum jeder bequem mit dem Herzog sprechen – und er war aus diesem Grund nicht weniger an jenem Ort als zu anderem Zweck. War etwa die Stunde der Abendmahlzeit gekommen, hieß der Herr sie alle, sich wieder anzuziehen, und das taten sie auch, alle auf einmal. Er begab sich nach Hause, zur Zeit des Abendmahls, speiste und hielt es so, wie oben beschrieben. Danach wartete er ein wenig, um zu sehen, ob jemand mit ihm sprechen wollte. War das nicht der Fall, zog er sich in sein Zimmer mit seinen Vornehmen, mit Herren und Edelleuten, zurück und unterredete sich aufs vertraulichste mit ihnen. Manchmal sagte er zu ihnen: «Morgen will ich früh aufstehen und in der Frische spazierengehen – ihr aber seid jung und schlaft gerne; da würdet ihr wohl sagen, ihr würdet kommen, tätet es aber dann doch nicht. Geht mit einer guten Nacht, alle mögen sich zur Ruhe begeben.» So schieden sie von Seiner Herrlichkeit; auf diese Weise war er wunderbar huldvoll mit jedem.

Er sagte mir einmal, von welcher Freundlichkeit einer sein müsse, der zu herrschen habe – sei es über ein Königreich, eine *Signoria*, eine Republik oder irgendeinen Volksstaat, wie groß oder klein das Land auch sein möge. Es sei dies die wichtigste Sache, die einem Herrn abverlangt werde, und er tadelte jene ganz allgemein, die sich gegenteilig verhielten; mochte da auch einer sein, der sich entschuldigte, nicht freundlich sein zu können, weil die Natur ihm das nicht mitgegeben habe, so hielt er dem entgegen, wenn dies so sei, dann müsse man Gewalt anwenden und die Natur ändern. Denn nichts solle großen Männern selbstverständlicher sein als eben die Humanität, die soviel Kraft besitze, aus Feinden Freunde zu machen, während ihr Mangel gerade das Gegenteil bewirke. Wenn einer zu ihm komme, um ihn zu sprechen, und er ihm kein Gehör geben wolle, oder er zuhöre, dabei aber erkennen lasse, daß er ihn nicht schätze, mache er aus dem Freund einen Feind. Ich habe das schon oft gesehen! Hart, und wie es sich gehört, tadelte er jene ungewöhnliche Unfreundlichkeit: Denn viele tun so, als hörten sie jemandem freundlich zu, während sie das gar nicht tun und nur ganz allgemeine Antworten geben – so daß jener übel zufrieden scheidet und sich in seinem Anliegen nicht geholfen und dazu noch wenig geachtet sieht.

Schon seit langer Zeit hat Italien keinen der Nachahmung in jeder Beziehung so würdigen Herrn gehabt wie den Herzog von Urbino. Sehr großmütig war er gegenüber all jenen, die ihm irgendeinen Gefallen erwiesen hatten. So hatte er einmal mit einem Kaufmann

ein Geschäft zu machen, bei dem es um eine große Summe Geldes
ging. Da kam eines Tages einer aus des Herzogs Haus zu diesem
und sagte ihm, wieviel der Händler an Seiner Herrlichkeit verdiene,
und daß man die Waren, die jener ihm verkaufte, um ein sehr viel
geringeres haben könne, als jener sie hergab. Da begann der Herzog
zu lachen und sagte, er sei sehr zufrieden, daß der Kaufmann von
ihm profitiere. Er könne gar keine Summe Geldes gewinnen, die so
hoch sei, daß er nicht eigentlich noch mehr verdiene. Sei er ihm
doch mehr verpflichtet als irgendeinem anderen Menschen, den er
kenne. Denn dieser Kaufmann hätte ihm zu einer Zeit einen Kredit
von 5000 oder 6000 Fiorini anvertraut, als er sonst keinen gefunden
hätte, der ihm auch nur einen Fiorino geliehen hätte. Er sei damals
gerade erst zur Herrschaft gelangt und arm gewesen – und deshalb
sei er's zufrieden, daß jener an ihm verdiene, soviel er wolle. So
brachte er diesen Mann zum Schweigen und beschämte ihn.

[Bisticci erzählt nun noch weitere Anekdoten, welche die Klugheit, die Freundlichkeit und Loyalität des Herzogs von Urbino
belegen sollen.]

[. . .] Er besaß eine weitere rühmenswerte Eigenschaft: Nie sprach
er schlecht über jemanden, er lobte und schmähte nicht. Er nahm
es übel auf, wenn man in seiner Anwesenheit schlecht über eine
Person sprach, schien ihm das doch ein ganz niederträchtiges Verhalten zu sein. Die Art der meisten, die sich ihrer Taten rühmen
und sie in den Himmel heben, war ihm fremd. Darin war er äußerst
bescheiden, wollte vielmehr, daß andere über sein Tun sprächen
und er nicht über sich selbst reden müsse. Wohl hatte die Natur
ihm ein aufbrausendes Wesen gegeben, doch verstand er es, sich
aufs beste zu mäßigen; mit unendlicher Klugheit besänftigte er
seine Veranlagung.

In allem wandte er sein Augenmerk auf seinen Staat, um seine
Untertanen auf die beste Weise in Zufriedenheit zu erhalten. So
zählte auch zu seinen löblichen Tugenden, daß er, hörte er von
irgendeinem Streit, die Beteiligten zu sich befahl; dank seiner Geschicklichkeit ging es nie anders aus, als daß er Frieden unter ihnen
hergestellt hätte.

Unter den zahlreichen seiner mildtätigen Handlungen, die er unternahm, um jedes Ärgernis aus dem Weg zu schaffen, nur diese:
Es geschah, daß einer seiner Untertanen – er stammte aus einer
sehr ehrbaren Familie – ein Mädchen zur Frau nehmen sollte, das,
wie der Ehemann, aus einer ehrbaren, sehr großen Familie kam. Da
entstand zwischen dem Mann und den Verwandten des Mädchens
der größte Streit, so daß dieser schließlich die bereits genommene
Frau keineswegs mehr heiraten wollte. Der Fall war an einem

Punkt angelangt, daß die beiden Sippen dabei waren, sich gegenseitig in Stücke zu reißen – ging es doch um die Ehre. [Der Herzog versucht zu vermitteln; er drängt den Bräutigam, der – wie seine Familie – indessen allen Argumenten unzugänglich bleibt.] Denn wie die Natur von Ignoranten ist – je mehr er zu ihnen sprach, um so mehr verhärteten sie sich. Als der Herzog diese Hartnäckigkeit sah, wandte er sich an den, der sich mit der Frau verlobt hatte, und sagte zu ihm: «Und wenn ich nun wollte, daß du mit mir eine Familienverbindung eingehst? Müßtest du das nicht aufgrund meines Ranges tun? Schiene dir das nicht eine schickliche Verbindung?» Da wußte jener Bauer nicht recht, ob der Herzog ihn nicht verspotte, war doch seine Sippe gewiß nicht standesgemäß. Doch nötigte ihn der Herzog, eine Antwort zu geben. Da sagte der Bauer, das sei doch viel mehr, als ihm zustehe, da der Herr doch von Stand und er selbst sehr verschieden sei von Seiner Herrlichkeit. Der Herr sagte darauf: «Du hast keine Achtung vor dem, wessen ich zufrieden bin.» Auf diese Weise überredet, sagte der Bauer, er sei damit einverstanden [mit dem Herzog eine Familienverbindung einzugehen]. Dieser fuhr fort: «Ich schätze dieses Mädchen wegen seiner Tugend und Güte so, als wäre es meine eigene Tochter. So gehst du [wenn du sie heiratest] mit mir eine solche Verbindung ein und nicht mit jener Familie. Und so will ich dich zum Verwandten.» Der Herr wickelte den Bauern auf eine Weise ein, daß dieser nicht mehr zu antworten wußte und gezwungen war, sich zu fügen. Auf Wunsch der ganzen Verwandtschaft nahm er das Mädchen zur Frau. Der Herr nahm sie alle bei der Hand und sagte: «Daß es euch gut ergehe» – von diesem Zeitpunkt an sei die Familienverbindung mit ihm geschlossen, er wolle, daß sie dies ebenso sähen und ihn in allen ihren Bedürfnissen bemühten. Dann ließ er ein üppiges Hochzeitsmahl ausrichten. Darauf schieden sie voneinander, die eine wie die andere Seite höchst zufrieden. Jener junge Mann stand sich bestens mit seiner Frau, und jene nicht anders mit ihm. Unter den Untertanen Frieden zu stiften, ist fürwahr ein würdiges Amt für einen Fürsten.

[Bisticci nimmt nun den Faden der chronologischen Erzählung wieder auf und kommt nochmals auf den Ferrara-Krieg zu sprechen. Während der Belagerung der Stadt durch die Venezianer erkrankt Federico.] Wegen der unendlichen Unannehmlichkeiten und wegen der schlechten Beschaffenheit der Luft wurde Seine Exzellenz von einem Fieber ereilt. Dank seiner Enthaltsamkeit genas er innerhalb weniger Tage wieder davon, doch blieb er ziemlich schwach. Alle Ärzte und seine Freunde rieten ihm, dieser schlechten Luft zu entfliehen und sich nach Bologna, wo die Luft viel besser war, zu begeben. Der Herr erkannte jedoch die augenscheinliche Gefahr, in der sich jene Stadt befand. Mehr das allgemeine Wohl als das eigene Beste wollte er achten: Er sah, daß man Ferrara gleich nach seiner Abreise verlieren würde.

[Ungeachtet des Drängens seiner Umgebung bleibt Federico vor Ferrara, da er diese Stadt als letztes Bollwerk gegen die Ambitionen Venedigs einschätzt. Fiele Ferrara, meint der Herzog, seien Mantua, weite Teile der Romagna und auch Bologna bedroht, schließlich selbst Lucca und Pisa, «nicht ohne die größte Gefahr für die Florentiner».] All diese Gründe bewogen Seine Herrlichkeit – war der Herzog doch von größter Weisheit – zu dem Entschluß, um des allgemeinen Wohls willen um keinen Preis von den Wällen jenes Ortes zu weichen, obwohl er wußte, daß er sich in offenkundiger Lebensgefahr befand. [. . .] Daß Ferrara verlorengehe, damit sein Leben gerettet werde, er aber seiner Ehre verlustig ginge, wollte er nicht; man sollte auch nicht sagen können, daß aufgrund seiner Entscheidungen Italien den Venezianern in die Hände gegeben werde. [. . .]

Da die Luft weder sehr gut war noch seiner Gesundheit zuträglich, begann sich seine Krankheit ziemlich zu verschlechtern – er bekam ein leichtes Fieber, nach Art der Fieber jener Sümpfe. Als es nun so weiterging und man bemerkte, daß sein Zustand mit jedem Tag schlechter wurde, begann er, sich um sein Seelenheil zu kümmern und auch alle Angelegenheiten seines Staates zu ordnen, damit nirgendwo Zwietracht aufkäme. Er regelte in diesen seinen letzten Tagen die geistlichen wie die weltlichen Dinge. Bis zur kleinsten Einzelheit sollte alles in seinem Testament erscheinen. Hinsichtlich des Gottesdienstes ordnete er an, daß die Kirche eines Klosters der Franziskanerobservanten – es ist etwa eine Meile außerhalb von Urbino gelegen und heißt S. Donato – neu gebaut und das Kloster mit allem ausgestattet werde, damit es dort an nichts fehlte. So geschah es dann auch. Er wollte aus Frömmigkeit in dieser Kirche an der Seite des Grafen Guido bestattet werden. [. . .] Er beichtete, als sehr gläubiger und guter Christ, mehrmals, ließ all das, was ihm sein Seelenheil zu betreffen schien, regeln. Die Sakramente der Kirche nahm er zu den gehörigen Zeiten, während er noch bei gutem Bewußtsein war: Gott erwies ihm die größte Gnade, denn all das führte er wohlüberlegt und nach reiflicher Prüfung, was alles zu tun sei, aus; nichts unterließ er, was sich für einen tiefgläubigen Christen geziemt. Gott schenkte ihm solche Gnade, weil er sich der guten Übung der Tugenden befleißigt hatte und dabei bis an sein Lebensende geblieben war. Neben allem anderen waren da seine löblichen und frommen Werke gegenüber Gott, war, ihn zu lieben und zu fürchten; und, wie gesagt, alles zu beachten, was zu seiner Verehrung gehört, nie etwas davon zu versäumen und von größter Barmherzigkeit und Milde in jeglichen Angelegenheiten zu sein, so daß man den Herzog mit Recht Vater und Beschützer der Elenden und Betrübten nennen konnte. [. . .] Nachdem der Herzog von Urbino aus diesem Leben geschieden war, richtete man seine Leichenfeier so ehrenvoll aus, wie es nur ging. Sein Leichnam wurde entsprechend seiner testamentarischen Verfügung in das Kloster der Franziskanerobservanten, S. Donato, gebracht. Von dem, was er hinterlassen hatte, blieb der größte Teil unter der Verfügungsgewalt des Herrn Ottaviano, seines Bruders. Auf ihn setzte er sein ganzes Vertrauen, weil sie sich stets große Liebe entgegengebracht hatten. Auch einen großen Teil der Angelegenheiten, welche den Staat seines Sohnes [den dieser erben würde] betrafen, legte er wegen des einzigartigen Vertrauens, das er zu Ottaviano hatte, in dessen Hände. Er liebte ihn so sehr, daß er ihn als Erben des Staates wissen wollte, falls der Graf Guido kinderlos vor ihm stürbe. In allem zeigte der Herzog die einzigartige Liebe, die er für Ottaviano empfand.

Es gäbe viele der Erinnerung würdige Dinge, die sich über seine Herrlichkeit schreiben ließen. Wenn man einmal des Herzogs Geschichte verfassen wird, so wird ihrer aller Erwähnung geschehen. Dies habe ich – als Kommentar – bis hierher nur geschrieben, damit das Gedächtnis Seiner Herrlichkeit bei denen, die Volgare können, ebenso bewahrt bleibt wie bei den Lateinern. Alles, was in diesem Kommentar niedergeschrieben ist, habe ich zum guten Teil selbst gesehen; und was ich nicht gesehen habe, hörte ich von sehr würdigen Männern aus der Umgebung Seiner Herrlichkeit. Und einen guten Teil habe ich gesehen, da ich selbst an seinem Hof gewesen bin. [. . .]

DAS LEBEN VON MESSER COSTANZO
SFORZA, HERR VON PESARO

ESSER COSTANZO SFORZA war der Sohn Signore Alessandros. Er war gebildet und in der Kriegskunst sehr erfahren, ein Herr mit vielen guten Eigenschaften. Vor allem war er der Religion zugeneigt. Er liebte und ehrte die Guten. Er blieb im Besitz des Staates, den ihm sein Vater hinterlassen hatte, regierte ihn mit größter Gewissenhaftigkeit, sehr geliebt von seinen Untertanen.

Er reformierte einige Ordensklöster. Insbesondere wollte er, daß in Pesaro – wo sein Vater ein Kloster für die Franziskanerobservanten hatte errichten lassen – noch eines für die Dominikaner errichtet würde. Dieses reformierte er und setzte dort Observanten ein. Religiosen mit gutem Lebenswandel und guten Sitten begünstigte er sehr. Einigen Leuten von Pesaro pflegte er zu sagen, er werde mit ihnen dasselbe machen wie mit den Dominikanern, betrügen sie sich nicht gut: So hielt er sie in größter Furcht.

In Pesaro verschönerte er vieles; er ließ viele Straßen herrichten. Vielen Bürgern schenkte er, damit sie um so lieber Häuser errichteten, die dazu erforderlichen Grundstücke. Er ordnete dort auch den Bau einer sehr schönen Festung an, die er von den Fundamenten an begann – ein wunderbarer Bau, der in größter Ordnung, ganz nach seinen Vorstellungen, errichtet wurde. Er ließ sie zu großen Teilen fertigstellen, doch konnte er sie nicht vollenden, da dem der Tod zuvorkam.

Die ihm von Signore Alessandro, seinem Vater, hinterlassene Bibliothek vergrößerte er um mehrere Bücher, die er hatte abschreiben lassen. Er liebte die Wissenschaften und die Gelehrten, von denen er einigen Unterhalt gewährte. Er war höchst freigebig und gab, was er hatte. Kein Mann von Stand kam in jene Stadt Pesaro, den er nicht gebeten hätte, ihn in seinem Haus zu besuchen.

Er zeigte sich äußerst prachtvoll: was seine Kleidung, seine Pferde anbetraf, in allem. Er war von schönster Gestalt, und in der Kriegskunst konnte er einige eindrucksvolle Taten vollbringen. Wäre er nicht so jung gestorben, hätte er es in Kriegskunst und Wissenschaften, ja in allem zu größter Vortrefflichkeit gebracht, war er doch schon zur Zeit, als er starb, weithin geachtet.

Mir schien es richtig, in unserem Kommentar an einiges zu erinnern, wovon ich etwas Kenntnis habe. Oft ist von den Herren verbreitet, daß sie Fehler machten; die Schuld daran liegt jedoch bei
denen, die sie umgeben und denen Glauben zu schenken die Herren
gezwungen sind. Deshalb ist der Ausspruch von Papst Nikolaus
wahr, es sei für die Fürsten ein großes Unglück, daß niemand in
ihre Gemächer trete, der ihnen über das, was er erfahren hätte, die
Wahrheit sage. Und Papst Pius sagte: Jeder gehe gerne nach Piacenza und Lodi, nach Verona jedoch keiner.

ES FOLGT DAS LEBEN VON MESSER NUGNO, AUS DER KÖNIGLICHEN FAMILIE DER GUZMAN, EINEM KÖNIGLICHEN HAUS IN SPANIEN

ESSER NUGNO aus dem Geschlecht der Guzman, dem vornehmen spanischen Königshaus entstammend, kam zur Zeit des Konzils der Griechen auf der Rückreise aus dem Heiligen Land und vom Berg Sinai nach Florenz. Er hatte einen weiten Geist, war er doch von Spanien, von seinem Vaterhaus, aufgebrochen, um die Welt zu sehen und die geistlichen und weltlichen Regierungen kennenzulernen. So reiste er durch ganz Frankreich und hielt sich vier Monate am Hof des Königs auf, um dort die Regierungsweise beobachten zu können. Stets reiste er mit fünf Dienern und sechs Pferden; in Florenz hielt er sich auf die angemessenste Art.

Er war von melancholischer Gemütsart; selten erheiterte er sich, und oftmals, wenn ich mit ihm bei Tisch saß, war er geistesabwesend, rührte das Essen nicht an und ließ auch alles übrige. Als ich ihn eines Abends so sitzen sah, wie er nicht essen wollte und kein Wort redete, sprach ich ihn noch nicht darauf an – erst am folgenden Morgen fragte ich ihn, was er gehabt habe, tief in Gedanken, wie er doch gewesen sei. Da antwortete er mir, es sei nun acht Jahre her, daß er von zu Hause abgereist sei und daß er, wie gesagt, alle Fürstenhöfe der Christenheit aufgesucht habe. In allen sei er gewesen, um ihre Art und ihre Sitten kennenzulernen; dann sei er ins Heilige Land und zum Berg Sinai gezogen, nach Kairo, habe ganz Syrien bereist: «Und alle diese Reisen habe ich gegen den Willen meines Vaters unternommen, von meiner Mutter, einer sehr reichen Frau, mit einer guten Summe Geldes versehen – und dieses Geld habe ich verbraucht. Jetzt habe ich von meiner Mutter und meiner Schwester Briefe bekommen, in denen steht, daß mein Vater aufs stärkste erzürnt sei über mich.» Ich meinte, dies sei eine höchst wichtige Angelegenheit und er täte gut daran, mit einem einzigartigen Florentiner darüber zu sprechen, der sich Messer Giannozzo Manetti nennt. Er sagte, damit einverstanden zu sein, er wolle ihn auf jeden Fall sprechen und ging zu dessen Haus. Messer

Giannozzo, der in jeder Angelegenheit von größter Höflichkeit war und sehr auf Formen hielt, begab sich zu Nugnos Haus und sagte: «Teile ihm mit, daß ich nicht daheim bin und daß ich morgen in sein Haus kommen werde», und so hielt er es dann auch. Am folgenden Tag ging er zu ihm, und nachdem er den Fall verstanden hatte, wollte er, daß Nugno einen Bericht über die Reise, in jenen acht Jahren, die er umherschweifend verbracht hatte, verfasse. Und so geschah es. Darauf verfaßte Messer Giannozzo auf seine Bitte hin ein Buch, dem er den Titel ‹Apologia› gab, was «Entschuldigung» bedeutet. Er veranlaßte, daß der Text abgeschrieben werde und Messer Ludovico, seinem Vater, der Meister zu Calatrava war, durch einen eigenen Boten zugestellt wurde. [. . .] Der Vater übergab ihn, entsprechend dem Geheiß des Überbringers, einem der Seinen und ließ ihn, ohne Unterbrechung, ganz lesen; nicht nur einmal, sondern öfters: Und er konnte, wegen des so eindrucksvollen Inhalts, die Tränen nicht zurückhalten. Und er sagte, daß er seinem Sohn nun aus freiem Herzen vergebe und wolle, daß er von Florenz zurückkäme. Der Bote reiste heim, mit Briefen des Vaters, der Mutter, der Brüder und Schwestern, die ihn alle aufforderten, sich wieder nach Spanien zu begeben. Es läßt sich nicht beschreiben, wie dieser Bediente – ein sehr tüchtiger Mann – Messer Nugno von der guten Einstellung, die sein Vater ihm gegenüber gefaßt hatte, berichtete und wieviel Kraft dieses Werk Giannozzo Manettis auf diesen Herrn ausgeübt hatte, wie es dessen Herz bewegt hatte.

[Bisticci referiert nun, auf etwas unklare Weise, wie Nugno um 14 000 Fiorini betrogen wird, als er bei der Kurie etwas erreichen will.] Und er verlor nicht nur dieses Geld. Aus Kairo hatte er einige Edelsteine mitgebracht, darunter einen Diamanten, der auf dem Wechseltisch 1000 Fiorini galt. Den wollte ein Prälat sehen und fragte, ob er zum Verkauf stehe. Da schenkte Messer Nugno ihm den Stein. In diesem Fall wurde er wegen der Güte seines Wesens betrogen, war er doch ein äußerst freigebiger Mensch, dabei von wunderbarem Verstand, wie die meisten Spanier. Die toskanische Sprache beherrschte er vorzüglich und las sie besser als jeder Toskaner. Auch ließ er unzählige Bücher in toskanischer Sprache abschreiben; er schickte sie dann nach Spanien.

Auf seinen Reisen sind ihm viele Widrigkeiten begegnet, wie es den meisten geschieht, die durch die Welt fahren. [. . .] Auf dem Weg von Jerusalem zum Berg Sinai, durch die Wüste, erkrankten die Pferde und die Diener, wegen der Bremsen und anderer seltsamer Tiere, die es dort gab. Für eine so weite Reise hatte er nicht genug Geld. In Kairo indes traf er einen katalanischen Händler

namens Giovanni Andrea, der seine Geschäfte in Barcelona tätigte.
Dem berichtete Messer Nugno von seiner Not. Und dieser – als
königlicher Kaufmann – lieh ihm auf Treu und Glauben 200 Dukaten. Als seine Familie von dieser Gefälligkeit vernahm, belohnte
sie den Kaufmann mit der doppelten Summe: Dabei hatte er ihm
das Geld weder als Wechsel gegeben noch Zinsen gefordert, sondern auf die freigebigste Weise, wie es zu jener Zeit üblich war.
Nugnos Familie bewahrte dem Kaufmann und seinem ganzen Haus
für immer eine besondere Freundschaft.

Als seine Mutter von seiner Abreise aus Kairo erfuhr, wußte sie,
daß es ihm nach einer so langen Reise an Geld mangeln müsse;
und da er – nach ihrem Wissen – ins Heilige Land gegangen war,
nahm sie an, daß er auf der Rückreise über Venedig kommen müsse.
Deshalb schickte sie einen ihrer Diener mit 5000 Fiorini dorthin –
einen jener – wie die Spanier sagen – «creati», was bedeutet, daß
sie bereits im Haus ihrer Herrschaft aufgewachsen sind. Der Diener
sollte in Venedig bleiben und warten, ob dort Galeeren aus dem
Heiligen Land anlegten. Wenn Messer Nugno unter den Ankom-
menden sei, sollte er ihm dieses Geld geben, um seiner Not abzu-
helfen. Merkt euch, die ihr dies hier lest, die Treue dieses Dieners!

Nachdem er in Venedig angekommen war und Messer Nugno dort
nicht fand, beschloß er, auf ihn zu warten; um nun das ihm anver-
traute Geld nicht zu verbrauchen, gab er es zunächst gewissen guten, sehr vertrauenswürdigen Leuten zur Aufbewahrung, unter der
Bedingung und mit dem Vorbehalt, daß er es auf jegliches Ersuchen
wiederhaben könne; nach diesen schuldigen Vorsichtsmaßnahmen
ging er, sich eine Arbeit zu suchen und den Lebensunterhalt zu
verdienen, um das mitgebrachte Geld nicht angreifen zu müssen.
Da er nichts anderes fand, verdingte er sich bei einem Kalk- und
Ziegelbrenner. Seine Arbeit war es, den Ofen anzufachen; dadurch
hatte er stets eine Farbe, daß er ein Äthiopier zu sein schien. Nachdem er so einige Monate dort gearbeitet hatte, kam die Galeere mit
Messer Nugno an Bord aus Syrien an – der hatte bereits die zweihundert Dukaten ausgegeben und machte sich große Gedanken,
weil er kein Geld mehr hatte. Zufällig kam Nugno an jenem Brennofen vorbei. Der Diener – er hieß Rodrigo –, der ständig Nugnos
Ankunft erwartet hatte, erkannte ihn sofort und warf sich ihm
kniend zu Füßen. Messer Nugno erkannte ihn, der er so schwarz
und entstellt war, nicht: Rodrigo aber sagte ihm, wer er war. Das
Fest, das er ihm so bereitete, war prächtig in jeder Hinsicht – vor
allem, weil Nugno nun wußte, daß seiner Not abgeholfen war. Sie
gingen zu dem Kaufmann, der ihm als treuer und guter Mensch
sein Geld zurückgab, wie er es erhalten hatte. Messer Nugno war

sehr erstaunt über die Treue des Dieners und tadelte ihn dafür, sich der Arbeit am Brennofen unterzogen zu haben – habe er doch Geld zum Leben besessen. Als dieser ihm die Gründe dafür darlegte, erkannte Messer Nugno die einzigartige Treue und Tugend des Dieners. Und er stattete sich nun in Venedig aufs prächtigste aus.

Da er, wie bereits erwähnt, nach Florenz – wo sich der römische Hof aufhielt – reisen mußte, ließ er sich mehrere Kleider aus glattem und rauhem Goldbrokat, von einer sehr zierlichen Manier, wie zu jener Zeit gebräuchlich, fertigen. Er kam aufs beste versehen mit Dienerschaft und Pferden nach Florenz. Er war dort, als Papst Eugen die Union mit den Griechen in S. Maria del Fiore zustande brachte. [. . .] Die meiste Zeit pflegte er mit Messer Giannozzo Manetti, Messer Leonardo [Bruni] aus Arezzo und mit all diesen anderen Gelehrten zu verbringen. An nichts anderem freute er sich, als sich über Literatur zu unterhalten oder über vortreffliche Männer.

Man könnte von vielen seiner lobenswerten Eigenschaften erzählen, doch lassen wir es, um nicht zu weitschweifig zu werden.

Er reiste aus Florenz ab und begab sich nach Spanien, wo er von den Seinen mit der größten Freude empfangen wurde. Er hatte reichste Erfahrungen in vielen Dingen, da er so lange Zeit mit aufmerksamem Blick durch die Welt gereist war. So verstand er es, über die Regierungen der Staaten, die Sitten in den verschiedenen Orten, über die Gegenden der Welt zu reden: Er wußte viel von den Gebieten, wo er gewesen war. Und das waren fast alle bewohnbaren Länder gewesen. Wäre es erforderlich gewesen, hätte er sein Wissen auch niederschreiben können.

[. . .] Mehrmals schickte er eigene Boten auf seine Kosten von Spanien aus nach Florenz, um Bücher abschreiben zu lassen. Sie blieben so lange hier, bis jene Bücher fertig kopiert waren. Um hohe Honorare ließ er mehrere Bücher aus dem Lateinischen in die toskanische Sprache übersetzen, Ciceros ‹Tusculanische Gespräche›, dessen ‹De oratore›, die Deklamationen des Quintilian, Macrobius' ‹Über die Saturnalien› und noch viele andere Werke. Er baute sich mit Büchern in dieser Sprache eine sehr ansehnliche Bibliothek auf, die jedoch – nach Messer Nugnos Tod nach Sevilla verbracht – verkam. Es mag genügen, dies im vorliegenden Kommentar über seine Tugenden gesagt zu haben.

MESSER MATTEO MALFERITO,
VON DER INSEL MALLORCA GEBÜRTIG

ESSER MATTEO MALFERITO war von der Insel Mallorca gebürtig. Er entstammte einer vornehmen Familie, war sehr gelehrt und Doktor des zivilen und des Kanonischen Rechts. Er war ein Ritter, umfassend gebildet in den humanistischen Studien und auch in anderen Fächern. Seine Lebensart war bewundernswert. Er stand im Dienst des Königs Alfonso, von dem er sehr geschätzt wurde; der König bediente sich seiner, indem er ihn als Botschafter an mehrere Orte schickte. Von großer Frömmigkeit, war er ein Mann reinen Gewissens; er war offen, gütig, ohne Falsch und Verstellung.

Wie ich von ihm erfuhr, sind ihm in seinem Leben viele widrige Vorfälle begegnet: Unter anderem erlitt er dreimal Schiffbruch im Meer, niemals aber gab er sich auf. So kehrte er vom Studium nach Hause zurück, nachdem er den Doktorgrad erworben hatte und zum Ritter geschlagen worden war; alle seine Bücher hatte er bei sich, Gewänder, Silbergeschirr und Hausrat – da ging das Schiff unter. Mit knapper Not kam er davon, verlor aber alles, was er hatte. Immer, so sagte er, hoffe er auf Gott, der ihn nicht im Stich lasse. Mit der Zeit erholte er sich und erwarb andere Sachen. So machte er es jedesmal.

Als er für König Alfonso als Botschafter in Florenz weilte, wo er eine vorzügliche Figur machte, kam eines Morgens – ich war gerade mit ihm zusammen – ein Mönch aus dem Königreich [Neapel], um sich bei ihm wegen bestimmter Geldsummen zu empfehlen, die er, gegen Zins, einem Florentiner gegeben hatte. Er hatte ein Schriftstück darüber in Händen; es handelte sich um 500 Dukaten. Als nun Messer Matteo dieses Schreiben sah, rief er mich in Gegenwart dieses Religiosen und sagte ihm, er solle sich schämen, ihm dieses Papier zu zeigen, obwohl jener, mit dem er diesen Vertrag gemacht habe, schon tot sei: Denn er war ein Feind alles Schlechten, und insbesondere haßte er üble Verträge. Er sagte zu dem Mönch, er solle ihm ja nicht wieder unter die Augen kommen; er habe nicht bedacht, welch schlechtes Beispiel er gebe, und daß die größte Gnade, die er erhalten könne, wäre, daß er das Geld verliere und es nie mehr zurückbekäme. Jenem geschah es in der Tat, daß er das Kapital und die Zinsen verlor.

Messer Matteo war sehr freundlich gegenüber jedermann, gerne war er jemandem zu Nutzen, der ihn darum bat. Er pflegte zu sagen, er wolle jedem gefällig sein, keinem nur geringe Wertschätzung entgegenbringen. Mehrmals hatte er hier Erfahrungen gemacht.

So erzählte er, wie er mit König Alfonso im Feldlager zu Piombino gewesen sei; da sei ein armer Mensch mit Fesseln um den Hals zur Hinrichtung geführt worden. Mitleid habe ihn überkommen, und er habe jene, die den Mann abführten, innehalten lassen und sei zu Seiner Majestät, dem König, gegangen, um die Befreiung zu erbitten. Und der König habe ihm dies hochherzig gewährt. Darauf nahm er ihm eigenhändig den Strang vom Hals und ließ ihm die Fesseln von den Händen lösen. Er sagte zu ihm: «Ich schenke dir das Leben, geh' mit Gott.» Der arme Junge dankte ihm und ging seines Wegs: Große Menschlichkeit hatte er erlebt. Er nahm seinen Abschied, ohne zu wissen, wie er für eine solche Wohltat, wie sie Messer Matteo ihm hatte zuteil werden lassen – die Rettung seines Lebens – würde danken können. Messer Matteo seinerseits glaubte nicht, ihn jemals wiederzusehen, er dachte auch nicht daran, denn er hatte allein aus Mitleid gehandelt.

Nicht viel Zeit war seither vergangen, als König Alfonso Messer Matteo als Botschafter über das Meer nach Katalonien schickte. Zu jener Zeit war Seine Majestät im Krieg mit den Genuesen. Wie nun Messer Matteo mit der Galeere unterwegs war, kam es zu einem Treffen mit genuesischen Galeeren, und zu seinem Unglück wurde das Schiff gekapert. So sah sich Messer Matteo in Gefangenschaft, und all seine Habe wurde ihm genommen. Man warf ihn unter das Deck – und das war das vierte Mal, daß er ein solches Schicksal erlitt. Da er um die Feindschaft zwischen den Genuesen und dem König wußte, meinte er, daß es keine Möglichkeit gebe, freizukommen, und er sagte zu sich selbst: «Jetzt ist der Zeitpunkt gekommen, da ich bleiben muß.»

Wie er nun im Schiffsboden der Galeere lag, war gerade jener junge Mann, den er zu Piombino hatte befreien lassen, als Mitreisender auf Deck. Der ging dorthin, wo Messer Matteo lag, ohne daß es jemand bemerkt hätte, und sagte zu ihm: «Messer Matteo, ich habe das Leben von Gott und von euch. Ich werde niemals ruhen, bis ich es euch nicht zurückgegeben habe, um jene Wohltat zu vergelten, die ich von euch erhielt, als ich in Piombino zum Strang verurteilt war und ihr bei Seiner Majestät König Alfonso für mich batet und mir das Leben wiedererwecktet.» Messer Matteo, der ihn erkannte, vertraute sich dem jungen Mann völlig an, da er keinen

anderen Ausweg sah. Als nun die Galeere Trinkwasser fassen mußte, nahm ihn jener junge Mann – der sehr kräftig war – auf den
Rücken, trug ihn von der Galeere und rettete ihn auf diese Weise.
In einem Gebiet, das unter des Königs Botmäßigkeit war, angelangt,
wurde ihm sofort in seiner Not geholfen. Jedermann möge lernen,
allseits höflich und gefällig zu sein, da keiner weiß, wohin er einmal geraten wird.

Nachdem nun Messer Matteo zweiundzwanzig Jahre im Dienst
des Königs Alfonso gewesen war, begehrte er, sich eine Frau zu
nehmen und in seine Heimat zurückzukehren. [. . .] Mehrmals beklagte er sich bei mir über die Sklaverei und das Elend, das es
bedeute, in der Nähe eines Fürsten zu sein. Er verglich den Hof
großer Herren mit Vogelkäfigen: Jene, die darin sind, begehren her-
auszukommen, sich draußen zu bewegen, und die, welche draußen
sind, wollen wieder hinein. Er drang sehr in König Alfonso, um die
Erlaubnis, in seine Heimat zurückzukehren und auszuruhen, zu
erhalten – und so machte er es schließlich. [. . .]

Er hatte alle bedeutenden Eigenschaften, die einem Edelmann eignen können, und deshalb schien es mir richtig, ihn durch diesen
Kommentar in die Zahl der einzigartigen Männer einzureihen.

Nachdem wir bis hierher von geistlichen und weltlichen Herren gesprochen haben, werden wir nun von all jenen schreiben, die Bücher verfaßt haben und die das Licht ihrer Jahrhunderte waren und es sein werden für die künftigen.

FRATE AMBROGIO VOM ORDEN DER CAMALDULENSER, AUS PORTICO IN DER ROMAGNA

RATE AMBROGIO war Bruder des Ordens der Camaldulenser; stammte aus Portico in der Romagna und war Sohn eines armen Mannes. Bereits als kleines Kind trat er in das Kloster der Angeli ein. In dieser Observanz blieb er sehr lange Zeit, eingeschlossen in die Klausur. Als noch sehr junger Mensch begann er mit dem Studium der lateinischen Literatur, die er sich – war er doch von vortrefflichsten Geistesgaben – in kurzer Zeit aneignete. Dann bemühte er sich um die griechische Literatur, unter Anleitung von Manuel Chrysoloras, einem hochgelehrten Mann, der – auf Vermittlung des Messer Palla di Noferi Strozzi, Antonio Corbinellis und anderer einzigartiger Männer jener Zeit – aus Griechenland gekommen war.

Nachdem er sich so in der einen wie der anderen Sprache aufs beste kundig gemacht hatte, widmete er sich dem Hebräischen, in dem er ebenfalls einige Kenntnis erlangte. Gebildet auf diese Weise, begann er, Übersetzungen anzufertigen. Es war staunenswert, wie beredt er war, was nicht der Beruf von Mönchen zu sein pflegt. Wie man an seinen Übersetzungen sieht, war er auf diesem Gebiet nicht geringer als irgendeiner seiner Zeitgenossen. Dazu kam noch die Heiligkeit seines Lebenswandels; in jenem Kloster waren vierzig Mönche, alle von größter Heiligkeit: Sie waren Florenz ein Vorbild. Man war der Meinung, daß Frate Ambrogio jungfräulich sei, da er in das Kloster rein, unschuldig und in jugendlichem Alter eingetreten war und diesen Stand in der Klausur für vierzig oder mehr Jahre bewahrt hatte. Wegen seines heiligmäßigen, dabei mit Gelehrsamkeit verbundenen Lebens gelangte er zu solchem Ruhm und solchem Ansehen, daß keine bedeutende Persönlichkeit nach Florenz kam, ohne nicht den Weg zum Kloster der Angeli gelenkt zu haben, um ihn zu besuchen. Denn diesen Besuch nicht gemacht zu haben, bedeutete, daß man Florenz nicht gesehen hatte. Ambrogio Traversari war von Natur aus sehr bescheiden. Was seine äußere Erscheinung betraf, war er von geringer Körpergröße; er hatte ein Antlitz, das von viel Freundlichkeit zeugte. Wie viele bedeutende Männer besaß die Stadt zu dieser Zeit! Es vergingen nur wenige Tage, an denen sie Frate Ambrogio nicht besucht hätten. Zu seiner Zeit blühte Florenz von großen Männern: Niccolò Niccoli, Cosimo de' Medici, dessen Bruder Lorenzo, Messer Carlo d'Arezzo, Maestro Paolo, Ser Filippo di Ser Ugolino. Selten kam es vor, daß sie nicht bei ihm waren.

Ich hörte von Cosimo de' Medici, zum Lob der großen Kenntnis, die Frate Ambrogio von der griechischen Sprache hatte, die folgende Geschichte: Eines Tages waren Niccolò und Cosimo bei Frate Ambrogio; dieser übersetzte die Schrift des hl. Johannes Chrysostomus über die Briefe des hl. Paulus. Niccolò schrieb, was er übersetzte, in Kursivschrift mit. Er war ein äußerst behender Schreiber und konnte doch nicht nachkommen mit der Niederschrift dessen, was Frate Ambrogio in zierlichstem Stil übersetzte und woran auch nichts mehr verbessert werden mußte. Niccolò sagte oft zu Frate Ambrogio: «Macht langsam, ich kann euch nicht folgen.» Im Kloster S. Marco liegen noch [heute] diese seine Übersetzungen in der Handschrift Niccolòs, und man sieht, daß nur wenige Verbesserungen darin gemacht wurden. Wäre er nicht von Papst Eugen, der ihn zum General seines Ordens machte, gehindert worden, er hätte noch unendlich mehr Werke übersetzt. In Florenz hielt er vor vielen Hörern Vorlesungen in griechischer Literatur; im Konvent las er vielen Brüdern in Latein, in Griechisch den Frati Jacopo Tornaquinci und Michele, dann auch Laien, so dem Herrn Giannozzo Manetti und vielen anderen Bürgern . . .

Auf diese Weise also lebte Bruder Ambrogio in Florenz, als im Jahre 1433 Papst Eugen IV. in die Stadt kam. Da Eugen Kenntnis von Ambrogios Ruhm hatte, machte er ihn – die Generalswürde der Camaldulenser war vakant – zum General jenes Ordens und entzog ihn dem Kloster der Angeli: Das bedeutete ein großes Hindernis für seine Studien. War es doch mehr sein Amt, sich den Wissenschaften zu widmen, als zu regieren, was ihm ungewohnt war. Zu dieser Zeit wurde zu Basel Konzil gehalten, gegen Papst Eugen. Da der Pontifex erkannte, daß Frate Ambrogio ein dazu sehr geeigneter Mann war, beschloß er, ihn als Gesandten Seiner Heiligkeit zu Kaiser Sigismund und dann zum Konzil nach Basel zu schicken. Dabei erwarb Ambrogio größte Ehre.

Bedeutenden Männern widerfahren mitunter ganz merkwürdige Dinge, da sie als Menschen irren können wie andere auch. So hatte Ambrogio in Basel darum gebeten, vor dem Plenum des Konzils sprechen zu dürfen, und in der Tat wurde ihm eine öffentliche Audienz gewährt. Sehr gelehrte Männer waren in Basel anwesend, und sie waren vor allem wegen des Ruhmes eines so einzigartigen Mannes, wie es Frate Ambrogio war, gekommen. Nachdem dieser nun seine Rede begonnen hatte, verlor er, ungefähr in der Mitte, den Faden. Da stand er nun inmitten einer so großen Zahl würdiger Männer; doch zog er sofort die Rede, die er niedergeschrieben im Ärmel stecken hatte, hervor, schlug den Text auf, fand die Stelle, wo er steckengeblieben war, und fuhr zu sprechen fort. Ohne weiter zu stocken, brachte er die Ansprache zu Ende. Hier bedachte Frate Ambrogio, wie gefährlich solche öffentlichen Auftritte für einen gelehrten Mann wie ihn waren. Man konnte angesichts eines so erhabenen Auditoriums getadelt werden und an einem Tag alles verlieren, was man in langer Zeit erworben hatte. Er wurde sehr gelobt und gerühmt für seinen Entschluß, die Rede wieder aufzunehmen. Er reiste dann vom Konzil ab und begab sich zu Kaiser Sigismund. Dort führte er seine offizielle Gesandtschaft aus und hielt eine sehr beeindruckende Rede.

Dann kehrte er zu Papst Eugen, der sich in Florenz aufhielt, zurück; dieser schätzte ihn wegen seiner Gelehrsamkeit und seiner unerhörten Tugend sehr. Er legte Zeugnis davon ab durch verschiedene angemessene Übersetzungen – ihrer soll am Schluß dieses Kommentars Erwähnung getan werden –, ja durch seine bloße Anwesenheit. Er wollte niemals etwas anderes übersetzen als heilige Werke, war aber dem Cosimo de' Medici aufgrund der unzähligen Wohltaten, die er von ihm zur Unterstützung seiner Studien empfangen hatte, sehr verpflichtet [und sah sich daher genötigt, auch anderes zu übertragen]. Cosimo hatte ihm mit Geld, mit allem, worum er ihn gebeten hatte, unter die Arme gegriffen. Man kann sagen, daß Niccolò Niccoli und Cosimo Medici einen großen Anteil daran hatten, daß Frate Ambrogio das geworden war, was er war. Niccolò hat ihm sehr geholfen, indem er ihm unzählige Bücher lieh, griechische wie lateinische, ihm zu Ruhm und Ansehen verhalf und vermittelte, daß Cosimo de' Medici und Lorenzo ihn in seinen Bedürfnissen unterstützten. Ohne Niccolòs Vermittlung hätte Ambrogio nicht um Hilfe nachgefragt, war er doch von Natur aus schüchtern und verschämt.

Wie sich Frate Ambrogio nun mit diesen Übersetzungen heiliger Bücher beschäftigte – er hatte mehrere übersetzt und Cosimo die ‹Sermones› des hl. Ephrem übersandt –, wünschte dieser das Buch

‹*De vita et moribus philosophorum*› des Diogenes Laertios, das in Griechisch war, auf Latein zu besitzen. So ließ er Frate Ambrogio durch Niccolò darum bitten, es zu übersetzen, wußte er doch, daß dieser nichts übersetzen wollte, es sei denn heilige Bücher. Aber auf die Bitte hin war er, unter größtem Widerstreben, da ihm dies keine für ihn schickliche Arbeit zu sein schien, einverstanden. Während er es übersetzte – was er in kurzer Zeit tat –, sagte mir einer seiner Schüler, daß es ihn sehr schmerzte, ein solches Werk tun zu müssen. Aber er vollendete es; sein voller Titel war: ‹Laertius Diogenes, *De vita et moribus philosophorum*›. Es war ein sehr bedeutendes Werk, das damals wie heute sehr geschätzt wurde. Nachdem er es abgeschlossen hatte, schrieb er ein Vorwort dazu und schickte das Werk Cosimo de' Medici, Lorenzo de' Medici und Niccolò Niccoli. [. . .]

[Bisticci kommt nun nochmals auf das Konzil von Ferrara/Florenz zu sprechen; er berichtet, wie Ambrogio Traversari als Dolmetscher tätig wurde.] Es war da auch ein Dolmetscher aus Negroponte, dessen Name Niccolò Secondino war; dieser war im Dienst der *Signoria* von Venedig gewesen und wurde als Botschafter zu König Alfonso von Neapel geschickt. Er übersetzte in der einen wie der anderen Sprache – was eine staunenswerte Sache war –, was sie auf griechisch sagten, übertrug er ohne jede Schwierigkeit ins Lateinische; ebenso brachte er Latein in die griechische Sprache. Manches Mal, wenn Niccolò nicht kommen konnte, ersetzte ihn Frate Ambrogio, weil es keine anderen gab, die sich auf diese Übersetzungen verstanden hätten – außer jenen beiden, wegen ihrer Fertigkeit in der einen wie der anderen Sprache.

Wegen der Heiligkeit seines Lebens und seiner Gelehrsamkeit brachte es Frate Ambrogio, obgleich von niederster Herkunft, zu höchstem Ruhm. In ihm gewannen die Wissenschaften wunderbare Kraft. Es war stehende Rede unter allen Gelehrten, daß Frate Ambrogio und Messer Leonardo es waren, welche die tausend oder mehr Jahre begrabene lateinische Sprache erneuert hatten. Keinen Schriftsteller gab es zu jenen Zeiten, der Frate Ambrogio und Messer Leonardo auch nur annähernd gleichgekommen wäre. Obwohl Petrarca das Latein ein wenig erneuert hatte, kam er nie soweit wie jene beiden. Messer Leonardo war da ganz anderer Ansicht, schien es ihm doch, als sei er der einzige, der die lateinische Sprache erneuert habe. Als er nun Frate Ambrogio zu solchem Ansehen gelangen sah, ertrug er es mit Qual und nicht ohne Neid, weil Niccolò Niccoli, Cosimo de' Medici, Lorenzo de' Medici und viele Gelehrte dem Frate ihre Gunst zuwandten und ihm zu Ruhm verhalfen, obwohl das gegen Ambrogios Willen geschah, war ihm doch dergleichen fremd. [Bisticci schildert nun die Auseinandersetzungen zwischen Traversari und Bruni.]

Man könnte über Frate Ambrogio viele der Erinnerung würdige Dinge sagen, doch da ich nur eine kurze Erinnerung geschrieben habe, schien es mir nicht richtig, mich allzusehr auszubreiten. Frate Ambrogio lebte auf die heiligste Weise, und ähnlich endete er den Lauf seiner Tage. Er war schon einige Jahre tot, da hörte ich von glaubwürdigen Leuten folgendes: Sein Körper lag in der Einsiedelei unter einem Bretterbelag in der Erde; aufgrund der großen Kälte an diesem Ort geschah es, daß sich die Bretter über seinem Leichnam lösten. Da wurde öffentlich geredet, daß die Stelle, an der sein Leichnam lag, von Blumen überzogen war, die da auf wunderbare Weise erblüht waren, obwohl Winter herrschte und die Erde mit Brettern bedeckt war, so daß keine Luft an sie kam. Gott der Allmächtige hatte gesehen, welch wunderbare Tugend Frate Ambrogio an den Tag gelegt hatte.

[Bisticci schließt seinen Bericht mit einer Aufzählung der von Traversari übersetzten Werke.]

ES FOLGT DAS LEBEN VON
MESSER LEONARDO [BRUNI] AUS AREZZO

ESSER LEONARDO war von niederer Abkunft, er wurde in Arezzo geboren. Er ging zum Studium nach Florenz und arbeitete dort als Repetitor. Damals war Messer Coluccio sehr angesehen unter den Gelehrten und von großem Einfluß; Messer Leonardo erhielt von ihm die beste Förderung, um sich der lateinischen Literatur widmen zu können. Nachdem er es darin zu Gelehrsamkeit gebracht hatte, wandte er seine Mühe auf die griechische, unter der Anleitung des Manuel Chrysoloras, eines hochgelehrten Mannes. So brachte er es zu außergewöhnlichen Kenntnissen in der lateinischen und der griechischen Literatur, keiner kam ihm gleich darin zu jener Zeit. Darauf begann er zu schreiben. [. . .]

Nachdem er einige Jahre in Florenz geblieben war, während sein Ruhm in ganz Italien und insbesondere am Hof von Rom gewachsen war, beschloß er, sein Glück zu suchen. Auf Anraten und Wohlmeinung von Messer Coluccio und versehen mit dessen Empfehlungsschreiben ging er nach Rom zu Papst Innozenz. Coluccio hatte ihn dem Papst sehr empfohlen. Man kann das aus einem Brief ersehen, den er ihm schrieb. Nachdem Messer Leonardo in Rom eingetroffen war, besuchte er Papst Innozenz. Beim Papst war auch Jacopo Angeli da Scarperia, ein in Griechisch und Latein gelehrter Mann, und eben war die Stelle eines vor kurzem gestorbenen Sekretärs zu besetzen. Nun war da ein hochwichtiger Brief für Papst Innozenz zu schreiben; um zu sehen, welcher der beiden die Sekretärsstelle haben sollte, ließ er sie jeweils denselben Brief schreiben. Wer dies besser machte, der sollte mit der Würde der Sekretärsstelle begabt werden. So schrieb jeder der beiden einen Brief; man legte sie dem Papst vor: Jener Messer Leonardos sei, so wurde geurteilt, der bessere, und deshalb erhielt er die Sekretärsstelle.

Von allen Päpsten, bei denen er tätig war, wurde er sehr geschätzt, und zwar besonders von Papst Giovanni Cossa aus Neapel. Messer Leonardo war damals ein armer Mann. Der Papst nun brachte ihm größte Zuneigung entgegen und verhalf ihm zu Reichtum. Als er mit dem Papst in Bologna war und wegen persönlicher Angelegen-

21 *Leonardo Bruni. Initiale zu einem Manuskript von Brunis ‹Geschichte
von Florenz›. Miniatur von Francesco Rosselli, vielleicht nach einer
(verlorenen) Medaille. Rom, Biblioteca Apostolica Vaticana*

heiten nach Florenz reiste, stahl ihm ein Diener Geld und anderen
Besitz im Wert von 200 Fiorini. Dies wurde Papst Johannes nach
Messer Leonardos Rückkehr berichtet; als Messer Leonardo zu Seiner Heiligkeit kam, fragte der Papst ihn, ob die Geschichte wahr
sei, und er bejahte das. Der Papst sagte darauf, er würde ihn ent-
schädigen und ließ ihn eine Bulle ausfertigen, die eigentlich über
die Kanzlei hätte gehen müssen – der Papst aber wollte, daß sie
über die Kammer ginge und mit 600 Fiorini besteuert werde: Dieses
Geld war für Messer Leonardo als Entschädigung für das von seinem Diener Geraubte bestimmt.

[Nun kommt Bisticci auf die Vorgeschichte des Konzils von Kon-
stanz (1414–1418) und die Ereignisse bis zur Absetzung von Papst
Johannes zu sprechen; Leonardo Bruni war unter der Begleitung
Johannes' (XXIII).] Am folgenden Tag wurde nach dem Papst ge-

schickt und ihm mitgeteilt, daß er fliehen müsse oder ins Gefängnis kommen werde. So zog er sich eine Mönchskutte an. Messer Leonardo, der Papst und andere, die ihm nahestanden, verließen Konstanz zu Fuß und gingen zu einer [nahegelegenen] Abtei. Leonardo sagt, daß sie dort drei Tage blieben und nichts außer rostfarbenen Birnen aßen, da sie nichts anderes hatten und um nicht entdeckt zu werden, wären sie doch in diesem Fall gefangengesetzt worden. Kaum war Johannes geflohen, ging man an seine Absetzung. Er wurde wieder zum einfachen Priester. Die göttliche Gerechtigkeit bewirkte viel bei Papst Johannes: Alle Welt hatte ihm gesagt, er würde abgesetzt werden, falls er nach Konstanz ginge. Dennoch meinte er, er müsse dorthin gehen, ob er nun wolle oder nicht, denn es läge keineswegs in seiner Macht, nicht dorthin zu gehen. Nachdem Papst Johannes abgesetzt worden war, wurde Martin zum Papst gemacht.

[Der Text geht nun auf Gründe für das Scheitern der Reformbestrebungen in Konstanz ein; Leonardo Bruni habe die Verantwortung dafür in der Verweigerungshaltung der italienischen Konzilsteilnehmer gesehen, welche die Beschneidung der Einkünfte der Kardinäle nicht hätten hinnehmen wollen. So sei das Ziel, die Kirche zu ihrer «ursprünglichen Form» zurückzubringen, nicht erreicht worden. Dann wird erzählt, wie Papst Martin sich wieder nach Florenz wandte. Zu dessen Ärger hätten die Kinder auf der Straße – auch in anderen Quellen bezeugte – Spottverse gesungen: «*Papa Martino non vale un lupino*» (etwa: «Papst Martin ist keine Bohne wert»); augenscheinlich folgt Bisticci hier und mit den weiteren Ausführungen Vorlagen Brunis selbst und anderen Quellen. Die folgende Passage ist fast wörtlich aus Brunis ‹Rerum suorum tempore gestarum› entnommen und schildert, wie der Humanist den über die Spottverse verärgerten Papst zu besänftigen versucht.]

Als Messer Leonardo beim Papst eintraf, fand er ihn auf- und abgehend auf einem Balkon, der sich im zweiten Kreuzgang, längs des Saales der Papstgemächer, öffnete. Im Gehen sprach er: «*Martinus [. . .] quadrantem non valet?*» («Martinus gilt keinen Quattrino?») – und fügte noch hinzu: «Jeder Tag, bis ich nach Rom gelange, kommt mir wie tausend Tage vor.» Da Messer Leonardo seine Natur kannte, tat er, was er konnte, um ihn zu besänftigen: «Seligster Vater, das sind Worte von Kindern. Eure Heiligkeit möge sie nicht beachten.» Der Papst antwortete darauf, die Kleinen würden die Verse nicht singen, wenn die Großen es nicht wollten. «Aber, bei Gott, wenn ich nach Rom aufbreche, werde ich ihnen schon zeigen, ob es die Großen oder die Kleinen sind, die das singen.»

[Bisticci meint, daß es diese Angelegenheit gewesen sei, wegen der Martin V. den Herzog von Mailand veranlaßt hätte, mit Florenz Krieg anzufangen; drei Niederlagen hätten sie in ein Bündnis mit den Venezianern getrieben (1422), die so in der folgenden Zeit Gelegenheit gehabt hätten, sich ihren Besitz auf der *Terra ferma* zu erobern – so habe der Spruch «Papst Martin ist keine Bohne wert» die Florentiner beinahe die Freiheit und einige Millionen Fiorini gekostet. Bisticci kommt dann auf die Karriere Brunis im Dienst der Kommune zu sprechen – er war dort 1427 zum Kanzler gewählt worden. Ausführlich wird geschildert, wie Bruni die Florentiner daran hindert, Papst Eugen IV. in der Stadt festzuhalten. In der Ratssitzung, die darüber abgehalten wurde, habe Bruni als letzter gesprochen und gesagt:]

«Meine allergroßmächtigsten Herren und vortrefflichste Bürger – ich weiß nicht, ob jemand von euch in Betracht gezogen hat, von wem heute abend gesprochen worden ist. Wenn ihr es nicht wißt: Ihr sprecht vom Stellvertreter Christi auf Erden, der geehrt und verehrt werden muß als Erster unserer Religion. Und wenn euch die Venezianer darin bestärken, ihn aufgrund der angeführten Gründe in Florenz festzuhalten, bin ich gerade der gegenteiligen Meinung. Sie raten euch, was sie – müßten sie handeln – selbst nicht täten. Sie handeln so, um euch in einer so wichtigen Angelegenheit wie dieser eine Last aufzubürden. So ist die Sachlage: Wenn ihr eine so gravierende Entscheidung trefft, habt ihr euch dafür vor allen Nationen der Christenheit zu rechtfertigen. Andernfalls würden eure Florentiner, wo immer sie sich außerhalb der Stadt aufhielten, schlechter behandelt als selbst Juden. Daraus würden euer Untergang und Verderb erfolgen, nie könntet ihr diese Schande sühnen.» Nachdem Messer Leonardo dann lange über diese Konsequenzen gesprochen hatte – es war Mitternacht geworden –, konnte er, schon achtzigjährig, nicht mehr länger stehen, und nahm seinen Abschied.

[Die Mehrheit, so fährt der Bericht fort, habe daraufhin Leonardo Brunis Argumenten beigepflichtet. Auf die schlechten Reden und die Kritik eines Bürgers habe Bruni am folgenden Tag geantwortet.] Er habe seinen Rat zum Wohl und zur Ehre seiner Vaterstadt gegeben; [. . .] diese Ehre achte er wie sein eigenes Leben. Nicht voll Leidenschaft oder unüberlegt habe er seinen Rat gegeben, müsse man doch bei solchen Beratungen auf das allgemeine Wohl sehen und nicht auf die persönlichen Gemütsbewegungen. Sehr wohl kenne er seine eigene Natur und die jenes Bürgers, der ihn verleumdet habe. Florenz nun nenne er seine Vaterstadt, obwohl er in Arezzo geboren sei: Von Florenz nämlich seien ihm alle Ehren zuteil geworden, die ein Bürger nur erhalten könne, und so sei die Stadt

Heimat für ihn. «In all meinen Ratschlägen, die ich schon seit vielen Jahren zu geben hatte, bin ich dabei mit jener Redlichkeit und Liebe verfahren, die jedem guten Bürger obliegen. Und ich habe dieser Stadt nicht nur meinen Rat erteilt, ihr gegeben, was einem jeden guten Bürger wohl ansteht: Ich habe sie geehrt und erhöht, wie meine schwachen Kräfte es nur vermochten, indem ich ihre Geschichte schrieb, sie der Erinnerung der Buchstaben überantwortet, um sie nach meinen Möglichkeiten ewig zu machen. Man sehe doch auf Rom – durch seine bedeutenden Schriftsteller, insbesondere durch Livius, wurde es gefeiert, und man wird es weiterrühmen durch alle Jahrhunderte. Wenn auch die Taten der Florentiner jenen der Römer nicht gleich geachtet werden können, habe ich mich doch befleißigt, sie zu loben, wie ich nur konnte, ohne von der Wahrheit abzuweichen. Dabei war es sehr schwierig für mich, die vergangenen Dinge wiederzufinden, da es keine Schriftsteller gegeben hat. Vom Anfang der Stadt habe ich geschrieben; ich bin bis zum Krieg des Gian Galeazzo Visconti gelangt, des Herzogs von Mailand.

Wenn ich nun beim Sprechen etwas zu ausführlich geworden sein sollte, werdet ihr, meine Herren, mich für entschuldigt halten und mir verzeihen. Ich bin in meiner Ehre getroffen worden, und um deren Bewahrung habe ich mich bemüht bis zum heutigen Tage.

Doch werde ich mich jetzt – mit eurer Erlaubnis – jenem zuwenden, der mich verächtlich machte, und der hier, unter den Augen Eurer Herrlichkeiten, anwesend ist. Welches sind die Ratschläge, die er seiner Vaterstadt gegeben hat? Welche Früchte reiften ihr daraus? Wohin ist er als Gesandter gegangen? Er weiß gut, von welcher Natur ich bin; hätte er sich wohl bedacht, hätte er nicht geschmäht, wem eigentlich Lob und Rühmen gebührte: Bin ich doch meiner Vaterstadt ohne Haß oder Leidenschaft mit Rat zur Seite gestanden, wie es sich bei Ratschlüssen guter Bürger, die ihre Heimat lieben, gebührt.»

So brachte Messer Leonardo den Mann an einen Punkt, daß er nicht wieder die Kühnheit aufbrachte, ihm auch nur zu antworten oder in seiner Gegenwart zu sprechen.

[Bisticci berichtet dann, daß Bruni mehrmals zu einem der *Dieci di Balìa* – eines in Krisenzeiten eingesetzten, für die militärischen und diplomatischen Angelegenheiten zuständigen Sonderausschusses – ernannt worden sei, zuletzt] in der beschwerlichsten und schwierigsten Situation, welcher die Republik ausgesetzt war. Niccolò Piccinino war bis unter die Stadttore gekommen, ohne daß man in Florenz etwas bemerkt hatte. Nun aber trafen diese *Dieci* die umfangreichste Vorsorge, nahmen die ersten Söldnerführer Italiens unter Vertrag. Niccolò Piccinino, angestiftet durch den Grafen von Poppi, führte das gewaltige Heer an der Stadt vorbei in den Casentino. Nach der großen Verwirrung, die in der Stadt um sich gegriffen hatte, wurde Niccolò Piccininos Heer dank der umfassenden, von den *Dieci* getroffenen Vorkehrungen zwischen Borgo und Anghiari zerschlagen und besiegt.

[Der Autor läßt nun den Hinweis auf das Schicksal des Grafen von Poppi, Francesco da Battifolle, folgen, der durch seine Parteinahme für Piccinino seinen «Staat» an Florenz verlor.]

Zu jener Zeit war Messer Leonardo zu solchem Ansehen gelangt, daß sein Ruhm sich in Italien und über dessen Grenzen hinaus verbreitet hatte. Ständig hielten sich unzählige Schreiber in Florenz auf, die seine Werke kopierten, teils für Besteller in Florenz, teils, um sie an andere Orte zu schicken. Messer Leonardo fand so überall, wo er hinkam, daß man seine Werke abschrieb. Sie hatten es zu solchem Ruhm gebracht, daß sie in der ganzen Welt gefragt waren. Ich werde erzählen, was ich sah: daß nämlich viele Leute aus Spanien und Frankreich nach Florenz kamen, allein von dem Ruf seiner einzigartigen Fähigkeiten dazu bewogen; und es waren welche unter ihnen, die in Florenz nichts weiter vorhatten, als nur Messer Leonardo zu sehen.

Er pflegte jeden Morgen zu den Buchhändlern zu gehen, und immer wartete da irgendein *oltramontano* oder ein Italiener, um ihn zu sehen. Das war insbesondere so, als der römische Hof und Papst Eugen sich in Florenz aufhielten. Einmal ging ich mit einem spanischen Edelmann, der von seinem König gesandt worden war, ihm in dessen Namen einen Besuch abzustatten, zu Messer Leonardo. Als er ihn antraf, warf er sich vor ihm kniend auf die Erde, und es bereitete Mühe, ihn dazu zu bewegen, wieder aufzustehen. Er sagte, von Seiner Majestät dem König den Auftrag zu haben, ihn zu besuchen. Messer Leonardo empfing ihn mit vielen freundlichen Worten und sagte, er solle ihn Seiner Majestät empfehlen. Einzigartige Wertschätzung brachte König Alfonso von Neapel ihm entgegen; dieser ersuchte Leonardo, an seinen Hof zu kommen, zu Bedingungen, die ihm billig schienen. Doch Messer Leonardo dankte Seiner Majestät und legte ihm dar, daß er seine Stadt nicht verlassen könne, um am neapolitanischen Hof zu leben, sei er ihr doch sehr verpflichtet.

Er war auch in England sehr angesehen, insbesondere beim Herzog von Worcester. Nachdem er die ‹Politik› des Aristoteles übersetzt hatte, hatte er sie dem Herzog gewidmet und nach England gesandt. Als der sich mit einer Antwort darauf Zeit ließ, schien es Messer Leonardo, daß er dem Werk nicht die einem so bedeutenden

Buch gebührende Achtung zollte; so ließ er die Widmungsvorrede herausnehmen und schrieb eine neue, die sich nun an Papst Eugen – der gerade in Bologna war – richtete. Messer Leonardo brachte das Buch persönlich Seiner Heiligkeit. Dabei erfuhr er die größten Ehren.

Messer Leonardo war von ernsthaftestem Aussehen. Er war nicht sehr groß, von mittlerer Statur. Er trug eine Kutte aus scharlachfarbenem Kamelot, die bis zur Erde reichte; sie hatte gefütterte Ärmel, die umgeschlagen waren. Über die Kutte hatte er einen ebenfalls bis zum Boden hängenden roten und an den Seiten geschlitzten rosenfarbenen Umhang geschlagen. Auf dem Kopf trug er eine rosafarbene Kapuze, die seitlich mit einer *foggia* [einem Tuch] umwickelt war. Auf der Straße schritt er mit größter Würde. Er war sehr freundlich und gewinnend, und er wußte viele schöne Geschichten aus Deutschland, wo er am Konzil teilgenommen hatte, zum besten zu geben. Viel Worte zu machen, war seine Sache nicht. Männer, um deren Qualitäten er wußte, begünstigte er. Doch war er von cholerischem Temperament, wurde manchmal zornig, gewann aber sofort seine Selbstbeherrschung zurück.

[Zum Beleg dafür wird geschildert, wie sich Leonardo Bruni wegen eines kleinen Mißverständnisses, das sich bei einem abendlichen Gelehrtendisput auf der Piazza ergeben hatte, umständlich bei Giannozzo Manetti entschuldigt; Bruni sorgt dafür, daß Giannozzo Manetti zusammen mit einem angesehenen Venezianer, Pasquale Malipiero, als Gesandter der Republik Florenz nach Genua geschickt wird. Das Kapitel schließt mit der üblichen Aufzählung der Werke des Leonardo Bruni. Der Hinweis, daß Messer Giannozzo Bruni die Grabrede hielt, leitet über zur folgenden Vita, einer der längsten der Sammlung.]

LEBEN DES MESSER GIANNOZZO MANETTI AUS FLORENZ

ESSER GIANNOZZO MANETTI stammte aus einer ehrenwerten Familie. Nachdem ich bereits einen Kommentar über sein Leben verfaßt habe, schien es mir aufgrund seiner rühmlichen Eigenschaften richtig, ihn auch unter die hier aufgeführten einzigartigen Männer, die ihr Jahrhundert bestimmten und zierten, aufzunehmen. Denn dies hat auch Messer Giannozzo getan. Er hat mehrere Bände von Büchern verfaßt, er schmückte seine Stadt: nicht nur durch sein Schreiben, sondern durch alles, was ihm zu tun oblag. Kommen wir auf seine Gelehrsamkeit. Er war sehr beschlagen im Lateinischen, in der griechischen und in der hebräischen Sprache, er war einer der ganz Großen der Natur- und der Moralphilosophie; und er war ein hervorragender Theologe, der keinem seiner Zeitgenossen nachstand. Er erlernte die hebräische Sprache, die er dann mit Leichtigkeit beherrschte, nur, um die Texte der Heiligen Schrift verstehen zu können. Er pflegte zu sagen, daß er drei Bücher auswendig könne, aus langer Gewohnheit: Das eine waren die Briefe des hl. Paulus, das zweite Augustinus' ‹Gottesstaat› und das dritte – als Werk eines Heiden – die ‹Ethik› des Aristoteles.

Hebräisch hatte er gelernt, wie gesagt, um in der Heiligen Schrift erfahren zu werden, aber auch, um die Juden zu verwirren, gegen die er schreiben wollte. In der Tat schrieb er, wie man sehen wird, um sie zu bessern, ein Werk gegen sie, in zehn Büchern. Von diesen blieben schließlich noch fünf Bücher fertigzustellen. Er war ein heftiger Disputant. Besonders gerne setzte er sich mit den Juden auseinander, mit denen – aufgrund der Kraft, welche Worte [in ihrem Glauben] haben – nicht disputieren kann, wer ihre Sprache nicht kennt. Er hatte bei solchen Disputationen mit Juden die Gewohnheit, zu sagen: «Macht euch bereit, ergreift eure Waffen: Verletzen will ich euch nicht, es sei denn mit eurem eigenen Streitgerät.» Kein Jude trug dabei anderes davon als Schande, mochte er so gelehrt sein, wie er wollte. Damit hatte er unzählige Male Erfahrung gemacht. Und weil der Psalter jene Schrift ist, von welcher die Juden sagen, er sei eine Übersetzung von 72 Übersetzern, von denen manches hinzugefügt und verändert wurde, übersetzte

Messer Giannozzo ihn. Weil viele, welche keine Sprachkenntnis hatten, sich befleißigten, diese Übersetzung zu tadeln, schrieb er fünf Bücher zur Verteidigung jener Psalterübersetzung; fünf Bücher, die er «*apologetici*» nannte. In ihnen zeigt er, was hinzugefügt und was verändert wurde, und da ist kein Jota, das er nicht berücksichtigt hätte. So zeigt er in diesem Buch die große Kenntnis, welche er von der Heiligen Schrift hatte: Er kannte nicht nur die Schriften der lateinischen Gelehrten, sondern er hatte die ganze Bibel auch in Hebräisch gelesen.

Zweimal las er alle jüdischen Bibelkommentare, so jenen des Rabbi Moses und anderer ihrer Kommentatoren, und das alles unternahm er, um die Juden in ihrer Verstocktheit tadeln zu können. Er hatte zwei Lehrer in der hebräischen Sprache: Der eine war Manuello, ein in dieser Sprache sehr beschlagener Mann, der andere unterwies ihn in den Anfangsgründen.

Auch in der griechischen Sprache war er sehr bewandert, wie sich an vielen seiner Übersetzungen erkennen läßt – etwa an jenen des Neuen Testaments, der ‹Nikomachischen Ethik› des Aristoteles, jener einer weiteren Ethik – der des Eudemios –, an den Übersetzungen der ‹*Magna moralia*› des Aristoteles und schließlich von ‹*De memoria et reminiscentia*›.

Als Lehrer in der griechischen Sprache hatte er Bruder Ambrogio aus dem Kloster der Angeli, einen sehr gelehrten Mann. All diese Wissenschaften eignete er sich in kürzester Zeit, allein mit seinem fortwährenden Fleiß, an, wobei er wußte, wie er die Zeit einzuteilen hatte; fünf Stunden und nicht mehr genügten ihm zum Schlafen. Die übrige Zeit widmete er sich seinen Studien.

Messer Giannozzo begann seine Beschäftigung mit den Wissenschaften im Alter von 25 Jahren. Er war da bereits so alt, weil er, aus Rücksicht auf seinen Vater, nicht früher seiner Neigung hatte folgen können. Neun Jahre blieb er bei diesen Studien, ohne jemals über den Arno zu gehen: Er verbrachte die ganze Zeit zu Hause oder ging zu Santo Spirito. Dazu hatte er einen eigenen Ausgang anlegen lassen, der von seinem Garten direkt dorthin führte.

Nachdem er nun Grammatik studiert hatte, wollte er Logik und Philosophie hören. Eben deshalb ging er nach S. Spirito, wo zu jenen Zeiten viele gelehrte Männer waren, besonders Maestro Evangelista aus Pisa und Maestro Girolamo aus Neapel. Evangelista las Logik und Philosophie; Messer Giannozzo ging zu allen seinen Vorlesungen. Täglich nahm er an Disputationen über die eine oder andere Lehre teil, die in verschiedenen Kreisen stattfanden. Heftiger Disputant, der er war, brachte er es in kurzer Zeit zu größter Gelehrsamkeit in Logik und in der einen wie der anderen Philosophie.

22 Incipit eines Manuskripts der Vita Giannozzo Manettis
von Vespasiano da Bisticci, dessen Porträt von der Initiale umrahmt wird.
Miniaturen von Attavante Attavanti, Schreiber: Alessandro da Verrazzano,
1506. London, British Library (add. 9770)

Nachdem er sich in diesen freien Künsten betätigt hatte, wollte
er zur Theologie übergehen. Maestro Girolamo aus Neapel sollte
ihm den ‹Gottesstaat› des hl. Augustinus lesen, mit dem er eine
einzigartige Vertrautheit gewann. Messer Giannozzo war – neben
seinen anderen bedeutenden Eigenschaften – sehr fromm. Mit größter Ehrfurcht sprach er von unserer Religion. Zu ihrem Lob pflegte
er zu sagen, daß man unseren Glauben nicht Glauben nennen
dürfe, ihn vielmehr als Gewißheit bezeichnen müsse: Seien doch
alle Dinge der genannten Religion, die niedergeschrieben und von
der Kirche gebilligt worden seien, so wahr, wie es wahr sei, daß ein
Dreieck ein Dreieck ist – eine beweisbare Figur.

[Bisticci hebt rühmend auch Manettis Redlichkeit hervor. Einmal
ergreift er für einen Freund Partei, der von einem Wucherer betrogen wurde; als der sich trotz des offenkundigen Sachverhalts keinen
Argumenten zugänglich zeigt, habe Manetti zu ihm gesagt:]
«Komm her, ich habe dein Leben, dein Verhalten und ebenso deine
Kinder geprüft. So will ich dir prophezeien, was dir geschehen wird.
Ich habe in meinen Tagen viele Seiten der Heiligen Schrift gewen-
det: Nimm das für gewiß, daß du bestraft werden mußt. Über dich
und deine Familie wird eine Strafe kommen, daß es ein Beispiel
sein wird für die ganze Stadt. Fürchte die Richtsprüche Gottes. Es
wird nicht mehr viel Zeit vergehen.»

Der Mann befand sich damals auf dem Gipfel seines Glücks, sein
Vermögen, seine Kinder waren in besten Umständen, und er glaubte nicht, daß Himmel oder Erde dem würden Abbruch tun können.
Aber nicht viel Zeit verging, und eine Strafe kam über ihn und über
sein ganzes Haus, über seine Kinder, sein Vermögen. [. . .]

So verfuhr Messer Giannozzo ganz nach seinem Glauben und
seiner Güte. Gemäß seiner eigenen Erfahrung pflegte er über die
Liebe zu Kindern zu sagen, daß die größte Strafe, welche Väter von
Kindern in diesem Leben treffen könne, der Tod eben dieser eigenen
Kinder sei. Er hatte die ganze Heilige Schrift gelesen; eine größere
Strafe, die Gott den Menschen hätte schicken können, als jene fand
er darin nicht.

Nun lebte damals in Florenz ein sehr angesehener Bürger. Was
Gott betraf, fühlte er nicht viel; er hatte drei Söhne, 25 und mehr
Jahre alt, und es geschah, daß – wie es Gott gefällt – er ihm jenen
Sohn nahm, den er am meisten liebte, er liebte ihn wirklich sehr.
Messer Giannozzo sagte zu mir, als dieser junge Mann gestorben
war: «Diese Geißel hat der allmächtige Gott ihm gesandt, auf daß
er sich von seinen Irrtümern abwende. Wenn er es nicht tut, weil
ihm noch zwei Söhne geblieben sind, so wird geschehen, daß er in
kurzer Zeit von diesen noch einen Sohn verlieren wird; ihm bleibt

dann nur noch einer. Und es wird ihm nicht der gelassen, auf den
er mehr gibt.» Nicht viele Jahre vergingen, als geschah, was er
vorhergesagt hatte, daß ihm nämlich der zweite Sohn starb. Ich war
gerade bei Messer Giannozzo, der mich an seine Prophezeiung erinnerte und sagte: «Siehst du, wie gerecht die Urteile Gottes sind:
Die Menschen aber erkennen das nicht, verblendet durch ihre Sünden.»

[Bisticci geht nun auf die zahlreichen Ämter, die Giannozzo Manetti bekleidete, ein, erwähnt auch nochmals dessen Tätigkeit als
Botschafter in Genua. Immer wieder kommt er auf «moralphilosophische» Fragen zu sprechen.] Er hatte ein ewiges Gedächtnis; alles
behielt er im Kopf. Zeit bedeutete ihm viel: Trotz all seiner Geschäfte, die er für den Staat oder für sich selbst zu verrichten hatte,
verlor er nie eine Stunde. Er pflegte zu sagen, daß wir über die Zeit,
die uns in diesem Leben gegeben ist, bis auf die letzte Zeitspanne
Rechenschaft ablegen müssen. Dabei stützte er sich auf den Text
des Evangeliums, wo es heißt: «Du wirst nicht scheiden von hier,
das heißt: aus diesem Leben, bis du nicht abgerechnet hast bis zum
geringsten Quattrino» – das heißt, über die kleinste Verfehlung. Der
allmächtige Gott macht es wie ein Handelsherr, der, wenn er seinem Kassier Geld gibt, ihn diese Summen als Eingänge aufschreiben läßt und dann sehen will, wofür er sie ausgegeben hat. So
möchte Gott in der Todesstunde der Menschen sehen, womit sie
die Zeit, welche er ihnen gab, verbracht haben – und zwar bis hin
zum kürzesten Augenblick. Giannozzo verdammte die Müßigen,
die, ohne jede Tugend, ihre Zeit nutzlos vergeuden. Spielern begegnete er mit größtem Abscheu, das Spiel haßte er wie die Pest, als
eine todbringende Sache, da es nur wenigen, die sich ihm hingaben,
nicht zum Verderben gereichte.

[Der Bericht schwenkt nun wieder auf Manettis politische Karriere zurück: seine Ernennung zum Sekretär Papst Nikolaus' V., eine
Gesandtschaft nach Neapel, auf der er eine Disputation in glänzender Weise besteht. Ein Konflikt ergibt sich hier, als die Genuesen
in der Fronleichnamsprozession vor den Florentinern schreiten sollen: Manetti weigert sich mit dem Hinweis, sie seien dem König
abgabepflichtig, dies zu akzeptieren. Und er hebt hervor, sie
repräsentierten nur einen einzelnen – den Dogen –, während er für
eine Gemeinschaft in die Schranken trete. 1439 wird Manetti einer
der *ufficiali di vendite*, die für die Erhebung von Steuern aus dem
Erlös von Verkäufen zuständig waren. Er habe sich, schreibt Bisticci, dagegen gewandt, diese Tätigkeit durch einen Anteil von einem
Quattrino pro Lira, der den *ufficiali* zustehen sollte, zu belohnen;
seine Kollegen hätten sich auf Druck Manettis zum Verzicht auf

dieses Entgelt verstanden. 50 000 Fiorini seien eingenommen worden; Giannozzo Manetti habe sich für das Amt nur zur Verfügung gestellt, um «unzählige arme Edelleute» unterstützen zu können. Bisticci geht dann über zur Schilderung von Manettis Tätigkeit als Vikar des florentinischen Ortes Pescia.]

Er ging zu einer Zeit als Vikar nach Pescia, als Niccolò Piccinino die Florentiner so geschädigt hatte, daß ein Scheffel Getreide in Florenz 3 Lire 6 Soldi kostete und in Pescia nicht weniger galt. Als er am Morgen des ersten Tages seines Vikariats in Pescia einzog, sah er eine große Zahl von Lasttieren, die mit Stroh und Holz beladen waren; denn, nach alter Gewohnheit, mußte dies dem Vikar zu diesem Anlaß gegeben werden. Er jedoch befahl, daß sie sich zum Gehen wenden sollten. Er habe so viel Geld mitgebracht, daß es ausreiche, alles, was ihm vonnöten sei, zu kaufen. Darauf hob er diese Tributpflicht auf. Und ohne sie brachte er allein die Untertanen des Vikariatsbezirks dazu, mehr zu bezahlen, als zwei Vikare zusammen mit diesen Rechtstiteln; und dabei blieben ihm die Zuneigung der Untertanen und der Frieden bewahrt. [. . .]

Da großer Mangel an Korn herrschte, ließ er verzeichnen, wieviel Getreide in Pescia war; so sah er, wessen es bedurfte. Er meinte, es sei gut, in die Lombardei zu gehen und dort zu kaufen, was den Leuten von Pescia fehlte, doch sagten diese, sie hätten die Mittel nicht dafür. Da erbot er sich, ihnen das Geld zu leihen, und tat es auch. Ungefähr 300 Fiorini streckte er vor. Man solle, so ordnete er an, täglich von dem vorhandenen Getreide so viel auf die Piazza bringen, daß der Preis für den Scheffel in wenigen Tagen um 25 Soldi weniger betrug als in Florenz.

In allen Ämtern, die er ausübte, war er darauf bedacht, daß seine Beamten nichts ohne seine Erlaubnis unternähmen. Und so legte er ihnen gegenüber Widerspruch ein. Doch geschah es, daß einer seiner Beamten gerade zu der Zeit, als Messer Giannozzo sein Vikariat antrat, sich gewisser Machenschaften befleißigte, wobei er dies mit Rücksicht auf seinen Gewinn vor ihm zu verbergen suchte. Als Messer Giannozzo aber dessen gewahr wurde, schickte er sofort nach dem Mann und sagte ihm, empfände er nicht Respekt für den, der ihn eingestellt habe, er würde ihm wohl zeigen, was es für Folgen habe, einem Rektor nicht zu gehorchen. Und er entließ ihn unverzüglich.

So mußte ein jeder den rechten Weg gehen. Oftmals stiftete Messer Giannozzo während seines Vikariats Frieden. Er verhielt sich so, daß seine Taten bis heute in guter Erinnerung sind. Streitigkeiten hinterließ er keine, während es andererseits keinen Ausgleich gab, der nicht von ihm gestiftet worden wäre. Das ganze Vikariat

23   Grabmal des Leonardo Bruni, Bernardo Rossellino und Mitarbeiter,
um 1447 – nach 1451. Florenz, S. Croce

brachte er in die größte Ordnung. Er pflegte zu sagen, daß das Amt
der Vikare in nichts anderem bestehe, als alle Dinge so einzurichten, wie er es auch tat. Und unter all diesen Beanspruchungen
schrieb er die Biographien des Sokrates und des Seneca.

[Manetti geht nun wieder in diplomatischer Mission nach Neapel;
daraufhin wird er nach Mailand geschickt.] Als seine Mission beendet war, kehrte er nach Florenz zurück und wurde in den *collegio*
gewählt. Zu jener Zeit starb Messer Leonardo von Arezzo. Die *Signoria* beschloß, ihn von Staats wegen zu ehren, so, wie man nur
einen Bürger ehren könne. Man wollte ein altes Gesetz wiederbe-
leben, damit wegen des Todes von Messer Leonardo eine Leichenrede gehalten werden konnte. Diese Aufgabe wurde Messer Giannozzo übertragen. Wie diese alte Konstitution es forderte, sollte er
den Toten mit Lorbeer krönen.

Alle Gelehrten, die in Florenz waren, kamen zu dieser Trauerfeier,
um Messer Leonardo zu ehren – die ganze Stadt, alles, was Rang
und Namen hatte. Und da damals der römische Hof in Florenz war,
begaben sich auch viele Prälaten und andere hochrangige Persönlichkeiten zu diesen Exequien. Messer Giannozzo hielt eine sehr
würdige Totenrede und krönte Leonardo dann entsprechend dem

Brauch der Alten mit einem Lorbeerkranz. Lange Zeit war es her, daß man dergleichen zuletzt veranstaltet hatte. Messer Giannozzo erwarb sich dabei großes Ansehen.

[Im *collegio* geht es um ein Gesetz gegen Steuerhinterziehung, das wohlhabende Steuerzahler begünstigt. Manetti ist zwar dagegen, kann aber nicht verhindern, daß es den *collegio* passiert. 1446 wird er *capitano* von Pistoia. Er geht gegen Glücksspiele vor, versucht, zwischen den dortigen Parteien zu vermitteln.]

Während seines Aufenthaltes in Pistoia schrieb er die Geschichte der Stadt, in vier Büchern. Als er abreiste, schenkte man ihm eine Standarte mit Pistoias Wappen und einen mit Silber beschlagenen Helm. Außergewöhnlich war das Ansehen, das er sich in jener Stadt erworben hatte. Er verwaltete den Staat so uneigennützig, daß nur wenig fehlte, und er wäre wegen seiner Unkosten nicht mehr zahlungsfähig gewesen.

[Weitere Missionen führen ihn erneut nach Rom, Neapel und an den Hof Sigismondo Malatestas, des Herrn von Rimini, den er – noch im Sold Alfonsos von Neapel – auf die Seite der Florentiner ziehen soll; er muß dazu zwischen Sigismondo und dem Herzog von Urbino einen Ausgleich vermitteln, was auch gelingt. Bisticci erwähnt, daß im Zusammenhang mit diesen Verhandlungen ein großes Gastmahl stattgefunden habe; im Anschluß daran habe Manetti eine Disputation mit den Juden Riminis glänzend bestanden.]

Im selben Jahr ging er als Botschafter nach Venedig, um Verhandlungen weiterzuführen, die Florenz mit einem Gesandten der Republik eingeleitet hatte, nämlich den König Renato nach Italien ziehen zu lassen, gegen König Alfonso. In Venedig wurden ihm vom Dogen – es war Messer Francesco Foscari, einem Mann von sehr hohem Ansehen – die größten Ehren erwiesen. Im Rat der *pregadi* gewährte der Doge ihm eine öffentliche Audienz, zu der sich mehr als 500 Edelleute einfanden. Wer nur konnte, kam dazu, vom Ruhm seiner einzigartigen Tugenden dazu bewogen, an dieser Audienz teilzunehmen.

An jenem Morgen sprach Messer Giannozzo eine Stunde oder mehr. Mit solcher Aufmerksamkeit lauschte man ihm, daß es keinen gab, der sich gerührt oder gar gesprochen hätte. Nachdem er geendet hatte, verharrten alle wie verwirrt unter dem Eindruck der gewaltigen Kraft seiner Rede.

[Bisticci schildert nun ausführlich die Verhandlungen Manettis mit dem Dogen und der *Signoria* Venedigs, die sich vor dem Hintergrund der Auseinandersetzungen der Serenissima mit Francesco Sforza, dem Prätendenten auf die Nachfolge der Visconti im Herzogtum Mailand, vollziehen. Die Niederlage, welche die venezianischen Truppen am 14. 9. 1448 bei Caravaggio gegen Sforza erleiden, macht eine Übereinkunft unausweichlich. Manetti soll im Zuge einer neuen Gesandtschaft auf ein Bündnis Venedigs mit Florenz und Francesco Sforza hinwirken; die Serenissima aber weicht aus, obwohl Manetti nach Bisticcis Bericht sein ganzes diplomatisches Geschick und seine ganze glänzende Rhetorik aufbietet. Schließlich wird er nach Florenz zurückbeordert. Nachdem sich Sforza endgültig in Mailand als Herzog etabliert hat – er zieht am 26. Februar 1450 in die Stadt ein –, entsendet man Giannozzo Manetti erneut nach Venedig. Diesmal sind es die Florentiner, die – folgt man Bisticcis Bericht – Venedig hinhalten. Sie sehen zu, wie Francesco erneut gegen Venedig vorgeht. Cosimo de' Medici habe dazu geneigt, die Venezianer zu demütigen, schreibt Bisticci; als Grund nennt er dessen Einsicht, weder Florenz noch Italien könnten zur Ruhe kommen, wenn Venedig zu mächtig bleibe. Manetti will wohl anfänglich das Spiel, das man mit den Venezianern treibt, nicht mitmachen. Als der Brief Cosimo de' Medicis, durch den die Florentiner Delegation zur Abreise aufgefordert wird, eintrifft, unterredet er sich mit Neri di Gino Capponi, einem Mitglied der Gesandtschaft.]

«Was wird der Doge, die *Signoria*, was werden diese Edelleute sagen, wenn sie sich verspottet sehen?» Neri antwortete: «Ich will nicht mit dem Löwen ringen. Wenn du möchtest, tu es nur; ich will nicht aus Florenz gejagt werden.» Daraufhin – und weil er sah, wie wichtig es für die Stellung von Florenz war, die Venezianer niederzuhalten – faßte sich Messer Giannozzo in Geduld, wenngleich es ihm schien, daß diese Sache nicht ausgehe, ohne daß er Schuld auf sich lade, war er doch der Mann, der mit ihnen verhandelt hatte. So gingen sie alle drei, um ihren Abschied zu erbitten, ohne daß ein Vertragsabschluß zustande gekommen wäre. Doge und *Signoria* harrten ihrer sehnsüchtig; sie wurden in den Audienzsaal gerufen. Von Neri, als dem Ältesten, wurde die Antwort erwartet; er sagte, sie hätten Briefe aus Florenz, von ihrer Regierung – sie sollten aus Venedig abreisen, sobald sie diese Schreiben in Händen hielten, und erbäten deshalb von der Signoria ihren Abschied, um zu ihren Herren zurückkehren zu können. Der Doge und die *Signoria*, die eine solche Antwort und die Absage an einen Vertragsschluß nicht erwartet hatten, dachten, die Florentiner wollten sich für Vorgänge in der Vergangenheit rächen. Einer blickte den anderen an, bleich, ohne ein Wort zu sagen. [. . .] Der Doge antwortet schließlich nur, sie möchten ihre *Signoria* grüßen und sie [in ihrer Politik] bestärken.

Trotz alledem blieb Messer Giannozzo bei dieser *Signoria* in größtem Ansehen, da man seine Redlichkeit wohl kannte und wußte, woher diese Dinge kamen.

Nach Florenz zurückgekehrt, wurde Messer Giannozzo in den Rat der Acht gewählt. Weil Kriegsgefahr in der Luft lag, wurde ihnen die Gewalt der Zehn gegeben. In diesem Amt bewährte Messer Giannozzo sich ebenso wie in den anderen, die er ausgeübt hatte. Zu jener Zeit grassierte die Pest in Florenz; seiner Stadt zu Wohl und Ruhm reiste er nicht fort. Doch waren wegen der Pest sonst keine Bürger da, und so geschah es, daß keine Vorkehrungen getroffen worden waren, die Söldner zu bezahlen. Deshalb konnten insbesondere der Herzog von Urbino und Napoleone Orsini, die damals im Sold von Florenz standen, ihre Truppen nicht mehr bezahlen. Nachdem sie mehrmals Geld gefordert hatten, konnten sie die Soldaten mit Worten nicht mehr hinhalten. Sie kamen in die Gegend von San Miniato und begannen zu plündern. [. . .]

[Manetti gelingt es, gemeinsam mit Agnolo Acciaiuoli durch Verhandlungen mit Federico da Montefeltro und Napoleone Orsini die Lage zu beruhigen. Bisticci fährt mit der Schilderung einer erneuten diplomatischen Mission Manettis zu König Alfonso von Neapel – in dem Venedig inzwischen einen Bündnispartner gefunden hatte – fort. 1452 kommt der deutsche König Friedrich – als Kaiser Friedrich III. – zur Kaiserkrönung nach Rom. Manetti ist Mitglied der fünfzehnköpfigen Delegation, die ihn auf Florentiner Gebiet empfängt; er wohnt im Kloster von S. Maria Novella. Bisticci schreibt es dem «Neid» zu, daß nicht Giannozzo Manetti, sondern Carlo Marsuppini, damals Kanzler von Florenz, eine Ansprache im Namen der *Signoria* halten durfte. Enea Silvio Piccolomini, der spätere Papst Pius II., antwortet und spricht in seiner Rede einige Dinge an, auf welche sofort eingegangen werden muß. Da Carlo Marsuppini sich dazu außerstande sieht, springt Manetti ein und improvisiert eine glänzende Rede. Er begleitet dann Friedrich nach Rom zur Krönung. Dort kommt es anscheinend zu Geheimgesprächen mit venezianischen Diplomaten. Anschließend wird, in nicht korrekter Chronologie, von Manettis Mission nach Siena berichtet (1448). Hier sollte er darauf hinwirken, daß dem mit seinem Heer bei Piombino liegenden König Alfonso der Nachschub gesperrt werde. Bisticci erwähnt, daß Manetti von Papst Nikolaus zum Ritter erhoben wurde und das Vikariat von Scarperia ausübte (1452). In dieser Zeit schrieb er sein berühmtes Werk ‹De dignitate et excellentia hominis›. Wieder bringt Bisticci die zeitliche Abfolge durcheinander, wenn er schreibt, Manetti habe sich nun gezwungen gesehen – angeblich wegen der hohen Steuern, die man ihm auferlegt hatte –, Florenz zu verlassen und in Rom sein Auskommen zu suchen. Er sei schließlich ultimativ dazu aufgefordert worden, zurückzukehren; andernfalls würden seine Söhne nach Piacenza in die Verbannung geschickt. Er sei dem Befehl gefolgt, allerdings als Gesandter des Papstes und somit im Schutz diplomatischer Immunität.]

Er kam am Gründonnerstag in Florenz an, stieg vom Pferd und begab sich umgehend zur *Signoria*, um sich ihr zu zeigen. Gleich erhielt er Audienz. Er trat ein, fiel vor den Signori auf die Knie – obwohl sie sich dagegen verwahrten – und sprach die folgenden Worte: «Meine erhabenen Herren – hätte ich Gott, der mich schuf, mit so viel Treue und Liebe gedient, wie ich dieser Regierung zu Diensten war, ich wäre wohl zu Füßen des heiligen Johannes des Täufers. Eure Herrlichkeiten wissen um meine Verdienste.» Manche hatten da Tränen in den Augen. Man antwortete ihm, er solle sich ausruhen gehen, man würde ihn ein anderes Mal wiedersehen.

[Er erreicht bei einer erneuten Audienz die Wiederherstellung seiner Ehre. Bei der gerade stattfindenden Wahl zum Zehnerrat wird er in dieses Gremium gewählt und agiert in dieser Funktion erfolgreich im Krieg gegen Alfonso von Neapel (1453).]

Messer Giannozzo bewährte sich in diesem Feldlager und im Umgang mit jenen Söldnerführern so, als hätte er sich nie mit etwas anderem als mit der Kriegskunst beschäftigt. Etwa 20 000 Mann zu Fuß und zu Pferd standen diesem Zehnerrat zur Verfügung; sie eroberten alles Verlorene zurück. Die Heerführer boten dem Rat der Zehn an, ihm in fünfzehn Tagen das ganze Landgebiet von Siena zu erwerben, doch in Florenz wollte man das, aus Neid auf soviel Ehre, welche die Zehn erworben hatten, nicht leiden.

[Manetti regelt seine Vermögensverhältnisse und erfüllt seine finanziellen Verpflichtungen gegenüber der Kommune, um seinen Abschied nehmen und nach Rom gehen zu können.]

Nachdem er, wie gesagt, seinen Abschied von der *Signoria* und allen führenden Männern der Regierung genommen hatte, lud er für den Morgen seiner Abreise Verwandte und Freunde zum Mittagsmahl. Er wußte nicht, ob er sie jemals wiedersehen würde; mit vielen freundlichen Worten sprach er ihnen zu, insbesondere seiner Frau und seinen Söhnen. Er bestärkte sie darin, sich in Geduld zu fassen und bei Gott für ihn zu bitten. Dieses Gastmahl war, rückte doch die Abreise näher, voller Tränen, und es gab viele Seufzer wegen des harten Abschieds. Er führte in seinen Abschiedsworten vor Augen, daß er nichts zu bereuen habe, immer habe er seine Zeit gut genutzt – seinen Söhnen zum Vorbild, auf daß sie lernten, ihm nachzuleben. Nie hatte jemand wahrgenommen, ob ihm beim Essen oder Trinken mehr die eine oder die andere Sache schmeckte. Er sagte, es sei armselig, an so etwas ... Geringes und Niederes zu

denken, wir seien zu Höherem geboren, aufgrund unserer Würde.
Auf diese Worte hin bestieg er sein Pferd. Um nicht die Fassung zu
verlieren, gab er keinem die Hand, wandte sich ab und sagte: «Seid
Gott befohlen.» Und er nahm die Straße nach Rom.

Ich werde hier nicht weiterschreiben, ohne die Undankbarkeit der
Vaterstadt zu beklagen, angesichts dessen, was Messer Giannozzo
für sie getan hat. Die Belohnung, die er davontrug, war, daß er in
einem Alter, in dem man wünscht, daheim mit Frau, Kindern und
Freunden auszuruhen, seine Heimat verlassen und sich eine neue
suchen mußte. O nie gehörte Undankbarkeit . . .!

[Bisticci schließt mit einigen Notizen über Ereignisse während der
römischen Zeit Manettis und über seine letzten Aufenthalte am
Hof von Neapel, wo er nochmals als Übersetzer und Autor – und
als Unternehmer, was Bisticci nicht erwähnt – tätig wird.]

So widmete sich Messer Giannozzo löblichen Tätigkeiten, und
nach so viel widrigen Schicksalen fand er seine Seelenruhe wieder.
Da starb König Alfonso; nichts hätte ihn unglücklicher machen
können als dieses Ereignis. Doch faßte er sich, wie es seine Art war,
in Geduld. Alfonsos Nachfolger Ferdinando bestätigte ihm alle Privilegien. Nicht viel Zeit verging indessen [. . .], und auch er schied
aus diesem Leben. Ein guter Katholik und guter Christ, gab er seinen Geist seinem Erlöser zurück.

Ich bin sein Leben in aller mir möglichen Kürze durchgegangen,
wobei ich mich auf den Kommentar zu seiner Vita beziehe, in dem
ich alles weitläufig niederschreibe.

[Es folgt eine Aufzählung der Werke Giannozzo Manettis.]

DAS LEBEN DES MESSER POGGIO
[BRACCIOLINI], EINES FLORENTINERS

ESSER POGGIO war aus Terranova, einem florentinischen Kastell. Er wurde Eltern geboren, die recht ansehnlichen Besitz ihr eigen nannten. Der Vater schickte ihn zum Studium nach Florenz. Doch reichte sein Vermögen nicht zum Leben hin, und so verdingte sich Poggio als Repetitor. Er war sehr beschlagen in der lateinischen Sprache, und auch im Griechischen hatte er gute Kenntnisse. Er verstand sich darauf, sehr schön in antiker Schrift zu schreiben; in seiner Jugend schrieb er um Lohn, um so seine Ausgaben für Bücher und anderes bestreiten zu können.

Als er erfuhr, daß einzigartige Männer gerade am römischen Hof Anstellungen fänden und für ihre Bemühungen entlohnt würden, begab er sich dorthin, wo er angesichts der Klugheit seines Verstandes zum apostolischen Sekretär ernannt wurde. Dann bekam er noch eine Schreiberstelle. Mit beiden Ämtern war es ihm möglich, ein ehrenhaftes und löbliches Leben zu führen. Er hatte kein Absehen darauf, sich zum Priester weihen zu lassen, auch nicht, kirchliche Pfründen zu haben. Zur Frau nahm er sich eine Florentinerin von vornehmstem Geblüt – aus der Familie der Boundelmonti –, und er hatte vier Söhne und eine Tochter von ihr.

Papst Martin schickte ihn mit brieflichen Botschaften nach England. Messer Poggio verurteilte die Lebensart der Engländer, ihre Zeit mit Essen und Trinken zu verschwenden, aufs entschiedenste. Zur Belustigung pflegte er öfters zu erzählen, daß er – wenn er von diesen englischen Prälaten und Herren zum Mittag- oder Abendessen eingeladen war – vier Stunden bei Tische saß und sich dabei mehrmals von der Tafel erheben und die Augen mit frischem Wasser auswaschen mußte, um nicht einzuschlafen.

Wunderdinge berichtete er vom Reichtum jenes Landes, insbesondere vom Vermögen jenes alten Kardinals, der das Königreich lange Zeit regiert hatte. Er sprach davon, daß der Kardinal viel Gold- und Silbergerät besaß, alles unermeßlich wertvoll, und daß sogar das Küchengerät bei ihm von Silber war, ebenso die Feuerböcke im Kamin und überhaupt jede Kleinigkeit. Der Reichtum des Kardinals summierte sich zu einer Höhe – wie ich von Poggio

24 *Poggio Bracciolini. Initiale aus einem Manuskript von Poggios Werk*
‹De varietate fortunae›. *Miniatur von Francesco di Antonio del Chierico.*
Rom, Biblioteca Vaticana (Urb. lat. 224, fol. 2r.)

und anderen hörte –, daß ich das hier gar nicht niederschreiben
will.

Antonio de' Pazzi, einer unserer Bürger – ein angesehener Mann –,
kam einmal zu diesem Kardinal. Am Morgen eines hohen Festtags
gab er ein großartiges Bankett, für das zwei Säle herausgeputzt waren – der eine wie der andere mit kostbarsten Tüchern behängt und
ringsherum zugerichtet, damit Silbergegenstände aufgestellt werden konnten. Ein Saal war so ganz mit Silbergeschirr aller Art geschmückt, der andere voller vergoldeter und goldener Gefäße. Dann
führte er ihn in ein aufs üppigste ausgestattetes Zimmer und ließ
ihn sieben Schmuckkästchen öffnen, die allesamt mit englischem
Geschmeide gefüllt waren. Das habe ich erzählt, um zu bestätigen,
was Messer Poggio gesagt hat.

Als das Konzil von Konstanz stattfand, reiste er dorthin. Von Niccolò und vielen anderen Gelehrten war er gebeten worden, die Mühe nicht zu scheuen, in den Klöstern dieser Gegend nach jenen ungezählten lateinischen Büchern, die verlorengegangen waren, zu suchen. Und er fand sechs Reden Ciceros: Wie ich von ihm gehört habe, fand er sie in einem Mönchskloster, unter einem Berg unnützer Schriften, so daß man sagen kann, sie seien im Abfall gefunden worden. Auch entdeckte er den gesamten Quintilian, der vorher nur als Fragment vorhanden war. Da er ihn nicht mitnehmen durfte, machte er sich daran, ihn eigenhändig abzuschreiben; in zweiunddreißig Tagen war das Werk getan. Ich sah ihn – von seiner Hand – auf wunderschöne Art geschrieben. Ungefähr fünf Bogen pro Tag stellte er fertig.

Dann spürte er Tullios ‹De oratore›, der bisher ebenfalls nur bruchstückhaft überkommen war, auf. Seit unendlich langer Zeit war dieser Text verloren gewesen. Er fand das bedeutende, in heroischen Versen abgefaßte Werk ‹De secundo bello punico› des Silius Italicus, des Marcus Manlius ruhmwürdiges ‹Astronomicon› in Versen, Lukrez' gleichermaßen in Versen gehaltenes und hochgeschätztes Buch ‹De rerum naturae›. Das ‹Argonauticum› von Valerius Flaccus – in Versen und ein nicht weniger bedeutendes Werk – entdeckte er, und er fand Asconius Pedianus' Kommentar zu bestimmten Reden des Cicero, Lucius Columellas ‹De agricultura›, ein schätzenswertes Buch, und dann das hochwichtige ‹De medicina› von Cornelius Celsus. Aulus Gellius' bedeutende ‹Attische Nächte› waren unter seinen Funden, mehrere Werke des Tertullian, Statius' in Verse gefaßte ‹Silvae› und ‹De temporibus› des Eusebius, mit Zusätzen des Hieronymus und des Prosperus; diesen Text kopierte er mit eigener Hand. Ebenfalls in Konstanz fand er die Briefe Tullios an Atticus, über die ich allerdings nichts weiß. Und nicht weniger dank des Fleißes von Messer Leonardo und Messer Poggio kamen die letzten zwölf Komödien des Plautus ans Licht. In Basel führten sie Textverbesserungen durch; Messer Gregorio Correr, der Venezianer, Messer Poggio und andere brachten die Texte zur Richtigkeit und in jene Ordnung, in der sie sich heute befinden. Auch Ciceros ‹Reden gegen Verres› kamen aus Konstanz, Messer Leonardo und Messer Poggio brachten sie nach Italien.

Man sieht also, wie viele bedeutende Bücher durch Messer Leonardo und Messer Poggio gefunden wurden. Dafür schulden ihnen die Gelehrten dieses Jahrhunderts viel Dank, wieviel Erleuchtung haben sie von ihnen empfangen!

Plinius' Werk gab es vordem in Italien nicht; doch Niccolò besaß
einen Hinweis, daß sich zu Lübeck in Deutschland ein abgeschlos-
senes, vollständiges Exemplar befinde. Da wurde er bei Cosimo de'
Medici vorstellig, der einen dort befindlichen Verwandten einschal-
tete und sich bei den Mönchen, die das Buch besaßen, sehr bemühte: Er gab ihnen 100 Rheinische Dukaten, dann hatte man das Buch.
Allerdings hätten sich beinahe große Unannehmlichkeiten aus diesem Handel entwickelt – sowohl für die Brüder als auch für jene,
die das Buch gekauft hatten.

Aber kehren wir zurück zu Messer Poggio. Nachdem er aus Konstanz zurückgekehrt war, ging er daran, Bücher zu verfassen und
seine Redekunst zu zeigen. Denn er war höchst sprachgewandt, wie
man an den meisten seiner Übersetzungen und von ihm verfaßten
Werke sehen kann. Seine Episteln wurden und werden sehr gut
aufgenommen, wegen der Leichtigkeit ihrer Schreibart; ohne jede
Mühe hat Poggio sie zu Papier gebracht. In seinen Schmähschriften
war er freilich äußerst heftig, so daß es keinen gab, der nicht Angst
gehabt hätte vor ihm. Ansonsten war er ein sehr freundlicher, ge-
fälliger Mann, ein Feind jeder Verstellung und Heuchelei, dafür
offen und freisinnig.

[Bisticci führt einige Beispiele für solche Polemiken an, jene gegen
Papst Felix und Verteidigungsschriften für Niccolò Niccoli, insbesondere gegen Francesco Filelfo, der später aus Florenz verbannt
und erst kurz vor seinem Tod von Lorenzo dem Prächtigen zurückgerufen wurde. Der Bericht fährt fort mit einem Blick auf die literarische Arbeit Poggios.]

Unter den ersten Werken, die er übersetzte, war Xenophons
‹Jugend des Kyros›, ein bei den Griechen hochberühmtes Werk; die
Übersetzung wurde von den Gelehrten seiner Zeit sehr geschätzt.
Er sandte sie an König Alfonso, der ihn entgegen seiner sonstigen
Gewohnheit nicht für seine Arbeit entschädigte. Da schrieb er
an den Panormita und beklagte sich über Seine Majestät. Der ließ
es den König wissen, der ihm sofort 400 Alfonsini – was 600 Du-
katen entspricht – schicken ließ. So fand sich Messer Poggio von
Seiner Majestät aufs beste zufriedengestellt, und wenn er sich vor-
her einigermaßen beklagt hatte, war er nun voll unendlichen
Lobes.

Messer Poggio stand in Rom in gutem Ansehen und erfreute sich
der höchsten Gunst des Papstes. Als in Florenz Messer Carlo von
Arezzo, der Kanzler der *Signoria*, starb, wurde Messer Poggio aufgrund seines Ruhmes und seines guten Namens sofort zum Nachfolger gewählt. Es war eine Wahl, bei der er von einer Woge der
Gunst getragen wurde.

Obwohl Messer Poggio am Hof von Rom hinsichtlich der Ehre und auch, was das Gehalt anbelangte, eine Stellung bekleidete, wie sie besser nicht hätte sein können, zog er es vor, in seine Vaterstadt zurückzukehren, als man ihm die Wahl anzeigte. Er nahm an und ging nach Florenz und machte sich daran, Florenz zu seiner Heimatstadt zu machen, wie sich billig geziemte. [Seine Tätigkeit beginnt nicht erfreulich, als ein von ihm empfohlener Freund nicht in ein Amt gewählt wird. Bracciolini selbst aber bringt es zum Mitglied der *Signoria*; nach dem Ende seiner Amtszeit übernimmt er wieder die Kanzlei.] Da waren nun einige in Florenz, die es liebten, alles zu schmähen, und sie begannen, auch ihn mit ihrem Tadel zu bedenken. Über Cosimo de' Medici, mit dem er sehr befreundet war, gedachten sie, ihn zur Niederlegung des Kanzleramtes zu bringen und einen anderen dort einzusetzen. Jedermann möge bemerken, welche Gefahr für ihn darin liegt, dem Urteil eines Volkes ausgesetzt zu sein, unter dem es verschiedene Meinungen gibt!

Messer Poggio sah ein, daß er sie nicht zufriedenstellen konnte, weil die Dinge sich nach den Wechselfällen der Meinungen entwikkelten, und fügte sich in seinen Rücktritt – war er doch schon alt –, um sich ausruhen und besser seinen Studien obliegen zu können. Er war's zufrieden, daß sie einen anderen an seine Stelle setzten. Alles tat er im Wissen um den Zustand der Stadt, und weil ihm diese Art zu leben fremd geworden war.

Cosimo de' Medici, der ihn sehr schätzte, wollte nicht, daß er für einen anderen zurücktrat. Doch als er der Absichten Messer Poggios gewahr wurde, dem das Amt nichts bedeutete, ließ er ihn gehen; andernfalls hätte er seine Haltung nicht geändert.

Da Messer Poggio lange Zeit am Hof von Rom gewesen war, hatte er es zu großem Reichtum gebracht. Er besaß Bargeld – eine nicht geringe Summe –, Landgüter, viele Häuser in Florenz, wunderschönes Mobiliar und viele wertvolle Bücher. Geld zu verdienen hatte er daher nicht nötig.

[Er nimmt nun die Arbeit an der ‹Florentinischen Geschichte› auf, führt sie dort weiter, wo Leonardo Bruni geendet hatte. Auch Poggio bekommt Probleme mit der Steuerbehörde, von denen Bisticci ausführlich berichtet. Bracciolini zeigt sich erregt über die Undankbarkeit der Florentiner.]

Er selbst, Messer Leonardo und Frate Ambrogio waren schließlich unter den ersten, welche die lateinische Sprache wieder hatten aufleuchten lassen: All diese Jahrhunderte hindurch war sie im Dunkel gewesen. Mit solchem Bestreben fand er sich in diesem goldenen Säkulum unter vielen gelehrten Männern.

Florenz hat gegenüber Messer Leonardo und Messer Poggio eine einzigartige Dankesschuld. Unter anderem deshalb, weil es – ausgenommen die römische Republik – kein Gemeinwesen, keinen Volksstaat in Italien gegeben hat, der in solcher Weise gefeiert worden wäre wie Florenz: Denn Florenz hatte mit Leonardo und Poggio zwei hervorragende Schriftsteller, die seine Geschichte zu Papier brachten. Bevor sie zur Feder griffen, lag alles in tiefstem Dunkel.

Hätte die Republik Venedig, wo doch viele Gelehrte waren, all das, was sie an Taten zu Wasser und zu Lande vollbrachte, aufschreiben lassen – was freilich unterblieb –, wäre sie noch berühmter, noch angesehener, als sie es jetzt ist. Und auch die Taten Galeazzo Marias, Filippo Marias und all der anderen Visconti wären viel bekannter. [. . .]

Keinen Staat gibt es, der Schriftstellern, die seine Geschichte aufschreiben, nicht jeden Lohn schuldete. Man sieht das an Florenz. Von den Anfängen der Stadt bis auf die Zeiten Messer Leonardos und Messer Poggios besaß man in lateinischer Sprache keine Kenntnis auch nur irgendeiner Tat, welche die Florentiner vollbracht hätten, und eine eigene, ihnen gehörende Geschichte. Messer Poggio führte die Florentiner Geschichte Messer Leonardos fort, in lateinischer Sprache, wie dieser. Giovanni Villani hatte eine Universalgeschichte in der Volkssprache verfaßt, die alles behandelte, was sich wo auch immer zutrug; damit vermischte er die Florentiner Dinge, wie sie sich im Lauf der Zeit ereigneten. In gleicher Weise verfuhr Messer Filippo Villani, der Giovanni nachfolgte . . . Sie allein sind es, die Florenz vermittels der Geschichtswerke, die sie schrieben, berühmt gemacht haben.

[. . .] Bevor er starb, ordnete Messer Poggio – der, wie gesagt, seinen Kindern ein schönes Vermögen hinterließ – an, daß ihm in S. Croce eine Grabstätte von Marmor errichtet werden sollte. Er legte auch ihre äußere Gestalt fest. Die Grabschrift verfaßte er selbst. Später – daraus entstand ein gerichtlicher Prozeß – ging es mit dem Vermögen bergab; das Grabmonument wurde nicht errichtet.

[Es folgt eine Liste der Werke Poggios.]

DAS LEBEN DES MESSER ZOMINO
AUS PISTOIA

ESSER ZOMINO war ein Priester aus Pistoia und Gelehrter des Griechischen und des Lateinischen. Er hatte in Pistoia ein Kanonikat, dazu besaß er eine weitere Pfründe, doch ohne Seelsorgeverpflichtung. Um sich ein reines Gewissen zu bewahren, wollte er keine Pfründen, mit denen eine solche Pflicht verbunden war. Er war von äußerst strengem Charakter, Pomp und Hoffart waren ihm fremd. Er unterwies die beste Jugend der Stadt, nicht nur in den Wissenschaften, sondern auch in den guten Sitten. Messer Palla Strozzi und andere – die Ersten der Stadt – vertrauten ihm ihre Söhne zur Erziehung an, aus den obengenannten Gründen.

Sein Lebenswandel war von äußerster Zucht. Er lebte 52 Jahre lang in Keuschheit: vom Tag, an dem er zum Priester geweiht wurde, bis zu seinem Ende. Nie verließ er sein Zimmer des Morgens, um seinen Schülern Vorlesung zu halten, ohne das Stundengebet absolviert zu haben. Mit wenigem war er zufrieden, wollte nicht mehr als nötig.

Man stellte ihn an, im Studium Vorlesungen zu halten; und er las dort öffentlich, im Wettstreit mit den gelehrtesten Männern, und er trug Ehre davon. Seine Zeit – von der er keine Minute ungenutzt verstreichen ließ – verbrachte er auf löbliche Art und Weise, indem er zu Hause Unterricht erteilte, Vorlesungen hielt oder die Lektionen vorbereitete.

Er hatte es sich zum Ziel gesetzt, mit wenigem zufrieden zu sein. Wessen er nicht unbedingt bedurfte, das verschenkte er um Gottes Lohn, oder er kaufte Bücher. Man sieht das daran, daß er mehr als 150 griechische und lateinische Werke hinterließ, eigenhändig geschriebene wie gekaufte. Er vermachte sie der Kommune von Pistoia, damit sie im Palast der Signori öffentlich zugänglich seien, so daß jedermann sich ihrer bedienen könne.

[Bisticci verliert einige Worte über den Aufenthalt Zominos auf dem Konstanzer Konzil; er erwähnt unter anderem, daß er verschiedene bedeutende Florentiner ausbildete: neben anderen Matteo Palmieri, Pandolfo Pandolfini, Bartolomeo di Palla Strozzi und Francesco di Paolo Vettori.]

Messer Zomino begehrte, etwas Fruchtbares zu tun und irgendein bedeutendes Werk zu hinterlassen. Doch sah er, daß er dies – weil er unterrichten mußte – nicht konnte. Deshalb beschloß er, von den geringen Einnahmen, die er hatte, alle Bemühung um die Lehre und überhaupt alles hinter sich zu lassen und nach Philosophenart zu leben. Zur Erntezeit ging er nach Pistoia und verkaufte sein Getreide. Wein kelterte er so viel, daß es für ein Jahr reichte. Den Erlös aus dem Getreideverkauf tat er in einen Beutel, den er in seinem Zimmer an einen Hutständer hängte. Was er jeweils ausgeben durfte, hatte er sich errechnet: zwei Brote täglich und wenig mehr. Gemäß der so erstellten Ordnung bediente er sich Tag für Tag aus seinem Beutel, und diese Einteilung stieß er nicht um. Nachdem er diese Vorkehrungen für ein Jahr getroffen hatte, dachte er während dieses Jahres an dergleichen nicht mehr, sondern sagte: «Dieses Jahr habe ich an nichts mehr zu denken als daran, zu studieren und zu schreiben», und so hielt er es auch: Er war ein zweiter Diogenes.

Messer Zomino schrieb ein hochbedeutendes Buch, das von größtem Wissen zeugt; nach folgender Einteilung ist es verfaßt: Es beginnt mit dem Anfang der Welt, behandelt die Jahre der Welt, wobei aller der Erinnerung würdigen Dinge von Jahr zu Jahr Erwähnung geschieht. Wo sich Eusebius, was diese Zeiten anbelangt, sehr kurz faßt und Messer Zomino auf vertrauenswürdige Schriftsteller zurückgreifen konnte, stellte er sie ausführlicher dar; wo nicht, hat er darauf verzichtet. Bei der Darstellung des Lebens des Moses oder anderer der Erinnerung würdiger Lebensgeschichten, um die er einiges Wissen hatte, faßte er sich kurz. So hielt er es mit dem Leben der Heiligen wie der Heiden, so daß er von allem vollständige Kenntnis geben konnte.

Von der Urzeit der Welt kommt er auf die Epoche der Assyrer, dann auf jene der Meder und daraufhin auf die der Römer, und so geht es nach der vollkommensten Ordnung weiter. Die Jahreszahlen sind vorangestellt und jeweils am Rande vermerkt, so daß sich alles mit größter Leichtigkeit finden läßt.

Dieses Buch gibt umfassende Kenntnis von allem, was des Gedächtnisses wert ist. Und alles ist aus glaubwürdigen Schriftstellern gezogen, denn sonst hätte Messer Zomino es nicht in sein Werk aufgenommen. Nachdem er sein Buch unter größten Schwierigkeiten und nach langer Arbeit zu Ende gebracht hatte, korrigierte er den Text und feilte ihn bis zu den Abschnitten über die Zeiten des Papstes Coelestinus aus. Es wurden schließlich achtzig oder mehr Hefte in großem Format. Nachdem er die Sache bis zu diesem Ende gebracht hatte, kümmerte er sich nicht mehr darum, daß

Abschriften angefertigt wurden. Von mir dazu aufgefordert und angetrieben, fertigte er eine an. Dieses Werk gewann so großes Ansehen, daß es in ganz Italien Verbreitung fand, in Katalonien, Spanien, Frankreich, England, am Hof von Rom. In Florenz ließ Cosimo de' Medici es kopieren; er schickte es in die Badia von Fiesole.

Messer Zomino führte den dritten Band bis auf seine eigene Zeit. Doch blieb der Text zu verbessern, und er war noch in die richtige Ordnung zu bringen. Das konnte Messer Zomino nicht mehr durchführen, da der Tod ihn daran hinderte. [. . .]

DAS LEBEN DES FLORENTINERS
MATTEO PALMIERI

ATTEO DI MARCO PALMIERI entstammte einer Familie mittleren Standes. Er begründete recht eigentlich sein Haus und adelte es durch seine einzigartigen Tugenden. Dem Studium der lateinischen Schriften widmete er sich auf das eifrigste, er erwarb sich gute Kenntnis darin. In seiner Stadt brachte er es zu hohem Rang, er erhielt hier alle Würden, welche ein Bürger gewinnen kann – sowohl innerhalb der Stadt wie außerhalb, durch alle bedeutenden Missionen, die man einem Bürger nur anvertrauen kann.

All diese Würden gewann er, wie gesagt, ohne daß sie ihren Grund in seinem Haus gehabt hätten, war doch er selbst es, der den Grund dafür legte. In seiner Republik gelangte er zu größtem Ansehen, denn er war ein gesetzter, ernsthafter Mann, der Ratschläge von großer Weisheit zu geben verstand. Das Urteil über ihn – und zwar der wichtigen Leute der Regierung – war, daß Matteo seinem Staat mit großer Bedächtigkeit rate und daß er in Angelegenheiten, die seinen Rat erheischten, mit Maß urteile. Es war dies nicht allein das Urteil der Regierenden. Auch die Botschafter von Königen, die mit ihm zu verhandeln hatten, lobten ihn sehr wegen seines Rats.

Wie man so in der Stadt sah, was er wegen seines Urteils galt, sandte man – als Botschafter zu König Alfonso geschickt werden mußten – Matteo dorthin. Wegen seines Ruhmes als Gelehrter und als Mann, den man für weise hielt, wurde er sehr geehrt.

In Neapel weilten damals viele gelehrte Männer, die von Matteo gute Kenntnis hatten, da sie seine Werke gelesen hatten. Er reiste als Botschafter an verschiedene Orte. Von allen seinen Missionen brachte er Ehre mit zurück, alle Aufträge erledigte er zur größten Zufriedenheit. Neben seinen anderen guten Seiten half ihm dabei sein Aussehen, war er doch von sehr schöner Gestalt. Er war groß und hatte ein sehr stattliches Äußeres, war dabei schon von Jugend an ganz grauhaarig.

[Bisticci erwähnt eine Gesandtschaft zu Papst Paul und nennt Palmieris wichtigste Werke, insbesondere Biographien und auch das berühmte ‹Libro della vita civile›.] Zuletzt verfaßte er ein hochbedeutendes Werk, dem er den Titel ‹Stadt des Lebens› (‹Vitae

25 *Matteo Palmieri und seine Frau (?) als Stifter vor der Himmelfahrt*
Mariens. Gemälde auf Holz, Francesco Botticini (1446–1497)
zugeschrieben. Im Hintergrund Florenz, links die Badia von Fiesole.
Wahrscheinlich illustriert das Bild eine als häretisch eingestufte
Anschauung Palmieris: In sieben der neun Ordnungen der Engel sind
zugleich Heilige eingereiht. London, National Gallery

civitas›) gab; er schrieb es – wie Dante – in der Volkssprache und
faßte den Text in Reime. Die Arbeit daran ließ ihn die größten
Mühen durchleiden, denn der Gegenstand des Buches war äußerst
schwierig. Viele bedeutende Dinge werden in jenem Buch behandelt, wo er seinen Geist zeigt. Wie dem auch sei – er irrt darin
hinsichtlich der Religion, weil er in den heiligen Wissenschaften
keine Kenntnisse hat. Die meisten gehen fehl darin, wenn sie sich
um Dinge bemühen, die unserem Glauben fremd sind; es ergeht
ihnen so, wie der hl. Paulus sagt: Da sie weise sein wollen in diesem Leben, sind sie närrisch geworden über der Verrücktheit der
Welt. Denn närrisch könne man jene, die der Erkenntnis Gottes
verlustig gegangen seien und vom Leben, das er verheiße, abwichen, mit Fug nennen.

Dabei ist wohl zu glauben, daß Matteo diesem Irrtum nur aus
Unkenntnis verfallen ist, weil er sich zuletzt doch der Kirche anvertraut. Um nichts will er von ihr abweichen: Was von ihr gutgeheißen werde, solle Bestand haben, im Falle des Gegenteils sei es
zurückzuweisen.

Als Matteo nun dieses Werk fertiggestellt hatte, unterredete er

26   *Matteo Palmieri. Marmorbüste von Antonio Rossellino*
(1427–1479). Florenz, Bargello

sich mit niemandem darüber; hätte er dies vorher getan, dieser
Irrtum wäre ihm nicht unterlaufen. Er ließ es in antiker Schrift auf
Pergament aus Ziegenhaut schreiben, mit Miniaturen schmücken
und binden. Dann wickelte er es in ein Tuch, versiegelte es und
versah es mit einem Schloß. Er übergab es dem Prokonsul mit den
Worten, das Petschaft nicht zu brechen, es sei denn nach seinem
Tod. Nachdem er gestorben war, öffnete man das Buch sofort und

zeigte es mehreren Theologen. Sollte etwas gegen den Glauben darinstehen, sei es nicht zu veröffentlichen: In der Tat fanden sie nach sorgfältigem Studium des Werkes eine Irrlehre, die es gänzlich durchzog. [. . .] Daher blieb das Buch beim Prokonsul in Verwahrung. Es wurde nicht veröffentlicht.

ES FOLGT DAS LEBEN DES
VITTORINO DA FELTRE

ITTORINO stammte aus Feltre in der Lombardei. Seine Eltern waren ehrbare Leute. Er besaß viele bedeutende Eigenschaften. Insbesondere war man der festen Überzeugung, daß er – darin übertraf er sämtliche Zeitgenossen – in äußerster Enthaltsamkeit lebte. In allen Sieben Freien Künsten war er sehr bewandert, hochgelehrt und des Griechischen nicht weniger mächtig als der lateinischen Sprache.

Er lebte in Mantua, zur Zeit der Dame Paola Malatesta und des Herrn Francesco Gonzaga, der viele ansehnliche Kinder, Söhne wie Töchter, besaß. Für ihren Unterricht bezog Vittorino eine sehr hohe Besoldung. Über ganz Italien verbreitete sich der umfassende Ruhm seiner löblichen Tugenden, so daß auch einige venezianische Herren und Edelleute ihre Kinder, auf daß sie die guten Sitten nicht weniger als die Wissenschaften erlernten, seiner Erziehung überantworteten.

[Zwei Florentiner seien unter Vittorinos Schülern gewesen, nämlich Messer Francesco da Castiglione und Sassolo da Prato, Verfasser einer Lebensbeschreibung des Meisters.]

Vittorino nahm in seinem Haus um Gottes Lohn viele arme Schüler auf und unterrichtete sie. Am Jahresende waren wegen der Ausgaben, die er für diese armen Schüler getätigt und der Almosen, die er gegeben hatte, mehr als die 300 Fiorini, die er vom Herrn Francesco Gonzaga bekam, ausgegeben – wohl nahezu die doppelte Summe. Als er seine Abrechnung durchsah und erkannte, für wieviel Geld er Schuldner bleiben mußte, begab er sich zu Herrn Francesco und sagte: «300 Fiorini habe ich als Lohn erhalten, aber so viele Hunderte darüber hinaus ausgegeben. Es ist vonnöten, Eure Herrlichkeit, daß Ihr mir helft, damit ich das bezahlen kann!» Der Herr, der ihn sehr liebte, machte gar keine Schwierigkeiten, wußte er doch um Vittorinos Rechtschaffenheit und auch darum, daß er – neben seinen anderen unerhörten Tugenden – auch äußerst freigebig war und, wie sich an seinen Handlungen erkennen läßt, das Geld nicht hortete.

Niemals wollte er sich eine Ehefrau nehmen, auf daß er nicht in

27 *Der Hof des Markgrafen Lodovico II. Gonzaga.*
Der Schwarzgekleidete in der Bildmitte ist wahrscheinlich
Vittorino da Feltre. Fresko von Andrea Mantegna, um 1474,
in der camera degli sposi des Herzogspalasts zu Mantua

seinen Studien behindert werde. Man war nicht nur – wie wir oben
bereits sagten – der Meinung, er lebe enthaltsam, sondern sogar, er
sei jungfräulich. Welch Wunder ist um einen Mann, der in seinem
Fleische lebt, als befände er sich nicht darin: Das gehört eher der
Sphäre der Engel zu als jener der Menschen.

Die christliche Religion achtete er aufs höchste. Jeden Tag sprach
er, wie die Priester es zu tun pflegen, das heilige Offizium; er fastete
an den vorgeschriebenen Tagen, nie ließ er einen Fasttag aus. Und
er wollte, daß es auch jene seiner Schüler, die im Alter waren, in
dem man zum Fasten verpflichtet ist, so hielten. Bei Tisch gab er
nach Art der Priester den Segen, genauso sprach er, wenn man die
Tafel aufhob, das Dankgebet. Und so machten es auch alle seine
Scholaren. Während des Essens ließ er vorlesen, auf daß sich jeder
in Schweigen faßte. Häufig beichtete er, und er hatte den Wunsch,
daß alle seine Schüler einmal im Monat zu Mönchen der Observanz
zur Beichte gingen. Darüber hinaus wollte er, daß sie täglich eine
Messe hörten. Sein Haus war ein Heiligtum in Sitten, Werken und
Worten. Er litt nicht, daß jemand bestimmte Grenzen übertrat; geschah dies, wurde ihm gesagt, er solle seinen Abschied nehmen.

Ehrbare Späße gestand er seinen Schülern zu. So ließ er mitunter die ihm anvertrauten Söhne der Herren reiten, Steine oder Stangen schleudern, Ball spielen oder springen, um ihre Körper behende zu halten. All diese Vergnügungen gewährte er ihnen, nachdem die Lektionen gelernt und wiederholt worden waren. Er hielt ihnen Vorlesungen in verschiedenen Fächern, je nach dem Wissensstand seiner Hörer. In allen Sieben Freien Künsten und in Griechisch las er, zu verschiedenen Stunden des Tages. Er teilte die Zeit auf wunderbare Weise ein, keinen seiner Schüler ließ er auch nur eine Stunde verlieren. Allein verließen sie selten das Haus; entweder sie gingen mit Vittorino oder gemeinsam aus und kehrten zu vereinbarten Stunden zurück. Vor allem wollte er, daß des Abends ein jeder zur rechten Zeit zu Hause sei. Er bewirkte, daß sich bei seinen Schülern tugendhaftes Verhalten zur bewundernswerten Gewohnheit bildete.

Aus Vittorinos Schule gingen nach Lebenswandel und Kenntnis in den Wissenschaften hochbedeutende Männer hervor. Kardinäle, Bischöfe und Erzbischöfe waren dort, ebenso weltliche Herren und Edelleute. [. . .]

Unter seinen Zöglingen war auch [Cecilia Gonzaga,] eine Tochter des Markgrafen von Mantua und eine der schönsten Jungfrauen, welche die Epoche kannte. Sie begehrte unter Vittorinos Anleitung zu lernen; in den Wissenschaften brachte sie es zu großer Gelehrsamkeit, nicht weniger eignete sie sich die besten Sitten an – darin übertraf sie das weibliche Geschlecht. Sie erreichte eine so heiligmäßige Art zu leben, daß sie es dahin brachte, sich ihren eigenen Willen zu versagen, um jenen ihres Erlösers zu erfüllen. Sie war von ihrem Vater einem Herrn aus Urbino zur Ehe versprochen worden, gegen ihren Willen, denn sie hatte ihm stets gesagt, sie wolle keinen Gemahl, es sei denn ihren Erlöser, dem sie ihren Körper unberührt und unbefleckt bewahren wollte. Darin wurde sie von Vater, Mutter, von Verwandten und Freunden nur mäßig bestärkt; so wollte sie schließlich dem Weltleben und zeitlichen Gütern entsagen, um zur Erbin der Ewigen zu werden. Sie nahm sich vor, ins Kloster als einen sicheren Hort ihres Seelenheils zu fliehen. Eines Tages also verließ sie, in Begleitung einiger Weiber, das Haus ihres Vaters und begab sich in ein Kloster heiligster Frauen, das sich zu Mantua befand. Dort schnitt sie sich eigenhändig die Haare ab und bekleidete sich – noch bevor sie den Schleier nahm – mit schwarzen Gewändern. Als ihr Vater das vernahm, empfand er tiefen Schmerz, und ebenso erging es der Mutter, den Brüdern, all ihren Verwandten, ja der ganzen Stadt Mantua: Alle liebten sie wegen ihrer Tugendhaftigkeit. Als der Vater und die Mutter sie aufsuchten, mißlang es ihnen nicht nur, sie von ihrem heiligen Vorhaben

*28 Vittorino da Feltre. Gemälde von Joos van Wassenhove
(Justus van Gent, um 1430–1475/80), ursprünglich im studiolo
des Herzogspalasts von Urbino. Paris, Louvre*

abzubringen – ihrerseits bestärkte sie die Eltern darin, Reichtümer,
den Prunk der Welt und ihre Eitelkeiten mit Füßen zu treten. Vittorino, der ihre standhafte Seele kannte, ermunterte den Vater und
die Mutter, sich in den Willen Gottes und den der Tochter zu schik-
ken. Man müsse dem Herrn danken, sagte er, daß er ihr eine so
große und wunderbare Gnade erwiesen und sie dazu bewogen habe,
der Welt und ihren verführerischen Lüsten Verzicht zu tun. So groß
waren die Kraft des jungen Mädchens und die Standhaftigkeit ihrer
unverletzlichen Seele, daß sie stets fest blieb und man sie nicht
von ihrem Vorhaben abbringen konnte. [. . .] Messer Gregorio
Correr schrieb eine erhabene Epistel für sie – ‹De contemptu
mundi› –, in welcher er sie zur Beharrlichkeit ermahnte in dem
Ordensleben, dem sie sich geweiht hatte.

Wunderbare Dinge vollbrachte Cecilia in diesem Kloster. Ihre tiefe Demut ließ sie anstreben, nicht Oberin, sondern die Geringste aller Nonnen zu sein. Allmächtiger Gott, welch unermeßliche Gnade erweist Du jenen, die sich Dir zuwenden wie Cecilia – durch ihre Jungfräulichkeit und in allem anderen wollte sie der Heiligen nacheifern, von der sie den Namen trug. Mehrmals hatte sie deren vom hl. Ambrosius verfaßte Lebensbeschreibung gelesen.

[Bisticci kommt nun wieder auf Vittorino da Feltre zu sprechen. Er lobt nochmals seine Tugenden, erzählt, daß er für seine Schüler auch um Almosen bettelte, da sein Salär für ihre Unterstützung nicht ausreichte.]

So sollten alle Lehrer sein, daß sie nicht nur die lateinische und die griechische Sprache unterrichten, sondern auch in den guten Sitten unterweisen, die über allen Dingen des Lebens auf dieser Welt stehen.

Ich glaube, daß Vittorino einige Werke verfaßt hat, von denen ich jedoch nichts weiß und sie daher auch nicht hierherstelle. Vittorino war klein von Gestalt, mager, sehr heiter: so, daß es den Anschein hatte, als lache er stets. Dabei erschien er als ein Mann von größter Ehrwürdigkeit. Er sprach wenig; er kleidete sich in graue und dunkle Kleider, Gewänder, die bis zum Boden reichten. Auf dem Kopf trug er eine kleine Kapuze mit einer kleinen *foggia* und einem schmalen *becchetto*. Ich sah ihn in Florenz und sprach mehrmals mit ihm, als er in Begleitung von Paola Malatesta, der Gemahlin des Markgrafen von Mantua, aus Rom kam. In seiner Begleitung war auch Herr Carlo Gonzaga, der sein Schüler gewesen war.

In ihrem Haus, in das sie zurückkehrten, lebte man auf nicht andere Weise als in einem Kloster. Das möge als kurze Erinnerung an sein Leben und seine Sitten genügen.

ES FOLGT DAS LEBEN
DES MESSER CARLO VON AREZZO

ESSER CARLO stammte aus Arezzo, von sehr ehrbaren Eltern. Sein Vater war Doktor, er nannte sich Messer Gregorio; er stand in Diensten Bucicaults, war sehr reich; deshalb wollte sich Messer Carlo den Wissenschaften widmen. Sehr jung kam er nach Florenz und beschäftigte sich gleich mit lateinischen Schriften. Er brachte es darin zu größter Gelehrsamkeit. Danach studierte er das Griechische, und er brachte es zu bester Kenntnis in dieser Sprache, nicht weniger als in der lateinischen. Er wandte sich dann der Philosophie zu, in der er sich sehr gute Kenntnisse erwarb, und zwar bessere in der praktischen als in der spekulativen.

Von allen Gelehrten wurde er hochgeschätzt, insbesondere von Niccolò Niccoli, der ihn sehr voranbrachte und ihm Ansehen verschaffte. Neben seinen anderen Fähigkeiten hatte er ein unendliches Gedächtnis. Dank der Vermittlung Niccolòs kam er in die besten freundschaftlichen Beziehungen mit Cosimo de' Medici, in dessen Haus er aus und ein ging. Lorenzo, dessen Bruder, liebte ihn nicht weniger als Cosimo. Als Cosimo und Lorenzo vor der Pest nach Verona flohen, nahmen sie in ihrer Begleitung Niccolò Niccoli und Messer Carlo von Arezzo mit.

Nach Florenz zurückgekehrt, nahm letzterer seine Studien mit größter Sorgfalt wieder auf. Als Niccolò seine bewundernswerte Gelehrsamkeit erkannte und sah, wie kenntnisreich er in der lateinischen Sprache war, ermutigte er ihn, öffentliche Vorlesungen zu halten. Insbesondere, weil damals Papst Eugen in Florenz weilte, war Messer Carlo einverstanden. Die *Ufficiali* über das Studium stellten ihn mit sehr gutem Gehalt an. Es war eine staunenswerte Sache, zu sehen, in welcher Menge die Leute zu seinen Vorlesungen zusammenströmten: Nicht nur Leute aus der Stadt kamen, sondern auch von vielen anderen Orten, darunter Nepoten des Papstes und Kardinäle. Es ging die Rede, daß in Florenz niemand je gewesen sei, der gelesen habe wie Messer Carlo. Er vollbrachte Wunderbares: Am Vormittag, an dem er seine erste Vorlesung hielt – ungezählte Gelehrte hatten sich eingefunden – gab er eine eindrucksvolle Probe seines Gedächtnisses, denn unter Griechen wie Lateinern gab es

29 *Das Grabmal Carlo Marsuppinis.*
Skulptur von Desiderio da Settignano (1428–1468). Florenz, S. Croce

keinen Autor, den er nicht zitiert hätte. So wurde die Lektion dieses Vormittags von allen einem Wunder gleichgeachtet.

Zur selben Zeit hielt auch Filelfo Vorlesungen. Bevor Messer Carlo las, war er in höchstem Ansehen gestanden. Als nun Messer Carlo mit seinen Lektionen begann, verlor Filelfo ziemlich an Hörern. Daraus entstand so großer Neid, daß Filelfo sich auf eine Weise verhielt, daß er, als ein Aufrührer, in die Verbannung geschickt wurde.

Wie nun der Ruhm Messer Carlos so zunahm, bewirkte Lorenzo de' Medici, Cosimos Bruder – der bei Papst Eugen viel vermochte –, daß er als dessen Sekretär eingestellt wurde. Messer Carlo bewahrte sich seine rühmlichen Eigenschaften, und er stellte unter Beweis, nicht nur ein fähiger Mann der Wissenschaft zu sein, sondern auch von weisestem Urteil. Er war sehr bescheiden und voll Maß; machte wenig Worte und war von schönster Gestalt. Er war etwas melancholisch, ein nachdenklicher Mann; sehr sittsam in Taten und Worten, ja, er hätte sich nicht nur geschämt, Unehrenhaftes zu sagen, er schämte sich sogar, wenn er dergleichen zu hören bekam. Als man nun ganz allgemein beste Kenntnis von seinem Tun gewonnen hatte, setzte man nach dem Tod Messer Leonardos von Arezzo Messer Carlo als Kanzler an dessen Platz. Dieses Amt versah er mit größter Sorgfalt; höchst ehrenvoll verwaltete er die

Stelle und erfüllte die Aufgaben der Kanzlei aufs beste. Er hatte eine starke Neigung, Verse zu machen, und er legte dabei beim Schreiben von Epigrammen und anderem größte Leichtigkeit an den Tag. Dazu schrieb er in Prosa, doch fiel es ihm leichter, Verse zu verfassen. Er übersetzte die ‹Batrachomyomachia› in Reimen, und dieses Werk wurde sehr geschätzt; auch übertrug er zwei Bücher der ‹Ilias› des Homer und verfertigte, anläßlich des Todes von Cosimos Mutter, eine Leichenrede.

Hätte er sich den vielen überflüssigen Aufgaben, die er übernommen hatte, entziehen können und sich den Wissenschaften gewidmet, er hätte die schönsten Früchte geerntet. Aber er nahm zu viele Belastungen auf sich.

Viel Lobendes ließe sich von ihm sagen; das wäre Aufgabe dessen, der seine Lebensgeschichte niederzuschreiben hätte. Es mag das in diesem kurzen Kommentar Niedergelegte hier genügen. Nach seinem Tod wurden Messer Carlo viele würdige Feierlichkeiten ausgerichtet. Auf der Bahre liegend wurde er, durch die Hand Matteo Palmieris, zum Dichter gekrönt. Jener sprach dabei auch eine Leichenrede.

[Bisticci schließt mit einer Liste der Werke Marsuppinis.]

DAS LEBEN DES DONATO DI NERI ACCIAIUOLI

ONATO DI NERI DI MESSER DONATO ACCIAIUO-
LI war Sproß einer Familie, die – da sie viele würdige
Männer, geistliche wie weltliche, hervorgebracht hat
– von erstem Adel ist. Als er in ein vernünftiges Alter
gekommen war, begann er mit dem Studium des Lateinischen. Sein Erzieher war Messer Jacopo da Luca, der später
Kardinal von Pavia wurde.

[Bisticci rühmt wortreich die Tugenden und den Verstand Donatos, der sich auch früh als Autor geübt habe.] Donato fügte zu all
diesen Eigenschaften hinzu, daß er von außerordentlich schöner
Gestalt war, und zwar so, daß er – ging er auf der Straße vorüber –
wie ein Wunder bestaunt wurde. Damit war in ihm alles vereint,
was zu einem hochedlen Mann gehört. Von wunderbarer Anmut
war er im Gespräch, mit wem auch immer er sich unterredete. Nur
wenige gab es, die mit ihm gesprochen hätten und dabei nicht zu
seinen Freunden geworden wären. Er war äußerst bescheiden, mit
jedem von größter Geduld, und sprach auf sehr höfliche Weise.
Niemanden gab es, der je ihn hätte schwören oder fluchen sehen
oder über jemanden zornig werden. Auch war er von großer Rede-
gewandtheit; nie machte er viele oder auch überflüssige Worte, zurückhaltend pflegte er zu sprechen und war dabei sehr aufrichtig,
weder heuchelte er, noch verstellte er sich. Und nie hörte man ihn
eine Lüge aussprechen, denn dessen war er feind. Zu diesen Vorzügen kam, daß er Gott liebte und ihn fürchtete, mehr als alles andere. Die christliche Religion verehrte er aufs höchste.

Obwohl er und sein Bruder Piero schon in früher Jugend den Vater
verloren hatten und sie nicht viel Vermögen besaßen, steigerten sie
dank seines Fleißes ihre Einkünfte so, daß sie sich die Möglichkeit
bewahrten, entsprechend ihrem Herkommen ein Leben als Edelleute zu führen. Donato war dabei äußerst freigebig; mit seinem Vermögen unterstützte er Leute, von denen er wußte, daß sie es nötig
hatten. So war er sehr barmherzig und milde. Mit jedermann machte er sich gemein, Hochmut und Prachtentfaltung lagen ihm fern.

Kehren wir zu seinen Studien zurück. Sehr ausdauernd war er dar-
in, und zwar so, daß sein Lehrer ihn wegen der Schwäche seines
Leibes daran hindern mußte, damit er sich kein Leiden zuziehe. Von
Natur aus mit Ernsthaftigkeit begabt, machte er niemals Dinge, wel-

che Kinder sonst zu tun pflegen. Mit seinem Leben und seinen Sitten bot er ein großes Beispiel. Kein Monat verging, in dem er nicht gebeichtet hätte; drei oder vier Mal im Jahr nahm er die Kommunion, und er fastete an allen Tagen, für die das geboten war, und auch während der Fastenzeit; er unterließ es nie. Um die jungen Leute, denen gute Sitten fern waren, zu fliehen, traten Piero, Donato und ihr Lehrer in eine Gemeinschaft von Jugendlichen ein, wo man unter strikter Befolgung der guten Sitten lebte und alles unternahm, um sie zu festigen und gut einzuüben. Älter geworden, trat er in eine «Nachtgesellschaft» ein. Sie war nach dem hl. Hieronymus benannt. War er in Florenz, begab er sich jeden Samstag dorthin, nie fehlte er. Er übernachtete dort und schlief dann auf einem Sack. Mehrmals war er Vorsteher der Gesellschaft; er sprach eindrucksvolle Mahnworte bei den Bußübungen, denen man sich dort unterzog. So wurde er, wegen des Beispiels, das er durch seine Lebensführung bot, zum Quell von unendlich viel Gutem.

[Nach einer moralisierenden Betrachtung geht Bisticci wieder auf den Verlauf der Studien Donato Acciaiuolis ein. Früh habe er Proben seines klugen Verstandes gezeigt.] Es gab zu seiner Zeit in Florenz eine sehr bedeutende Schule, ein *studio*, wo Vorlesungen in allen Fächern gehalten wurden. Da sich damals der römische Hof in der Stadt aufhielt, waren auch zahlreiche einzigartige Männer anwesend (wenngleich Florenz ohnedies – wie zutage liegt – blühte von bedeutenden Männern). Über diese Schule waren, wie noch heutzutage, eigene Beamte gesetzt; und sie hatte einen Rektor, der gegenüber den Studenten eine weitgefaßte Amtsgewalt ausübte. Was Vergehen der Scholaren anbelangt, steht es den Rektoren der Stadt nicht zu, sich einzumischen. Wenn nun ein *Podestà* oder ein *Capitano* des Volkes sein Amt antrat, war es Brauch, daß ihn der Rektor des *studio* zusammen mit allen, die Vorlesungen hielten, und mit allen Schülern aufsuchte; sie brachten ihre Statuten mit und ließen ihn darauf schwören. Bei dieser Gelegenheit wurde auch eine Rede gehalten. Diese Aufgabe wurde nun Donato übertragen, der fünfzehn Jahre alt war, und er führte sie aus. Er hielt, in Anwesenheit des *Podestà*, der Mitglieder des *studio* und unzähliger Bürger, die gekommen waren, um sie zu hören, eine glänzende Ansprache. Donato sprach auf eine Weise, daß er – jung, wie er war – jedermann staunen machte. Und dies waren die ersten Früchte, die seine Beschäftigung mit den Wissenschaften zeitigte.

Nachdem er nun die beste Kenntnis der lateinischen Schriften hatte, wollte er auch Griechisch lernen. Er und Piero hatten [. . .] Messer Francesco da Castiglione als Lehrer, einen in der einen wie der anderen Sprache sehr kenntnisreichen Mann. Nach dem Fall

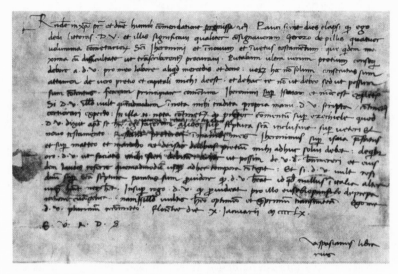

30 Brief Vespasiano da Bisticcis an Jean Jouffroy, Bischof von Arras,
geschrieben von Donato Acciaiuoli. Florenz, 10. Januar 1460 (= 1461).
Rom, Biblioteca Apostolica Vaticana (Vat. lat. 326, fol. 26)

Konstantinopels kam Messer Giovanni Argyropulos, im Griechischen wie im Lateinischen hochgelehrt und ein Philosoph ersten
Ranges, hierher. Donato trat bei ihm ein und lernte unter ihm
zwölf oder mehr Jahre, ohne Unterbrechung. Logik und Philosophie
hörte er bei ihm, und er erarbeitete sich diese Wissenschaften, wie
es sich gehört, von den Grundlagen her. Insbesondere hörte er zusammen mit Piero und anderen jungen Leuten bei ihm, in seinem
Haus, die ‹Logik› des Aristoteles. In diesem Fach genügte es ihm
nicht, bei Messer Giovanni Unterricht zu erhalten, und so begab er
sich nach S. Marco zu Frate Agnolo da Lecco, einem hochgelehrten
Mann, bei dem er die Logik des Maestro Paolo und anderes aus dem
Bereich der Logik lernte. Täglich – im Hause Messer Giovannis und
in S. Marco – beteiligte er sich an Disputationen in den Gesprächs-
kreisen. Nachdem er die Logik absolviert hatte, ging er zur Beschäftigung mit der ‹Ethik› des Aristoteles über und stellte alles schriftlich zusammen, was Messer Giovanni mündlich gesagt hatte.

Er hatte eine überaus schnelle Hand und verstand es aufs beste,
in Kursivschrift zu schreiben. Auf das Studium der Ethik bei Messer Giovanni ließ er auf dieselbe Weise jenes der Politik folgen,
darauf hörte er die Ökonomie, die den Schluß der Moralphilosophie
darstellt. Darüber hinaus gingen sie Tag für Tag zu Messer Giovanni nach Hause, wenn ihnen während der Vorlesungen gewisse

Zweifel gekommen waren. Sie fragten ihn danach und disputierten mit ihm darüber.

Nach der Moralphilosophie kamen sie zur Naturphilosophie und begannen mit der ‹Physik›, dann mit ‹De anima›; sie hörten die ‹Metaphysik› und darauf ‹De caelo et mundo›.

Damals geschah es [. . .], daß die Pest über Florenz kam. Da nahmen sie sich stets einen Raum in ihrer Nähe, um keine Zeit zu verlieren. Sie wollten die Annehmlichkeit haben, andauernd sowohl in Florenz als auch auf einem Landgut studieren zu können. Niemals verlor Donato auch nur eine Stunde Zeit, fern hielt er sich von jedem Vergnügen: lagen doch seine Vergnügungen und Ergötzlichkeiten in den Wissenschaften.

Indem er nun auf diese Weise mit Ausdauer dem Studium oblag, wurde er überaus gelehrt, wie man an den von ihm verfaßten und übersetzten Werken sieht. Donato zierte etwas, was wenige in sich vereinigen konnten: nämlich die Beredsamkeit mit der Gelehrsamkeit zu verbinden. Das gilt vor allem für jene, die sich, wie Donato, mit Logik und Philosophie beschäftigen. So der Worte mächtig war er – wie ich von Messer Poggio hörte –, daß dieser, als er die beiden von Donato übersetzten Lebensbeschreibungen mit den Übersetzungen des Messer Leonardo verglich, im Zweifel war, wer von beiden der Wortgewandtere sein mochte. So erwarb sich Donato den größten Ruhm nicht nur in Florenz, sondern in ganz Italien.

[In Begleitung Dietisalvi di Neronis geht er als Gesandter seiner Vaterstadt in die Lombardei.]

Da nun in Mailand viele Gelehrte waren, fand man sich oft zusammen, um in der einen oder anderen Wissenschaft zu disputieren. Dabei legte Donato größte Ehre ein wegen seiner universalen Kenntnisse. Mit all dieser Wissenschaft und Tugend verbanden sich bei ihm Schönheit, angenehme Gestalt, die ihm eigneten wie keinem anderen seiner Zeit. Wenn ihn einer nicht gekannt, nur durch seinen Ruf von ihm gewußt hätte, er hätte, allein, wenn er seines Äußeren ansichtig geworden wäre, gesagt: «Der da ist Donato.»

[Bisticci kommt nun auf die verschiedenen Ämter zu sprechen, die Donato bekleidete. Seine naive Schilderung der Vorgänge bei einer Wahl zum Gonfaloniere der Justiz vermittelt einen bemerkenswerten Einblick, wie Cosimo de' Medici hinter republikanischer Fassade Macht auszuüben verstand.]

Als Cosimo de' Medici die Fähigkeiten dieses jungen Mannes erkannte, faßte er außerordentliche Zuneigung zu ihm. Und da er ein Mann weniger Worte, dafür vieler Taten war, reifte in ihm der Gedanke, Donato mit einer Ehrenstelle zu belohnen. Die Gelegen-

heit kam, als man im Viertel von S. Croce die Zettel mit den Namen jener, die für das Amt des Gonfaloniere der Justiz in Frage
kamen, in den Wahlsack zu stecken hatte. Es gab dabei eine Regelung, wie viele Namen pro Familie genannt werden durften; im
Haus Donatos konnte keiner mehr außer dessen Bruder Piero ausgeschrieben werden. Als Donato bemerkte, daß er wegen dieser
Anordnung nicht an der Wahl teilnehmen konnte, ließ er die Sache
auf sich beruhen und dachte nicht mehr daran; weder zu Cosimo
noch zu Messer Agnolo Acciaiuoli und Messer Dietisalvi – den
beiden *accopiatori* [welche die Auswahl der Namen trafen] – sagte
er etwas. Einer dieser *accopiatori*, ein sehr guter Freund Cosimos
– der daran dachte, Donato zu ehren, ohne daß dieser von einem
solchen Vorhaben etwas wüßte –, kam nun zu dem Medici und
fragte ihn, ob er nicht wolle, daß man etwas unternehme. Der sagte
darauf: «Doch, ich will nur eines – und zwar, daß der Name Donato
Acciaiuoli in den Wahlsack für den Gonfaloniere der Justiz
kommt»; und er sagte weder zu Messer Agnolo noch zu Messer
Dietisalvi davon ein Wort.

Als man nun zur Auswahl der Namen in Donatos Stadtviertel
kam, erhob sich der, dem Cosimo das aufgetragen hatte, und sagte:
«Cosimo will, daß Donato Acciaiuoli in den Wahlsack für den Gonfaloniere der Justiz kommt.» Messer Agnolo und Messer Dietisalvi
wunderten sich darüber, daß Cosimo ihnen vorher nichts gesagt
hatte; Donatos Name aber wurde in den Wahlsack gesteckt. Aufgrund dieses Zettelchens, das Cosimo in den Sack legen ließ, wurde
Donato später zum Gonfaloniere der Justiz gewählt.

[Donato wird als Gesandter nach Rimini, Cesena, dann auch nach
Rom und Mailand geschickt, wo ihn der Herzog – der vom tugend-
haften Lebenswandel Donatos gehört hatte – einer pikanten Prüfung unterzieht.] In Mailand gab es ein sehr schönes Mädchen; der
Herzog ordnete an, daß sie Donato zur Nacht in die Kammer geführt werde. Sofort, als Donato dessen gewahr wurde, rief er den
Kanzler, auf daß er sie entferne. Nicht nur, daß er sie nicht anrührte
– er wollte sie nicht einmal anschauen! Sofort wurde das Mädchen
aus dem Haus geschafft. Als der Herzog und sein Hof die Geschichte vernahmen, gab es niemanden, der sich nicht über soviel Standhaftigkeit verwundert hätte.

Ich werde hier etwas sagen, was als ein Wunder erscheinen wird.
Als Donato sich eine Ehefrau nahm, hatte er zuvor kein einziges
Weib gehabt. Ich weiß das mit völliger Gewißheit, denn ich habe
es von einem hochwürdigen Mönch der Dominikanerobservanten
gehört, bei dem er eine Generalbeichte abgelegt hat, kurz bevor er
diese Frau heiratete. Er war damals 32 Jahre alt.

Das widerspricht jenen, die sagen, daß ein Mann, der in der Welt lebt, sich nicht des Lasters der Unkeuschheit enthalten kann. Donato stand alles zu Gebote, was zur Wollust anreizt: Er hatte einen sehr schönen Leib, ja er war schöner als alle anderen seines Alters; er war von Stand und nannte ein ziemlich hohes Vermögen sein eigen.

[Bisticci fährt fort mit dem Bericht über eine diplomatische Mission, die Donato beim König von Frankreich auszuführen hatte; es ging um die Rückerstattung von 30000 Fiorini, die vor der französischen Küste Seeräubern in die Hände gefallen waren. Er ging nach dem erfolgreichen Abschluß der Verhandlungen wieder nach Mailand, wo er sich bemühte, den Herzog von seinem Bündnis mit Venedig abzubringen. Als Gonfaloniere der Justiz – der er 1474, also lange nach der gerade geschilderten Wahl, wurde – soll er sich um die Einführung eines an höfischen Brauch angelehnten Zeremoniells bemüht haben: Bisticci beschreibt, daß er vor Gesandten von Herzögen oder Königen entgegen der bisherigen Sitte die Kopfbedeckung abgenommen habe. 1469 war Lorenzo der Prächtige, der ältere Sohn Pieros des Gichtbrüchigen, an die Macht gekommen; zur gefährlichsten Bedrohung seiner Herrschaft wurde 1478 eine Verschwörung des konkurrierenden Clans der Pazzi, die im Einverständnis mit Papst Sixtus IV. handelten. Donato Acciaiuoli befand sich während dieser Vorgänge als florentinischer Botschafter in Rom.]

Die Stadt Florenz war damals in den glücklichsten Umständen seit langer Zeit. Man glaubte, daß sie durch nichts verletzbar sei. [. . .] Den Florentinern erging es wie den Menschen, als die Sintflut kam, oder den Bewohnern Sodoms, die in den Freuden und dem Überfluß weltlicher Güter schwammen und nicht daran dachten, es könne ihnen irgendeine Widrigkeit begegnen. Und doch kam die Weltsintflut über die Erde und alle – ausgenommen jene auf der Arche – gingen zugrunde. Das hatte niemand erwartet, und man hatte es dem, der die Flut vorhergesagt hatte, nicht geglaubt. Und zu Sodom regnete es Feuer und Schwefel vom Himmel, außer Lot und seiner Familie verbrannten alle.

Über Florenz nun kam eine Geißel, die man nicht vorhergesehen und von der man auch nicht geglaubt hatte, daß sie die Stadt heimsuchen würde: Sie war von der Art, daß sie zum Beginn ihres Untergangs geriet.

Der Kardinal von S. Giorgio, ein Nepote Papst Sixtus', hatte während seines Aufenthalts in Florenz zusammen mit dem Erzbischof von Pisa, einem Salviati, mit Francesco de' Pazzi und anderen längere Zeit in dem Haus Jacopo de' Pazzis in Montughi verweilt. Lorenzo de' Medici hatte den Kardinal, den Pisaner Erzbischof, die

Gesandten des Königs und des Herzogs zu einem Mahl geladen und diese Festlichkeit für den 26. April [1478], einen Sonntagvormittag, anberaumt. Da bedienten sie sich der Religion zum Vorwand und ließen in S. Reparata eine feierliche Messe singen. Gerade als Christi Leib zur Kommunion erhoben wurde, wurde Giuliano de' Medici angefallen und ermordet; Lorenzo erlitt Verletzungen, die aber nur leicht waren: Der allmächtige Gott wollte nicht, daß eine so ruchlose und niederträchtige Tat in seinem Tempel stattfinde. Der Toten und Aufgehängten waren es am Ende um die fünfzig. Es ist nicht meine Sache, hier von so grausamen Ausschreitungen zu erzählen. Nehmen wir also den Faden unseres Berichts wieder auf.

Der Kardinal von S. Giorgio, Papst Sixtus' Neffe, war im Verlauf des Aufruhrs gefangengesetzt worden. Der *Signoria* und denen, die regierten, schien es richtig, ihm das Leben zu lassen, angesichts der sonst möglichen Folgen. So wurde der Kardinal in den Palazzo verbracht und dort in ehrenvoller Haft gehalten. Man tat das alles, um ihn vor den Händen des Volkes zu bewahren, das die Sache übel hätte ausgehen lassen. Als man in Rom erfuhr, daß der Kardinal gefangengenommen und der Erzbischof von Pisa aufgehängt worden sei, machte man daraus die größte Affäre.

[Donato Acciaiuoli wird seinerseits, ohne daß auf seinen Status als Gesandter Rücksicht genommen würde, von 300 Bewaffneten zum Papst geführt; er entgeht aber der Gefangenschaft. Florenz' Beziehungen zum Heiligen Stuhl bleiben schon deshalb gespannt, weil die Florentiner den Papstnepoten nicht freilassen. Donato erhält schließlich die Erlaubnis, seinen römischen Posten zu verlassen. Er wird nun nach Frankreich entsandt; es wird seine letzte Reise werden. In Mailand erkrankt er. In Sorge um seine Vaterstadt und um seine Kinder verbringt er seine letzten Tage, bei Franziskanermönchen legt er die Beichte ab. Sein Testament hatte er vor der Abreise nach Frankreich abgefaßt.]

Das erste, was er festgelegt hatte, betraf ein Landgut, das ihm in Valdipesa gehörte. Es warf Einkünfte von etwa dreißig Fiorini im Jahr ab; für drei Jahrzehnte sollte es den Mönchen der Certosa gehören, dann aber an seine Erben zurückfallen. [. . .] Die zweite Bestimmung des Testaments besagte, daß die 600 Fiorini Schuldverschreibung, welche er beim Leihhaus angelegt hatte, gelöscht werden und damit der Kommune zufallen sollten. In Gewissensdingen machte er sich nichts vor. Eine weitere Verfügung drehte sich um die Ämter, die er außerhalb von Florenz innegehabt hatte. Den Orten, wo er in allen seinen Ämtern weniger Diener mitgeführt hatte als man mußte, sollten alle Aufwendungen für Gehälter und

Unkosten zurückerstattet werden. Und da er Teilhaber einer Seidenwirkerei war, das war eine andere Regelung, sollte den dort
arbeitenden armen Leuten alles, was ihnen genommen worden war,
um ihn mit dem ihm zustehenden Drittel der Produktion zu befriedigen, wiedergegeben werden. Er wollte, daß dieses Geld durch
den Verkauf von Tuchen aus seinem Besitz aufgebracht werde. [. . .]
Als man in Florenz von seinem Tod erfuhr, empfand die ganze
Stadt tiefen Schmerz darüber: Von allen war ihm allgemeine Wertschätzung entgegengebracht worden, man verlor mit Donato einen
bedeutenden Bürger. O leeres menschliches Hoffen! O wie trügerisch und unsicher ist das, was man sich in diesem elenden und
zerbrechlichen Leben erwartet! Wenn die Menschen Lohn für ihre
Mühen in Aussicht nehmen, kommt der Tod, und alle Hoffnungen
haben ein Ende.

[Die Stadt beschließt, Donato Acciaiuoli ein öffentliches Begräbnis auszurichten.] Man wollte, daß er ein Banner mit dem Wappen
der Kommune bekäme und eine Draperie von Tüchern; all diese
Ehrungen wurden mit sämtlichen schwarzen Wahlbohnen beschlossen [also einstimmig]. Nachdem all das beschlossen war, fand
sein Leichenbegängnis statt. Alle Amtsträger der Stadt, sämtliche
Bürger nahmen daran teil: Es gab keinen Mann von Stand in Florenz, der nicht dabei gewesen wäre. Die öffentliche Totenrede zu
halten, war Christoforo Landino beauftragt worden. Er sprach auf
die würdigste Weise, konnte am Ende jedoch nicht an sich halten
und weinte bitterlich. Ich sah, daß es allen Anwesenden so ging:
Niemanden gab es, der der Tränen hätte Herr werden können. Angesichts des Verlusts eines so großen Bürgers wurden alle von
Schluchzen bewegt, und ihre Seufzer waren echt, nicht gespielt: Es
schien, als drängen sie vom Grund des Herzens, angesichts des
Verlusts eines so bedeutenden Bürgers.

[Bisticci zitiert Federico von Montefeltro, der gesagt habe, der Tod
Donatos sei wegen dessen Tugenden nicht nur ein Verlust für
Florenz, sondern für ganz Italien; er feiert die Tugenden des Toten,
wobei er nochmals dessen Keuschheit rühmt. Er sei nicht einmal
dabei gesehen worden, wie er eines seiner Kinder auf den Arm
genommen, es geküßt oder gar nur berührt habe – er habe dies so
gehalten, um Zucht zu halten und seine Autorität zu wahren. An
Ämtern habe er das Vikariat von Poppi innegehabt, dann das von
S. Miniato; Capitano von Volterra sei er gewesen und Podestà von
Pisa. Schließlich kommt Bisticci auf das Äußere Donatos zu sprechen.]

Er war, wie schon gesagt, von wunderschöner Gestalt; von eher
großer als mittlerer Statur, wies er ein sehr schönes Antlitz auf:

Man sah in ein Gesicht von einzigartiger Anmut. Weiß war sein Haar, und seine Gesichtshaut spielte ins Rötliche. Ernst sah er aus, und er schien ein sehr ernsthafter Mann zu sein, war indes von außergewöhnlicher Freundlichkeit im Umgang und was den äußeren Eindruck anbelangte. Er kleidete sich aufs beste, in all seinen Angelegenheiten war er von größter Reinlichkeit, ja, es hatte den Anschein, als sei er das nach der Natur gemalte Vergnügen. Beim Essen und Trinken war er sehr zurückhaltend, und es war ein artiger Anblick, ihn speisen zu sehen. Wer mit ihm gesprochen hatte, war beim Abschied zu seinem Parteigänger geworden. Heiter war er und gefällig, immer schien es, als lache er, und er liebte es, mit seinen Freunden Scherzreden zu führen.

[Mit einem kurzen Blick auf Acciaiuolis Werke schließt der Text der Vita.]

ES FOLGT DAS LEBEN
DES MESSER FRANCESCO FILELFO

ESSER FRANCESCO FILELFO stammte aus Tolentino in den Marken, aus gutem Hause. Er widmete sich dem Studium der lateinischen Literatur und wollte daraufhin das Griechische erlernen. Um es zu vollständiger Kenntnis dieser Sprache zu bringen, begab er sich nach Griechenland; er wurde darin schließlich sehr gelehrt. In seiner Jugend schon war er in Italien weitberühmt. Als es darum ging, jemanden auszuwählen, der zu Florenz Vorlesungen in der rhetorischen Kunst halten sollte, ließ ihn Niccolò Niccoli, dem Filelfos Ruf zu Ohren gekommen war, dafür auswählen. So kam er nach Florenz; alle Söhne der Florentiner Ehrbarkeit hatte er in seinen Vorlesungen, er hatte stets 200 Schüler oder mehr. So bildete er viele junge Leute zur Gelehrsamkeit im Lateinischen und im Griechischen heran.

Er las nicht nur im *studio,* sondern hielt auch in seinem Hause viele Übungen ab. Auf daß ihr Durst nach Literatur gestillt werde, brachten sie ihn dazu, an Festtagen in S. Reparata Dante zu lesen. Um seine Schüler zu üben und ihnen Ansehen zu verschaffen, veranlaßte er sie, Reden in der Volkssprache zu verfassen, die er von der Domkanzel aus öffentlich vortrug. So gab er ihnen Mut und verschaffte ihnen einen guten Ruf. Dasselbe machte er mit ihnen in der Schule. Er war ein sehr fähiger Lehrer, übertraf jeden, der seit unvordenklicher Zeit in Florenz Unterricht erteilt hatte.

Er hätte sich das größte Ansehen verschafft, hätte er sich nicht selbst zugrunde gerichtet. Denn obwohl er sich in einer fremden Stadt befand, versuchte er, sich in Staatsangelegenheiten zu mischen, es mehr mit dem einen als mit dem anderen zu halten. Deshalb, weil sie sahen, daß er sich unterstand zu tun, was ihm nicht gebührte, wollten Niccolò Niccoli, Cosimo und alle anderen Freunde Messer Carlos diesen als Konkurrenten des Filelfo anstellen. Kaum war dies geschehen, gingen der ganze Hof und viele junge Florentiner zu Messer Carlo, so daß zahlreiche Schüler Filelfo den Rücken kehrten und er an Reputation zu verlieren begann. Als er bemerkte, daß Niccolò Niccoli, Cosimo de' Medici und Messer Carlos Freunde ihre Gunst letzterem zuwandten – der dies aufgrund seiner Gelehrsamkeit und seiner Tugend auch verdiente –, begann er sofort zu konspirieren; er wandte sich Messer Rinaldo degli Albizzi und den Männern des Jahres 33 zu. Er begann, über Cosimo und die von 34 schlecht zu sprechen, so daß er, als Cosimo zurückgekehrt und die Machtverhältnisse sich wieder geändert hatten, in die Verbannung geschickt und als Rebell geächtet wurde. So waren seine aufrührerischen Umtriebe die Ursache seines Untergangs. Er pilgerte durch Italien, ohne einen Platz zu finden, wo er so in Ehren gehalten worden wäre wie zu Florenz. [Er findet schließlich ein Unterkommen beim Herzog von Mailand; Nikolaus V. unterstützt ihn; dann weilt er am neapolitanischen Hof und darf, obwohl geächtet, auf der Rückkehr nach Mailand in Florenz Station machen.]

Herzog Francesco gewährte ihm bei seiner Rückkehr nach Mailand die gewöhnliche Besoldung, vor allem deshalb, da er des Herzogs Taten in Versform niederschrieb. Er verfaßte ein bedeutendes Buch, das er ‹La Sfortias› nannte.

Unter die anderen rühmenswerten Fertigkeiten Messer Filelfos ist zu zählen, daß er es mit größter Leichtigkeit verstand, in Versen und in Prosa zu schreiben, und zwar in der Volkssprache wie in Latein. Er hatte einen vortrefflichen Geist, verstand es aber nicht, sich zu mäßigen. Er übersetzte und verfaßte mehrere Werke; zuletzt faßte er einen seltsamen Plan. Obwohl er keine große, vielmehr eine mittelmäßige Kenntnis von der Philosophie hatte, schrieb er eine Ethik gemäß der Aristotelischen Ordnung. [Bisticci erwähnt weitere Arbeiten Filelfos, so zur Aristotelischen ‹Ethik› und zur antiken Geschichte. Ein Dialog – Bisticci nennt ihn «ziemlich weitläufig» – war Ausdruck des Versuchs, seine Verbannung literarisch zu bewältigen: ‹De exilio›.] Da dieses Buch zu Lasten einiger Bürger ging, verwarf er es und hielt es verborgen. Filelfo tat dies, wie er selbst sagte, nur deshalb, weil er in seinem hohen Alter noch nach Florenz zurückzukehren begehrte. Denn er war bereits im 80. oder einem höheren Lebensjahr. Er drängte Lorenzo de' Medici so sehr, daß er von der Ächtung als Rebell gelöst wurde; er wurde wieder in Sold genommen, um Vorlesungen zu halten. Nach dem Eintreffen in Florenz waren seines Bleibens indes nur noch wenige Tage: Er wurde von einem Fieber befallen und starb [. . .].

ES FOLGT DAS LEBEN
DES MESSER BIONDO AUS FORLI

ESSER BIONDO [Flavio] stammte aus Forlì. Er war ein vorzüglicher Gelehrter des Lateinischen und verfügte über einige Kenntnisse in der griechischen Sprache. Er war apostolischer Sekretär und ein höchst sorgfältiger Erforscher der Antike. Er verfaßte mehrere Bücher und brachte viel Licht in die vergangenen Jahrhunderte, durchdrang das Dunkel jener Zeiten, zu denen es keine Schriftsteller gegeben hatte. Roma hatte die Herrschaft über die ganze Welt gehabt, war Herrin des Erdkreises gewesen. Doch lagen ihre unerhörten Siege, ihre Triumphe in tiefem Dunkel, insbesondere von den Tagen des Makedonischen Krieges bis in Biondos Zeit, also tausend oder mehr Jahre. Deshalb ging er mit größter Sorgfalt daran, zu suchen, was er über die Epoche nach dem Makedonischen Krieg wiederfinden konnte. Er gliederte sein Werk in vier Dekaden. Vor dem Einfall der Goten begann er und folgte dann den der Erinnerung werten Ereignissen bis in seine eigene Zeit. Damit verdiente er sich höchstes Lob. [. . .] War doch Rom eine Stadt gewesen, in der so viele bedeutende Männer lebten, es so viele großartige Gebäude gab, Schauspiele stattfanden. Die Römer hatten alle Herrlichkeiten herbeigebracht, die sie in der weiten Welt gefunden hatten; so viele Bildwerke und Triumphbögen, was gab es nicht alles in dieser Stadt! Alle großen Männer der Welt hatten hier ihre Heimstatt, gar nicht zu reden von der Großartigkeit des römischen Staatswesens. Da war der Palast des Nero, der sich über vier Meilen ausdehnte, wo es so großartige Sachen gab, daß damit sämtliche Einkünfte, die das römische Imperium in dreißig Jahren gehabt hatte, verbraucht wurden. Da waren die Paläste Cäsars, Lukulls, des Marcus Crassus und so vieler anderer bedeutender Männer, welche die römische Republik besaß. All das war vom Erdboden verschwunden und wegen der widrigen Schicksale, die das römische Reich erfuhr, nicht mehr im Gedächtnis der Menschen: Zuerst wegen der Bürgerkriege zwischen Marius und Sulla, in denen – wie sich bei den Schriftstellern findet – auf einen Schlag 20000 römische Bürger den Tod fanden; darauf, weil Italien von den Galliern, den Goten und anderen Nationen mit Zerstörung überzogen und für lange Zeit unterjocht wurde. Rom wurde dabei verwüstet und entvölkert – wie gesagt, von verschiedenen barbarischen Nationen. Weil man nun keinerlei Wissenschaft mehr von all dem hat, schrieb Messer Biondo mit Fleiß ein Buch, dem er den Titel gab: ‹Die erneuerte Roma›. Darin erwähnt er alle Würden, welche jener Staat vergab, auch die Gebäude und überhaupt alle Dinge, so daß er allen, die davon Kenntnis haben wollen, ein großartiges Licht leuchten läßt. Daher sind ihm alle Heutigen und auch die Generationen, die in künftigen Zeiten noch kommen werden, zu Dank verpflichtet.

Nachdem er die ‹Roma instaurata› fertiggestellt hatte, sah er Italien ganz verändert und unzählige Städte und andere Orte, die dort einst gewesen waren, verlassen und abgetan. Keine Erinnerung bestand mehr an sie, und nicht nur Städte und Orte waren vergessen, sondern auch ungezählte einzigartige Männer, von denen es keinerlei Nachricht mehr gab. Angesichts dessen wollte Messer Biondo Italien erleuchten, es hell erstrahlen lassen, und verfaßte ein Werk, welches er ‹Italia illustrata› betitelte. Er tut darin aller Städte, die vormals waren und nicht mehr sind, Erwähnung, dazu auch derer, die es heute noch gibt – und nicht nur der Städte, sondern jedes Kastells, so klein und gering es sein mag, [. . .] und er erwähnt jeden auch noch so kleinen Fluß: Und wenn da irgend etwas der Erinnerung Würdiges getan wurde, er gibt davon Nachricht. Dies ist ein bedeutendes Werk, das von großem Wissen zeugt und in dem man sieht, daß Messer Biondo die größte Sorgfalt anwandte, das Beschriebene aufzufinden. So verdient er höchstes Lob, zum allgemeinen Nutzen aller, die sich mit den Wissenschaften beschäftigen oder beschäftigen werden, eine so große Mühe auf sich genommen zu haben. [. . .]

DAS LEBEN DES MESSER VELASCO
AUS PORTUGAL

ESSER VELASCO war aus Portugal. Er entstammte einem sehr vornehmen Haus. Nach Italien kam er, um
Zivilrecht und Kanonisches Recht zu studieren; er
war ein erstrangiger Jurist und Kanonist. Während seines Studiums genoß er höchstes Ansehen, war er doch
von edlem Geblüt, sein Vater reich und beim König von Portugal
in Gunst.

Woher es nun gekommen sein mag – von den Seinen, von Mißgünstigen oder woher noch –, dieser fiel beim König in Ungnade; der
nahm ihm 20000 Dukaten, und es war nötig, daß Messer Velascos
Vater das Reich verließ.

Messer Velasco also war in Bologna. Da nun sein Vater reich war
und er – von vortrefflichem Verstand – es nicht sehr nötig hatte,
Geld zu verdienen, ging er zur Nacht spazieren, anstatt die Lektionen durchzuarbeiten –; und wie ich von ihm hörte, waren die «Lektionen», die sie lasen, die Sonette Petrarcas! Die meiste Zeit vergeudete er nutzlos, im Vertrauen auf seinen Verstand. Nachdem er
lange auf diese Weise gelebt hatte, wurde er gewahr, daß der Vater
die Gunst des Königs verloren hatte, dazu eine gute Summe Geldes;
und da er nun schon außerhalb des Königreiches weilte, beschloß
er – aus Trotz –, nicht mehr dorthin zurückzukehren. Mit größtem
Fleiß warf er sich auf das Studium des Zivilrechts und des Kanonischen Rechts. Und dank seines ausgezeichneten Verstandes wurde
er im einen wie im anderen Fach ganz außergewöhnlich fähig. Den
Doktorgrad erwarb er höchst ruhmvoll und mit Ehren, so, wie nur
wenige zu Bologna promoviert worden waren. [. . .] Er war sehr
kühn, seine Rede war allmächtig, so, wie sie Legisten und Kanoni-
sten zu Gebote stehen muß.

Zur Zeit Papst Eugens ging er an die Kurie. Da man um seine
Fähigkeiten wußte, wurde er zum Konsistorialadvokaten gemacht.
Er gelangte dabei zu solcher Reputation, daß die meisten Prozesse
in seine Hände kamen. In allen oder zumindest dem größten Teil
legte er Ehre ein. Er hatte eine Stimme, die dem Donner glich: Und
mit seiner Kühnheit, mit der großen Erfahrung, die er hatte, und
mit seinem natürlichen Scharfsinn gelang ihm alles. So verdiente

er mit diesem Geschäft in kürzester Zeit einen ganzen Schatz. Er besaß Bücher im Wert von etlichen tausend Fiorini, denn er wollte die allerschönsten, die er fand. Mehrere rosarote Gewänder nannte er sein eigen; alle waren sie mit Zobelfell gefüttert. Die schönsten Pferde, die es am römischen Hof gab, hatte er. Messer Velasco führte einen wunderschönen Hausstand, er war sehr freigebig beim Geldausgeben und in allem anderen.

Wegen seiner Kühnheit und Ungeduld – denn er litt keine Widerworte – hatte er einige Mißhelligkeiten. Einmal, als Papst Eugen sich in Florenz aufhielt und das öffentliche Konsistorium versammelt war, fand sich Messer Velasco vor dem Papst ein, um eine Sache gegen einen Abt zu verfechten. Mit seiner Gelehrsamkeit, seinem Mut, seiner Beredsamkeit – er hatte eine Stimme, von der die Welt erschallte! – trieb er den Abt so in die Enge, daß der nicht mehr wußte, wo ihm der Kopf stand. Ja, er war in eine so ausweglose Position geraten, daß er sich aus Zorn mit Schmähworten an Messer Velasco wandte. Da verlor dieser die Geduld, wurde handgreiflich und gab ihm einen so tüchtigen Stoß, daß er ihn auf die Erde warf, vor die Füße des Papstes. Der geriet darüber in höchsten Zorn – wären da nicht einige Kardinäle gewesen, die sich ins Mittel gelegt hätten, es wäre übel ausgegangen für Messer Velasco, denn der Papst hätte ihn ins Gefängnis stecken lassen, und es fehlte nicht viel, er wäre schwer bestraft worden. So ging er in sein Haus und verließ es nicht, allein zur Nacht und um mit Kardinälen und anderen Prälaten, die um den Papst waren, zu sprechen und die ihn bewegen mochten, ihm zu vergeben. Der Papst aber wollte davon nichts wissen. Nach mehreren Tagen und nachdem dazu der Abt, so gut es ging, besänftigt war, erreichte er nach längerer Zeit, daß der Papst [. . .] ihm, mit Mühe, Verzeihung gewährte.

[Velasco begleitet den Papst, der sich dann nach Rom wendet, nach Siena.]

Zu der Zeit, als er in Rom gewesen war, hatte Messer Velasco eine Auseinandersetzung mit gewissen Römern von Stand gehabt. Er hatte ihnen – als ein Mann, der zu Handgreiflichkeiten neigte – Prügel verabreicht, und deshalb wollte er nicht dorthin gehen, damit jene Römer sich nicht an ihm rächten. Das war zu der Zeit des Todes von Papst Martin gewesen. Damals war der Bischof von Tivoli, der zu den Ersten der Regierung zählte, gefangengenommen und in die Engelsburg geschafft worden. Messer Velasco sagte, er wolle gehen, um ihn zu sehen. Er ging dorthin, doch wie das bei eingebildeten Leuten so geht, konnte er ihn, als er es begehrte, nicht sprechen. Er hatte ein Stöcklein mit sich, und als er bei dem Bischof angelangt war, versetzte er ihm etliche Schläge und rief:

«Bedenk', daß du nicht gesprochen werden wolltest! Alle hast du gequält, und damit du dich dessen erinnerst, geb' ich dir diese Prügel.» Und so versah er ihn ausreichend mit Schlägen.

Ich glaube, daß dies eine der Angelegenheiten war, wegen der er sich Feinde gemacht hatte. Er blieb in Siena und erwarb sich dort großes Ansehen, hervorragend, wie er war. Er verdiente sehr gut, hielt sich in Ehren in dieser Stadt auf und beschloß, dort für einige Zeit zu bleiben. So hielt er es. Nun geschah es, daß er eines Tages vor der *Signoria* einen Prozeß zu führen hatte. Er gebrauchte dabei zornige Worte, da er der Meinung war, im Recht zu sein. Da er es indes mit einem zu tun hatte, der weniger Geduld hatte als er, kam es soweit, daß die *Signori* sich so entzürnten, daß sie darauf und daran waren, ihn aus den Fenstern des Palastes zu werfen. Messer Velasco mühte sich, sie nach Möglichkeit zu besänftigen, und es gelang ihm, ihrem Zugriff zu entkommen.

[Unter Zurücklassung von Besitz im Wert von mehreren tausend Fiorini muß er fliehen. Er geht zu den Mönchen von Scopeto bei Florenz.]

Dort angelangt, konnte er sich nicht zügeln und schrieb nieder, was ihm mit lebendiger Stimme zu sagen nicht möglich gewesen war. Er setzte sich hin und verfaßte eine äußerst schändliche Schmähschrift gegen die Senesen, die er nach Siena schickte und in ganz Italien verbreitete. Man hielt sie für überaus geschliffen, und sie wurde von allen Gelehrten, die sie sahen, sehr gelobt. Es schien, als sei in ihr die Beredsamkeit des Tullius mit der Heftigkeit des Demosthenes vereinigt.

[Er geht nach Florenz zurück, wo er für den Bischof als Anwalt arbeitet. Alt geworden, verkauft er einen großen Teil seiner Bücher. Vom Erlös, 600 Fiorini, erhält er über seinen Anwaltskollegen Guglielmo Tenaglia eine Rente. Schließlich zieht er sich in ein Kloster zurück, in das «Paradiso» an der Via Chiantigiana unweit von Florenz.]

Dort lebte er noch einige Jahre auf die heiligste Weise. Er hatte ein erhabenes Ende. Voll Zerknirschung über seine Sünden, über die er sich während seines Klosteraufenthaltes ständig beklagt hatte, gab er seinen Geist dem Herrn zurück: in den Händen der Religiosen, wohlversehen mit den Sakramenten, als gläubiger, guter Christ. Der allmächtige Gott erwies ihm große Gnade; war er doch ein Mann ganz von dieser Welt gewesen und doch zu solcher Zerknirschung gelangt und hatte ein so würdiges Ende gehabt. [. . .] Die Brüder jenes Klosters errichteten zu seinem Gedächtnis ein Monument aus Marmor über seinem Erdgrab, das bei der Pforte ist, gegenüber einem Kruzifix.

DAS LEBEN DES NEAPOLITANERS
MESSER ANTONIO CINCINELLO

ESSER ANTONIO CINCINELLO war Neapolitaner, ein Ritter und Edelmann von vornehmster Abstammung. Er war sehr lange Zeit im Dienst König Ferdinands von Aragon, der ihn in allen wichtigen diplomatischen Missionen verwandte. Überall, wohin er geschickt wurde, hielt man ihn hoch in Ehren, wegen seiner vielen rühmenswerten Eigenschaften – angefangen mit seiner äußerst enthaltsamen Lebensführung, wie es sich für einen Edelmann in jeder Situation geziemt. Er war ein aufrechter Mann, der es nicht verstand, etwas vorzutäuschen oder zu heucheln. Offen sprach er aus, was seine Absicht war. Wohin er als Botschafter auch ging, hatte er das größte Ansehen, er wurde sehr geehrt und geschätzt. Sehr klug ging er vor in allen Angelegenheiten, die ihm zu tun oblagen, und er war eine Zierde unter den Edelleuten, welche der König an seinem Hof hatte.

Zu seinen Tugenden zählte, daß er aus Selbstbeherrschung nie Wein trinken wollte. Allein, wenn er einmal krank war, nahm er welchen zu sich, sonst nie. Ich werde hier einige seiner denkwürdigen Taten aufschreiben.

Messer Antonio war als Gesandter der königlichen Majestät in Ferrara, zur Zeit des Marchese Borso. Zugleich weilte dort ein Botschafter des Herzogs Giovanni, der – unter Vermittlung des Markgrafen Borso – bei strenger Geheimhaltung darüber verhandelte, den Grafen Jacopo für seinen Herrn als Condottiere zu gewinnen. Da nun dieser gerade im Sold des Königs [Ferdinand] stand, hing von der Frage, ob er sich beim Anjou verdingte oder nicht, die Existenz seines Staates ab. [. . .] Messer Antonio überlegte nun, wie er vom Inhalt der Geheimverhandlungen um des Heils seines Herrn willen etwas in Erfahrung bringen könne. So stellte er Nachforschungen an, wen dieser Botschafter im Haus hatte und mit wem er Umgang pflegte. Man erzählte ihm von einem Barbier, der ihn zu rasieren pflegte. Messer Antonio schickte also nach diesem Barbier, damit er komme, auch ihn zu scheren. So geschah es; Messer Antonio nun entlohnte ihn besser, als es üblich war, gab ihm zusätzlich Geld und fragte ihn, ob er wisse, wo der Kanzler von Herzog

Giovannis Botschafter seine Dokumente aufbewahre und ob er wohl den Mut habe, sie wegzunehmen – er würde ihm dafür so viel Geld geben, daß er glücklich werde!

Der Barbier antwortete, er habe wohl genug Mut dazu, und Messer Antonio gab ihm nochmals einiges an Dukaten: Der Mann ging also in des Kanzlers Zimmer, nahm die Schriften an sich und brachte sie Messer Antonio. Der gewann nun Einblick in viele Geheimnisse des Herzogs und auch in die Verhandlungen, welche dieser führte. Neben anderem erfuhr er, wie die Übereinkunft zwischen dem Grafen Jacopo und Herzog Giovanni ausssah – und daß jener ins Königreich Neapel einfallen sollte. Als Messer Antonio dieser Pläne innewurde, benachrichtigte er sofort durch Postkuriere, in fliegender Eile, seinen König, damit er in allen seinen Ländern Vorsorge treffen konnte: Fünfzehn Tage, bevor irgend jemand anderes von den Absprachen zwischen Graf Jacopo und Herzog Giovanni wußte, hatte König Ferdinand Kunde davon.

[Ein ähnlicher «Coup» gelingt Antonio Cincinello während einer Mission, die ihn an die römische Kurie geführt hatte. Er bemerkt, daß sich im Gefolge des Botschafters Jeans von Anjou ein Mann befindet, den er vor langer Zeit kennengelernt hatte, und bestellt ihn in aller Stille zu sich, behandelt ihn überaus freundlich und bittet ihn, nochmals zu kommen.] Heimlich, damit niemand es merke, begab er sich am nächsten Tag erneut zu Messer Antonio. Der öffnete nun sein Herz: Wenn er den Mut hätte, ihm entweder den Chiffriercode oder die Briefe, die der Botschafter an seinen Herzog richte, zu beschaffen, würde er ihm so viel Geld geben, wie er nur wolle. Der Mann sagte zu, das zu tun; er ging mehrmals in die Kammer des Gesandten, um – falls er konnte – den Geheimcode und gewisse Kopien von Schreiben an Herzog Giovanni zu sehen, die der Botschafter bei sich aufbewahrte. Eines Tages – der Botschafter hatte die Abschriften jener Briefe und den Dechiffrierschlüssel auf einem Tisch liegengelassen – nahm dieser Freund Messer Antonios dies alles an sich. So besaß Messer Antonio [. . .] die Kopien der Schreiben, welche jener Botschafter an Herzog Giovanni gerichtet hatte, und damit erfuhr er viele Geheimnisse des Herzogs. Alles teilte er dem König mit, der so Unzähliges abwandte, was er sonst nicht getan hätte; auch wußte er nun um den Inhalt der Verhandlungen, welche der Herzog mit dem Papst geführt hatte. Viel wert ist die Klugheit eines solchen Mannes für das Heil eines Staates!

Zur gleichen Zeit, als Messer Antonio in Rom weilte, war da auch ein großer Feind seines Königs, der sich oft im geheimen von Rom aus ins Königreich von Neapel einschlich und dort viel Böses ins

Werk setzte. Messer Antonio beschloß, ihm die Hände auf dem Rücken zusammenbinden zu lassen und ihn so vor den König zu führen. Dazu bediente er sich einiger Helfer, die den Mann aus Rom hinausführten; dann hatte er einige tatkräftige, gut berittene junge Leute. Er ließ ihn ergreifen, mit einem Tuch verhüllen und auf ein Pferd setzen. Sie schafften ihn über die Grenzen des Kirchenstaats und führten ihn vor Seine Majestät den König. Dieser, von größter Milde, wollte ihm keine Gewalt antun, sondern verwies ihm nur die Nachstellungen, denen er den König ausgesetzt hatte. [. . .] Dann ließ er ihn frei. [. . .]

Da wird es nun viele geben, die meinen, daß er solche Mittel und auch jene Vorsichtsmaßnahmen, deren er sich mit dem Botschafter in Ferrara bediente, [. . .] um den Staat des Königs zu retten, nicht hätte anwenden dürfen, angesehen wie er war. Ihm schien freilich, daß er um das Wohl seines Herrn willen alles tun müsse. Ich will jetzt an dieser Stelle nicht darüber urteilen, ob man so handeln muß oder nicht. Da ich weiß, daß Messer Antonio ein sehr gutes Gewissen hat, überlasse ich das Urteil einem, der mehr über die Sache weiß als ich. Freilich will die Heilige Schrift nirgends, daß man um eines guten Erfolgs willen schlecht handle.

[Bisticci beschreibt nun ausführlich – und offenbar ohne genauere Kenntnis der politischen Zusammenhänge – weitere diplomatische Aktionen Cincinellos; eingehend schildert er die Schlacht bei Troja (18. 7. 1462), in der sich Jean d'Anjou und Ferdinand von Aragon gegenüberstanden, wobei letzterer den Sieg davontrug. Auch eine Gesandtschaft zu einem deutschen Reichstag – der Regensburger Versammlung von 1471 – findet Erwähnung, ebenso die Verhandlungen mit Galeazzo Maria Sforza in Florenz und der Abschluß eines Bündnisses des neapolitanischen Königs mit Venedig. Mißbilligend erwähnt Bisticci die Bildung einer Defensivallianz zwischen Florenz, Venedig und Mailand (2. November 1474), ohne daß die Rolle Cincinellos dabei besonders hervorgehoben würde. Darauf hatten Papst Sixtus IV. und Ferdinand von Aragon ein Bündnis geschlossen, doch erst nach der Pazzi-Verschwörung kam es zum Krieg mit Florenz, wobei die Alliierten sich der Unterstützung durch Siena versicherten. Über Verlauf und Ergebnis des Krieges schreibt Bisticci nur wenig; er wendet sich wieder den Schicksalen Cincinellos zu, die sich wenig erfreulich gestalten: 1485 schickt ihn sein König in die rebellische Stadt L'Aquila, damit er dort für Ruhe sorge.]

Seine Majestät der König hatte große Schwierigkeiten mit der Regierung von L'Aquila, weil man ihm dort schlecht gehorchte, namentlich der Graf von Montoro, der in der Stadt viel vermochte.

Sie gehorchten oder gehorchten nicht, wie es ihnen gut schien. Da gelang es dem König, jenen Grafen zusammen mit Frau und Kindern in seine Gewalt zu bekommen. Er ließ ihn nach Neapel bringen.

Messer Antonio war es inzwischen überdrüssig, länger am Hof zu bleiben, und er begehrte, ihn zu verlassen. Schon hatte er zu einigen seiner Freunde gesagt, nach S. Jacopo oder S. Antonio gehen zu wollen, im nahenden März. Langsam wollte er reisen, und, wenn die Gicht ihn plagte, so lange in der Herberge bleiben, bis sie wieder von ihm wiche. All diese Pläne hatte er gefaßt, um den Mühen des Hoflebens entgehen zu können. Aber es genügt in diesem Leben nicht, daß wir uns etwas vornehmen: Der Mensch denkt, Gott lenkt!

Der König hatte, wie gesagt, den Grafen von Montoro nach Neapel schaffen lassen. Er beschloß, einen klugen, zum Herrschen tauglichen Mann nach L'Aquila zu schicken. So sandte er Messer Antonio Cincinello hin, damit dieser die Angelegenheiten dort in Ordnung bringe, war er doch schon öfter in der Stadt gewesen, wobei er viel Mühe gehabt hatte, sie zu befrieden. Dies war nämlich eine schwierige Aufgabe, da die Aquilaner rohe Menschen sind, heißblütig, dabei unverständig, wie die meisten Völker – insbesondere jene, die in den Bergen wohnen und mit Tieren Umgang haben, wie die Leute von L'Aquila. So wurde die Reise dorthin für den unglücklichen Edelmann zu einem bitteren Gang.

[Es kommt zu Unruhen in der Stadt, die sich der Unterstützung durch Papst Innozenz VIII. sicher weiß; dabei werden Söldner des Königs samt ihrem Kommandanten getötet.] Als Messer Antonio diesen Lärm hörte, warf er sich aufs Pferd und ritt auf die Piazza. Gewisse Bürger, seine Freunde, gaben ihm den Rat, besser nach Hause zu gehen, um sich vor einem so viehischen Pöbel in Sicherheit zu bringen. Der unglückliche Herr kehrte in sein Haus zurück, ließ jedoch – da er dieses Volk nicht kannte und nicht glaubte, daß man Hand an ihn legen könnte – das Tor ohne jede Bewachung offenstehen. Da rottete sich das Volk mit großem Geschrei zusammen und lief zu Messer Antonios Haus. Als er dies sah, floh er auf das Dach und versuchte, von dort aus die Behausung eines Freundes zu erreichen. Dieser jedoch wollte ihn, aus Angst vor der Menge, nicht einlassen, so daß Antonio in sein eigenes Haus zurückflüchten mußte. Kaum war er dorthin zurückgekehrt, drangen einige zu ihm ein und begehrten zu wissen, wo er seine Wertsachen habe: Sie nahmen alles an sich, und als nichts mehr da war, rammte ihm einer dieser Schurken ein Messer in die Brust. Darauf fielen sie zu mehreren über ihn her und hieben ihn in Stücke, [. . .] ja, diese

Grausamen schnitten ihn in Stücke und warfen die Fetzen, ohne jedes Mitleid, auf die Straße. *Miserere mei!* Das war das Ende, zugleich der Lohn für Messer Antonio nach so lange geleisteten Diensten: Und nicht nur sein Ende war es, denn mit ihm starb auch sein Haus.

[Der Text endet hier noch nicht; Bisticci geht noch auf die Barmherzigkeit und Güte ein, die Antonio gegenüber einem seiner Bedienten und dann auch gegenüber dessen Mutter – der Frau eines wegen seiner Beteiligung am Albizzi-Umsturz Verbannten – bewiesen hatte.]

DAS LEBEN DES PALLA DI NOFERI STROZZI

ESSER PALLA DI NOFERI DEGLI STROZZI war
Sproß einer wegen der vielen bedeutenden Männer,
die sie hervorgebracht hatte, sehr vornehmen Familie:
Und auch Messer Palla adelte sie durch seine einzigartigen Tugenden.

Er war höchst gelehrt in der griechischen wie in der lateinischen
Sprache. Den Studien darin widmete er sich mit großer Beharrlichkeit. Den Wissenschaften war er sehr zugetan, er hielt sie hoch in
Ehren. Mehr als jeder andere Florentiner vor ihm förderte er sie. Da
man zu Florenz wohl beste Kenntnis der lateinischen, nicht aber
der griechischen Schriften hatte, beschloß er, daß auch letztere gelehrt werden sollten. Zu diesem Zweck unternahm er alles, auf daß
Manuel Chrysoloras, ein Grieche, nach Italien komme; er bezahlte
einen guten Anteil der Kosten dafür. Als nun Manuel, bewogen von
der Gunst Messer Pallas, eingetroffen war, fehlten noch die Bücher
– und ohne Bücher konnte man nichts unternehmen. So schickte
Messer Palla um unzählige Bücher nach Griechenland, und er ließ
sie alle auf seine Kosten erwerben. Die ‹Kosmographie› des Ptolemäus, mit Malerei illuminiert, ließ er bis aus Konstantinopel kommen, ebenso die ‹Lebensbeschreibungen› Plutarchs, Platons Werke
und Bücher ohne Zahl von anderen Autoren. Die ‹Politik› des Aristoteles wäre in Italien nicht vorhanden, hätte Messer Palla sie
nicht aus Konstantinopel beschafft. Als Messer Leonardo sie übersetzte, benutzte er die Kopie Messer Pallas dazu.

Messer Palla war – da er den Manuel nach Italien hatte kommen
lassen – Ursache, daß Messer Leonardo die griechische Sprache erlernte, ebenso wie viele andere: der Veroneser Guarini, Frate Ambrogio Traversari aus dem Kloster der Angeli, Antonio Corbinelli,
Roberto de' Rossi, Messer Leonardo Giustiniani, Messer Francesco
Barbaro, Pietro Paolo Vergerio oder Ser Filippo di Ser Ugolino, der
nicht nur in Latein, sondern auch im Griechischen sehr gelehrt war
und ein Schüler des Manuel gewesen ist. Er wurde zu jener Zeit als
der gelehrteste Mann angesehen, welchen die Lateiner hatten, widmete er sich doch allen Dingen mit äußerstem Fleiß. Niccolò Niccoli war sein Schüler, insbesondere lernte er Griechisch bei ihm.
Die Früchte, die Manuels Kommen trug, waren überaus reich, so,
daß man sie noch heutigen Tages sammelt. Messer Palla, der es

bewirkt hatte, verdient höchstes Lob und größten Ruhm für all seine guten Taten und die Großmut seines Herzens.

Messer Leonardo von Arezzo sagte zum Lob Messer Pallas, dieser sei der glücklichste Mann seines Zeitalters, und zwar hinsichtlich allem, was menschliches Glück ausmacht: versehen mit Gaben des Geistes wie des Körpers. Er war hochgelehrt in den beiden Sprachen Latein und Griechisch, von wunderbarem Verstand und großer Schönheit des Körpers in allen seinen Teilen, so daß, wer ihn sonst nicht kannte, allein aufgrund des Augenscheins geurteilt hätte, es sei Palla Strozzi.

Er hatte zugleich mit seinen Söhnen und Töchtern die schönste, ansehnlichste Familie, die es in Florenz gab. Die Knaben waren hochgelehrt und von den feinsten Sitten. Die Mädchen wuchsen auf unter der Obhut von Madonna Marietta, einer der außergewöhnlichsten Frauen der Epoche. Sie wurden den Ersten der Stadt verheiratet; eine wurde zur Gemahlin des Neri Acciaiuoli, eine andere des Francesco Soderini, eine dritte heiratete Giovanni Rucellai, eine vierte Tommaso Sacchetti. Die jüngste wurde von Messer Francesco Castellani geehelicht. Die Männer stammten alle aus vornehmstem Geschlecht, zählten zu den Besten von Florenz und waren reich auch an irdischen Gütern. Sie waren und sind Zierden der Stadt.

Messer Palla nannte ebenfalls ein außerordentliches Vermögen sein eigen, ganz entsprechend seinem Stand. Er wurde sehr geschätzt in seiner Vaterstadt, von der er alle Würden – im Inneren wie in Orten außerhalb – erhielt, die man einem Bürger geben kann. Als Botschafter übernahm er alle wichtigen Missionen, und stets erwarb er seiner Stadt die größte Ehre. All diesen außerordentlichen Gaben fügte er seine Ehrbarkeit hinzu. Denn er war, um zuerst auf ihn selbst zu kommen, der an Sitten und Ehre vorzüglichste Bürger, den Florenz besaß. Und er wollte, daß auch seine Kinder so würden. Damit ihnen an Ausbildung auch nichts Wichtiges ermangle, beschäftigte Messer Palla für ein sehr hohes Gehalt einen Erzieher für sie, nämlich Giovanni Lamola, einen hochgelehrten Mann. Wenn diese seine Kinder durch die Stadt gingen, war es nicht nötig, zu sagen, es seien die seinen: So erhebend war ihr Anblick, daß sie jedermann erkannte und mit Staunen auf sie blickte.

Da das Florentiner Studium der Reform bedurfte und man wußte, welche Wertschätzung Messer Palla den Wissenschaften entgegenbrachte, wurde er zu einem der *ufficiali dello studio* gemacht. Er richtete die bedeutendste Lehre ein, die es seit unvordenklichen Zeiten in Florenz gegeben hatte, und zwar in allen Fächern. Aufgrund des Ruhmes so vieler einzigartiger Männer fand sich eine sehr große Zahl an Scholaren aus allen Teilen der Welt ein.

Die Stadt Florenz war zu jener Zeit – von 1422 bis 1433 – in den glücklichsten Umständen, sie hatte Überfluß an bedeutenden Gelehrten aller Wissenschaften und war reich an vorzüglichen Bürgern. Jeder strebte danach, den anderen an Tugend zu übertreffen. Über die ganze Welt strahlte der Ruhm ihrer würdigen Regierung und es gab keinen, der nicht vor ihrer Macht gezittert hätte, wegen ihrer so des Lobes werten Führung.

Wie schon gesagt, unterhielt Messer Palla in seinem Haus als Lehrer für seine Kinder die gelehrtesten Männer Italiens. Außer Messer Giovanni Lamola, dessen wir oben Erwähnung getan haben, hatte er auch Maestro Tommaso da Sarzana eingestellt, der später Papst Nikolaus werden würde. Er war der erste, den er in seinem Haus mit einem überaus üppigen Gehalt beschäftigte. Da Tommaso – wie in seiner Vita ausgeführt wurde – nach seines Vaters Tod keine Mittel mehr gehabt hatte, um in Bologna mit seinem Studium fortzufahren, hatte er sich zur Mutter aller Studien, nach Florenz, begeben. Dort wurde er von zwei Bürgern aufgenommen: Der eine war Messer Rinaldo degli Albizzi, der andere Messer Palla Strozzi. In den zwei Jahren, die er dort blieb – das eine bei Messer Rinaldo, das andere bei Messer Palla – verdiente er soviel, daß er es sich leisten konnte, in Bologna seine Studien wiederaufzunehmen. Später, während seines Pontifikats, zeigte er sich sowohl Messer Palla wie auch Messer Rinaldo gegenüber nicht undankbar.

Da er seinen Dank nicht ihnen selbst zeigen konnte, tat er es gegenüber ihren Söhnen. Maso di Rinaldo, der nicht wegen eigener Fehler ein Rebell gegen seine Stadt war, gab Papst Nikolaus ein erstrangiges Amt, in dem er auf ehrbare Weise sein Leben verbrachte. Und Messer Carlo, der Sohn Messer Pallas, wurde, nachdem er sich nach Rom begeben hatte, zum Geheimen Kämmerer gemacht. Er stand bei Seiner Heiligkeit in solcher Gunst, daß kein Jahr vergangen war, und er hätte ihn wegen seiner Tugenden zum Kardinal erhoben: So jedenfalls ging das Gerücht in aller Öffentlichkeit um, am ganzen römischen Hof. Dieser Jüngling war so beschaffen, daß er nicht nur die Zier seines Hauses war, sondern Schmuck der ganzen florentinischen Nation. [. . .]

Aber kehren wir zu Messer Palla zurück. Er war ein äußerst bescheidener Bürger; das zeigte sich beim Umgang mit ihm in der Stadt, aber auch bei seiner Tätigkeit im Regiment. Nach Möglichkeit versuchte er, den Neid zu fliehen, denn er wußte um die verderbliche Rolle, die dieser in einem Gemeinwesen spielen konnte, zumal dann, wenn er Männer vom Range Messer Pallas verfolgte. Er mied es entschieden, öffentlich aufzutreten. Auf die Piazza begab er sich nicht, außer, wenn man nach ihm geschickt hatte, und so

ging er auch nicht auf den Mercato Nuovo. Wenn er zum Platz der
Signoria ging, nahm er, um keine Mißgunst zu erregen, den Weg
von S. Trinità, wandte sich dann zum Borgo Santi Apostoli und
erreichte so den Platz. Dort angekommen, hielt er sich nicht auf,
sondern betrat sogleich den Palazzo. Zeit war ihm sehr wertvoll,
nie schlenderte er auf den Plätzen herum. Vielmehr widmete er
sich, gleich, wenn er nach Hause zurückgekehrt war, griechischen
oder lateinischen Studien. [. . .] Da er die Wissenschaften liebte,
hatte er Schreiber sowohl in seinem Hause als auch anderswo, die
sich auf die schönsten lateinischen wie griechischen Schriften verstanden. Wie vieler Bücher er nur habhaft werden konnte, er kaufte
sie alle, und aus sämtlichen Wissensgebieten – mit der Absicht, bei
S. Trinità eine sehr ansehnliche Bibliothek einzurichten. Ein überaus schönes Gebäude wollte er zu diesem Zweck dort bauen lassen,
und er wollte, daß diese Bibliothek öffentlich zugänglich sei, sich
jedermann ihrer bedienen könnte. Bei S. Trinità siedelte er sie an,
weil das mitten in Florenz ist, ein für alle auf das bequemste zu
erreichender Ort. Bücher aller Fächer wären dort gewesen, heilige
wie heidnische, nicht nur in griechischer, sondern auch in lateinischer Sprache geschriebene Werke. Doch dann kamen seine widrigen Schicksale über ihn und er konnte nicht mehr ausführen, was
er geplant hatte.

[Der Bericht kommt auf den Tod von Palla Strozzis Sohn Bartolomeo zu sprechen.]

Man stelle sich Messer Pallas Schmerz vor Augen, weil der Ver-
storbene sein Sohn war und weil er ihn so sehr liebte. Jedermann in
Florenz meinte, Messer Palla würde kein anderes widriges Schicksal
so schwer nehmen, als den Tod dieses seines Sohnes. Wie es die
Weisen tun, kam Messer Palla angesichts dieses bitteren Geschicks
zu der Einsicht, er müsse seine Natur stärken und zeigen, wer er
wirklich sei. Es war allgemeine Meinung, daß er dies in keiner Situation besser unter Beweis stellen konnte, als beim Tod des Sohnes,
einem der großen Leiden, welche Gott den Menschen in diesem
Leben schicken kann – besonders dann, wenn der Tote in jenem
Alter, von solcher Klugheit und Güte ist, wie Bartolomeo es war.
Nun, nachdem Messer Palla diesen Schmerz dauernd in seiner Seele
hin- und hergewälzt hatte und davon – war er doch nur ein Mensch
– tief verwundet war, faßte er den festen Gedanken, seine Seele zum
Frieden zu bringen. Er sah, daß es keine Abhilfe gab, daß Gott es zu
irgendeinem guten Ende so gefallen hatte: Er nahm sich entschieden
vor, nicht mehr über den Tod des Sohnes zu klagen und allen, die zu
ihm kamen, um Trost zu spenden, zu sagen, er habe bereits Abschied
genommen von Bartolomeo; sie sollten's zufrieden sein, nicht mehr

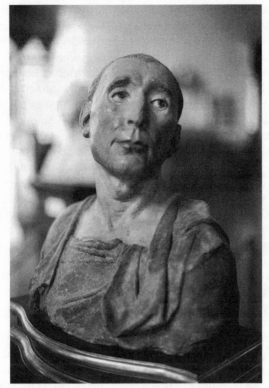

*31 Niccolò da Uzzano. Bemalte Terracotta-Büste von Donatello
(1386?–1466). Florenz, Bargello*

darüber sprechen. [. . .] Kein Anzeichen dafür, daß er Schmerz empfand, ließ er erkennen; und legte eben dieselbe Seelengröße an den
Tag, die er in anderen widrigen Schicksalen zeigte.

[Bisticci berichtet von einer hohen Steuer, die Palla Strozzi nur
unter großen Mühen und über Kredite aufbringen kann; er erwähnt
in diesem Zusammenhang dessen Freundschaft mit Giovanni und
Cosimo de' Medici. Letzterer hat ihm 20 000 Fiorini geliehen, die
Palla zurückzahlt, wie er alle seine Gläubiger, teilweise auch durch
Immobilien, befriedigt. Er kommt dann, in nicht korrekter Chronologie, auf wichtige Ämter, die Strozzi innehatte, zu sprechen und
handelt darauf vom Krieg gegen Lucca, der zu großem Unfrieden in
der Stadt geführt habe.]

Die Klügsten und die Besten – Messer Palla, Cosimo de' Medici,
Agnolo di Filippi und viele andere Bürger, die sich an den guten

Verhältnissen, in denen Florenz war, erfreuten – waren dagegen, daß man den Feldzug gegen Lucca ins Werk setze. Das Haupt jener, die das Unternehmen wollten, war Rinaldo degli Albizzi mit seiner ganzen Partei. Aus diesem Für und Wider, ob man ins Feld ziehen solle, erwuchs die Spaltung der Stadt. Wie Messer Leonardo in seinem Geschichtswerk berichtet, war der Lucca-Krieg Ausgangspunkt aller Streitigkeiten unter den Bürgern, und es entstand alles Übel daraus, das die Stadt Florenz überzog. Der Ausspruch des Niccolò da Uzzano hatte seine Wahrheit – er sagte, daß der erste, der ein Parlament einberufe, zugleich den Graben schaufle, der ihn verschlingen werde. Deshalb wollte er, solange er lebte und mächtig war in der Stadt, nicht, daß man eine Veränderung anstellte, da er wußte, welches Übel daraus erfolgen konnte.

Nach diesen Verwirrungen und nach dem Tod Niccolòs berief man das Parlament des Jahres 33 ein. Messer Palla unternahm alles ihm nur mögliche Gute, damit es nicht gehalten würde, weil auch er die schlimmen Folgen sah. Doch reichte es nicht hin, all das Ungestüm zu bändigen, das in so vielen zornigen und unbedachten Bürgern war: Hatte man doch seit langer Zeit in Florenz kein Parlament mehr gehalten [. . .]. Da sie mächtig waren, gab es keinen, der den Mut gehabt hätte, etwas dagegen zu sagen. So machten sie das Parlament von 33 und verbannten Cosimo de' Medici, einen ganz vortrefflichen Bürger. Noch Schlimmeres hätten sie angerichtet, wäre man ihnen nicht in den Arm gefallen, damit so viel Schlechtes nicht erfolge. Messer Palla hätte der Verbannung Cosimos nie zugestimmt, hätte er davon gewußt und bei jenen Bürgern genug Einfluß gehabt: war eine solche Maßnahme doch gänzlich gegen seine Natur.

[1434 wendet sich das Blatt. Die Anhänger Cosimos arbeiten darauf hin, daß ihm die Rückkehr ermöglicht werde.] Als die Anführer von 33 dessen gewahr wurden, griffen sie sofort zu den Waffen und veranlaßten auch ihre Freunde dazu; mit vielen Bürgern liefen sie auf die Piazza. Alle waren in Waffen. Als Messer Palla das sah, blieb er in seinem Haus, Mann des Friedens und des Ausgleichs, der er war. Da er fürchtete, daß es in der Stadt einen Umsturz gebe, Plünderungen oder dergleichen, ließ er einige hundert Söldner in sein Haus kommen, zu seiner Sicherheit.

[Er weigert sich wohl, sich an den Auseinandersetzungen zu beteiligen, obwohl er dazu gedrängt wird; Bisticci will glauben machen, Palla Strozzis Zurückhaltung habe den Ausschlag für den Sieg der Medici-Partei gegeben. Die Sieger räumen auf; die Exponenten der gegnerischen Gruppierung – darunter auch Strozzi – werden aus Florenz verbannt, anderen wird es durch Manipulationen an den

Wahllisten unmöglich gemacht, zu politischen Ämtern zu gelangen. Strozzi sieht sich genötigt, nach Padua ins Exil zu gehen – wie er zunächst annimmt, für ein Jahrzehnt.]

Kaum dort eingetroffen, widmete er sich der lateinischen und der griechischen Literatur, so, wie es stets seine Gewohnheit gewesen war und nicht anders, als es einer jener alten Philosophen gemacht haben würde. Er lebte ein Leben, das ganz Beispiel war. Über seine Vaterstadt sprach er immer mit Ehrerbietung, nie ertrug er es, wenn jemand Schlechtes über sie sagte. [. . .] Zu den Wissenschaften wandte er sich nach all seinen Schiffbrüchen wie in einen stillen Hafen. Bei bester Besoldung nahm er Johannes Argyropulos in sein Haus auf, damit dieser ihm eine größere Zahl griechischer Bücher, deren Inhalt er zu hören begehrte, vorlese. Zugleich mit ihm stellte er einen weiteren überaus gelehrten Griechen – ebenfalls für Lohn – ein, um noch weitere Lektionen hören zu können. Messer Johannes – der darin die besten Kenntnisse hatte – las ihm die naturphilosophischen Werke des Aristoteles, und von jenem anderen Griechen hörte er gewisse außerordentliche Vorlesungen, je nachdem, worauf die Lust ihn gerade überkam.

[Er übersetzt Johannes Chrysostomus ins Lateinische; Bisticci erwähnt, daß in der Zwischenzeit auch Pallas Sohn Lorenzo, der sich in Florenz um die Vermögensangelegenheiten des Hauses gekümmert hatte, verbannt worden sei.]

Er ging selten außer Hauses. Nie passierte er einen Ort, an dem ihm nicht die größten Ehrenbezeugungen zuteil geworden wären. Da gab es niemanden, weder Große noch Kleine, der nicht den Kopf vor ihm entblößt hätte, so daß er sich schließlich davor hütete, auszugehen. Deshalb stand er zu Padua in größtem Ansehen. Verließ er sein Haus, tat er dies in guter Begleitung, Argyropulos, jenen anderen Griechen und etliche Diener hatte er stets im Gefolge. Kamen aus Florenz Verbannte oder Rebellen in seine Behausung, hieß er sie gleich wieder ihren Abschied nehmen, keineswegs wollte er mit ihnen sprechen, und er wollte nicht, daß man in seinem Haus über seine Stadt spreche, wenn nicht, wie gesagt, auf ehrerbietige Weise. Großen Respekt zollte er der Ehre seiner Vaterstadt; kein Florentiner Botschafter reiste nach Venedig, den Messer Palla nicht gleich, nachdem er von seinem Eintreffen in Padua Kunde bekam, in dessen Herberge besucht hätte, um ihm dann für die ganze Zeit seines Aufenthaltes Gesellschaft zu leisten. Ich erinnere mich daran, wie Messer Giannozzo Manetti seine große Sittsamkeit nicht genug loben konnte; ich hörte, daß er ihn, als er für Florenz als Botschafter in Venedig war und nach Padua ging, während seines Aufenthaltes nie allein ließ. Abends, am Morgen, ja zu jeder Stunde war er in seiner Unterkunft, um ihn zu treffen. [Trotz seines korrekten Verhaltens wird nach Ablauf der Zehnjahresfrist dem mittlerweile etwa Zweiundsiebzigjährigen die Heimkehr nach Florenz nicht gestattet, und auch nach weiteren zehn Jahren bleibt ihm die Vaterstadt verschlossen. Schicksalsschläge bleiben ihm nicht erspart: Sein Sohn Lorenzo wird ermordet, dann stirbt Noferi, ein weiteres seiner Kinder, «seine ganze Hoffnung und seine Zuflucht», wie Bisticci schreibt.]

Zur selben Zeit [1459] erfolgte der Tod der Ehefrau, die ein Mann in einem Alter wie dem seinen auf das nötigste braucht, war sie doch mit ihm zusammen in so langer Zeit alt geworden, so daß sie um seine Eigenarten und seine Bedürfnisse wußte. Er muß sich nicht einmal Gedanken gemacht haben über die Fürsorge für seine Person – ein jeder mag erwägen, ob ihr Tod nicht ein herber Schmerz für ihn war.

[Selbst sein Sohn Carlo, der es unter Nikolaus V. zum Kammerherrn gebracht hatte und für den er den Kardinalspurpur erhofft hatte, geht Palla Strozzi im Tod voraus.] Er hatte gehofft, daß es jenem bestimmt wäre, sein Haus wieder zu erheben. Nun auch dieser Hoffnung beraubt, blieb ihm nichts, als selbst zu sterben. Allmächtiger Gott! Wäre nicht die Gnade deiner göttlichen Güte, wie könnte jemand sein, der so bitteres Leid ertrüge wie dieses! Ich glaube, daß Gott Messer Palla durch Drangsale und widrige Geschicke auf die Probe stellen wollte, wie es Gold im Feuer geschieht, um ihm so die Belohnung im anderen Leben zu bereiten. Als er Messer Carlo, seine einzige Hoffnung beim Schiffbruch im stürmischen Meer dieses elenden und unglücklichen Lebens, tot wußte, erkannte er, daß in allem jegliche Hoffnung aufzugeben war – insbesondere jener so natürliche Wunsch, der in der Art aller Menschen liegt, nämlich würdige Erben zu hinterlassen, denen obliegt, ihr Haus zu erhalten. [. . .] Obwohl Palla sich schon lange Zeit zuvor mit heiligen Schriften befaßt hatte – wie man an mehreren seiner Übersetzungen solcher Werke sieht –, widmete er sich ihnen nun, nach Messer Carlos Tod, zur Gänze. Er bemühte sich, nicht mehr an die Heimat auf Erden zu denken. In allem ließ er seine Seele ihren Frieden machen. Als dann die zwanzig Jahre seines Exils vorbei waren – er hatte bereits das Alter von 82 Jahren erreicht – verbannten sie ihn wieder für ein weiteres Jahrzehnt. [. . .]

Die Gerechtigkeit Gottes hatte ihn bis zu einem sehr schönen Alter leben lassen, bis auf 92 Jahre hat er es, völlig gesund an Körper und Geist, gebracht, dann gab er die Seele seinem Erlöser zurück, als gläubigster Christ. Hätte Messer Palla in der römischen Republik gelebt, zu jener Zeit, als sie blühte vor einzigartigen Männern, und wäre seine Lebensgeschichte von jenen hervorragenden Leuten zu verfassen gewesen, er hätte hinter unzähligen großen Römern nicht zurückstehen müssen.

Da ein Andenken an Palla Strozzi nicht niedergeschrieben wurde und auch nicht anderweitig bewahrt ist, schien es mir mit meinem geringen und schwachen Verstand richtig, diese kurze *Erinnerung* zu verfassen, damit das Gedächtnis eines so würdigen Mannes nicht vergehe.

ES FOLGT DAS LEBEN DES FLORENTINERS COSIMO DE' MEDICI

OSIMO DI GIOVANNI DE' MEDICI stammte von in höchsten Ehren stehenden Eltern ab: Er war ein hervorragender Bürger, der in seiner Republik großes Ansehen genoß. Er hatte beste Kenntnisse in der lateinischen Literatur, der religiösen wie der profanen. Große Neigung hatte er zur Lektüre der Heiligen Schrift; er kannte sie sehr gut. Über jeden Gegenstand hatte er ein umfassendes Urteil, und er verstand es, über alles klug zu sprechen.

Zum Erzieher hatte er Roberto de Rossi, der in Griechisch und Latein hochgelehrt, dazu von rühmlicher Sittsamkeit war. Zu Cosimo de' Medicis Zeit studierten mit ihm viele Männer von Stand unter Anleitung Messer Robertos: Domenico di Leonardo Buoninsegni, Bartolo Tebaldi, Luca di Messer Maso degli Albizzi, Messer Alessandro di Alessandri und viele andere Bürger. Sie waren ständig zusammen und unterredeten sich über ihre Vorlesungen. Roberto hatte keine Frau, und so weilten sie die meiste Zeit in seinem Haus. Wenn er ausging, wurde er gewöhnlich von der Mehrzahl jener Bürger begleitet. Nicht weniger wegen ihrer guten Sitten als aufgrund ihrer Gelehrsamkeit waren sie höchst angesehen. Mehrmals im Jahr gab Roberto diesen seinen Schülern ein Mahl nach Philosophenart.

Roberto übersetzte alle Werke des Aristoteles, die zur Logik ebenso wie jene über Philosophie. Er machte ein sehr großzügiges Testament; seine eigenhändig geschriebenen Bücher – er war ein ausgezeichneter Schreiber – teilte er auf und hinterließ sie seinen Schülern.

Aber kehren wir zu Cosimo zurück. Dieser war in der lateinischen Literatur so beschlagen, daß es über das hinausging, was für einen großen Mann mit so umfassenden Verpflichtungen nötig war. Er war ernsthaftem Wesen sehr zugetan, mit würdevollen Männern, denen jede Leichtfertigkeit fremd war, pflegte er Umgang, denn er haßte Possenreißer, Komödianten und all jene, die ihre Zeit nutzlos verbrachten. Dagegen liebte er gelehrte Männer und unterredete sich gerne mit ihnen allen, besonders aber mit Frate Ambrogio von den Agnoli, mit Messer Leonardo aus Arezzo, Niccolò Niccoli, Messer Carlo aus Arezzo und Messer Poggio. Es lag in seiner Art, daß er sich nur mit ernsthaften Leuten abgab und stets geneigt war, über große Dinge zu sprechen. Um anderes scherte er sich nicht.

Obwohl Florenz zu jener Zeit reich war an einzigartigen Männern, wurde er wegen dieser seiner rühmenswerten Eigenschaften und nachdem man seine Tugenden erkannt hatte, zu Verhandlungen und allen anderen Angelegenheiten herangezogen: Gerade 25 Jahre alt, war er in der Stadt bereits zu großem Ansehen gelangt. Da man seines Willens gewahr wurde und sah, worauf seine Pläne zielten – nämlich auf nichts anderes als Großes –, begann man, ihm den größten Neid entgegenzubringen und ihn zu hassen. Man fürchtete ihn sehr, weil jenen, die tiefer blickten, klar war, daß er es weit bringen würde.

Zu jener Zeit tagte in Konstanz das Konzil, und die ganze Welt fand sich dazu ein. Cosimo reiste dorthin, um sich neben dem Wissen über die inneren Angelegenheiten seiner Stadt nun auch Kenntnisse in den außenpolitischen Dingen anzueignen. Er hatte dabei die Absicht, zweierlei zu erreichen: erstens, den Neid verschwinden zu lassen, und zweitens, Zeuge . . . des Konzils – auf welchem die so tief gespaltene Kirche zu reformieren war – zu werden. Nachdem er einige Zeit in Konstanz verweilt und den Gang der Kirchenversammlung beobachtet hatte, besuchte er weite Teile Deutschlands und Frankreichs. Er verbrachte mit dieser Reise ungefähr zwei Jahre; all das unternahm er, damit sich der Neid etwas abkühlte, der in vielfältiger Weise auf ihm lastete. Nachdem er so zu Konstanz und an mehreren anderen Orten gewesen war, kehrte er nach Florenz zurück. Dort war die Mißgunst keineswegs erloschen, eher noch hatte sie zugenommen, kannte man doch Cosimos Art, sich nicht mit Kleinigkeiten zufriedenzugeben, sondern mit Großem, und stets einen Weg zu wählen, der ihn nicht unter die Geringen der Stadt führen würde, und es gab viele, die das bemerkten. Sie sagten ihm, daß er eine Natur habe, die ihn in größte Gefahr bringe – nämlich entweder das Leben zu verlieren oder verbannt zu werden. Mehrmals sagte man ihm, sich in acht zu nehmen, denn er sei in einer sehr schlechten Position, wenn er nichts unternähme. So begann er, sich der Politik fernzuhalten, um die Neider zu besänftigen. Er pflegte Umgang mit Männern von niederem Stand, die keine oder nur wenig Macht hatten. So schickte er sich in die Umstände, wenngleich seine Gegner ihn in ein schlechtes Licht rückten, indem sie behaupteten, er mache das alles nur, um andere einzuschläfern.

[Ein Mönch namens Francesco da Pietrapane warnt Cosimo ebenfalls; seine Gegner sännen darauf, ihn umzubringen, angesichts des Ansehens, das Cosimo gewonnen habe. Ein Parteigänger Rinaldo degli Albizzis, Bernardo Guadagni, wird, obwohl er im Schuldbuch der Kommune steht und daher eigentlich nicht wählbar ist, zum Gonfaloniere der Justiz gemacht. Einige – in Wirklichkeit war es Albizzi – hätten Guadagnis Steuerschuld übernommen.] Sie wollten dadurch erreichen, daß er den Staat verändere und Cosimo den Kopf abschlagen lasse. Bernardo war damit einverstanden; er versprach, es zu tun. Als es an die Auswahl ging, wurde sein Namen gezogen: Bernardo Guadagni. Nachdem er ins Amt gekommen war und die Geschäfte in die Hand genommen hatte, kam er mit seinen Gefährten überein, nach Cosimo zu schicken, um ihn köpfen zu lassen.

Am 8. September 1433 bestellten sie Cosimo, er möge zur *Signoria* kommen. Er folgte dem sofort. Unterwegs, bei Orsanmichele, traf er seinen Verwandten und Freund Alamanno Salviati, der ihm riet, er solle nicht dorthin gehen, er werde das Leben verlieren. Cosimo aber antwortete: «Es sei, wie es wolle, ich möchte meinen Herren gehorchen» – denn er glaubte nicht, sich bei ihnen in so großer Gefahr zu befinden.

Im Palazzo angekommen, wurde er – ohne daß man sonst mit ihm sprach – in ein Gefängnis, das *la Berghetina* hieß, geführt, mit der Absicht, ihm dann den Kopf abzuschlagen. Da sie um den großen Einfluß wußten, den Cosimo in der Stadt und auch außerhalb hatte, meinten sie, die Macht im Staat zu verlieren, wenn sie dies nicht täten. Cosimo, nun also im Gefängnis und wohl um die Pläne seiner Gegner wissend, war in großer Furcht, getötet zu werden. Deshalb weigerte er sich, die Speisen, die sie ihm brachten, zu essen, damit sie ihn nicht vergifteten. Solche Befürchtungen also hegte er, als einige Freunde Cosimos über den Gonfaloniere zu erreichen suchten, daß er nur verbannt würde und so mit dem Leben davonkäme. 500 Dukaten versprachen sie ihm dafür, und einer brachte ihm das Geld in einem Beutel. Der Gonfaloniere nahm die 500 Fiorini und sagte zu, Cosimo das Leben zu retten.

Die Partei jener, die ihn hatte gefangensetzen lassen, drang in den Gonfaloniere, er solle Cosimo hinrichten lassen. Sie setzten ihm auseinander, daß dieser – falls er ihm aus Nachsicht den Kopf rette – rasch zurückgerufen würde, und dies sei dann ihr Untergang. Doch der Gonfaloniere brachte es so weit, daß diese Leute damit einverstanden waren, ihm das Leben zu lassen und ihn ins Exil nach Venedig zu schicken. So geschah es: Cosimo und Lorenzo gingen nach Venedig, andere Bürger, wie Puccio Pucci, dessen Bruder [Giovanni] und einige wenige weitere, begaben sich nach L'Aquila.

32 Cosimo de' Medici. Hochrelief aus der Werkstatt des Andrea
del Verrocchio (1436–1488), Marmor. Berlin, Staatliche Museen

1433, am achten Tag des Septembers, änderten sie somit den
Staat. Sie besetzten die Balìa und veranstalteten Wahlen. Die Wahl-
säcke kontrollierten sie für wenige Monate, schafften dann die -
Balìa ab und verschlossen die Wahlsäcke.

Da Cosimo nun in die Verbannung gegangen war, versuchten jene,
welche an der Regierung waren, mit allen Mitteln, ihn am römischen Hof und in Florenz in den Bankrott zu treiben. Doch war
sein Reichtum so groß, daß er in der Lage war, sehr viel Geld nach
Rom zu überweisen und bei denen, die dies begehrten, Schulden zu
tilgen. Deshalb nahm sein Kredit überall zu und verringerte sich
nicht etwa. Viele, die in Rom ihr Geld zurückerhalten hatten,
brachten es, nachdem sie gemerkt hatten, über welchen Überfluß
Cosimo verfügte, wieder zu seiner Bank zurück.

In Venedig stand er in höchstem Ansehen. Die aber, welche ihn verbannt hatten, hielten keine Ordnung in ihren Angelegenheiten und verfügten über wenig Reputation. Sie glaubten nicht, es mit einem mächtigen Gegner zu tun zu haben. Da sie auf eine neue, von ihnen nie zuvor erprobte Art regierten, verstanden sie es nicht, den Staat zu lenken. So entschlossen sie sich, nachdem sie dieses Ärgernis angerichtet hatten, lieber dazu, den Weg des Friedens einzuschlagen und die Stadt zur Gewohnheit des guten und friedfertigen Lebens zurückzuführen. Kein Bürger sollte mehr Einfluß haben als der andere, ausgenommen jene, welchen das Los ein Amt gegeben hatte. Gleich nachdem sie die *Balìa* abgesetzt und die Wahlsäcke geschlossen hatten, führten sie eine Wahl durch, bei der niemandem das passive Wahlrecht genommen, es dafür allen, die es verdienten, gegeben wurde.

Wie gesagt, hielt sich Cosimo währenddessen hochangesehen bei den Venezianern auf. Diese faßten den Gedanken, einen Botschafter nach Florenz zu schicken, um die *Signoria* und die Machthaber darin zu bestärken, ihn zurückzurufen. Man begann, ihm durch einen Abgesandten im geheimen Gunstbezeugungen zu erweisen und über seine Heimkehr zu verhandeln. Da er in Florenz viele Freunde hatte, ging das Jahr nicht zu Ende, ohne daß diese nicht versucht hätten, ihn zurückzuholen; die Wahl eines Priors war im Sinne der Anhänger Cosimos erfolgt.

Seine Gegner hatten gleichzeitig, am Jahresende 1433, zu den Waffen gegriffen, da sie seine Rückberufung fürchteten. Papst Eugen, als guter Hirte, trat indessen ins Mittel, um die Bürger miteinander zu versöhnen. Die Männer des Staates von 33 legten die Waffen nieder und überantworteten sich dem Papst und seinem Wort. So wurden sie – [trotz] des päpstlichen Wortes – in die Verbannung geschickt und Cosimo zurückgerufen. Gleichwohl war Papst Eugen hier betrogen worden, hatte er doch geglaubt, sie gingen guten Glaubens und brächten die Stadt zum Frieden zurück.

Nachdem Cosimo nach Florenz zurückgekehrt war, begleitet vom Wohlwollen des Volkes und seiner Partei, sorgte er dafür, daß mehrere Bürger, die Gegner seiner Rückkehr gewesen oder überhaupt ihre Hände im Spiel gehabt hatten, verbannt wurden. Man ließ neue Leute hochkommen; Cosimo erwies jenen, die ihn zurückgerufen hatten, Wohltaten, manchem lieh er Geld, und zwar eine schöne Summe. Andere waren da, denen er Geld schenkte, damit sie ihre Töchter verheiraten oder Landgüter kaufen konnten. Auf diese Weise wurden viele belohnt und viele neue Männer in die Regierung geholt. Unzählige wurden in die Verbannung geschickt und als Rebellen geächtet. Man tat alles, um die Position der Regierung zu festigen, hatte man doch das Exempel der Leute von 33 vor Augen. So also sehen die Verhältnisse aus, die aus Umstürzen in den Städten erfolgen.

Cosimo kam in ein Florenz, wo viele mächtige Bürger zur Regierung zählten, die seine Freunde waren und die seine Rückberufung erwirkt hatten. Deshalb blieben sie groß: Es kostete Cosimo die größte Mühe, sich ihr Wohlwollen zu bewahren und sie hinzuhalten, indem er ständig vor Augen zu führen bestrebt war, daß sie soviel vermöchten wie er. So gut er konnte, verhüllte er diese seine Macht in der Stadt und tat alles, um sein Herz nicht zu entdecken. Dabei wandte er äußerste Klugheit an; doch hatte er große Schwierigkeiten dabei.

Ich werde mich hier über viele Dinge nicht verbreiten, die sich noch sagen ließen. Da ich diesen Text nur in Form eines *ricordo* niederschreibe, überlasse ich sie jenen, die seine Vita verfassen wollen.

[Bisticci kommt auf Ereignisse des Jahres 1437 zu sprechen: Die Florentiner befanden sich erneut im Krieg gegen Lucca, Francesco Sforza war ihr Condottiere. Das damals mit Florenz verbündete Venedig indessen kam seiner Verpflichtung, die Hälfte der Soldzahlungen zu übernehmen, nicht nach. Cosimo de' Medici reiste daraufhin nach Venedig, um die Serenissima zur Zahlung zu bewegen. Er hatte keinen Erfolg damit, auch eine Intervention beim Papst, den Cosimo auf der Rückreise in Ferrara aufsuchte, zeitigte keine Früchte.]

Da Cosimo sich den weltlichen Angelegenheiten seiner Stadt gewidmet hatte, konnte es nicht ausbleiben, daß er dabei viel von seinem Gewissen gelassen hatte, wie es die meisten tun, welche die Staaten regieren und begehren, vor anderen zu stehen. Cosimo erkannte das, und er sah ein, daß er sich den frommen Dingen zuwenden mußte, wenn er wollte, daß Gott barmherzig mit ihm sei und ihn in seinen irdischen Gütern bewahre. Andernfalls, so war ihm bewußt, konnten sie nicht von Dauer sein. Auch dünkte es ihn, Gelder zu besitzen, die aus nicht ganz sauberen Geschäften stammten; woher sie kamen, weiß ich nicht. Weil er sich nun diese Last von den Schultern nehmen wollte, beriet er sich – da Papst Eugen damals in Florenz weilte – mit Seiner Heiligkeit über die Dinge, von denen er glaubte, daß sie sein Gewissen belasteten. Da nun Papst Eugen gerade das Kloster von S. Marco zur Observanz gebracht hatte und die Mönche keine geeignete Bleibe hatten, sagte er zu Cosimo, welcher Gedanke ihm gekommen war. Er wolle, daß er zu seiner Befriedigung und zur Erleichterung seines Gewissens dort 10000 Fiorini verbaue.

So wurden die 10000 verbaut; doch da sie nicht hinreichten, das

Kloster gänzlich zu errichten und mit all dem zu versehen, wessen es bedurfte, ließ Cosimo es völlig fertigstellen und gab insgesamt über 40 000 Fiorini aus. Und nicht allein das Gebäude ließ er vollenden, er stattete das Kloster auch mit allem, was zum Leben notwendig ist, aus: an erster Stelle mit allen Büchern, die für den Kirchengesang erforderlich sind und mit all den anderen Werken, die sich [noch jetzt] in der Bibliothek befinden, eine sehr große Zahl. Dann versah er die Sakristei mit Paramenten, Meßbüchern und allem Gerät, das sonst noch zum Gottesdienst gebraucht wird. Und weil die Brüder des hl. Dominikus keinen Besitz haben, bezahlte er ihnen die zum gemeinschaftlichen Leben nötigen Dinge. Es sollte noch zu seinen Lebzeiten ein schöner Konvent zu S. Marco entstehen.

Er hatte seine Bank angewiesen, ihnen jede Woche eine Summe für die von Tag zu Tag anfallenden Ausgaben auszubezahlen. So trug er für alle Bedürfnisse bis ins kleinste Vorsorge, und er erlebte noch zu seinen Erdentagen einen höchst ansehnlichen Konvent. Damit man ihm, dem Vielbeschäftigten, nicht nachlaufen mußte, hatte er der Bank die Anordnung gegeben, den vornehmsten Mönchen alles Geld, das sie vermittels eines Schecks abheben wollten, auszuzahlen; sie sollten Cosimo in Rechnung gestellt werden, die Summe mochte so hoch sein, wie sie wollte.

Nachdem das Kloster in allem vollendet war, wollte er die Arbeiten an der Kirche fortsetzen lassen. Hier waren nun einige Kapellen, die abgerissen werden mußten. Er wollte sie von ihren Besitzern in gutem Einvernehmen erwerben, da sie aber einige Schwierigkeiten machten, verzichtete er darauf und stellte aus diesem Grund die Bauarbeiten ein.

Nun hatte Cosimo nicht so viele Bücher, daß sie ausgereicht hätten, eine ansehnliche Bibliothek einzurichten. Wie in der Vita des Niccolò Niccoli bereits gesagt wurde, waren dessen Testamentsvollstrecker – da man noch keine andere öffentliche Bibliothek hatte einrichten können – damit einverstanden, daß seine Bücher, auf daß der Wille des Verstorbenen erfüllt werde, nach S. Marco gebracht würden – zum allgemeinen Nutzen derer, die sie benötigten. In jedem dieser Bücher ist zur Erinnerung an den, von dem sie waren, vermerkt, daß sie aus dem Erbe des Niccolò Niccoli stammten. Niccolò hatte unter die Zahl seiner vierzig Testamentsvollstrecker auch Cosimo und dessen Bruder Lorenzo aufgenommen; so hatte er es im Testament verfügt.

Als Cosimo so die Bücher Niccolòs erhalten hatte, wollte er in das Inventar Einsicht nehmen, um zu sehen, was der Bibliothek noch fehle. Er sandte Beauftragte an verschiedene Orte, um das

Fehlende zu beschaffen; wo er Bücher finden konnte, kaufte er sie, und viele ließ er auch abschreiben. All diese Ausgaben für die Bibliothek wurden von der Medici-Bank auf von Bruder Giuliano Lapaccini – einem überaus würdigen Mann – ausgestellte Schecks angewiesen, so, wie es gerade beschrieben wurde. [. . .]

Nachdem die Bibliothek so ausgestattet war, wie sie es heute ist, schien es Cosimo, als habe er noch nicht das erreicht, was er beabsichtigt hatte. Er wollte sie noch um sämtliche Bücher ergänzen, die noch fehlten, doch hinderte der Tod ihn daran. [. . .]

Viele wunderten sich über die so große Freigebigkeit und die Fürsorge, deren Cosimo sich gegenüber jenen Mönchen befleißigte. Denen, die ihn danach fragten, gab er zur Antwort, er habe von Gott so viel Gnade empfangen, daß vielmehr er selbst der Schuldner sei. Niemals habe er Gott einen Grosso gegeben, ohne daß dieser ihm bei diesem Tauschhandel einen Fiorino dafür zurückerstattet hätte. Er beklagte sich allein darüber, daß er nicht schon zehn Jahre zuvor damit begonnen habe, Geld auszugeben, allein deshalb, weil er nicht sah, wie er Begonnenes zu Ende führen konnte; nicht etwa, weil er nicht geneigt gewesen wäre, sie durch Geld und alles sonstwie Erdenkliche zu fördern, sondern weil die Zeit so kurz war, daß sie ihm nicht ausreichte.

Zur selben Zeit, als er S. Marco vollendet hatte, begann Cosimo im Mugello zu bauen, und zwar im Wald, an einem Ort, der Franziskanerobservanten gehörte. Er baute die Kirche und einen guten Teil des Konvents, und er gab dabei mehr als 15 000 Fiorini aus.

Während man im Wald des Mugello baute, kamen Mönche aus Jerusalem nach Florenz. Sie erzählten, in welch verheertem Zustand die Stätte sei, wo der Heilige Geist herabgekommen war, und daß es gut wäre, sie wiederherzustellen. Cosimo war zufrieden, dies zu tun; damit alles ausgeführt werde, ordnete er an, daß den Brüdern die nötigen Gelder über Venedig angewiesen würden. So geschah es, und man überwölbte den Bau und brachte weiteren Zierrat an dem genannten Ort an. Wer ins Heilige Land zieht, sieht das Bauwerk, mit Cosimos Wappen daran.

In Paris gibt es ein Kollegium, welches «Kolleg der Florentiner» genannt wird. Ein florentinischer Kardinal hatte es errichten lassen; seine Baulichkeiten befanden sich neben den Häusern von Bernardetto de' Medici. Da nun einige Teile besagten Hauses baufällig waren und der Wiederherstellung bedurften – neben anderem war ein Brunnen zu graben –, wurden einige der Vorsteher des Kollegs bei Cosimo vorstellig und baten ihn, er möge sich bereit erzeigen, es wiederherzurichten und das Erforderliche daran zu tun. Er erteilte die entsprechenden Aufträge nach Paris und befahl, daß am Kollegsbau alles, was nötig sei, gemacht und er mit allem, wessen es bedurfte, versehen werde. So geschah es, und bis zum heutigen Tage sieht man dort das von Cosimo veranlaßte Werk.

Lorenzo, sein Bruder, ließ den Bau der Kirche S. Lorenzo beginnen; zu seinen Lebzeiten wurde die Sakristei, ein höchst ansehnlicher Bau, fertiggestellt. Doch blieb das Werk unvollendet, da Lorenzo vom Tod ereilt wurde. Cosimo ließ nun zunächst das Wohngebäude der Priester, das in einem traurigen, selbst einer Landkirche nicht würdigen Zustand war, abreißen. Er veranlaßte seinen völligen Neubau, der noch heute steht. Als man ihn fragte, warum er dieses Gebäude vor der Kirche in Angriff genommen habe, antwortete er, daß es eben keinen gäbe, der dergleichen unternehme – viele seien da wohl, welche die Kirche bauten, bringe dies doch die größere Ehre mit sich, nicht aber ein solches Priesterhaus. Nachdem das Haus gebaut war, ließ er die Arbeiten an der Kirche aufnehmen und brachte das Projekt zu einem guten Teil voran, bevor er starb.

Zugleich mit den Arbeiten an S. Lorenzo begann er das erhabene Bauwerk der Badia in Fiesole. Wie nun an diesen beiden Orten gebaut wurde, machte einer der Faktoren seiner Florentiner Bank den Jahresabschluß der Konten und stellte dabei fest, daß man für die Arbeiten an der Badia in den vergangenen zwölf Monaten 7000 Fiorini, für jene an S. Lorenzo 5000 ausgegeben hatte. So ging dieser Faktor zu Cosimo und sagte, wobei er erwartete, ihn zu erschrecken: «Ihr habt in diesem Jahr 7000 Fiorini an die Badia gewandt und 5000 an S. Lorenzo!» – und er teilte ihm das mit, um ihn über diese Ausgabe bestürzt zu machen und damit er auf diese Weise bewogen werde, sich davon zurückzuziehen. Cosimo aber gab ihm eine seiner würdige Antwort. Sie lautete: «Ich verstehe, was du sagst. Die von S. Lorenzo verdienen den größten Tadel, weil die Ausgaben ein Anzeichen dafür sind, daß sie nicht gearbeitet haben. Jenen der Badia aber gebührt das schönste Lob, weil sich zeigt, daß sie gearbeitet haben.» Da er den Geiz und die Unwissenheit dieses Mannes bemerkt hatte, wollte er auf diese Weise das eine wie das andere tadeln. Damals kamen einige Freunde zu Cosimo, um ihn zu besuchen, weil er wegen der Gicht sein Haus nicht verließ; er beklagte sich bei ihnen über diesen seinen Faktor, daß dieser ihn lehren wolle, wie man Geld ausgebe.

Cosimo erwies in jeder Sache seine Freigebigkeit. Für das Priesterhaus bei S. Lorenzo und für einen Teil des Kirchenbaus gab er über 60 000 Dukaten aus. Das Haus stellte er fertig, von der Kirche einen guten Teil, der verziert wurde und herrlich ausgestattet, wie es vor Augen liegt. Er trieb die Errichtung dieses Gebäudes so sehr voran, wie er nur konnte, und fürchtete stets, nicht mehr genug Zeit zu haben.

Wie dies nun ausgeführt war, sann er darauf, in welcher Weise es einzurichten sei, daß dieser Ort von rechtschaffenen und gelehrten Menschen bewohnt werde. Er hatte daher den Gedanken, dort eine ansehnliche Bibliothek einzurichten. Eines Tages – ich war bei ihm in seinem Zimmer – sagte er zu mir: «Was würdest du mir raten, wie ich diese Bibliothek mit Büchern bestücken soll?» Ich antwortete, daß es unmöglich sei, Bücher zu kaufen, da sich keine finden ließen. Er fragte daraufhin: «Was also könnte man tun, um die Bibliothek einzurichten?» Es sei erforderlich, sie schreiben zu lassen, sagte ich darauf. Er fragte nun, ob ich diese Aufgabe übernehmen wolle, und ich war's zufrieden. Ich solle die Sache nach meinem Belieben beginnen; er überlasse mir alles. Die Anweisung der Gelder, die von Tag zu Tag gebraucht würden, übertrug er Don Arcangelo, der damals Prior des genannten Klosters war. Dieser sollte die Schecks für die Bank ausstellen, und das Geld werde ausbezahlt.

So wurde gleich mit dem Aufbau der Bibliothek angefangen, war es doch sein Wille, daß sie mit aller nur möglichen Eile zusammengestellt wurde; an Geld fehlte es nicht. Gleich nahm ich 45 Schreiber in Dienst; in 22 Monaten stellte ich 200 Bände fertig. Man wahrte bei der Einrichtung der Bibliothek eine wunderbare Ordnung, indem man jener der Bibliothek von Papst Nikolaus folgte; dieser hatte Cosimo ein eigenhändig verfaßtes Inventar dazu gegeben.

Aber kommen wir zum Aufbau der Bibliothek. An erster Stelle waren da die Bibel und die Konkordanzen mit allen dazugehörigen Kommentaren, von alten wie von neuen Autoren. Zunächst kam jener Schriftsteller, der damit angefangen hatte, die Heilige Schrift zu kommentieren und so allen anderen gezeigt hatte, wie man dies macht, nämlich Origenes. Da er auf Griechisch geschrieben hatte, übersetzte der hl. Hieronymus einige seiner Werke, so jene über die fünf Bücher Mosis. Weiterhin sind da die Werke des hl. Märtyrers Ignatius, und zwar die, welche er in griechischer Sprache verfaßte. Er war ein Schüler des hl. Evangelisten Johannes, ein glühender Anhänger der christlichen Religion, für die er schrieb, dann auch predigte und das heiligste Martyrium erlitt.

Es stehen dort die Werke des hl. Basilius, des Bischofs von Kappadokien, eines Griechen, dann die des hl. Gregor von Nazianz und seines Bruders, des hl. Gregor von Nyssa, jene des hl. Johannes Chrysostomus, des hl. Athanasius von Alexandria, des hl. Mönches Ephrem und des Johannes Climax, der ebenfalls ein Grieche war.

Es finden sich alle Werke griechischer Gelehrter, die ins Lateinische übersetzt worden sind. Es folgen die heiligen Doktoren und die lateinischen Schriftsteller, angefangen mit den Werken des Lactanz, eines sehr alten Schriftstellers von rühmenswerten Qualitäten; dann jene des Hilarius von Poitiers, eines herrlichen Gelehrten, des hl. Cyprian von Karthago, eines sehr zierlichen und hochheiligen Gelehrten, und die des überaus gelehrten Karthagers Tertullian.

[Die Aufzählung fährt fort mit weiteren Werken der christlichen Antike und des Mittelalters; Bisticci nennt unter den «modernen Gelehrten», deren Bücher in Cosimos Bibliothek Aufnahme fanden, die des Thomas von Aquin, des Albertus Magnus, Duns Scotus, schließlich die ‹Summa› des Erzbischofs Antonino von Florenz. Die Werke des Aristoteles nebst Kommentaren dazu werden aufgeführt, ebenso kanonistische Literatur, dann die Arbeiten antiker Historiker; Bisticci nennt beispielsweise die Dekaden des Livius, die Kaiserbiographien Suetons, die Viten Plutarchs. Caesar, Sallust, Quintus Curtius, Cornelius Nepos werden hervorgehoben, dann auch die Weltchronik des Ser Zomino da Pistoia und kirchengeschichtliche Literatur. Cicero, Seneca und Quintilian, Vergil, Terenz, Ovid und Plautus haben ihren Platz in Bisticcis Aufzählung. Auch Lorenzo Vallas ‹De elegantia linguae Latinae› findet Erwähnung.]

Von den Grammatikern ist Priscianus vorhanden, dazu alle anderen für eine Bibliothek nötigen Werke, damit nichts davon in Florenz fehle. Da es hier nicht von allen diesen Werken ein Exemplar gab, schickte man nach Mailand, Bologna und anderen Orten, wo sie zu finden waren.

Als Cosimo die Bibliothek ganz vollendet sah, ihre Inventare, ihre Ordnung, hatte er großen Gefallen daran. So, wie er es wollte, war sie eingerichtet worden, in großer Schnelligkeit.

Zugleich ließ er die ansehnlichsten Gesangbücher für die Kirche fertigstellen, darunter einen wunderschönen Psalter in mehreren Bänden. Dreißig Bände kamen für den Chorgesang zusammen. Dann versah er die Sakristei mit Meßbüchern und stattete sie aufs zierlichste mit Paramenten und Kelchen aus. Gleichermaßen ließ er die gesamte für ein so hochwürdiges Haus erforderliche Einrichtung kaufen. Er wollte, daß es an nichts fehle. 70000 Dukaten betrugen die Ausgaben für besagtes Haus, wie ich von jemandem weiß, der die Abrechnungen darüber geführt hat.

Bei S. Croce erbaute er den Novizentrakt mit einer Kapelle und einem Chor davor und den Baulichkeiten, die sich zur Sakristei hin erstrecken. Hier gab er achthundert Fiorini oder mehr aus. Er ließ den Palazzo in Florenz von Grund auf errichten. Dies kam, die

Hauserwerbungen für das Baugrundstück mitgerechnet, auf 60 000 Dukaten.

In Careggi baute er einen großen Teil dessen, was dort zu sehen ist, und ähnliches tat er in Cafaggiuolo im Mugello. Dafür gab er mehr als 15 000 Dukaten aus. Durch diese Bauunternehmungen gab er armen Männern die größte Hilfe; so viele Baustellen waren es, daß Unzählige dort beschäftigt wurden. Jeden Samstag erhielten alle Handwerker Geld für alles, dessen es nottat, von Cosimos Beauftragten. Kein Jahr verging, in dem er nicht 15 000 oder 16 000 Fiorini fürs Bauen ausgegeben hätte, Geld, das gänzlich im Gemeinwesen verblieb.

Mit seinen Zahlungen war er ziemlich großzügig, er wollte, daß niemand sich beschwert fühle. So hatte er die Arbeiten zu Careggi einem sehr verständigen Meister übertragen; als etwa die Hälfte des Baues fertiggestellt war, erkannte Cosimo, daß jener bis zur Vollendung des Werks einige tausend Fiorini verlieren würde. So rief er den Maestro – er hieß Lorenzo – eines Tages zu sich und sagte zu ihm: «Lorenzo, du hast diese Arbeit von mir durch einen Pauschalvertrag angenommen und nun ungefähr die Hälfte davon ausgeführt. Ich sehe nun, daß du, um sie zum Ende zu bringen, einige tausend Fiorini an Kapital verlieren wirst: Das aber ist nicht meine Absicht, vielmehr möchte ich, daß du Geld verdienst. Daher geh hin und führe dein Werk fort; auf keinen Fall will ich, daß du dabei verlierst. Ich werde dir, was angemessen ist, geben, ja, ich will es sogar.» Und so hielt er es: Als das Werk abgeschlossen war, bezahlte er ihn gemäß dem, was er getan hatte. Dabei hätten die meisten in einem solchen Fall wohl die Auffassung vertreten, daß Lorenzo, als verständiger Meister, den Vertrag, nachdem er ihn nun einmal abgeschlossen hatte, nun auch einzuhalten verpflichtet sei: Nichtsdestoweniger wollte Cosimo wegen seiner unerhörten Freigebigkeit dies nicht. Und so hielt er es in all seinen Angelegenheiten. Wer für ihn arbeitete, so war sein Wunsch, sollte nicht verlieren dabei, sondern für seine Mühen zufriedengestellt werden.

Cosimo war aufgrund seiner großen Erfahrung und der wunderbaren Begabung, welche die Natur ihm hatte zuteil werden lassen, von einer Art, die Bewunderung verdiente: Weit entfernt war sein Urteil von den unüberlegten Meinungen der Masse. Denn alles, was ihm zu erwägen oblag, beurteilte er nach reiflichem Nachdenken. So sagte er eines Tages – ich war bei ihm in seinem Zimmer –, daß Narretei und Falschheit der Menschen groß seien; sie wollten weismachen, was es nicht gebe, und scheinen, was sie nicht seien. Er gedachte der Anfänge seines Hauses, seiner Vorfahren, die bereits gestorben waren; wie ihnen stets alles zum Wohlstand gereicht habe. Dafür stattete er dem allmächtigen Gott und seiner Mutter unendlichen Dank ab; für so große, allumfassende Wohltaten fühlte er sich Gott, von dem er sie empfangen hatte, in höchstem Maße verpflichtet. Alle Angelegenheiten seien ihm in weit größerem Umfang gediehen, als es seinen Verdiensten angemessen gewesen sei, obgleich er viele fromme Werke getan habe.

Nun war da einer, der ihm schmeicheln wollte, was Cosimo wirklich aufs äußerste zuwider war. Dieser wandte sich an ihn und sagte, der allmächtige Gott erweise ihm große Barmherzigkeit wegen seiner vielen Wohltaten und insbesondere wegen der vielen Gebäude, die er Mönchen eingerichtet habe. Entgegen seiner Gewohnheit antwortete Cosimo ihm sofort: «Gott weiß, zu welchem Ende ich das getan habe.» Und damit man verstand, worauf er hinauswollte, sagte er: «Habe ich es um des Ruhmes und weltlichen Glanzes willen getan, so bin ich meinen Taten entsprechend bezahlt.» Und er fügte noch hinzu, daß alle unsere Angelegenheiten schlecht bedacht seien, wir nie an jenes Ziel gelangten, das zu erstreben unsere Pflicht sei. Deshalb sei niemand in diesem Leben, der sich zufrieden dünken dürfe. «Ich finde mich in einem Alter», sagte er, «in dem ich alle Dinge, die ich zu meiner Freude und zu meinem Trost begonnen habe, nun weder sehen noch nutzen kann. Was Trost mir war, gereicht mir jetzt zu schlimmster Qual.» Einer neben ihm sprach ihm zu, er möge sie, da keine Zeit mehr wäre, wohl nicht mehr mit den Augen seines Leibes sehen können – doch blieben ihm noch die geistigen. Darauf gab Cosimo heraus, dies sei ihm ein doppeltes Leiden, die geistigen Augen auf etwas zu richten, was er mit seinen körperlichen nicht zu sehen vermöge. Nie konnte man etwas Zweifelhaftes sagen, ohne daß er die Sache nicht gleich durchschaut und aufs schärfste abgelehnt hätte.

Er setzte hinzu, es gehöre zu den größten Fehlern, die ihm unterlaufen seien, nicht schon zehn Jahre früher mit dem Geldausgeben begonnen zu haben. Er wisse, wie Florenz sei: Keine fünfzig Jahre würden vergehen, bis man weder von ihm noch von seiner Familie noch etwas finden könne, außer jenen wenigen Reliquien, die er habe mauern lassen. «Ich weiß», fuhr Cosimo fort, «daß sich meine Kinder bei meinem Ende in einer schlimmeren Lage befinden werden, als die Kinder von Bürgern, die zu Florenz vor langer Zeit gestorben sind. Denn ich weiß, daß mir das Haupt nicht mit Lorbeer bekränzt werden wird: Und ich weiß um diese Dinge mehr als andere Bürger.» Er bediente sich dieser Worte, da er um die Schwierigkeit wußte, eine Position wie die seine zu behaupten, sah er sich doch in der Stadt der Gegnerschaft zahlreicher mächtiger Bürger ausgesetzt, die sich vordem so mächtig befunden hatten, wie er selbst es jetzt war. So gebrauchte er die größte Kunst darin, sich zu erhalten; bei allen Dingen, die er erreichen wollte, sah er darauf, daß sie von anderen auszugehen schienen und nicht von ihm, um, wie es nur ging, den Neid zu fliehen.

Cosimo hatte viele des Rühmens werte Eigenschaften. Darunter war auch die, niemals schlecht über jemanden zu reden; es mißfiel ihm sehr, wenn einer das in seiner Gegenwart tat. Alle, die ihn aufsuchten, um ihn zu sprechen, hörte er mit der größten Freundlichkeit an, er war für jeden, der zu ihm sprach, der geduldigste Zuhörer.

Taten waren seine Sache mehr als Worte. Mit Worten machte er keine Versprechungen, er führte sie gleich aus, indem er handelte. War ein Anliegen erfüllt, ließ er dem, der ihn darum gebeten hatte, ausrichten, wie er die Sache erledigt hatte.

Seine Antworten waren kurz und ziemlich dunkel, so daß man sie auf verschiedene Weise auslegen konnte. Sehr geduldig war er, und er ehrte jene, die kamen, ihn zu sprechen, sehr, durch Worte wie durch Taten. Handelte es sich bei dem Besucher um einen Mann von Stand, wollte er sich nicht mit ihm unterreden, bevor der Gast sich nicht niedergelassen hatte.

Wer sich mit ihm unterhielt, mußte nicht durch Geist belustigen, dafür aber aufmerksam sein, gut auf Cosimos Worte achten und ihm zur Sache antworten. Es war wohl nötig, daß, wer mit ihm sprach, verständig war und aufmerksam. Die Schwätzer gefielen ihm keineswegs, denn er war von gerade entgegengesetzter Art.

Cosimo hatte ein ewiges Gedächtnis, an alles erinnerte er sich. Eines Abends – er weilte in seinem Haus – gedachte er, einige Bücher, die sich in einem Schrank befanden, aus Liebe zu Gott S. Marco zu schenken; lange Zeit waren sie an ihrem Ort gelegen. Dennoch erinnerte er sich sämtlicher Bücher, die sich in jenem Schrank befunden hatten, und er wußte auch ihrer aller Titel. Darunter war auch ein altes Pandektenwerk; er nannte es beim Namen und sagte: «Achtet wohl darauf, denn es steht der höchst seltsame Name eines Deutschen darauf, dem das Buch einst gehörte.» Und er erinnerte sich nicht nur an den Titel des Buches, sondern auch an den Namen jenes Deutschen. Als es gefunden war, meinte er: «Seit über vierzig Jahren besitze ich nun dieses Buch, und bis jetzt habe ich es nicht mehr gesehen.»

So umfassend war seine Kenntnis in allen Dingen, daß er mit allen, die kamen, um mit ihm über ihre Wissensgebiete zu sprechen, umzugehen wußte; mit allen fand er ein Thema. War er mit einem Gelehrten zusammen, unterhielt er sich mit ihm über dessen Fach: So sprach er mit Theologen über Theologie, und er hatte die beste Kenntnis darin, da er sie stets geschätzt hatte und zugleich gerne mit Leuten zu tun gehabt hatte, welche sich an ihr ergötzten. Auch hatte er viele Bücher der Heiligen Schrift gelesen. Ebenso war es mit der Philosophie. Hatte er mit Astrologen zu tun, hatte er auch in ihrem Fach ein umfassendes Urteil, da er immer mit Maestro Paolo und anderen dieses Fachs Umgang gepflogen hatte. In manchem glaubte er ihnen und bediente sich der Sterndeutung in einigen seiner Angelegenheiten.

Wären Musiker um ihn gewesen, hätte er auch in ihrem Fach seine Kenntnisse gezeigt; gelegentlich erfreute er sich an dieser Kunst. Wenn er mit Malern und Bildhauern verkehrte, erwies er sich als sehr verständig. In seinem Haus hatte er einige Dinge einzigartiger Meister. Von höchster Kundigkeit war er, wenn es um die Bildhauerei ging. Bildhauern und allen anderen bedeutenden Künstlern ließ er viel Förderung angedeihen. Er war ein großer Freund des Donatello und aller Maler und Bildhauer.

Und weil es der Zunft der Bildhauer zu seiner Zeit widerfuhr, daß ihre Meister wenig beschäftigt wurden, beauftragte Cosimo den Donatello, damit er nicht ohne Arbeit bliebe, mit Bronzekanzeln für S. Lorenzo. Auch ließ er ihn bestimmte Portale fertigen, die nun in der Sakristei sind. Seine Bank wies er jede Woche an, ihm eine gewisse Summe Geldes zu überantworten, und zwar so viel, daß es für Donatello und für die vier Gesellen, die er sich hielt, ausreichte.

Weil Donatello nicht so gekleidet ging, wie es Cosimos Wunsch entsprochen hätte, schenkte er ihm einen rosenfarbenen Mantel und eine Kapuze; auch ließ er ihm eine Kutte machen, die er unter dem Mantel tragen sollte: Ganz neu kleidete er ihn ein. Am Morgen eines Feiertages schickte er ihm das alles, auf daß er es trage. Ein oder zweimal trug Donatello die Gewänder, um sie dann beiseite zu legen. Er wollte sie nicht mehr tragen, weil ihm, wie er sagte, schien, er werde dann deshalb verspottet.

Cosimo erwies gegenüber Männern, die irgendeine Kunst beherrschten, eine solche Freigebigkeit, weil er sie sehr schätzte.

Doch kommen wir auf die Architektur zu sprechen. Er war höchst kenntnisreich auf diesem Gebiet, wie man an mehreren Gebäuden sehen kann, deren Errichtung von ihm veranlaßt wurde. Nichts nämlich wurde gemauert oder sonstwie gemacht, ohne daß man sich seiner Meinung und seines Urteils versichert hätte. Einige, die etwas zu bauen hatten, gingen ihn um sein Gutdünken und seinen Rat an.

Von der Landwirtschaft verstand er sehr viel, ja, er sprach darüber, als hätte er sich nie mit etwas anderem beschäftigt. Der Garten, den man bei S. Marco auf seine Anordnung hin anlegte, war höchst ansehnlich. Als er dies ins Werk setzen ließ, war da nichts anderes als ein ödes Feld, im Besitz gewisser Mönche, die dort gelebt hatten, bevor sie von Papst Eugen reformiert worden waren. Ähnlich verfuhr er mit seinen anderen Besitzungen. Dort gibt es nur wenig im Bereich der Landwirtschaft, das er nicht selbst eingerichtet hätte. Unzählige Obstbäume und Setzlinge standen da. Zum Verwundern war, daß da nicht ein Setzling in seinen Ländereien wuchs, den er nicht im Gedächtnis gehabt hätte –, und das bei all seinen Beschäftigungen! Kamen dann die Bauern nach Florenz, fragte er sie, wie es um die Früchte stünde, wie weit sie gewachsen seien. Er machte sich ein Vergnügen daraus, Schößlinge aufzupfropfen und die Bäume zu beschneiden.

Eines Tages – er war damals noch nicht sehr alt – weilte ich bei ihm; da die Pest grassierte, reiste man aus der Stadt fort und begab sich nach Careggi. Es war Februar, also die Zeit, zu der man die Reben beschneidet. Cosimo zelebrierte nun zwei würdige Rituale. Zuerst ging er, nachdem er des Morgens aufgestanden war, um den Wein zu stutzen; zwei Stunden lang tat er nichts anderes: Und darin ahmte er Papst Bonifaz IX. nach, der die Weinstöcke unterhalb des Papstpalastes zu Rom hatte anlegen lassen. Bonifaz begab sich zur entsprechenden Jahreszeit täglich dorthin, um eigenhändig etliche Rebstöcke zu beschneiden. Bis heute wird zu Neapel seine Zwicke nebst zwei silbernen Scheiden aufbewahrt, zur Erinnerung an Papst Bonifaz.

Wenn Cosimo dann am Morgen vom Beschneiden zurückgekehrt war, begann er mit der Lektüre der ‹Moralia› des hl. Gregor, die aus 37 Büchern bestehen. Er habe sie, so erzählte er, alle in sechs Monaten gelesen.

Alle seine Beschäftigungen, ob während des Landlebens oder in Florenz, waren seiner würdig. Nie vergnügte er sich mit irgendeinem Spiel, außer mit Schach. Manchmal, eher selten, spielte er nach dem Essen zum Zeitvertreib eine oder zwei Partien. Er war gut mit Magnolino bekannt; dieser war der Beste und Geschickteste im Schachspiel, den seine Zeit besaß.

Wie gesagt, war Cosimo sowohl überaus freundlich als auch von größter Bescheidenheit in seinen Worten. Nur wenige gab es, die ihn je erregt gesehen hätten. Mit seinen Antworten blieb er unbestimmt, um niemanden zu beleidigen.

[Bisticci erzählt, wie einer der vornehmsten Bürger von Florenz schlecht über Cosimo geredet habe; der erfährt davon, schweigt zunächst. Cosimo habe ihn dann angesprochen; Bisticci meint, so hätte er sich sonst nie verhalten und es auch nur getan, weil dieser Mann ein sehr guter Freund von ihm gewesen sei:] «Ihr strebt nach

Unendlichem, ich nach endlichen Dingen. Ihr lehnt Eure Leitern
an den Himmel, ich stelle die meinigen hart auf die Erde, um nicht
so hoch zu fliegen, wie ich dann falle. Und wenn ich will, daß die
Ehre und das Ansehen meines Hauses Euch überträfen, dann, so
scheint es mir, ist es gerecht und ehrenhaft, mir mehr meine eigenen Sachen angelegen sein zu lassen als die Euren. Nichtsdestoweniger werden ich und Ihr es so halten wie die großen Hunde, die
sich, wenn sie einander begegnen, beschnuppern. Dann zieht ein
jeder ab und geht seinen Verrichtungen nach – haben sie beide doch
auch noch Zähne. Ihr werdet Euch um Eure Angelegenheiten kümmern und ich um meine.» In diesem Fall öffnete Cosimo sein Herz
mehr, als er es sonst gegenüber irgend jemandem getan hätte.

[Wahrscheinlich handelte es sich bei dem Mann, mit dem Cosimo
nach Bisticcis Bericht so redet, um Luca Pitti, der nach dessen Tod
eine Verschwörung anzettelte; Piero di Cosimo de' Medici konnte
sich jedoch gegenüber Pitti behaupten. Bisticci deutet diese Vorgänge in der auf die Schilderung der merkwürdigen Antwort Cosimos
folgenden Textpassage mit einigen Worten an.] Nach Cosimos Tod
faßten sie den Gedanken, den Sohn zu entmachten, schien ihnen
doch, sie hätten nun freies Feld. Zu seinen Lebzeiten hätten sie
es wegen des großen Ansehens, das er besaß – und sie wußten
darum –, nie gewagt, etwas gegen ihn ins Werk zu setzen. So also
versuchten sie nun, sich gegen Piero zu wenden, doch fiel alles auf
ihren Anführer zurück.

[Bisticci erzählt nun von weiteren kryptischen Antworten Cosimos.] Ich war eines Tages bei Cosimo in dessen Zimmer, [da trat
einer ein,] der mit einem anderen Bürger in Streit lag; dieser hatte
ihm viel Gewalt angetan und hielt einige seiner Ländereien besetzt.
Der Mann beklagte sich nun bei Cosimo mit den heftigsten Worten
über jenen. Cosimo hörte zu, antwortete aber nicht auf das, was er
sagte. Schließlich fragte er ihn, wie lange es her sei, daß er auf
diesen seinen Besitzungen gewesen sei. «Nicht viel Zeit», war die
Antwort. Cosimo fuhr fort: «Geh oft dorthin, kümmere dich gut
um dein Land; lasse es ordentlich verwalten und sorge dafür, daß
es an nichts fehlt.» So war seine Antwort. Sie war so vorsichtig,
daß der Mann sagte, er verstehe sie nicht. [Einer, den er nach dem
Sinn dieser Antwort fragte, erklärt:] «Siehe, mit welcher Ehrbarkeit
Cosimo gesprochen hat, um nicht schlecht über jemanden sprechen
zu müssen! Wenn er sagt, du mögest häufig auf deine Besitzungen,
die der andere besetzt hält, gehen, um nach ihnen zu sehen, bedeutet das, daß sie dein sind und Cosimo sie als die deinen in ihrem
Bestand verteidigen wird.» Alle seine Antworten waren mit Salz
gewürzt.

So gab es sehr viele Bürger, die Cosimo um Rat in ihren Angelegenheiten fragten. Eines Tages kam, neben anderen, einer zu ihm, der zum zweiten Mal eine Frau genommen hatte; seit mehreren Monaten hielt er sie als Verlobte im Wort. Allerdings erwies sich, daß über der Frau der unbestimmte Verdacht lag, sie sei nicht sehr ehrbar; dies stürzte den Verlobten in große Zweifel und er ging daher zu Cosimo, erzählte ihm von seinem Fall und begehrte von ihm zu erfahren, was zu tun sei. Cosimo dachte eine Weile nach und sagte zu ihm: «Verschluck diese Hörner, die du dir aufsetzen willst, und geh die Stadtmauern entlang – würg' sie am ersten Graben, den du siehst, heraus, wirf sie hinein und begrab sie, daß man ihrer nicht gewahr wird.» Der Mann hörte Cosimos Worte und verstand ihren Sinn sogleich; es schien ihm falsch gewesen zu sein, von der Angelegenheit in aller Öffentlichkeit gesprochen zu haben. Daher folgte er Cosimos Ratschlag, nicht mehr darüber zu sprechen, und nahm diese Frau als unbescholten an, und es ist wohl zu urteilen, daß sie dies auch war.

[Bisticci referiert weitere Anekdoten um Cosimo, so die Geschichte, wie ihm der Observantenbruder Roberto in einer Kutte aus feinem Tuch, die ihm von Francesco Sforza geschenkt worden war, gegenübertritt.] Er reiste aus Mailand ab und langte in Florenz an, wohlausstaffiert mit zeitlichen Dingen; doch war seine Geistigkeit erloschen. Ganz gewandelt war er in Lebensart und Sitten, in seiner äußeren Erscheinung; denn dies bewirkt die Veränderung weltlicher Umstände in uns.

Roberto besuchte nun Cosimo, in Unkenntnis von dessen Wesen. Da Cosimo von Robertos Wandlung erfahren hatte, hielt er den Frate nicht mehr so hoch in Ehren wie zu jener Zeit, als er noch ein besseres Leben lebte. Nachdem Roberto Cosimos Zimmer betreten hatte, hieß er ihn an seiner Seite Platz nehmen. Wie er ihn so prächtig gekleidet sah, fragte er ihn: «Bruder Roberto, ist dieses Tuch aschgrau?», worauf dieser antwortete, Herzog Francesco habe es ihm geschenkt. Doch Cosimo sprach: «Ich frage euch nicht, wer es euch geschenkt hat, sondern ob es aschenfarbig ist.» Da verhaspelte sich der Frate völlig und wußte nicht mehr zu antworten. Er bemerkte, wie Cosimo es anstellte, ihn auf zurückhaltende Weise wegen seiner gewandelten Art zu tadeln. Nachdem der Mönch nun einige Zeit geblieben war, flüsterte er ihm die Frage ins Ohr, ob Cosimo ihm nicht 200 Fiorini leihen möge. Cosimo flüsterte daraufhin gewisse sehr aufrichtige Worte zurück, mit denen er dartat, daß er dies keineswegs tun wolle und auch, daß ihm sehr mißfalle, wie er, Roberto, sich verändert habe. Wenngleich er ihm auch früher mehrmals Geld als Almosen gegeben habe, wolle er ihm, auf daß er seiner Irrungen gewahr werde, für dieses Mal nichts leihen. Dies alles sagte er mit der größten Redlichkeit und zugleich auf die zurückhaltendste Art, daß keiner der Umstehenden es bemerkte.

[Bisticci erzählt nun von der Unterstützung, die Cosimo Ambrogio Traversari angedeihen ließ, und schreibt über die Freigebigkeit, die er gegenüber Niccolò Niccoli praktizierte (vgl. S. 349); 500 Dukaten habe Cosimo ihm insgesamt geschenkt. Dann geht er auf die Geldhilfen ein, die der Medici Tommaso Parentuccelli, dem späteren Papst Nikolaus, zuteil werden ließ; er erwähnt, wie Cosimo zum Depositär des Heiligen Stuhles ernannt worden sei, nachdem Parentuccelli Papst geworden sei. 100000 Dukaten hätten sich, wegen des Jubeljahres, zu jener Zeit in Rom befunden.]

Als Cosimo einmal zu Careggi weilte, kam ihn ein Bruder vom Observantenkloster des hl. Franziskus besuchen, ein Prediger und sehr gelehrter Mann. Nachdem er sich ausgiebig mit ihm unterredet hatte, faßte er große Zuneigung zu ihm; als der Frate im Gehen war, fragte er ihn, ob er eine Bibel besitze, um die Texte sehen zu können, auf die sie sich [im Gespräch] bezogen hatten. Der Mönch verneinte dies. Beim Abschied sagte Cosimo zu ihm, er solle zwei Tage später wieder vorsprechen. Am folgenden Tag ließ er eine schöne Tragbibel kaufen und schenkte sie ihm mit der Bitte, er möge bei Gott für ihn beten. Der Frate nahm sie und dankte ihm sehr. Cosimo besaß in jeder Angelegenheit ein Urteil und durchschaute die Menschen, wenn er ihnen ins Gesicht blickte.

Cosimo veranlaßte, daß Messer Johannes Argyropulos kam, um Vorlesungen in Florenz zu halten, zum Nutzen seiner Bürger. Die größten Wohltaten erwies er dem Johannes, und dieser besuchte ihn – da Cosimo zu jener Zeit nicht ausging – häufig in seinem Hause. So kam Messer Johannes an Feiertagen, an denen er nicht las, zusammen mit einigen seiner Schüler zu ihm. Cosimo fragte ihn stets nach verschiedenen Dingen: etwa über die Unsterblichkeit der Seele, dann über anderes, aus Theologie oder Philosophie; niemals vergeudete man Zeit mit ihm.

Dank des vielen Umgangs, den er mit gelehrten Männern gepflogen hatte, verfügte Cosimo über ein ausgezeichnetes Urteil und stellte sein Gegenüber aufs beste zufrieden. Wer andererseits ihn befriedigen wollte, mußte über Erfahrung und Urteilsvermögen verfügen.

So waren eines Tages Messer Johannes und Messer Otto Niccolini bei ihm. Cosimo fragte Johannes, ob die Gesetze der Rechtsgelehrten nach den Regeln der Moralphilosophie ausgerichtet oder welcher Philosophie sonst sie untergeordnet seien. Messer Johannes antwortete darauf, sie seien in der Tat der Moralphilosophie unterworfen, zählten aber nicht zu ihrem eigentlichen Wesen. Messer Otto indessen hielt dafür, sie seien Bestandteil der Moralphilosophie; er erregte sich darüber sehr. [Messer Johannes bekräftigte daraufhin seinen Standpunkt mit den stärksten Argumenten.] Doch wollte Messer Otto dem um nichts beipflichten. Cosimo nun wußte wohl, daß die Gesetze der Juristen der Moralphilosophie unterworfen waren, doch begehrte er zu sehen, wie Messer Otto sich verteidigte. [. . .] Die Sache blieb unentschieden zwischen ihnen, war ein Beweis doch nur mit Schwierigkeiten zu führen. Cosimo hatte das größte Vergnügen an dieser Disputation, wollte er dabei doch die Verschiedenheit der Geister beobachten.

Aber kehren wir zu seiner Freigebigkeit zurück und sprechen wir davon, wie er immer die Guten und die Gelehrten ehrte und belohnte. Messer Marsilio, der Sohn Maestro Ficinos, war ein Mann von gutem Verstand, den Tugenden zugewandt; er war gelehrt in der griechischen und in der lateinischen Sprache. Doch verfügte er nur über ein mittelmäßiges Vermögen; so kaufte Cosimo in Florenz ein Haus und schenkte es ihm, damit er nicht in die äußerste Armut getrieben werde. Auch schenkte er ihm ein Landgut zu Careggi, welches so viel an Einkünften abwarf, daß er, dazu zwei oder mehr Gefährten, davon leben konnten. Noch anderes gab ihm Cosimo, um ihm in seinen Bedürfnissen unter die Arme zu greifen. Stets war er Vater und Wohltäter für jene, die irgendeine Fähigkeit hatten; nie ließ er sie in ihren Bedürfnissen im Stich. Auf wunderbare Weise verstand er es, seine Freigebigkeit zu pflegen, wenn es nottat.

Mehrere Jahre lang hatte ihm ein Knecht mit größter Treue gedient. Als Lohn gab er ihm ein monatliches Salär, das er mit ihm vereinbart hatte. Er wollte ihm nichts darüber hinaus bezahlen, wie viele andere Bürger es halten; auch lehnte er es ab, ihn im Palazzo [in einer Behörde] oder einer Zunft unterzubringen, was – wie andere es wollen – das Entgelt für ihre Mühen sein soll. Cosimo wollte dies aus seinem eigenen Vermögen bestreiten und nicht mit dem Geld anderer. So schenkte er dem Diener ein Landgut in der Nähe von Florenz, damit er, seine Frau und andere davon leben konnten. Auch machte er ihm ein Haus in der Stadt zum Geschenk, um ihn für seine Arbeit schadlos zu halten; der Mann hatte so ein hinreichendes Auskommen, es fehlte ihm an nichts. Das nennt man Freigebigkeit.

[Cosimos Ruhm habe immer wieder bedeutende Besucher in sein Haus geführt; Bisticci schreibt vom Besuch des Bischofs von Fünfkirchen (Johannes Csezmiczei), den er selbst nach Careggi begleitet habe: Cosimo hielt ihn für den bedeutendsten unter den *oltramon-tani*, die ihm begegnet seien (vgl. S. 198). Der Bericht geht nun über zu den politischen Dingen.]

Zu seiner Zeit gab es viele sehr bedeutende Männer geistlichen wie weltlichen Standes, in den Wissenschaften wie auf jedem anderen Gebiet, in Florenz und außerhalb der Stadt, ja in ganz Italien. Vornehmlich lebte in diesen Tagen Papst Martin, der der Kirche Gottes, die vom Schisma gespalten war und sich in Zwietracht befand, eine neue Gestalt gab. Ihm folgte Papst Eugen, ein sehr würdiger Pontifex, und auf ihn Nikolaus, der nicht geringer war als die beiden anderen. Außerhalb Italiens war Sigismund Kaiser; neben dem Imperium hatte er das Königreich Ungarn. Er war den ungläubigen Türken Widersacher und Feind, wie vor Augen liegt, denn zu seiner Zeit blieben sie stets innerhalb der Grenzen ihres Landes und unterdrückten die Christen nicht, wie sie es später dann taten.

Auch lebte damals König Alfonso, der aufgrund vieler überaus bedeutender Eigenschaften eine Zierde der Könige seiner Epoche gewesen ist. Dann gab es [zu jenen Tagen] den Herzog Filippo von Mailand. Wenngleich er einige Laster hatte, besaß er doch auch viele Tugenden. Er war so mächtig, daß er für einige Jahre zugleich mit Venezianern und Florentinern zu schaffen bekam – und er bereitete ihnen, den ersten Mächten Italiens, viel Kopfzerbrechen. Ihm folgte Francesco Sforza nach, ein höchst geschickter Kriegsmann, der den Mailänder Staat durch seine eigene Tüchtigkeit gewann. Schließlich war da Francesco Foscari, der Doge von Venedig. Dank seines Witzes und seiner Fähigkeiten erwarben die Venezianer einen großen Teil ihres Besitzes auf dem italienischen Festland. Cosimo de' Medici stand, angesichts seiner Vorzüge und seiner vielen außerordentlichen Tugenden, hinter einer solchen Vielzahl einzigartiger, bedeutender Männer nicht zurück.

[Bisticci gibt einige Hinweise auf die florentinische Außenpolitik zur Zeit Cosimos; er erinnert an die Auseinandersetzungen mit Venedig und an den Krieg gegen König Alfonso von Neapel.]

Als diese beiden Kriege beendet waren, hatte die Stadt Florenz für zwölf Jahre Frieden, und das alles war dem Ansehen dessen zu verdanken, der regierte: Und das war Cosimo allein. Er brachte die Mächte Italiens wieder zur Gleichheit zurück, wobei er insbesondere Venedig verkleinerte. Dieser Frieden hatte Dauer, solange Cosimo am Leben war. Sogleich nach seinem Tod brachen die Venezianer einen Krieg gegen Florenz vom Zaun. Als er noch lebte, hatten sie den Frieden nie gebrochen. Nun entsandten sie Bartolomeo da Bergamo mit einem mächtigen Heer, so daß Seine Majestät

König Ferdinand, Herzog Galeazzo und die Florentiner mit all ihren Streitkräften Schwierigkeiten hatten, sich ihnen gegenüber zu verteidigen. [. . .]

Aber kehren wir zu Cosimo zurück. Er hatte einen Verwandten, der sehr reich war. Jedesmal, wenn er Cosimo traf, beklagte er sich bei ihm über die Zwangsanleihen, die auf ihm lasteten; daß er arm sei, sagte er, und jeden Tag wiederholte er die gleiche Litanei. Cosimo beschloß, ihn zum Schweigen zu bringen, damit er ihm nicht weiter Kopfzerbrechen bereite. Als der Verwandte Cosimo nun eines Tages wieder auf der *Piazza della Signoria* traf, sprach er ihn gleich an und begann, ihm die übliche Vorlesung zu halten. Als er geendet hatte, rief Cosimo ihn beim Namen und sprach: «Ihr seid mir Verwandter und Freund. Wenn Ihr mir gegenüber behauptet, arm zu sein, dann könntet Ihr nichts sagen, was mir mehr zu Mißfallen gereichte. Sich ‹arm› zu nennen, ist in jeder Hinsicht von Übel: Außerhalb von Florenz macht sich jedermann reicher, als er es in Wirklichkeit ist, und in der Stadt tut man das Gegenteil. Das hilft nur in einem Fall – nämlich bei den Zwangsanleihen –, schadet aber sonst in allem. Aber um auf Euch zurückzukommen: Nennt man einen ‹arm›, der am *monte* 60000 Fiorini angelegt hat? ‹Arm› einen, der Gesellschaften am römischen Hof, in Florenz und an mehreren weiteren Orten unterhält? Ist jemand ‹arm› zu nennen, der so viele Besitzungen hat, wie Ihr überall, Besitz, den Ihr gleichsam um die Wette kauft, ohne auf irgendwelche Preise zu achten? Oder darf man als ‹arm› bezeichnen, wer auf dem Land und in der Stadt so prunkvoll baut? Als ‹arm›, wer einen Hausstand führt, wie Ihr und Eure Kinder, mit Dienern und Pferden? Und der Ihr Euch besser kleidet als irgendwer in Florenz?» Als Cosimo ihm all dies – und es war wahr – ins Gedächtnis rief, wußte der Mann ihm nicht zu antworten; diese Worte waren Arznei von einer Art, daß er sich nie wieder bei Cosimo beklagte, sich auf keine Weise mehr über die Sache vernehmen ließ.

Einmal wurde ihm bedeutet, daß einer der Faktoren, der für all die Baumaßnahmen, die Cosimo durchführen ließ, zuständig war, ihn um ein schönes Stück Geld betrog. Cosimo, weise, wie er war, vermied es, sich wütend zu gebärden, wie es die meisten getan hätten. Nachdem er von der Sache erfahren hatte, unternahm er nichts anderes, als ihm den Auftrag zu entziehen, und er wollte auch nicht, daß er noch etwas mit seinen Angelegenheiten zu tun habe.

Eine große Summe Geldes, fast 100000 Fiorini, hatte der Mann mit eigenen Händen ausgegeben. In der ganzen Stadt verbreitete sich der üble Leumund des Faktors, wurde das, was er getan hatte, ruchbar; von nichts anderem wurde geredet. Wo auch immer er hinging, warf man ihm die Geschichte vor.

Jeder möge hier indessen von Cosimos Klugheit und von seiner unbezwingbaren Geduld Kenntnis nehmen! Denn eines Tages kam jener, der ihn beraubt hatte, – ich war dabei anwesend – und sprach zu ihm: «Cosimo, in ganz Florenz wird geredet, daß ich Euch bestohlen hätte; und deshalb habt Ihr mir die Leitung eurer Baumaßnahmen entzogen.» Doch Cosimo sagte keineswegs, er habe ihn – wie es ja eigentlich der Fall war – beraubt, sondern gab heraus: «Was willst du, das ich tun sollte?» Der Mann meinte darauf: «Wenn Ihr gefragt werdet, ob ich Euch bestohlen habe, so antwortet mit ‹nein›.» Darauf Cosimo: «Mach, daß ich diese Frage gestellt bekomme, und ich werde es sagen.» Da nun einige dabeistanden, wandte er sich, ohne ein Wort zu sagen, zu ihnen und begann zu lachen. Er sagte nichts, und niemand war da, der es gewagt hätte, zu sprechen; so groß war Cosimos Autorität. [. . .]

Er pflegte zu sagen, daß es ein Kraut gäbe, das in den meisten Gärten sprieße: Man solle es nicht wässern, sondern vertrocknen lassen, während die Mehrzahl es gieße und keineswegs zugrundegehen lasse. Dies war der Neid, ein ganz schlechtes Kraut. Nur wenige gab es – und diese waren sehr weise –, die dadurch nicht ihren Untergang fanden, wie die Erfahrung zeigt.

Cosimo war in seiner letzten Lebenszeit oft sehr geistesabwesend; gelegentlich blieb er stundenlang in Gedanken versunken, sprach dabei kein Wort. Als ihn nun seine Frau nach dem Grund dieses Schweigens fragte, sagte er zu ihr: «Wenn du aufs Land mußt, verbringst du fünfzehn Tage voller Beschäftigung damit, diese Reise vorzubereiten. Ich aber habe aus diesem Leben zu scheiden und in das andere zu gehen. Glaubst du nicht, daß es da viel zu bedenken gibt?»

Zum Zeitvertreib wollte er sich, etwa ein Jahr bevor er starb, Aristoteles' ‹Ethik› durch Messer Bartolomeo da Colle, den Kanzler von Florenz, vorlesen lassen. Er bat Donato Acciaiuoli, daß er ihm die Schriften, die er unter der Anleitung Messer Johannes' über die ‹Ethik› gesammelt hatte, in Ordnung bringe. Wenn Donato die Hefte verbessert hatte, schickte er sie Cosimo; Messer Bartolomeo las sie vor, und zwar von Anfang bis Ende. Der Kommentar Donato Acciaiuolis zur ‹Ethik› des Aristoteles, den es heute gibt, ist jener, den er damals, während Cosimo sich den Text vorlesen ließ, überarbeitete.

Vieles könnte man über Cosimo schreiben, wenn seine Vita zu verfassen ist; ich lasse es hier weg. Ich habe bis hierher das in Form eines *ricordo* niedergelegt, was ich selbst gesehen oder was mir von glaubwürdigen Leuten berichtet wurde. Die anderen Dinge überlasse ich jenen, die sich der Mühe unterziehen wollen, die Vita eines so bedeutenden Bürgers abzufassen, einer Zierde seines Jahrhunderts.

In dem, was ich an dieser Stelle schrieb, habe ich mich an die reine Wahrheit gehalten, gemäß dem, was ich gehört oder gesehen habe. Ich habe nichts mit Absicht weggelassen oder hinzugefügt. Wer Cosimos Lebensbeschreibung verfassen wird, kann sich weitläufiger verbreiten, als ich es tat, und die Dinge mit größerer Klarheit darlegen.

ES FOLGT DAS LEBEN DES FLORENTINERS FRANCO SACCHETTI

RANCO SACCHETTI war aus einer alten und edlen Familie der Stadt, genannt die Sacchetti, der zahlreiche bedeutende Männer entstammten. Er war gelehrt in Latein und Griechisch, und er ist ein Freund aller Gelehrten gewesen, die seine Epoche besaß, auch ein Liebhaber der Tugend. Niccolò Niccoli überließ ihm, zusammen mit mehreren gelehrten Männern und den Vornehmsten der Stadt, das Amt seines Testamentsvollstreckers. In Florenz erhielt er alle Ehrenämter, die einem Bürger gewährt werden können, durch Los oder Abstimmung; und er verhielt sich in diesen Ämtern aufs bescheidenste. Wegen der unerhörten Freundlichkeit, die er gegenüber jedermann an den Tag legte, erfreute er sich allgemein großer Beliebtheit in der ganzen Stadt, bei Großen wie bei Geringeren; es ist nichts Kleines in einem Volksstaat, alle zufriedenzustellen.

Außerhalb der Stadt reiste er in allen bedeutenden Missionen, welche sich nur vergeben lassen. Mehrmals war er in Venedig, zu König Alfonso begab er sich in Begleitung Messer Giannozzo Pandolfinis. Er war dabei, als der Frieden zwischen Seiner Majestät und den Florentinern geschlossen wurde. Damals wurden sie vom König hoch geehrt. Später kehrte er nochmals zu jenem zurück, Alfonso brachte ihm große Wertschätzung entgegen. Auch ging er als Botschafter zu Papst Pius auf den Kongreß von Mantua, wo sich alle Gesandten der Christenheit aufhielten, und auch hier wurden ihm die größten Ehren erwiesen. Noch an mehrere andere Orte ging er, von denen er seiner Stadt stets Ehren mitbrachte. Franco lebte von seinen Einkünften, die nicht hoch waren. Niemals betrieb er irgendein Geschäft. Er widmete sich allein den Wissenschaften. [. . .] Er kleidete sich auf ehrbare Weise, gemäß dem, was einem Bürger seines Standes geziemte. In seinem Haus hatte er Diener und ein Reittier. [. . .] Stets hielt er sich in seinem Landgut in der Nähe von Florenz auf. Da er dort ziemliche Bequemlichkeit hatte, lud er Verwandte und Freunde dorthin ein. Nach seiner Gewohnheit bat er alljährlich zweimal zehn oder zwölf gelehrte Männer zu sich und beherbergte sie zwei oder drei Tage auf die köstlichste Weise. Er lebte sehr geschmackvoll und manierlich, und er war in jeder Beziehung von größter Höflichkeit. Jene, die in sein Haus kamen, zählten alle zu den Ersten der Stadt, sie waren gelehrt und gesittet, hatten keinerlei Laster. Keine Spiele wurden in seinem Haus gespielt, was man doch sonst in den meisten Landhäusern zu tun pflegt. Die Freuden, die sie sich dort gewährten, bestanden im Gespräch über die Wissenschaften, über die Regierungen der Staaten oder über andere bedeutende Gegenstände. Gegenüber allen befleißigte er sich einer großen Vertraulichkeit, behandelte sie, als ob sie zur Familie gehörten, und so war sein Haus eine Heimstatt bedeutender Männer. Immer wünschte er, daß Messer Johannes Argyropulos ihn besuchte, gemeinsam mit allen oder dem größten Teil seiner Schüler.

Keiner weilte in jenem Haus, der ein Wort gesagt hätte, das nicht ehrbar gewesen wäre. Und nicht nur jene Gelehrten empfing er, sondern auch seine Nachbarn. [. . .]

Welche er zu Gast lud, jährlich zweimal, in seine Villa, waren – um ihre Namen dem Gedächtnis der Buchstaben anzuvertrauen: Messer Johannes Argyropulos, ein Grieche und überaus gelehrter Mann; Pandolfo Pandolfini, ein gelehrter Mann von besten Sitten und von Ansehen; Alamanno Rinuccini, gelehrt in Griechisch und Latein und vorzüglicher Philosoph; Marco Parenti, gelehrt und von guter Kenntnis in der Naturphilosophie; Domenico di Carlo Pandolfini, gelehrt und von guten Sitten; Piero di Donato Acciaiuoli, gelehrt in Griechisch und Latein und ein ausgezeichneter Philosoph in der einen wie der anderen Philosophie, dazu ein sehr fähiger Autor, wie sich an einigem von ihm Verfaßten zeigt; Donato di Neri Acciaiuoli, sein Bruder, hochgelehrt in Griechisch und Latein, auch er ein sehr guter Philosoph in der einen wie der anderen Philosophie, überaus wortgewandt sowohl in den von ihm verfaßten wie auch übersetzten Werken, mit guten Sitten reich geschmückt, ein Beispiel für seine ganze Stadt; Carlo d'Antonio di Silvestro, ein Gelehrter, dazu von rühmenswerten Sitten; Pierfilippo Pandolfini, gelehrt in Griechisch und Latein, ein guter Philosoph in der einen wie der anderen Philosophie, der seinen Studien so nachkam, daß es nur wenige gab, die ihn darin übertrafen; ein Mann von vortrefflichem Verstand. Auch war da Banco di Casavecchia, ein gelehrter Mann, geistreich, humorvoll, um was es auch gehen mochte; wegen seines klugen Verstandes wurde er von allen geschätzt. Auch ich, der Schreiber, fand mich im Kreis dieser so bedeutenden Männer ein.

[. . .] Unter den oben Genannten hatte sich ein so festes Liebesband entwickelt, daß sich sagen ließ, es seien mehrere Seelen in ein und demselben Körper. Das sind die Früchte der wahren und

guten Freundschaften! So eng war die Freundschaftsverbindung unter diesen so bedeutenden Männern, daß die Tage selten waren, an
denen sie sich nicht zusammengefunden hätten, weil sie sich gleich
waren in ihren Sitten. Größtes Ansehen haben sie in der Stadt
erworben, und nur wenig begehrten sie, was sie nicht erhalten
hätten.

[Bisticci weist noch darauf hin, daß Sacchetti von Cosimo und
Lorenzo de' Medici, Ambrogio Traversari, Leonardo Bruni, Carlo
Marsuppini und Giannozzo Manetti – neben anderen – große Wert-
schätzung entgegengebracht worden sei.]

ES FOLGT DAS LEBEN DES FLORENTINERS NICCOLÒ NICCOLI

ICCOLÒ NICCOLI war ein Florentiner und stammte von sehr ehrbaren Eltern ab. Sein Vater war Kaufmann und reich; er hatte vier Söhne, auch sie wurden Kaufleute. Der Vater wollte, als Niccolò noch ein Knabe war, daß er denselben Beruf ergreifen solle. Daher konnte er seine Zeit nicht auf die Wissenschaften wenden, wie er es gerne getan hätte. Als sein Vater starb, trennte er sich von seinen Brüdern, um sich seinen Wunsch – nämlich den Studien obliegen zu können – zu erfüllen. Als Anteil fiel ihm ein sehr ansehnliches Vermögen zu. Sofort ließ er das Handelsgeschäft sein und wandte sich der lateinischen Literatur zu. Er brachte es darin zu größter Gelehrsamkeit, weil er über vorzügliche Sprachkenntnisse verfügte.

Damals war Manuel Chrysoloras, ein hochgelehrter Grieche, nach Florenz gekommen. Niccolò unterstellte sich seiner Leitung und wurde auch in der griechischen Sprache sehr beschlagen. Nachdem er sich so um die lateinische und die griechische Literatur bemüht hatte, war er dessen nicht zufrieden und wollte nun eine höhere Stufe ersteigen. Mehrere Jahre ging er zu Maestro Luigi Marsilli, einem in Florenz weilenden bedeutenden Theologen und Philosophen, in die Lehre; er wurde so seinerseits ein großer Theologe, gewann zugleich eine gute Kenntnis der Philosophie. Dabei handelte er als guter und gläubiger Christ, stellte alles andere beiseite und widmete sich gänzlich der Theologie.

Man könnte Niccolò verdientermaßen Vater und Beschützer all jener nennen, die sich mit den Wissenschaften beschäftigen, hielt er doch seine Hand über alle und regte sie an, sich um sie zu bemühen, indem er ihnen die Früchte zeigte, die daraus erfolgten.

[Er habe weder Mühen noch Kosten gescheut, um sich Bücher zu beschaffen, fährt Bisticcis Bericht fort. Alle Bücherkäufe habe Niccolò Niccoli mit Mitteln aus seinem ererbten Vermögen getätigt; selbst Landgüter habe er verkauft, um den Erlös in Bücher zu investieren, er habe sie auch an jedermann verliehen.]

Dank seiner Unterstützung und der Gunst, die er Frate Ambrogio Traversari und Messer Carlo Marsuppini zuwandte – er half ihnen mit Büchern, bezahlte ihre Lehrer und alles, wessen sie bedurften –, gelangten sie in ihre guten Umstände. Reiste aus Florenz jemand nach Griechenland, nach Frankreich oder anderswohin ab, händigte er ihm Verzeichnisse aus mit den Büchern, die es in der Stadt nicht gab. Mit Hilfe Cosimo de' Medicis – dessen Herz er gänzlich gewonnen hatte – beschaffte er sie von vielen Orten. Und wenn es geschah, daß man Abschriften bestimmter Bücher, nicht aber die Bücher selbst haben konnte, verfertigte er diese mit eigener Hand: entweder in fließender oder stehender Schrift. In der einen wie der anderen Schrift schrieb er aufs schönste; man sieht das an vielen Werken, die, von seiner Hand geschrieben, in der Bibliothek von S. Marco sind.

Die Werke Tertullians und mehrerer anderer Autoren, die vordem nicht in Italien gewesen waren, ließ Niccolò alle auf seine Kosten kommen; den bruchstückhaft überkommenen Ammianus Marcellinus ließ er sich beschaffen und kopierte ihn dann eigenhändig. Ciceros ‹Orator› und dessen ‹Brutus› wurden Niccolò aus der Lombardei geschickt. Sie wurden von den Gesandten des Herzogs Filippo zur Zeit Papst Martins herbeigebracht, als diese nach Florenz kamen, um den Frieden zu erbitten. Gefunden hatte man sie zu Pavia, in einer uralten Kirche, wo sie in einer Truhe gelegen hatten; seit unendlich langer Zeit war sie nicht mehr geöffnet worden. Als man nach bestimmten alten Privilegien gesucht hatte, wurde dort dieses Buch, in einem ganz alten Exemplar, entdeckt.

‹De oratore› fand man als Fragment, und Niccolò bewirkte, daß das ganze Werk – so, wie es sich heute darstellt – aufgespürt wurde. Niccolò war es auch zu verdanken, wenn unzählige geistliche Schriften, die man vorher nicht besessen hatte, dazu mehrere Reden des Tullius, wieder aufgefunden wurden.

Zahllose Skulpturen und andere bedeutende Dinge, die es in Florenz nicht gab, erhielt man mit Niccolòs Hilfe. Von Malerei und Bildhauerkunst verstand er sehr viel.

[Bisticci wiederholt sich mit einem Hinweis auf die Entdeckung eines Plinius-Exemplars in Lübeck; schon in der Vita des Poggio Bracciolini hatte er davon geschrieben: vgl. S. 272.]

Wenn es sich begab, daß junge Florentiner oder junge Leute anderer Nationen kamen, um Niccolò zu besuchen, gab er jedem, kaum daß sie angekommen waren, ein Buch in die Hand und forderte sie auf, zu lesen; dann fragte er sie, was sie gelesen hätten. Kein Mann von Stand kam in die Stadt, der Niccolò nicht besucht hätte, denn sonst wäre es ihm vorgekommen, Florenz nicht gesehen zu haben.

All jene jungen Florentiner, um deren guten Verstand er wußte, forderte er auf, sich dem Studium der Wissenschaften zu widmen, indem er ihnen dartat, welche Früchte das tragen werde.

Er wollte in Florenz keine Ämter übernehmen. Wohl wurde er unter die Vorsteher des *studio* gewählt, mehrmals auch wurde sein Name für das Amt eines Podestà gezogen, doch lehnte er alles ab, wobei er meinte, daß er diese Stellen den Geiern überlassen wollte, für welche sie ein gefundenes Fressen seien. «Geier» nannte er jene, die sich unter die Häscher begaben, um arme Leute auszunehmen.

Er war gut mit Maestro Paolo und Ser Filippo befreundet. Kaum ein Tag verging, ohne daß sie bei Frate Ambrogio im Kloster der Angeli gewesen wären. Da waren dann diese drei – Niccolò, Maestro Paolo und Ser Filippo – zusammen mit Cosimo und Lorenzo de' Medici.

Letztere zeigten sich ihm gegenüber wegen seiner Tugenden überaus freigebig. Da er alles, was er konnte, in den Kauf von Büchern gesteckt hatte, reichte sein Vermögen nicht hin, daß er – selbst bei größter Sparsamkeit – seinem Stand gemäß hätte leben können. Da Cosimo und Lorenzo darum wußten, wiesen sie ihre Bank an, daß jedesmal, wenn Niccolò um Geld schickte, es ihm ausgehändigt und ihrem Konto abgeschrieben werden solle. Dann sagten sie Niccolò, er solle es sich an nichts fehlen lassen und was er wolle von der Bank abheben. Der faßte sich ein Herz, es so zu halten – von der Not gezwungen, andernfalls hätte er es nicht getan. Auf diese Weise versorgten sie ihn bis an sein Lebensende. Die größte Freigebigkeit legten sie ihm gegenüber an den Tag, um ihn in seinen Bedürfnissen zu unterstützen.

1420 floh Cosimo vor der Pest nach Verona; er nahm Niccolò und Messer Carlo d'Arezzo mit sich und übernahm in dieser Zeit für alle die Kosten.

Als Cosimo dann nach Venedig verbannt wurde, mißfiel dies Niccolò aufgrund der einzigartigen Zuneigung, die er für ihn empfand, aufs höchste. Nachdem er einen Brief an den in Venedig Verbannten geschrieben hatte, übergab er ihn einem Kurier, auf daß dieser Cosimo das Schreiben bringe. In meiner Anwesenheit sagte er dem Reiter: «Du wirst Cosimo diesen Brief übergeben und ihm sagen: ‹Niccolò sagt, daß jene, die an der Regierung sind, täglich so viele Fehler machen, daß ein Ries von Papier nicht ausreichte, wollte man sie niederschreiben.›» Er sagte dies mit lauter Stimme, so daß mehrere der Anwesenden es hörten. Wäre das heutzutage geschehen, man hätte ihn in die Verbannung geschickt.

Wie gesagt, war er offen und gut von Natur. Einmal war ein Bruder bei ihm, der mehr gelehrt als gut war; er wandte sich ihm zu und sprach: «Von euresgleichen wird nie einer ins Paradies gelangen.»

Zu seiner Zeit gab es einen Mönch, der sich Frate Francesco da Pietrapane nannte; mit seinen Gefährten hielt dieser sich in den

Bergen von Lucca, die «Pietrapane» genannt werden, auf und lebte dort auf die heiligste Weise. Er hatte Kenntnisse in der lateinischen und in griechischer Literatur; Niccolò liebte ihn sehr wegen seiner Güte. So viele Bücher, wie er wollte, bekam Frate Francesco von ihm: Niccolò war nämlich höchst freigebig und lieh seine Bücher allen, die ihn darum angingen. Das führte so weit, daß er zur Zeit, als er starb, vielen Leuten 200 Bände geliehen hatte, unter denen auch gewisse griechische Werke waren, die er Frate Francesco geborgt hatte.

Dieser Frate hatte von Gott – neben anderen Gnaden – die Gabe gewährt bekommen, die künftigen Dinge vorhersagen zu können. Bevor Cosimo verbannt wurde, warnte er Niccolò, daß Cosimo im Jahre 33 Gefahr laufen werde, entweder sein Leben zu verlieren oder in die Verbannung geschickt zu werden. Niccolò schickte ihn zu Cosimo, und er sagte ihm eben dies. Cosimo zögerte wohl, ihm Glauben zu schenken, doch geschah ihm, was der Frate vorhergesagt hatte. [. . .]

Niccolò sprach stets als guter und gläubiger Christ. So sagte er: «Viele Ungläubige und Widersacher der christlichen Religion gibt es, die über die Unsterblichkeit der Seele disputieren – als ob man daran zweifeln müßte. Nicht allein die Gläubigen, sondern sogar die Heiden stellen sie niemals in Frage. Für viele erwächst große Unglückseligkeit daraus, weil sie sich um nichts anderes kümmern, als ihren Leib zu beherrschen, dann aber die Unsterblichkeit der Seele begreifen wollen, die gegen ihre ungezügelten Begierden steht. Sie wollen diese Seele auf einem Stuhl sitzen sehen – möglichst fett soll sie sein, damit sie gut zu erkennen ist.»

Niccolò Niccoli war von sehr freundlicher Art; er haßte jene, die keine guten Christen waren, die an ihrer Religion – die er aufs höchste schätzte – zweifelten. An einer so erhabenen Sache, die von so vielen wunderbaren Menschen bezeugt wurde wie unser Glauben, zu zweifeln, schien ihm äußerste Narrheit zu sein.

Neben seinen anderen einzigartigen Fähigkeiten war er, wie gesagt, von umfassendem Urteilsvermögen, nicht nur in den Wissenschaften, sondern auch – wie ebenfalls bereits bemerkt – in Malerei und Bildhauerei. In seinem Haus bewahrte er unzählige Medaillen aus Bronze, Silber und Gold auf, dazu viele antike Figuren aus Messing, Büsten von Marmor und andere bedeutende Dinge mehr.

Eines Tages, Niccolò war außer Hauses gegangen, sah er einen Knaben, der einen Chalzedon um den Hals trug, in den eine sehr eindrucksvolle Figur – von der Hand des Polyklet – geschnitten war. Er fragte ihn, wessen Sohn er sei; als er des Vaters Namen erfahren hatte, schickt er nach diesem, um zu erfahren, ob er den

Chalzedon verkaufe. Der war einverstanden, da er von dergleichen Dingen nichts verstand und sie auch nicht schätzte. Er gab ihm fünf Fiorini dafür. Dabei schien es dem guten Mann, dem der Chalzedon gehört hatte, daß er für das Stück über das Doppelte des eigentlichen Wertes erhalten habe.

So war Niccolò im Besitz dieses Chalzedons, und er zeigte ihn als das, was er war: ein gänzlich einzigartiges Bildwerk. Zur Zeit Papst Eugens war der Patriarch von Aquileia – er hieß Maestro Luigi – in Florenz, der großen Gefallen an solchen Dingen fand. So schickte er nach Niccolò, um ihm die Bitte zu übermitteln, daß dieser ihn den Chalzedon sehen ließe. Niccolò ließ ihn dem Patriarchen bringen; der Chalzedon gefiel ihm so außerordentlich, daß er ihn behielt und Niccolò 200 Golddukaten dafür schickte: Er drängte ihn so sehr, daß Niccolò sich damit abfinden mußte, ihm das Stück zu geben. Da er nicht besonders begütert war, war er's zufrieden, daß der Patriarch den Chalzedon behielt. Nach dessen Tod gelangte er in die Hände Papst Pauls, und dann hatte ihn Lorenzo de' Medici.

[Bisticci erwähnt, daß Niccolò vorzügliche geographische Kenntnisse gehabt habe; er kommt dann auf die Anziehungskraft zu sprechen, die sein Haus auf Besucher aus aller Herren Länder ausgeübt hatte; neben anderen erwähnt er Gregorio Correr, den Neffen des Kardinals von Bologna.]

Wenn einer dieser jungen Leute, so Messer Gregorio Correr wie andere, bei ihm eingetreten war, gab er ihm gleich ein Buch in die Hand und sagte: «Geh und lies!» – und da waren dann gelegentlich, wie oben schon gesagt, zehn oder zwölf, alle von vornehmster Abkunft, die Bücher in den Händen hielten und lasen. Nach einer gewissen Zeit veranlaßte er sie, die Bücher niederzulegen, und fragte jeden, was er gelesen hatte. Darauf begann er ein schickliches Gespräch. Nie vergeudete man Zeit in seinem Hause, und man hielt es hier auch nicht wie in anderen Häusern, wo man gleich zum Spiel übergeht.

[Niccolò wird als «zweiter Sokrates» gewürdigt, als ein Mann, der zur Tugend gemahnt und die Laster kritisiert habe. Auch begegnet er uns als «Literaturkritiker».] Er verfügte über ein erstaunliches Urteil in den Wissenschaften. Niemanden gab es in seinen Tagen, der ihn darin übertroffen hätte, und alle, die etwas geschrieben hatten, zeigten Niccolò ihre Arbeiten, um seine Meinung darüber zu hören. So geschah es eines Tages, daß ein Gelehrter jener Zeit, der bestimmte Werke verfaßt hatte (seinen Namen möchte ich nicht nennen), Niccolò sein wichtigstes Buch vorlegte. Doch dem gefiel es keineswegs, weder was seinen Stil noch was den Aufbau anbelangte. Nachdem Niccolò mehrere Stellen davon gelesen hatte,

hielt der Verfasser ihn eifrig dazu an, nun sein Urteil darüber mitzuteilen. Niccolò jedoch wollte es ihm nicht offenbaren, um ihn
nicht in Erregung zu versetzen, sondern gab ihm die folgende Antwort: «Ich muß noch einige hundert Bände bedeutender Schriftsteller lesen, bevor ich dazu komme, euer Werk zu lesen», und gab ihm
sein Buch zurück. Das versetzte jenen in große Verwirrung, und er
wußte nicht, wie das Urteil nun lautete.

Niccolò war ein überaus geschickter Autor, aber er hatte einen so
heiklen Intellekt, daß er sich selbst nicht zufriedenzustellen vermochte. Ich sprach schon mit jemandem, der seine lateinischen
Briefe und andere überaus zierliche Werke von ihm gesehen hat,
doch wollte er sie aus dem genannten Grund nicht vorzeigen.

[Bisticci fährt fort mit der Erzählung, wie Niccolò Niccoli Piero,
den Sohn Andrea de' Pazzis, vom Müßiggang abhält und ihn einer
guten Ausbildung bei Tommaso Pontano zuführt.]

Man könnte mit Fug sagen, daß Niccolò es war, der die lateinische und die griechische Literatur in Florenz wiederauferstehen
ließ. Für unendliche Zeit war sie begraben gewesen. Obgleich Petrarca, Dante und Boccaccio sie um ein weniges hoben, hatten sie
doch aus mehreren Gründen nicht den Platz inne, den sie durch
Niccolò gewannen. Vor allem war er es, der zu seiner Zeit Unzählige dazu anregte, sich den Wissenschaften zu widmen; er veranlaßte auch, daß sich gelehrte Männer aus Italien oder von anderswo
– wer es auch sein mochte – nach Florenz begaben, um dort Vorlesungen zu halten. So wäre Manuel Chrysoloras niemals nach
Florenz gekommen, wären nicht Niccolò und Messer Palla Strozzi
gewesen: Niccolò trug seinen Teil dazu bei, indem er ihn darin
bestärkte und auf andere Weise mithalf, daß er kam; Messer Palla
setzte sich in der gleichen Weise ein und gab eine schöne Summe
Geldes, um ihn nach Florenz zu ziehen. Nicht auf öffentliche
Kosten, sondern dank der Mittel privater Bürger kam er. Den Aurispa und andere Gelehrte holten sie auf ähnliche Weise wie Manuel. Alles tat man auf Veranlassung Niccolòs. Ging es darum, daß
gezahlt werden mußte, verstand er es, mehreren Bürgern zuzusprechen: «Ich will, daß ihr Manuel oder jemand anderen anstellt», und
er setzte fest, was ihnen zu geben war. [. . .]

Niccolò wandte seine Gunst nicht nur Gelehrten zu, sondern er
war auch – da er sich in Malerei, Bildhauerkunst und Architektur
auskannte – mit allen, die in diesen Sparten tätig waren, aufs beste
bekannt und gewährte ihnen in ihrer Arbeit die umfassendste Unterstützung: Pipo di Ser Brunellesco, Donatello, Luca della Robia,
Lorenzo di Bartoluccio, allen war er ein enger Freund.

[. . .] So hatte Niccolò viel Gutes getan und eine große Zahl von

Büchern aller Fachbereiche, in lateinischer wie in griechischer Sprache, zusammengebracht. Zu seinen Lebzeiten wollte er, daß sie allen gemein seien. Nur wer ihn nicht danach fragte, erhielt keine Bücher von ihm. Niccolò wünschte, daß dies nach seinem Tod so bliebe, und deshalb hinterließ er sie in seinem Testament vierzig Bürgern; sie sollten veranlassen, daß eine öffentliche Bibliothek eingerichtet werde, damit jeder sich der Bücher bedienen konnte, deren er bedurfte. Es waren ihrer 800, lateinische, griechische, aus sämtlichen Fächern.

Die vierzig Bürger veranlaßten, daß jene Bücher Cosimo de' Medici überantwortet werden sollten, damit er sie in S. Marco aufstelle. So sollte der Willen des Erblassers erfüllt werden, der gewünscht hatte, daß sie an einem öffentlichen Ort aufzustellen seien, mit dem Bedingen, sie allen zugänglich zu machen, die sie brauchten. Und auf den vorderen Einband eines jeden Buches wurde geschrieben, daß es von Niccolò Niccoli stamme; noch heutzutage stehen diese Vermerke in den Büchern. Sie hatten einen Wert von 6000 Fiorini.

Als Messer Giannozzo Manetti sein Buch ‹De longaevis› schrieb, ging er am Schluß auf Niccolò, sein Leben und seine Sitten ein; er spendet ihm hier unsterbliches Lob. Neben anderem rühmt er ihn sehr wegen seiner Bibliothek. Er sagt, Niccolò habe in dieser Angelegenheit mehr getan als Platon, Aristoteles und Theophrast. Erstere hätten in den von ihnen verfaßten Testamenten gewisse Güter genannt, die sie ihren Söhnen und anderen hinterlassen hätten, doch mit keinem Wort ihrer Bücher Erwähnung getan. Und Theophrast habe sie privat allein einem Freund vererbt. Niccolò aber wollte, daß seine Bücher in der Öffentlichkeit seien, zum allgemeinen Nutzen Aufstellung fänden, und dafür verdient er höchstes Lob.

Niccolò war's auch mit dem Wunsch, daß seine eigenen Bücher allgemein zugänglich an einem öffentlichen Ort aufzustellen seien, nicht genug. Als nämlich Messer Giovanni Boccaccio gestorben war – seine Bücher hatte er S. Spirito vererbt –, packte man sie in Truhen und Schränke; Niccolò dagegen hielt dafür, sie hätten in einer jedermann zugänglichen Bibliothek gut aufgestellt zu werden. Deshalb ließ er mit Mitteln seines Vermögens eine solche bauen, damit man Giovanni Boccaccios Bücher dort hinbringen konnte – um ihrer Erhaltung willen und Messer Giovanni zur Ehre. Wer sie brauchte, dem sollten sie zur Verfügung stehen. Auf seine Kosten ließ er die Mauern aufführen und auch die Bänke, welche die Bücher aufnehmen sollten, fertigen. Bis zum heutigen Tag sind sie zu sehen.

Aber kommen wir auf Niccolòs Eigenschaften. Vor allem war er
von schönster Gestalt, er war heiter, so daß es stets den Anschein
hatte, als lache er. Er wußte sich im Gespräch aufs angenehmste
zu geben. Immer kleidete er sich mit wunderschönen roten Gewändern, die bis zum Boden reichten. Nie verehelichte er sich, um
nicht in seinen Studien beeinträchtigt zu werden. Eine Haushälte-
rin hatte er wohl, die für seine täglichen Bedürfnisse Vorsorge traf.

Er war von größter Manierlichkeit, beim Essen wie in allen anderen Dingen; darin übertraf er alle Menschen auf der Welt. Wenn er
bei Tische saß, speiste er aus den schönsten alten Gefäßen; auch
war sein ganzer Tisch reich versehen mit Porzellan oder anderem
aufs schönste geziertem Geschirr. Zum Trinken bediente er sich
aus Kelchen von Kristall oder von anderem feinen Gestein. Ihn bei
Tisch zu sehen, alt, wie er war – das machte den edelsten Eindruck.
Stets wollte er, daß die Tischtücher an seinem Platz strahlend weiß
sein sollten, ebenso alles andere Tuch.

Einige wird es geben, die sich darüber verwundern, wieviel Geschirr Niccolò hatte; darauf läßt sich antworten, daß dergleichen
zu jener Zeit weder in solchem Ansehen stand, noch so teuer war
wie später.

Niccolò hatte Kenntnisse von allen Dingen der Welt. Wer ihm
seine Dankbarkeit erzeigen wollte, sandte ihm Standbilder von
Marmor, von den Alten geschaffene Vasen, marmorne Epitaphien,
Gemälde von der Hand einzigartiger Meister oder vielerlei Mosaik-
bildchen. Er besaß eine unendliche Zahl an bronzenen Medaillen,
solche von Messing und einige aus Silber, dann auch viele alte
Figuren von Bronze und Messing, große wie kleine. Und er hatte
eine wunderschöne Weltkarte, auf der alle Orte der Erde zu sehen
waren, daneben Karten von Italien und Spanien, gänzlich als Male-
reien gefertigt waren sie. In Florenz gab es kein Haus, das schöner
ausgeziert gewesen wäre als das seine, wo es edlere Dinge gegeben
hätte als in seinem. Jeder, der dorthin kam, fand darin zahllose
ansehnliche Sachen aller Art.

Doch nehmen wir unseren Faden wieder auf. Niccolò hatte ein
Alter von 65 Jahren oder mehr erreicht und all das Bedeutsame
vollbracht, von dem ich schrieb, da wurde er von Krankheit befallen. Er wollte durch ein würdiges Sterben – von dem gleich zu reden
sein wird – dartun, von welcher Art das Leben gewesen war, das er
gelebt hatte. Als er erkannte, daß sein Ende nahte, schickte er nach
Frate Ambrogio vom Kloster der Angeli. Der begab sich mit vielen
Mönchen seines Ordens, sehr würdigen Männern von heiligstem
Lebenswandel, zu ihm; Niccolò wollte, daß sie bis zu seinem Tod
nicht mehr von seiner Seite wichen. Auch wollte er Maestro Paolo,

der, außer daß er heilkundig war, einen heiligmäßigen Lebenswandel pflegte, als einen engen Freund bei sich haben.

Gleich legte er eine sehr eingehende Beichte ab. Da er nicht mehr dazu imstande war, sich von seinem Bett zu erheben, ließ er in seinem Zimmer einen Altar errichten und alles für die Messe nötige Gerät herschaffen. Als das getan war, äußerte er den Wunsch, daß Frate Ambrogio jeden Morgen die Messe lese. Danach ließ er sich aus den Briefen des hl. Paulus, für den er die innigste Verehrung hegte, vortragen. Während Frate Ambrogio las, auf die zahllosen erhabenen Stellen kam, die sich in den Paulusbriefen finden, hieß er ihn zeitweilig innehalten und stellte manch würdige Betrachtung an. Wie ich von Maestro Paolo hörte, überging er keine dieser Textstellen, ohne daß seine Tränen flossen. Seine Hingabe und seine Demut seien wunderbar gewesen, sagte mir Paolo; all dies folgte aus dem Verlauf seines Lebens, das gefügt und geziert war von guten Sitten.

Er entdeckte sein Gewissen als lauter und gereinigt; weder hatte er Hab und Gut zu erstatten, noch einem die Ehre wiederherzustellen, auch hatte er niemals ein Amt, in dem er gegen jemanden hätte Entscheidungen fällen müssen, angestrebt. Mehrmals beichtete er bei Frate Ambrogio und wusch dabei sein Gewissen aufs beste rein. Stets war seine Kammer voll guter Diener des Herrn – andere wären nicht eingetreten, im Wissen, daß er solche Leute nicht schätzte.

Als Niccolò zur Aufnahme des Sakraments des Leibes Christi gelangte, war seine Demut unermeßlich, sie war unerhört und wunderbar. Zuerst, so wollte er, sollte die Messe gelesen werden. Dann ließ er sich auf den Boden legen, auf einen Teppich; zahlreiche Diener Gottes umgaben ihn kniend. Es mangelt an einer Sprache, sei sie auch noch so wortreich, seine große Demut, seinen glühenden Eifer zu schildern, als der heiligste Leib Christi gebracht wurde: seine Klagen, sein Weinen, das aus dem Innersten seines Herzens drang, als er sich seinem Erlöser zuwandte, sich anklagte als Sünder und als unwürdig, ein solches Sakrament anzunehmen. So groß war seine Demut, daß alle Umstehenden die Tränen nicht zurückhalten konnten. Welch wunderbare Gnade, allmächtiger Gott, zeigte sich da! [. . .] Nachdem er alle Sakramente der Kirche begehrt hatte, kam das Ende; er gab seine Seele seinem Erlöser zurück und starb auf die heiligste Weise in den Armen Frate Ambrogios. Ein solcher Tod wäre selbst für einen Mönch, der seit seiner Kindheit in einem Orden aufwuchs, viel gewesen.

Jeder möge Leben und Sitten des Niccolò Niccoli bedenken, die der ganzen Welt ein großes Beispiel waren. Selig, wem Gott solche Gnade gewährt, wie er sie Niccolò zuwandte! Wäre seine Vita geschrieben, sie wäre würdig, der eines jeden anderen Großen, den Alte wie Moderne zu den ihren zählten, verglichen zu werden.

Ich habe diesen kurzen *ricordo* verfaßt, damit die Erinnerung an einen so bedeutenden Mann nicht vergehe, obwohl Messer Giannozzo Manetti in seinem letzten Buch ‹De longaevis› sein Leben in Kürze beschrieb und ihm unsterbliches Lob zuerkannte.

DAS LEBEN DES SER FILIPPO DI SER UGOLINO

ER FILIPPO nannte sich «des Ser Ugolino», obwohl er nicht dessen Sohn war; doch zog ihn Ugolino Pieruzzi wie einen Sohn auf, da er selbst keine Kinder hatte. Er ließ ihn Latein und Griechisch studieren, wie unten ausgeführt werden wird. Sein Vater war ein sehr armer Mann aus Vertine im Chianti. Er hatte so viele unglaubliche Fähigkeiten, daß weder die Beredsamkeit Ciceros noch die des Demosthenes hinreichten, sie zu beschreiben. Von heiligstem Leben war er und von solcher Sittlichkeit in jeder Weise, daß er die Alten wie auch seine Zeitgenossen weit übertraf.

Er war in allen Sieben Freien Künsten gelehrt; in der griechischen Literatur verfügte er über hervorragende Kenntnisse, und er war ein einzigartiger Theologe. An der Astrologie, an Geometrie und Arithmetik fand er großen Gefallen und ließ mehrere Bücher darüber schreiben. Aus jedem Fach erwarb er Werke. Man kann das in der Bibliothek von S. Marco sehen, wo unzählige Bände sind, die früher einmal ihm gehört hatten; auch kaufte er zahllose theologische Werke, die er dann dem Kloster in Settimo hinterließ. Sie sind noch heute dort. Ser Filippo war ein höchst bescheidener Mann, der wenig Worte machte; alle, die er indessen aussprach, bildeten wirkliche Merksprüche.

Ser Ugolino wollte, daß Filippo Notar werde. Wegen seiner Fähigkeiten wurde er bereits als junger Mann – weil er der Geeignetste war, den es zu seiner Zeit gab – mit dem Amt betraut, die Ratsbeschlüsse zu formulieren: Denn solche Würden werden den Tugenden, nicht den Personen gegeben. An Ser Filippo läßt sich das bemerken; er erhielt das Amt nicht wegen der Vornehmheit seiner Verwandtschaft oder aus sonst einem anderen Grund.

[Bisticci würdigt ausführlich Filippo Pieruzzis Amtsführung; er notiert auch einige markante Aussprüche seines Helden.] Wenn einer der Vornehmen der Stadt zu ihm kam mit einer Angelegenheit, die unrechtmäßig war, wandte er sich – nachdem der Mann gesprochen hatte – ihm zu und hub zu lachen an; sehr oft pflegte er dann den folgenden witzigen Spruch zu sagen: «Halt dich weg, halt dich weg und hüte dich vor diesem Dreck!» – und ließ ihn auf geziemende Weise seinen Irrtum einsehen. Oder er bediente sich eines anderen Sprüchleins, das lautete: «In den Kramladen damit»;

dies gebrauchte er, wenn jemand von dem, was recht und billig war, abwich.

Sehr lange Zeit übte er sein Amt aus, und er brachte es zu größtem Ansehen darin. Man kann das noch an den Gesetzen, die von ihm gemacht wurden, erkennen; auf staunenswerte Weise führte er die Geschäfte. Zu seiner Zeit war die Stadt in blühendem Zustand und hohem Ansehen.

Wie gesagt, machte er nur wenige Worte, doch was er sagte, war von großem Gewicht. Er war von mittlerer Größe und hatte ein sehr schönes Gesicht, von dem hoher Ernst ausging. Er pflegte sich gänzlich in Pfauenblau zu kleiden, in einen Mantel, der bis zum Boden reichte und an den Seiten Öffnungen für die Arme hatte.

Er war sehr heiter. Stets hatte es den Anschein, als lache er. Man war der Meinung – und dies verdient Bewunderung –, daß er jungfräulich geblieben sei. Nie wollte er sich verehelichen; er lebte in großer Gottesfurcht. Sehr fromm war Filippo, und er liebte die Guten. In seinem Haus lebte er auf die sparsamste Weise von einfachen Speisen. Er hatte eine alte Frau, die ihn versorgte, im Haus, dazu einen Diener. So lebte er während der Zeit, die er in Florenz verbrachte.

Insgeheim gab Ser Filippo unzählige Almosen. Die zwei Kreuzgänge der Florentiner Badia ließ er ebenso errichten, wie er die zwei neuen Dormitorien, welche bei den Campora auf der Gartenseite liegen, zu bauen anordnete. Und an keinem Gebäude ließ er je sein Wappen anbringen.

Mehreren Mädchen ermöglichte er es durch Almosen, zu heiraten; um Gottes willen gab er mehr als die Hälfte seiner Besoldung. [. . .]

Nie nahm er irgendein Geschenk an. So schickte ihm ein Pisaner, der sich großen Verfolgungen ausgesetzt gesehen und dem Filippo stets geholfen hatte, eines Morgens gewisse Meeresfische; er fühlte sich Filippo nämlich sehr verpflichtet. Als dieser nach Hause kam und diese Fische vorfand, ließ er sie durch seinen Diener zurückbringen. Als der Pisaner dann zu ihm kam, traf er ihn sehr erregt an; Ser Filippo sagte ihm, er möge ihn bloß um nichts mehr bitten, er, Filippo, werde ihm gewiß nicht mehr zu Diensten sein – er sei nämlich kein Freund von Geschenken, da kenne er ihn schlecht.

Filippo hatte ein großmütiges Herz, nicht wie einer, der aus geringsten Verhältnissen kam, sondern vielmehr, als wäre er von vornehmster Herkunft. In gerechten und ehrbaren Angelegenheiten fürchtete er niemanden.

[Bisticci schreibt weiter von Filippos Art, selbst Mächtigen und Vornehmen unerschrocken entgegenzutreten; er berichtet dann, welche Bedeutung er den Wissenschaften beigemessen habe und illustriert das mit einer Anekdote: Ein Kanzler der Republik Florenz sei einmal nicht in der Lage gewesen, einem Gesandten Kaiser Friedrichs in lateinischer Sprache auf eine Rede zu antworten. Bisticci kommt dann auf Ser Filippos Tageslauf zu sprechen.]

Die ganze Zeit, die ihm außerhalb seiner Amtstägigkeit blieb, widmete er dem Studium geistlicher Werke. Dauernd unterhielt er Schreiber, von denen er die Werke des hl. Hieronymus, des hl. Augustinus und jene der Doktoren der Kirche kopieren ließ. Jeden Morgen, beim Läuten des Ave Maria, ging er, die Messe zu hören; danach begab er sich in den Palazzo, und er war einer der ersten, die dort eintrafen, um sich um die Angelegenheiten des Gemeinwesens zu kümmern. Größter Sorgfalt befleißigte er sich darin.

Nach dem Mittagessen ging er zum Angeli-Kloster, um Frate Ambrogio zu besuchen. Dort blieb er eine Weile; manchmal traf er Cosimo und Lorenzo de' Medici dort an, die dann zu Niccolò gingen. So war es Übung unter den Bürgern jener Tage.

Ser Filippo pflegte dann die Angeli zu verlassen und sich zur Badia von Florenz zu begeben, wo er sich mit dem Abt und seinen Mönchen unterhielt und einige Zeit verbrachte. Anschließend ging er zu den Buchhändlern, um zu sehen, ob da irgendein Buch feilgeboten wurde, das er noch nicht hatte, und um es dann zu kaufen. Da traf er sich etwa mit Messer Giannozzo Manetti, mit Messer Leonardo oder Carlo d'Arezzo; während der Zeit, als der römische Hof in Florenz war, kam auch Maestro Tommaso dorthin, der später Papst Nikolaus werden sollte. Er war mit ihm sehr gut bekannt und setzte größtes Vertrauen auf Ser Filippo wegen dessen Güte. Immer traf Filippo dort irgendeinen einzigartigen Mann.

Danach kehrte er in den Palazzo zurück, kümmerte sich um seine Amtsgeschäfte und gewährte zahllosen, die seiner bedurften, Gehör. Zu allen war er dabei sehr freundlich; alle, Arme wie Reiche, schieden wohlvergnügt und zufriedengestellt von ihm.

[Filippo habe sich von seinem Amt zurückziehen wollen, sei aber – auf Druck Cosimos – darin verblieben. Ausführlich handelt Bisticci dann von einem Gesetzesantrag des Jahres 1444, der vorsah, daß alle, die bei der Erhebung der letzten Zwangsanleihe nicht ihren gesamten Besitz angegeben hätten, vier Monate Zeit haben sollten, ihre Angaben zu vervollständigen. Nach diesem Zeitraum sollte jedermann als Ankläger auftreten können; ergab sich, daß noch etwas verschwiegen worden war, sollten harte Strafen verhängt werden. Er schildert, wie sich Giannozzo Manetti gegen das Gesetz ausspricht, weil es «zurückschaut», d. h., weil es vergangene Tatbestände zum Gegenstand hat – der Vorgang kommt auch

in der Vita Manettis zur Sprache. Ser Filippo, der die Gesetzesvor-
lage pflichtgemäß vertritt, wird entlassen und exiliert, allerdings
nur ins Chianti, in seinen Geburtsort Vertine. Dort widmet er sich
der Lektüre seiner Bücher. Schließlich wird die Verbannung inso-
weit gelockert, daß er sich bis vor die Tore der Stadt begeben darf;
er zieht zu den Mönchen von Settimo und teilt mit ihnen den
Tageslauf, unterrichtet einige junge Mönche in der lateinischen
Sprache und hält Vorlesungen. Bisticci berichtet, wie er ihn mehrmals dort besucht und dabei einige junge Florentiner von Stand bei
ihm eingeführt habe – «nach der Art seiner Kleidung und seiner
Redeweise, ja überhaupt nach seinem ganzen Verhalten schien er
einer jener Philosophen der Alten zu sein».]

Seine Rede war kurz und geprägt von Merksprüchen; oft drückte
er sich in Gleichnissen aus, um niemanden zu beleidigen, denn dies
lag ihm sehr fern. Als er einmal auf die Zustände in unserer Stadt
zu sprechen kam, bediente er sich des folgenden Gleichnisses: Er
sei einer, der sich auf einer Ebene befinde, auf einen Hügel zu
steigen und dann wieder in die Ebene zurückzukehren habe. Auch
meinte er, es sei notwendig, daß er so tief heruntersteige, wie er
einst emporgestiegen sei. Nach meinem Urteil wollte er damit
sagen, daß, wer in der Regierung von Florenz seine Pflicht nicht
erfüllt habe und dann einen Rang erreicht habe, der ihm nicht
zukomme, wieder soweit hinabsteigen müsse, wie er aufgestiegen
sei. [. . .]

Ich hörte Ser Filippo auch sagen, daß zwei Dinge nötig seien,
nämlich zum einen, daß der *monte* [Berg, auch: Leihhaus] zur Ebene werde, es keinen *monte* mehr gäbe; und zweitens, daß die Entscheidung über die Zwangsanleihen für die Bürger nicht dem Urteil
der Menschen unterliegen solle, sondern daß das Gesetz sie aufer-
legen solle. Zwei andere Dinge lobte er sehr und führte vor Augen,
daß sie für die Stadt notwendig seien: Das erste ist die Schiffahrt,
das zweite das *studio*. [. . .]

So lebte Ser Filippo in seinem Kloster, dem er seine Seele geweiht
hatte. Gelegentlich ging er, zu seinem Vergnügen oder um irgendeine Angelegenheit zu erledigen, zu Fuß mit einem Stock von
Settimo zu den Jesuaten, wo er dann ein oder zwei Tage blieb. Viele
Mönche und fromme Leute suchten ihn dort auf, um seinen Rat
einzuholen, da er ein sehr weiser Mann war.

Von denen, die ihn zu sprechen kamen, verurteilte er jene aufs
schärfste, welche sich aus Ämtern ein Handwerk machen und keine andere Beschäftigung haben als diese. So erzählte er einmal von
einem Bürger, der, als bestimmte Statthalterämter verlost wurden,
eifrig nachsehen ging, ob sein Name gezogen worden war. In der

Tat kam es dazu; da war seine Freude so groß, daß er zu weinen begann. Er ging zu Ser Filippo, mit dem er ein wenig befreundet war, und sagte: «Diese *podesteria* ist mir zur rechten Zeit gekommen, denn dort, wo ich war, war meines Bleibens nicht mehr länger.» Ser Filippo, der mit ihm ausführlich sprechen konnte, entgegnete ihm: «So lebst du also von den Ämtern? Und bedenkst nicht, daß es ehrlos und schändlich ist, daraus ein Geschäft zu machen und nichts anderes zu unternehmen, um nicht von den Mühen der Armen leben zu müssen? Man hat das Amt des Podestà nicht erfunden, daß du und deinesgleichen hingehen und es ausplündern, denn das tut ihr in hohem Maß, wenn ihr es nur zu eurem eigenen Nutzen übernehmt, und nicht an das denkt, was eine solche Verwaltung an Regierungstätigkeit und sonstigem erfordert. Meint ihr nicht, es wäre besser, man legte eine Besatzung von Söldnern dorthin, als daß euresgleichen sich an diesen Ort begäbe? Ja, man sieht an deinem und der anderen üblem Betragen, wohin es mit Contado und Distrikt von Florenz gekommen ist; und jeden Tag bringt ihr ihn weiter zum Schlechten. Ihr müßtet eigentlich die Gründe in acht nehmen, derentwegen euch dieses Amt gegeben wurde, und ihr macht das genaue Gegenteil. Gäbe man solche Ämter jeweils denen, welche sie verdienten, an die Hand – deinesgleichen bekäme keinen Ort und du müßtest dich um anderes bemühen, als auf die Kommandostäbe zu warten, wenn du deinen Lebensunterhalt suchst.»

So waren alle Worte des Ser Filippo Merksätze, die niedergeschrieben zu werden verdienten. Viel war bei ihm zu lernen, da er dem Wahren, dem Gerechten und Reinen zugewandt war. [. . .]

Die Widrigkeiten des Schicksals begegneten Ser Filippo, wie wohl zu erachten ist, aus göttlicher Vorsehung, damit er sich durch dieses Mittel von den Sünden, die er in seinem Leben begangen hatte, reinigen konnte.

[Bisticci schließt mit Erinnerungen an Ser Filippos Klosterleben unter der Regel des hl. Bernhard von Clairvaux und an die Abfassung seines Testaments: Seine zahlreichen «heiligen Bücher», daneben «einige heidnische Werke, zum großen Teil Historien», hinterließ er der Badia von Settimo.] In den Armen der Mönche endete er sein Leben auf die heiligste Weise; man muß bei Ser Filippo die Hoffnung hegen, daß er, da er auf heiligmäßige Weise, in so großer Enthaltsamkeit und mit so löblichen Sitten gelebt hat, an den Ort des Heils gelangt sein muß, auf daß er seiner mit den seligen Geistern in Ewigkeit genieße.

DAS LEBEN DES FLORENTINERS
AGNOLO DI FILIPPO PANDOLFINI

[Die folgende Vita des Staatsmannes Agnolo Pandolfini (1360–1446)
wird in sehr stark gekürzter Form wiedergegeben; Bisticci beschreibt darin ausführlich die diplomatischen Aktionen und das
innenpolitische Wirken dieses Sprosses einer vornehmen und reichen Florentiner Familie; ausführlich wird vom Friedensschluß mit
König Ladislaus von Neapel und dem Erwerb der Stadt Cortona
(1411) gehandelt, bei dem Pandolfini Gesandter der Republik war.]

UR WENIGE GAB ES, die diese Last hätten auf sich
nehmen wollen, die Agnolo zu tragen bereit war, ungeachtet aller damit verbundenen Gefahren. Da er
wußte, daß daran das Wohl der Vaterstadt hing, ak-
zeptierte er sie mit mannhaftem Herzen.

Eines Morgens, nachdem der Frieden geschlossen war, lud Seine
Majestät der König Agnolo und Messer Torello zum Mahl zu sich.
Agnolo Pandolfini hatte seine zwei Söhne bei sich, Carlo und
Giannozzo; als man zu speisen begann, standen sie aufrecht vor
dem König. Dieser sagte zu Agnolo: «Ich habe vernommen, daß
eure jungen Florentiner sich gut darauf verstehen, bei Tisch zu
tranchieren.» Da rief Messer Agnolo die beiden und hieß sie, unter
den Augen des Königs die Speisen zu zerteilen, und das taten sie
dann auch, und erfuhren an diesem Morgen größte Ehre. Sie blieben
einige Tage, bis die Urkunden ausgestellt waren, dort, und nachdem
alles Nötige erledigt war, nahmen sie von der königlichen Majestät
ihren Abschied, um nach Florenz zu reisen.

[Bisticci berichtet von der zwiespältigen Aufnahme, welche der
Frieden in Florenz gefunden habe, um dann auf die Verhandlungen
einzugehen, die Florenz mit Filippo Maria Visconti führte. 1419
kommt es mit dem *Signore* von Mailand zu einem Friedensschluß,
der es diesem ermöglicht, Genua einzunehmen. Florenz muß sich
aber erneut zum Ausgleich mit dem mächtigen Nachbarn beque-
men. Die Entwicklung legt allerdings ein Bündnis mit Venedig
nahe; die Rolle Agnolo Pandolfinis in den diplomatischen Aktionen
dieser Zeit wird von Bisticci gebührend herausgestellt. Er hebt dann
hervor, daß Agnolo sich 1429 auch gegen das – auch in anderen

Viten erwähnte – problematische Unternehmen gegen Lucca aus-
gesprochen habe.]

Nachdem einer jener gesprochen hatte, die dazu rieten, [gegen
Lucca] zu ziehen, bestieg Agnolo die Rednertribüne. Doch auf entsprechende Befehle hin veranstalteten die Befürworter des Feldzuges mit Geschrei und Fußscharren einen solchen Tumult, daß es
Agnolo nicht möglich war, zu sprechen. Er verharrte regungslos.
Doch schämte sich die *Signoria* einer solchen Unordnung, man
hieß die Lärmenden verstummen. Als Agnolo nun reden konnte,
schmetterte er die Gründe, die Messer Rinaldo degli Albizzi und
seine Gefolgsleute zugunsten des Lucca-Unternehmens ins Feld geführt hatten, zu Boden. Dann tat er mit gewichtigen Argumenten
dar, daß man diese Kampagne nicht führen dürfe; und täte man es
doch, müsse angesichts der Zwietracht, die in Florenz entstanden
sei – wolle doch jeder seine Meinung als die bessere verteidigen –,
der Untergang der Stadt daraus erfolgen.

So sprach er lange, um mit folgenden Worten zu schließen: «Es
genügt mir, die Ehre und den Nutzen meiner Stadt hochgehalten
zu haben. Ich weiß, daß man in diesem Fall für die gegenteilige
Meinung stimmen wird; doch werden die Urheber dieses Kriegszu-
ges die ersten sein, die das gereuen wird.»

Er stieg von der Rednertribüne herab; all jene von der Partei Messer Rinaldos und die, welche dafür waren, das Unternehmen durch-
zuführen, faßten Mut: Sahen sie doch, welche Zustimmung ihnen
trotz des Widerspruchs, den sie von Agnolo und anderen erfuhren,
entgegenschlug. Wie das Vieh rannte das Volk zusammen, rief, man
solle den Krieg führen, ohne zu bedenken, welche Folgen das haben
konnte.

[Bisticci erinnert daran, daß der Kriegszug gegen Lucca, der 1431
tatsächlich begonnen wurde, allerdings ohne den gewünschten Erfolg zu zeitigen, den Umsturz des Jahres 1433 verursacht habe. Er
kommt dann auf eine diplomatische Mission zu sprechen, die
Agnolo Pandolfini 1432 zu dem deutschen König Sigismund führte:
Der Luxemburger war auf dem Weg zur Kaiserkrönung nach Rom,
Florenz aber hatte dem mit Filippo Maria Visconti verbündeten
Herrscher den Durchzug durch sein Gebiet verweigert. In Siena
sucht Agnolo ihn auf. Seine Aufgabe war, den künftigen Kaiser
möglichst von Filippo Maria zu trennen; letzterer unterstützte Lucca
im Kampf gegen Florenz.]

Als Agnolo sich in Siena zum Kaiser begab, wurde er von Seiner
Majestät sehr geehrt; große Gunst erwarb er sich bei Sigismund und
allen großen Herren in seinem Gefolge. Während seines Aufenthaltes besänftigte er Sigismunds Geist, der noch voller Unwillen ge-

genüber Florenz war. So bewirkte er, daß viele Verdrießlichkeiten, die aus Sigismunds Zorn hätten folgen können, vermieden wurden.

Man hatte Agnolo 14 000 Goldfiorini übersandt, die er – zu einem günstigen Zeitpunkt – Sigismund in einer Silberschüssel überreichen sollte. Die Schüssel war ihm zusammen mit besagtem Geld geschickt worden; man wollte, daß Agnolo sie im Namen des Volkes von Florenz überreiche.

So ergriff er die rechte Gelegenheit: Eines Morgens, der Kaiser hatte gerade gespeist, begab Agnolo sich in den Saal, wo der Kaiser sich zum Mahl aufhielt; er sagte ihm einige gute Worte, sprach von der freundlichen Einstellung, welche die Stadt gegenüber Seiner Majestät hege und ließ ihm dann das Gefäß mit dem Geld überreichen. Mit erfreutem Herzen nahm dieser es entgegen, und er lachte dazu, wie er es immer tat. Er ließ die Schüssel auf den Tisch stellen und nahm dann mit der Hand so viel Geld heraus, wie er nur halten konnte; das gab er seinen Herren und Baronen, so daß kein Fiorino darin übrigblieb. Dann wandte er sich lachend an Agnolo und sagte in lateinischer Sprache, daß er dieses Geld nicht für sich selbst wolle, sondern für seine Begleiter. Er leerte die Schüssel ganz und rief dann einen seiner Diener, um das leere Gefäß beiseite schaffen zu lassen.

Mehrere Monate hielt Agnolo sich in Siena auf. Nachdem er seine Mission gänzlich durchgeführt und erledigt hatte, womit er beauftragt worden war, kehrte er nach Florenz zurück. Die ganze Stadt brachte ihm größte Dankbarkeit entgegen, da man sah, daß das Herz des Kaisers, durch Agnolo besänftigt worden war.

[Die Erzählung kommt nun wieder auf die Vorgänge des Jahres 1433 zu sprechen. Agnolo scheint eher ein Parteigänger der Medici gewesen zu sein, doch war er zugleich mit Palla Strozzi verbunden, der durch die Albizzi-Verschwörung kompromittiert war. Agnolo jedenfalls zieht sich nach der erneuten Etablierung des Medici-Regiments aus der Politik zurück. Er habe sich den Wissenschaften gewidmet und Gespräche mit Gelehrten geführt, vor allem aber auf religiöse Dinge geachtet.]

Einen Teil seiner Zeit – insbesondere, wenn es Sommer wurde – verbrachte er auf dem Land. Er führte dort ein großes Haus – darin stand er keinem seiner Zeitgenossen nach – mit Dienern und Pferden und hielt doch jene Mitte, die der Bürger zu achten hat. Nur wenige von Stand gab es in der Stadt, die nicht nach Signa kamen, um bei ihm oder seinen Söhnen zu sein: Dort hatte er zu jener Zeit seine höchst stattliche Villa, wohlversehen mit allem, was der Stand eines Edelmannes erfordert – Hunde, Vögel, dann alle Arten von Netzen für den Vogel- und Fischfang.

In diesem Haus wurde, wer auch immer kam, geehrt. Agnolo war sehr freigebig; damals gab es bei Florenz kein zweites Haus dieser Art und keines, das so gut eingerichtet gewesen wäre. Alle großen Herren, die dort hingelangten, nahmen Quartier darin: so Papst Eugen, der König Renato, Herzog Francesco und der Marchese Niccolò. Sie hielten sich dort mehrmals auf, und auch andere große Herren, die des Weges kamen, fanden sich ein. Das Haus war stets mit allem versehen, damit es an nichts fehlte.

Geschah es, daß seine Söhne an einem Feiertag oder an anderen Tagen von Florenz kamen und niemanden mitgebracht hatten, beklagte Agnolo sich sehr darüber und tadelte sie. So war dieses Haus eine Heimstatt rechtschaffener Männer, an solchen Tagen auch eine Stätte Lukulls, da es mit allen Arten von Geflügel und anderem versehen war, was für Gastmähler, will man die Gäste ehren, erfordert wird. Wenn es einmal vorkam, daß sich an einem Arbeitstag keine Fremden in seinem Haus einfanden, schickte Agnolo zur Straße, um zu erfahren, ob da jemand vorbeikam, und veranlaßte, daß der Reisende zum Mahl in sein Haus geführt werde. War er eingetroffen, wurde ihm Wasser für die Hände gereicht. Dann setzte man sich zu Tisch. Nachdem man getafelt hatte, dankte Agnolo dem Gast und sagte ihm, er möge seines Weges ziehen, er wolle ihm kein Hindernis sein.

Die Beschäftigungen, denen Agnolos Söhne sich hingaben, waren Edelleuten angemessen: Sie gingen mit Sperbern und Hunden auf Vogeljagd; nie taten sie dies, waren ihrer nicht fünfzehn oder zwanzig Reiter, nicht gerechnet jene, die mit den Hunden zu Fuß gingen. Rehe und Hasen jagten sie oder sie fischten. Über diesen ehrbaren Unternehmungen vergeudete man niemals Zeit. Dies also waren die Tätigkeiten, die Agnolos Söhne unternahmen.

Kamen sie zu ihm aufs Land, wollte er nur wenig über die Regierung in Florenz erfahren, das schien ihm sicherer zu sein. Und wenn er doch einmal fragte, stellte ihn selten zufrieden, wie man dort die Dinge handhabe. Bisweilen antwortete er: «Ihr regiert euch so, daß es euch schlecht ausgehen wird.» Die Regierungen schienen ihm, so, wie sie waren, sehr zum Schlechten hin gewandelt; dies haben die Neuerungen in den Städten zur Folge.

Bei dieser Haltung, sich in nichts einzumischen, blieb Agnolo etwa zwölf Jahre. In allen seinen Angelegenheiten war er ein sehr zurückhaltender Mann. Er hatte eine überaus vornehme Gemahlin aus der Familie der Strozzi. Am ersten Abend, als er sie zu sich führte, sagte er ihr – anstelle der vielen Verrücktheiten, welche die meisten bei dieser Gelegenheit auszusprechen pflegen – all das, was sie zu tun hatte, um sein Hauswesen zu regieren. Nachdem er dies gesagt hatte, fügte er hinzu: «Behalte das im Gedächtnis, denn über diese Dinge werde ich dir niemals wieder etwas sagen.» Er hatte drei Kinder, und zwar Söhne, von dieser Frau. [. . .]

[Bisticci erinnert an die Karrieren der beiden älteren Söhne Agnolos; einer – Pandolfo – starb bereits als Kind. Auch seine Frau ereilte der Tod in frühen Jahren.]

Er heiratete nicht wieder und lebte dann fünfzig oder mehr Jahre ohne Frau. Zwei Schwiegertöchter hatte er, Töchter der damals ersten Familien von Florenz. Die erste kam aus der Familie der Giugni, die zweite war eine Tochter des Bartolomeo di Taldo Valori, der zu den Vornehmsten der Stadt zählte. Diese beiden Frauen übernahmen die Sorge für Agnolo und kümmerten sich um ihn, als ob er ihr Vater gewesen wäre.

Noch in einem Alter von 85 oder mehr Jahren bewahrte er sich jene Lebhaftigkeit des Geistes und des Verstandes, die ihm bereits als Vierzigjährigem geeignet hatte. Kein einziges körperliches Gebrechen beeinträchtigte ihn, und oft legte er Proben davon ab. Doch geben wir noch eine Probe seines Geistes: Als ihn jene Krankheit befallen hatte, an welcher er dann sterben sollte, besuchten ihn eines Tages Messer Alessandro degli Alessandri und andere Bürger. Am Ende ihres Besuches wandte er sich an sie und legte ihnen Florenz mit vielen wohlgesetzten Worten ans Herz. Er bestärkte sie darin, sich so zu verhalten, daß die Stadt auch ihren Kindern bewahrt bleibe, sie ihnen in jenem Zustand zu übergeben, in dem ihre Väter sie ihnen selbst hinterlassen hätten. Stets sollten sie das Gemeinwohl mehr im Auge haben als ihr eigenes. Nachdem er lange auf diese Weise gesprochen hatte, zog er folgenden kurzen Schluß aus dem Gesagten: «Nach allem, was ich weiß, werdet ihr euch an das, was ich gesagt habe, nicht halten.» Er kannte ihre Art und wußte um die Lage der Stadt: in welche Verhältnisse sie gebracht worden war. [. . .]

DAS LEBEN DES FLORENTINERS
AGNOLO ACCIAIUOLI

ESSER AGNOLO DI JACOPO DI MESSER DONATO
ACCIAIUOLI stammte aus vornehmster Familie. Er
hatte sehr gute Kenntnisse in der lateinischen Literatur; wenn er nicht zu beschäftigt war und ihm Zeit
übrigblieb, las er Geschichtswerke oder religiöse
Schriften.

Messer Giannozzo Manetti und Messer Agnolo waren miteinander verschwägert; über diese Familienbindung hinaus waren sie
durch eine enge Freundschaft miteinander verbunden. Dem Agnolo
und mehreren anderen Bürgern hielt Messer Giannozzo die ‹Ethik›
des Aristoteles [als Vorlesung].

Messer Agnolo wurde von seinem Staat und in der Stadt mit hohen
Ehren bedacht. Er brachte es zu allen Würden, die einem Bürger
gegeben werden können. Es gab keine bedeutende Gesandtschaft in
äußeren Angelegenheiten, an der er nicht teilgenommen hätte.

Als in den Tagen seiner Jugend Cosimo de' Medici verbannt
wurde, war Agnolo in Florenz geblieben. Da geriet er eines Tages
in einen Wortwechsel mit einem der Vornehmsten der Regierung
des Jahres 1433, und man zerstritt sich so sehr, daß Messer Agnolo
verhaftet und zum *capitano* gebracht wurde. Da er mit den Exilan-
ten viel zu schaffen gehabt hatte, wurde er auf Anordnung des
Amtes der *otto di balìa* von diesem mit dem Seil gefoltert. Und
wäre da nicht die Klugheit eines Bruders seiner Frau [Giacomino
Tebalduccis] gewesen! Der warf sich aufs Pferd, wie er der Gefangen-
nahme Agnolos gewahr wurde, und ritt zu einer Besitzung Messer
Agnolos, die Monte Baldi hieß. Dort eilte er in Agnolos Schreibstube, raffte alle Briefe und Schriftlichkeiten, die da waren, zusammen
und warf sie ins Feuer. Briefe Cosimos und anderer Verbannter,
Dossiers, die er mit ihnen ausgetauscht hatte, hatten da gelegen;
wäre das Glück ihm, wie gesagt, nicht beigestanden, die Sache wäre
wegen dieser Briefe schlecht für ihn ausgegangen. Denn kaum hatte
sie Giacomino so geschwind ins Feuer geworfen, als der *mazziere*
kam, um sich in den Besitz jener Schriftstücke zu bringen. Giacomino sagte ihm, er möge sich getrost umsehen im Haus, denn da
sei nichts dergleichen.

Da sie nichts in Händen hatten, womit sie einen Prozeß gegen ihn hätten anfangen können, verbannten sie ihn nach Kefallinia. Da Giacomino klug und aufmerksam gewesen war, war Agnolos Leben gerettet worden.

Nach Kefallinea wurde er exiliert, weil dieses Gebiet seinen Verwandten gehörte, ebenso, wie Athen, Theben und mehrere andere Städte in Griechenland, die schon Messer Donato di Niccolò Acciaiuoli unter seiner Herrschaft gehabt hatte. Agnolo blieb längere Zeit dort und kehrte dann aus Griechenland direkt nach Florenz zurück.

Einmal ritt er im Grenzgebiet zum türkischen Reich; da wurde er gefangengenommen und zu den Türken gebracht. Entweder sagte er nicht, wer er war, oder was auch immer er getan haben mag: Man ließ ihn ins Gefängnis werfen. Mit Hilfe eines Florentiners gelang ihm eines Tages die Flucht; er floh zusammen mit diesem Gefährten und stand dabei die größten Gefahren aus. Er selbst hat mir von seiner Befreiung erzählt, deren Gelingen eigentlich nichts anderes als ein Wunder war.

Messer Agnolo hatte zahlreiche rühmenswerte Eigenschaften, und daher befreite ihn der allmächtige Gott aus vielen Gefahren. Die wichtigste war, daß er sehr mildtätig gegenüber den Armen war und sehr oft Almosen spendete. Nie kam jemand in sein Haus, der keine milde Gabe erhalten hätte, wer auch immer es sein mochte; auch den Armen, die ihm unterwegs begegneten, gab er Almosen. Donato Acciaiuoli begleitete ihn einmal nach Mailand, er bewahrte dabei dessen Geld: Vierzig Dukaten an Almosen gab er um Gottes Lohn allein auf dem Weg von Florenz nach Mailand. Und immer fuhr er damit fort, mildtätige Gaben zu verabreichen.

Agnolo hatte noch eine weitere löbliche Eigenschaft: Er war nämlich sehr fromm, betete und fastete. Nachts versäumte er es nie, um Mitternacht aufzustehen, um Gebete und das Offizium zu sprechen. Gut zwei Stunden verharrte er dabei; auch hörte er jeden Morgen die Messe.

Diesen beiden Werken widmete er sich mit aller Kraft, weder das eine noch das andere zu tun versäumte er jemals. In die Gebete und das Geben von Almosen setzte er das festeste Vertrauen; er pflegte zu sagen, daß er dadurch aus vielen widrigen Schicksalen befreit worden sei.

[Nach der Rückkehr Cosimos 1434 gelangt Agnolo zu großem Einfluß; so wird er als Gesandter zum König von Frankreich geschickt. Dabei wird er wieder wie durch ein Wunder aus einer gefährlichen Situation gerettet.] Man ritt, Savoyen lag schon hinter ihnen, bei strahlender Sonne einen von Wäldern gesäumten Weg

entlang [. . .], als um die Stunde der Vesper das Wetter wechselte.
Es begann gleich zu schneien, sie verloren den Weg und wußten
nicht, wohin sie sich wenden sollten. Zum Abend fanden sie sich
in einem Wald, es war eiskalt, dichtes Schneetreiben herrschte, und
niemanden gab es, der den rechten Weg gewußt hätte. Dazu brach
noch die Nacht herein. Messer Agnolo und die anderen meinten,
in diesem nächtlichen Wald in eine Lage geraten zu sein, in der
ihnen nur der Tod bleibe: wegen der unendlichen Kälte, die sie
spürten, und weil der starke Schneefall fortdauerte. Sie hielten an,
ohne zu wissen, was nun zu tun sei, und stiegen von den Pferden:
Nicht nur den Menschen ging es da schlecht, auch den Pferden, die
die Kälte fürchteten. Messer Agnolo und die anderen achteten sich
bereits für tot, jeder empfahl sich Gott, so gut er konnte. Sie waren
bar jeder Hoffnung, wußten sie doch, daß sie die Nacht an diesem
Ort verbringen mußten. So gewaltig war die Kälte, die ein jeder
fühlte, daß da keiner war, der ein Wort gesprochen hätte.

Doch – weil es Gott so gefiel, der nicht im Stich läßt, wer auf ihn
vertraut – machte sich einer von Agnolos Dienern zu Fuß auf den
Weg, ohne daß es einer bemerkte, um zu suchen, ob es in der
Gegend Häuser oder Dörfer gäbe, wo jemand wohnte. Und nachdem er vier Meilen weit gegangen war, fand er tatsächlich ein Dorf
mit mehreren Bauernhäusern. Es war um die vierte Stunde der
Nacht, und da Winter herrschte, waren alle noch zu Hause. Er rief
diese Bauern, versprach ihnen, was sie nur begehrten; ihrer sechs
oder acht begleiteten ihn mit brennenden Fackeln. Sie gingen zu
jenem Wald, und wie sie sich näherten, begann der Diener zu
schreien: «Wir sind gerettet!» Jeder mag sich vorstellen, wie groß
da die Freude war. Sie waren am Ende: So eiskalt war ihnen an
Händen, Füßen, ja am ganzen Leib. Als nun die Bauern eintrafen,
nahmen sie die Pferde am Zügel, führten Messer Agnolo und seine
Begleiter in das Dorf, wo sie wieder vom Tod zum Leben erweckt
wurden.

Messer Agnolo erzählte diese Begebenheit als ein großes Wunder.
Er meinte, Gott habe es aus zwei Gründen getan, und zwar weil er
Almosen gebe und Gebete verrichte. Und ganz gewiß war dies ein
Wunder, das durch Gottes Gnade bewirkt wurde.

[Als ein weiteres Wunder wird erzählt, wie Agnolo sich aus einem
reißenden Fluß habe retten können. Bisticci geht dann ausführlich
auf die diplomatischen Aktivitäten Acciaiuolis am französischen
Hof ein, deren Ziel der Abschluß eines Bündnisses zur Abwehr der
Bedrohung durch Neapel und Venedig war (1451/52), und kommt
auf die folgenden militärischen und politischen Entwicklungen zu
sprechen. Daraufhin werden, in wie so oft nicht korrekter Chrono-

logie, länger zurückliegende und teilweise bereits in anderen Viten geschilderte Vorgänge berichtet. So geht er auf die Verhandlungen um den Frieden von Ferrara von 1441 ein und spricht von den Überlegungen der Florentiner, Papst Eugen IV. in der Stadt festzuhalten – Agnolo sei unter jenen gewesen, die dafür plädiert hätten, den Pontifex ziehen zu lassen. Acciaiuoli begegnet als Gesandter bei Eugen, bei dessen Nachfolger Nikolaus V., dann bei Francesco Sforza in Mailand, wo er darauf hinwirkt, König Ferdinand von Aragon gegen dessen Rivalen im Königreich Neapel, Jean von Anjou, zu unterstützen. Der Autor erwähnt, wie sich Ferdinand 1458 mit der Übertragung des Lehens Quara oder Quaranta an Agnolo Acciaiuoli erkenntlich zeigt. Nach seiner Rückkehr nach Florenz kommt es zu Spannungen mit Cosimo, als dieser verhindert, daß Agnolos Sohn das Bistum Pisa erhält. 1466 schlägt er sich auf die Seite der Partei Luca Pittis, die Piero de' Medici beseitigen will, doch scheitert die Verschwörung, nach dem Willen Gottes, wie Bisticci meint.]

Ich glaube, daß die Ursache dafür, daß die Dinge ein solches Ende nahmen, war, daß sie [die Verschwörer] ihre Angelegenheiten mit jenen Gottes vermischt hatten und mit den Fehlern, die sie machten. Bevor sie losschlugen, hatten die Anführer der beiden Parteien die allerheiligste Hostie genommen, sie in der Messe durch die Hand des Priesters in Stücke teilen lassen: Jeder nahm daraufhin einen Teil, was als Eid, eine Einheit zu bilden und sich nicht gegenseitig zu täuschen, gelten sollte. Warum es geschah, daß man den Schwur brach, weiß ich nicht, doch jener, der Veranlassung dazu gab, wird seine angemessene Strafe erhalten haben. [Acciaiuoli – dessen Unschuld Bisticci glauben machen will – flieht nach Barletta. Versuche, nach Florenz zurückzukehren, mißlingen; schließlich verliert er gar sein süditalienisches Lehen, doch gewährt ihm König Ferdinand von Aragon eine Pension. Er stirbt, wohl zu Neapel, nach 1467, mit einem Kruzifix im Arm.]

Mir scheint, daß der allmächtige Gott ihm in seinem Sterben all jene Gnade gewährte, die einem Menschen in diesem Leben nur zuteil werden kann. So fuhr er die Früchte seiner Almosen, seiner Gebete und seines Fastens ein, die Gott ihm für seine letzte Zeit bewahrt hatte, wenngleich er ihn schon aus vielen anderen widrigen Schicksalen befreit hatte, die ihm sonst zum Untergang gereicht hätten. Wohl mag man immer verfehlen, Gutes zu tun und in dieser Verfehlung fortfahren bis zum Ende – dann sieht man doch den Lohn, den Gott der Allmächtige bereithält.

Alles, was ich über Messer Agnolo schrieb, habe ich zum Teil selber gesehen, zum Teil wurde es mir von sehr glaubwürdigen

Leuten erzählt. Ich habe dies niedergeschrieben, damit jeder, der von diesen Wechselfällen seines Schicksals erfährt, sich beim Lesen ein Beispiel an ihm nimmt und lernt, mit wenigem zufrieden zu sein, nicht zu hoch hinaus zu wollen und sich vor den Schlägen des Schicksals zu fürchten; man möge das Exempel Messer Agnolos betrachten, dem sie in reichem Maße widerfuhren, und sein Leben in Beten, Almosengeben und Fasten nachahmen. Dadurch entrann er vielen mißlichen Lagen und nahm dann jenes würdige Ende, das ihm beschieden war. Nur wenigen wird solche Gnade gewährt.

DAS LEBEN DES FLORENTINERS
MESSER PIERO DI MESSER ANDREA DE' PAZZI

ESSER PIERO DI MESSER ANDREA DE' PAZZI [ent-
stammte einer] vornehmen und alten Familie der
Stadt. Von den lateinischen Schriften hatte er sehr
gute Kenntnis und bemühte sich auch um die griechischen, von denen er aber nicht viele kannte.
[Bisticci erzählt nun die bereits in der Vita Niccolò Niccolis berichtete Episode, wie dieser Piero de' Pazzi zur Beschäftigung mit
den Wissenschaften bringt.]
Über das Mittel der Wissenschaften gewann er die Freundschaft
der Vornehmsten der Stadt, vor allem jene des Piero di Cosimo de'
Medici, der ihn sehr liebte. Da war nun das Haus der Pazzi ohne
Rang, ausgestoßen, von den Steuern aufs höchste bedrängt, da die
Pazzi nun einmal im Ruf standen, reich zu sein; und ohne eine
entsprechende Position im Gemeinwesen konnten sie sich schlecht
verteidigen. Dank Messer Piero aber verschwägerten sie sich mit
Piero di Cosimo, der Guglielmo seine Tochter Bianca zur Frau gab.
Wäre da nicht die Freundschaft Piero di Cosimos mit Messer Piero
gewesen, man hätte diese Verbindung niemals zuwege gebracht,
nur aus diesem Grund wurde sie eingegangen. Durch dieses Mittel
brachten sie es zu einem Rang, wie sie ihn nie gehabt hatten; und
sie entledigten sich der Steuerlast, was sie, hätte es diese Verbindung nicht gegeben, keineswegs bewerkstelligt hätten. Man kann
sagen, daß es diese Heiratsverbindung war, welche ihr Haus erhob
und woher es seinen Rang und sein Ansehen hatte. Und: Hätte
Messer Piero noch gelebt – denn er war von anderem Verstand als
überhaupt ein Mitglied dieses Hauses –, niemals wäre jenes Ungemach erfolgt, das dann kam und in dem der Untergang der Pazzi
und der Stadt seinen Ursprung hatte. Alles hatte seinen Grund
darin, daß es in diesem Haus keinen gab, der irgendein Urteil
gehabt hätte. Vielmehr stürzten sie tollkühn in jenen Irrtum.
Aber kehren wir zu Messer Piero zurück. Er hatte viele gute
Eigenschaften: Sehr freigebig war er, und er war seinen Freunden
zu Diensten, wenn man ihn darum bat. Er machte viele Geschenke,
führte in seinem Haus ein glänzendes Leben. Oft hatte er acht oder
zehn auf einmal zum Mittags- oder Abendmahl in seinem Hause

zu Gast, alle vornehmen jungen Leute der Stadt, die sich den Wissenschaften widmeten und von Tugend waren. Diese schätzte er sehr und erwies ihnen Ehre.

Durch die Republik wurde er sehr geehrt, indem er Ämter erhielt [. . .], innerhalb wie außerhalb der Stadt. Unter den ersten, die er hatte und wo er seine Fähigkeiten erweisen mußte, war die Mitgliedschaft im *collegio*. Dort hielt er öffentlich eine sehr zierliche Rede – ‹De justitia› –, die sehr gelobt wurde. Alle Gelehrten von Florenz und die Ersten des Staates waren anwesend. Er ging daran, zu zeigen, daß er nicht umsonst die lateinische Sprache gelernt hatte. Und es war Latein, was ihm Ehre eintrug, Ehre, welcher sein ganzes Haus teilhaftig wurde.

Er war auch Gonfaloniere der Justiz, ein Amt, welches er mit größter Reputation innehatte. [. . .]

Wie nun König Ludwig von Frankreich den Thron bestieg, schickte ganz Italien Gesandte zu ihm, um ihm dazu Glück zu wünschen. Die Florentiner sandten Messer Filippo de' Medici, den Erzbischof von Pisa, Messer Piero de' Pazzi und Bonacorso Pitti dorthin. Messer Piero ging aufs beste ausstaffiert auf die Reise; ich könnte sagen, daß zu meinen Tagen niemals ein Botschafter Florenz mit solcher Prachtentfaltung verlassen hat, wie eben Messer Piero. Er selbst trug unzählige Gewänder und Juwelen, und ebenso waren Diener und Knappen herausgeputzt; dazu hatten sie sehr viele äußerst ansehnliche Pferde, wie sie sich nur finden ließen.

[Piero bittet auch Donato Acciaiuoli, ihn zu begleiten, der dem König die von ihm verfaßte Vita Karls des Großen überreicht. Bisticci erwähnt, daß Piero de' Pazzi täglich ein- oder zweimal das Gewand gewechselt habe, ebenso seine Begleitung. Eines Tages schlägt der König ihn feierlich zum Ritter. Bei seiner Heimkehr strömen die Vornehmsten der Stadt zu seiner Begrüßung zusammen.]

Wie gesagt, nahm er auf die ehrenvollste Weise seinen Einzug in Florenz, alle Straßen, alle Fenster waren voller Menschen, die seine Ankunft erwarteten. Er zog ein mit seinem Gefolge, alle neu und aufs prächtigste gekleidet, mit Mänteln von Seide, Perlen von höchstem Wert an den Ärmeln und am Hut. Seit Menschengedenken nahm kein Ritter seinen Einzug in die Stadt mit größerer Pracht als er, auch war keiner schöner geziert, was seinem Haus größte Ehre verschaffte.

In die Stadt gekommen, ritt er, gemäß dem Herkommen, zum Tor des Palastes, saß ab und ging hinauf in den Saal, um die Fahne zu nehmen, entsprechend der Gewohnheit jener, die als Ritter zurückkehren. Dann bestieg er wieder sein Pferd und ging zur *parte guelfa* [zur Partei der Guelfen] und nahm auch deren Zeichen. Piero Acciaiuoli war einer der *capitani* der Partei, und er hielt ihm eine sehr würdige Rede in der Volkssprache, vor zahllosen Menschen, die sie zu hören harrten. Danach, und nachdem er das Zeichen der *parte* und jenes des Palastes genommen hatte, ging er mit besagter Begleitung in sein Haus. Dort feierte man ein üppiges Fest, und mehrere Tage hielt man dort gleichsam eine offene Tafel. Auf ehrenhafteste Weise trug er seine Würde.

[Bisticci kommt nochmals auf Pieros übergroße Freigebigkeit zu sprechen. Sein Überfluß an zeitlichen Gütern habe ihn fehlgeleitet. Dann aber erzählt er erfreulichere Dinge.]

Messer Piero hatte – um nun auf seine natürlichen Gaben zu kommen, die wunderbar waren – ein vorzügliches Gedächtnis, und er war von staunenswertem Verstand. Von seinem Gedächtnis legte er Proben ab: Er hatte die gesamte ‹Aeneis› des Vergil auswendig gelernt, dazu viele Reden des Livius, die er frei vortrug, wenn er auf seinem «Trebio» genannten Besitz spazierenging. [. . .] Oft ging er mit dem Erzieher, der seine Söhne beaufsichtigte, und seinen Dienern zu Fuß spazieren; man brach von Florenz aus auf, nahm den Weg nach Fiesole, von S. Chimenti; unterwegs lernte er zu seiner Ergötzlichkeit Petrarcas ‹Trionfi›, so daß er sie alle in kürzester Zeit erlernte.

Sowohl Reime als auch Prosa rezitierte er wunderbar, auf eine sehr gute Art: Dazu halfen ihm seine Stimme und seine mächtige Brust. [. . .] Sehr viele schöne Bücher ließ er machen, immer hatte er Schreiber dafür. Viel Geld gab er aus für geschriebene oder auch mit Miniaturen versehene Bücher. Alle ließ er aufs vortrefflichste machen, so daß bei seinem Tod eine wunderschöne Bibliothek zusammengekommen war. Mit Hilfe der Wissenschaften erwarb er sich seinen guten Ruf. [. . .]

[Bisticci fährt fort mit der Schilderung der freundschaftlichen Beziehung, die Piero de' Pazzi mit dem Herzog von Anjou verbunden habe. Dies gibt ihm Gelegenheit, über dessen Versuche, sich des Königreichs Neapel zu bemächtigen, zu schreiben; ausführlich schildert er, wie Marino Marzano, Herzog von Sessa und Fürst von Rossano, Giacomo da Montagno und Deifobo dell'Anguillara im Mai 1460 bei Teano versuchten, König Ferrante durch ein Attentat zu beseitigen. Piero soll zwei Wochen vor dem Anschlag von diesem Plan erfahren haben.]

Nachdem sie diese 15 Tage abgewartet hatten, ließen der Fürst von Rossano, Jacopo da Gaviano und Deifobo – sie waren Feinde des Königs und Freunde des Herzogs Giovanni – Ferrante ausrichten, daß sie, falls Seine Majestät ihnen Verzeihung gewähre, kommen würden, um ihn darum zu bitten und ihm dann zu Diensten zu sein. Der König, dem es schien, in diesem Fall viel zu gewinnen, sagte, er sei's zufrieden und sie sollten Ort und Stunde des Treffens bestimmen. Er begab sich zum festgelegten Ort; mit ihm war ein Graf, Giovanni Ventimiglia, ein Sizilianer, ein ernsthafter und kluger Mann. Dieser sagte zu Seiner Majestät, er sehe das, was geschehe und daß jene nicht Leute seien, denen man vertrauen könne. Der König aber beschloß, zu dem Treffen zu gehen, nahm aber vier Reiterschwadronen mit sich, dazu den Grafen Giovanni; und er ging in voller Bewaffnung. Am festgelegten Ort angelangt, hieß er den Grafen und die vier Kavallerieabteilungen einen halben Pfeilschuß entfernt warten mit dem Befehl, wenn sie nichts hörten, sich sofort aufzumachen, um ihm zu Hilfe zu kommen. Dann ritt er weg, dorthin, wo jene drei waren. Die warfen sich auf die Knie, um ihm zu bedeuten, daß sie ihm Ehrerbietung erwiesen und Verzeihung von ihm erbäten. Der König reicht ihnen die Hand. In diesem Moment warf sich einer von ihnen, in der Hand ein Messer, auf den König, mit der Absicht, dem Pferd in die Zügel zu fallen und den Herrscher mit dem Messer zu erstechen. Der König, der ein guter Reiter war, gab seinem Pferd die Sporen, als er des Anschlags gewahr wurde: Das Pferd, ein edler Renner, machte einen Satz, so daß er ihren Händen entrann. Dem, der ihm den Stich hatte versetzen wollen, entglitt das Messer.

Wie der Graf Giovanni das sah, stürzte er mit allen Reitern herbei, um dem König zu helfen. Die Verräter flohen und ließen das Messer zurück. Der König ließ es herbeibringen und machte die Probe, ob ein giftiges Mittel daran war, an einem Hund: Der fiel, kaum, daß er am Blut geleckt hatte, tot zu Boden, denn es war vergiftet. [. . .]

DAS LEBEN DES DOMENICO DI LEONARDO
DI BUONINSEGNI

OMENICO DI LEONARDO DI BUONINSEGNI entstammte einer sehr vornehmen Familie; in der lateinischen Literatur verfügte er über gute Kenntisse.
Sein Lehrer war Roberto de' Rossi, und es waren in
jener Gemeinschaft, die bei ihm lernen wollte, viele
wohlbeleumundete Männer – Luca di Maso degli Albizzi, Alessandro degli Alessandri, Bartolo Tedaldi und andere hervorragende Bürger. Roberto de' Rossi schätzte Domenico wegen seiner Rechtschaffenheit und seiner Fähigkeiten sehr, er stellte ihn über alle anderen.
Bei seinem Tod hinterließ er ihm einige Bände Bücher, welche Domenico dann dem Kloster S. Domenico in Fiesole schenkte.

In Florenz bekleidete er alle Würden, die man einem Bürger nur
geben kann, war er doch ein über jeden Zweifel erhabener, gütiger
Mann von bestem Urteilsvermögen, ohne Trug, Doppelzüngigkeit
oder irgendeine Täuschungsabsicht. Er war einer jener Männer, die
Lob verdienen; denn wenn jemand ihn in einem seiner Ämter an-
sprach, so nannte er ihm die Dinge so beim Namen, wie er sie
verstand. Niemals bereicherte er sich in der Stadt, denn er war
nicht der Mann, der sich durch Geschenke oder sonst etwas beeinflussen ließ. Wer im Recht war, dem verhalf er dazu, seine Ansprüche durchzusetzen, ohne jemanden irgendwie zu bevorzugen. Sah
er sich veranlaßt, Steuern aufzuerlegen, dann tat er das auf eine
Weise, daß es niemanden gab, der sich über das, was ihm zu tun
oblag, beklagt hätte.

Domenico hatte das beste Gewissen. Jegliches Laster war ihm
fremd, er war reich an Tugenden [. . .] und war ein Feind der Uneinigkeit und der Umstürze in der Stadt. Nie wollte er sich in
Florenz dazu bereitfinden, jemanden vor die Mauern zu weisen oder
zu verbannen. Kam es zu Veränderungen [im Regiment], blieb er
fest und ließ sich nicht aus der Ruhe bringen. Von allen Regierungen – wie sie sich auch wandelten in der Stadt – wurde er stets
gleichermaßen geschätzt, von der einen wie der anderen; war er
doch ein Mann, der sich von dergleichen nicht mitreißen ließ, und
nie jemandes Partei ergriff. Die Guten liebte er, gegenüber den anderen vermied er jede Leidenschaft, und da diese seine gute und

rühmenswerte Natur jedermann bekannt war, liebten alle ihn gleichermaßen, ja man liebte ihn nicht nur, man hielt ihn in Ehren.

Stets wurde er von Steuerlasten gequält, die er, ganz nach seiner Art, nie von sich abwälzte; doch drückten sie ihn stets über das ihm Angemessene. Nichtsdestoweniger trug er sie, so gut er nur konnte. Er bewahrte sich stets seine gute Stellung und sein hohes Ansehen. [. . .] All seine Zeit verbrachte Domenico auf die beste Weise, war er doch gänzlich den Wissenschaften zugewandt; auf anderes richtete er seine Aufmerksamkeit nicht. Wie gesagt, zählte er mehrere Jahre zu den Zöglingen Roberto de' Rossis, längere Zeit hörte er bei ihm.

Domenico wollte von seinen Einkünften leben. Seine Zeit teilte er zwischen seinen Studien und den Ämtern, die er innehatte. Er erfreute sich sehr an der Geographie der Erde. Unter den ersten, die eigenhändig die ‹Kosmographie› des Ptolemäus abschrieben, war Domenico, und er fertigte die Abbildungen und überhaupt alles mit seiner Hand und überaus sorgfältig; vorher gab es sie nur mit griechisch beschrifteten Abbildungen, wenngleich der Text durch Jacopo Angeli da Scarperia ins Lateinische übersetzt worden war. Die Miniaturen aber waren mit griechischen Bezeichnungen versehen. Da nahm Domenico die Mühe auf sich und ordnete sie auf Latein an, so, wie die ‹Kosmographie› heute vorliegt.

Wie gesagt, hatte Domenico eine große Steuerlast, und seine Einkünfte reichten nicht hin, sie zu bezahlen. So begann er, da er sie aus seinen eigenen Mitteln erstatten wollte, solche Kosmographien zu fertigen, und er schrieb sie mit eigener Hand, machte die Miniaturen und alles weitere. Sie waren von so großartiger Qualität, daß er sie, kaum, daß sie vollendet waren, verkauft hatte.

Auf diese Weise verbrachte er seine Zeit auf löbliche Art und Weise. Seine Bedürfnisse bestritt er aus ehrbarem und gerechtem Verdienst, denn es lag ihm fern, schlechte Verträge einzugehen. Lieber wollte er jenen Weg zum Heil seiner Seele gehen, als einen Pfad einschlagen, der weder gerecht noch ehrenhaft war. So gewann er aus jenen Kosmographien so viel, daß er damit all das, was er brauchte, bestreiten konnte und, entsprechend seinem Vermögen, maßvoll leben konnte.

Domenico ernährte eine sehr ansehnliche Familie, vorwiegend ganz belesene Leute und Männer von größter Gewissenhaftigkeit, denen – wie dem Vater – jedes Laster fremd war. Alle folgten sie des Vaters Spuren und fanden sich in der Stadt in besten Umständen.

In seinem Haus lebte man mit großer Achtung vor den guten Sitten, enthielt sich jedes Lasters, auch des Spiels. Domenico empfand gegenüber Spielen den größten Abscheu. In seinem Haus hatte

er indes eine gute Anzahl von Büchern in Latein und in der Volkssprache, geschrieben von seiner Hand oder von seinen Söhnen, die
alle vorzügliche Schreiber waren. Domenico erzog sie dazu, ihre
Zeit auf löbliche Weise, entweder mit Lesen oder mit Schreiben,
zu verbringen. Er selbst verfaßte eine Chronik in *volgare*, damit sie
allen, die sie lesen wollten, verständlich sei. Sie setzt ein mit dem
Ursprung der Stadt und reicht bis in seine Zeit; sie ist sehr genau,
mit größter Sorgfalt abgefaßt und hell erleuchtet sie seine Stadt.
Nachdem Messer Leonardo seine Chronik auf Latein geschrieben
hatte, schien es Domenico, diese genüge den Gelehrten, und deshalb schrieb er die seine in der Volkssprache. Die Gegenwärtigen
und jene, die über die Zeiten noch kommen werden, sind ihm sehr
verpflichtet . . .
    Das sind die Bürger, die es verdienen, geliebt zu werden in den
Städten – voll unendlicher Tugend, von bestem Urteil und fern
jeder Leidenschaft; und ein sehr gutes Beispiel für all jene, die sie
nachzuahmen begehren. Neben seinen anderen Tugenden war
Domenico, wie gesagt, ein sehr gläubiger, guter Christ, der den
Vorschriften seiner Religion aufs genaueste nachkam. Dem Orden
des hl. Dominikus fühlte er sich sehr verbunden, und da er in der
Nähe von S. Domenico seine Behausung hatte, ging er oft, jene
Brüder zu besuchen und unterstützte sie in ihren Bedürfnissen. Als
er, wie gesagt, einige Bücher fertiggestellt hatte, schenkte er sie
jenem Konvent, und sie sind noch heute in dessen Bibliothek.
    Viele des Gedächtnisses würdige Dinge ließen sich von einem,
dem Domenicos Vita zu schreiben obläge, sagen. Mir, der ich das
als kurzen Kommentar abgefaßt habe, schien es nicht recht, die
Erinnerung an einen so bedeutenden Mann, wie es Domenico di
Leonardo war, nicht zu bewahren: Dies hier möge genügen für den,
der in Kürze von Domenicos Art und seinen Vorzügen Kunde haben
möchte. Er bot einen überaus schönen Anblick, war eine schöne
Erscheinung, ganz voller Würde war er anzusehen. Er hatte eine
mehr als mittlere Statur, mit hoher Gemessenheit pflegte er zu
schreiten. Wer seiner ansichtig wurde, urteilte, wie er sei: überaus
freundlich zu jedermann und sehr geduldig denen gegenüber, die zu
ihm sprachen. Er machte wenig Worte, war nachdenklich, mehr
noch, seine Natur war eher zur Melancholie als zum Sanguinischen
geneigt.
    Sein Ende war so, wie sein Leben gewesen war. Auf heiligste
Weise lebte er und er starb auf heiligmäßigste Art im Alter von
80 und mehr Jahren, bei bester körperlicher Gesundheit, die ihm
wegen seiner unerhörten Enthaltsamkeit – die sich zu einer guten
Konstitution gesellte – eignete.

DAS LEBEN DES BENEDETTO STROZZI

ENEDETTO DI PIERACCIONE STROZZI, aus vornehmstem Hause gebürtig, war, wegen seiner rühmenswerten Eigenschaften, ein sehr bedeutender Mann. Er verfügte über eine vorzügliche Kenntnis in der lateinischen Literatur, und er hatte darüber ein gutes Urteil, so daß Messer Leonardo d'Arezzo alle Werke, die er verfaßte oder übersetzte, Benedetto gab, um sein Urteil darüber zu erfahren.

Auch hatte er beste Kenntnis in der Arithmetik, der Musik und der Geometrie, Wissenschaften, die große Schwierigkeiten in sich bergen. Er war ein Schüler des Giovanni dell' Abaco, der ein Geometer und Arithmetiker höchsten Ranges war – seine Zeiten hatten keinen, der ihm gleichgekommen wäre, und auch später war in diesem Fach niemand das, was dieser gewesen war.

Benedetto beschäftigte sich, wie es viele zu jener Zeit taten, mit ernsthaften Dingen, um seine Zeit auf gute Weise zu verbringen. Er hatte größte Geschicklichkeit in der Musik; da gab es kein Instrument, das er nicht zu spielen gewußt hätte, und all jene Musiker kamen zu ihm – so lernte Meister Antonio, der sich so gut darauf verstand, die Orgel zu spielen, von Benedetto noch mancherlei; zwei Jahre lang ging er zu ihm, um das Orgelspiel zu lernen, denn jener war darin ein einzigartiger Meister, und er übertraf darin alle anderen. Intensiven Umgang hatte er mit Ser Piero degli Organi, der ein höchst bedeutender Lautenist war, in seinem Harfenspiel und überhaupt mit jedem Instrument alle Zeitgenossen übertraf, weil er sich sehr am Musizieren erfreute. Er teilte seine Zeit gut ein, sei es mit Lesen oder Schreiben, und wenn ihm dies verdrießlich wurde, spielte er auf jenen Instrumenten.

Er war ein sehr guter Christ, von reinem Gewissen; er begehrte von seinen Einkünften zu leben, anderes tat er nicht. Sie waren so, daß sie zum Lebensunterhalt genügt hätten, doch wurde er von den Steuern so gedrückt, daß sie nicht ausreichten. Eine große Zahl sowohl religiöser als auch weltlicher Schriften hat er mit eigener Hand geschrieben, um seine Zeit gut einzuteilen. Wenige Werke in lateinischer Sprache gab es, die Benedetto nicht besessen hätte, und viele der heiligen Schriftsteller waren unter [den Autoren] seiner Bücher. Alle Werke des Tullius, alle Historien – [von den Zeitgenossen] verfaßte wie übersetzte – alle Werke über die Redekunst, wie Quintilian und ähnliche Autoren, alle Werke des Messer Leonardo d'Arezzo und jene des Frate Ambrogio, des Messer Leonardo Giustiniani, des Messer Francesco Barbaro – von allen bedeutenden Werken, von denen er wußte, besorgte er sich eine Kopie und schrieb sie sich ab. Er hatte Bücher über Arithmetik, über Musik und Geometrie, geschrieben von seiner eigenen Hand. Neben seinen anderen Fertigkeiten war er äußerst emsig in seinem Schreiben. Von allen Werken, die er kopierte, begehrte er die besten Exemplare, die sich finden ließen. So genau war er dabei, daß, wer in Florenz einen korrigierten Text abschreiben lassen wollte, wegen der Kopie zu Benedetto ging. Immer, wenn Messer Leonardo ein Werk verfaßt hatte, wollte er, daß Benedetto, wegen seiner Sorgfalt, als erster die Abschrift bekäme. Nachdem er nun, wie gesagt, von Steuern sehr bedrängt wurde und seine Einkünfte nicht hinreichten, sich von dieser Arbeit zu erhalten, schrieb er einige Male um Geld für einen seiner Freunde, um niemandem zur Last zu fallen und das Seinige zu haben.

Alle Gelehrten des Zeitalters waren mit Benedetto aufs beste befreundet – Messer Leonardo, Frate Ambrogio, Niccolò Niccoli. Und auch Messer Giannozzo war ihm ein sehr guter Freund, als er einer der *ufficiali* des Leihhauses oder der *vendite* war; da Messer Benedetto von der Kommune sehr bedrängt wurde, half Messer Giannozzo ihm und verteidigte ihn.

Seine ganze Lebensführung war überaus würdig und des Rühmens wert. Aufs ehrbarste lebte man in seinem Haus, und er erzog seine Familie sehr gut, fern war man jeglichem Laster und voller Gottesfurcht. Noch heute lebt Messer Piero, der sein Sohn ist, die Zierde der Priester seines Zeitalters. Immer hat er auf die frömmste Weise gelebt und in größter Gottesfurcht, dabei pflegte er ein sehr enthaltsames Leben. Er trat, wollte er doch von seiner Arbeit leben, in die väterlichen Fußstapfen. Nachdem er die Pfarrei Ripoli von Papst Nikolaus erhalten hatte, begehrte er keine weitere Pfründe mehr.

Er war der beste Schreiber, den jene Epoche besaß, zugleich der sorgfältigste; was ihm an Einkünften über das, was ihm die Pfarrei eintrug, mangelte, verdiente er sich durch das Schreiben um Geld. So wollte er sein Gewissen rein halten und begehrte von niemandem etwas. Und deshalb machen gute Väter auch gute Söhne, wenn sie sich mühen, wie es Benedetto tat.

Das Jahrhundert Benedettos war ein bedeutendes Säkulum gelehrter Männer. Sie disputierten miteinander und waren von der ganzen Stadt wegen ihrer Tugenden sehr geschätzt. Benedetto hatte drei hervorragende Männer in seinem Haus, Messer Palla, Messer Marcello und Messer Matteo Strozzi; alle waren sie gelehrt und standen in hohem Ansehen. Benedetto, Matteo Strozzi, Alessandro Arrighi und Antonio Barbadoro, alles gelehrte Männer, pflegten Konversation mit Messer Giannozzo; sie wollten, da Messer Giannozzo in Philosophie hochgelehrt war, daß er ihnen die ‹Ethik› des Aristoteles las, und das tat er auch.

Zu jener Zeit wurden die Wissenschaften aufs höchste geehrt. Der eine eiferte dem anderen nach, jedermann befleißigte sich zu lernen, wegen der großen Reputation, die das einbrachte. Und wie heutzutage jeder tut, was er kann, um reich zu werden – gemäß einem heute verbreiteten Schandwort: «Wer kein Geld hat, gilt nichts» – war es in jener Zeit so, daß jemand, der die Wissenschaften nicht kannte, nicht als Mensch angesehen wurde. Er wurde nicht unter die Männer von Würde gezählt, und der Unterschied zwischen einem, der in den Wissenschaften nicht bewandert war und einem, der es gewesen ist, war derselbe wie zwischen einem gemalten Mann und einem wirklichen. Der ist ein wahrer Mann, der gelehrt ist – und jener, der unwissend ist und ohne Bildung, ist es nicht. Wer um den Unterschied zwischen dem einen und dem anderen weiß, möge selbst urteilen!

Man hätte noch viel der Erinnerung Würdiges über Benedetto sagen können, was ich hier ausgelassen habe, um nicht sehr weitschweifig zu werden. Doch genüge dies, damit die Erinnerung an einen so bedeutenden Mann nicht schwinde.

DAS LEBEN DER ALESSANDRA DE' BARDI, VERFASST VON VESPASIANO UND GIOVANNI DE' BARDI ÜBERSANDT

LESSANDRA DI BARDO di Messer Alessandro de' Bardi entstammte einer der vornehmsten Familien, welche die Stadt Florenz besaß: vor allem, weil viele sehr bedeutende Männer – und nicht weniger Frauen – zu ihr zählten. Bardo, ihr Vater, war in seiner Vaterstadt sehr beliebt, und er wurde dort mit jenen Ehren bedacht, wie sie die Staaten ihren Bürgern zuerkennen.

Alessandras Mutter war eine Rinuccini, kam also aus einem angesehenen Haus mit löblicher Verwandtschaft. Zu ihrer Zeit genoß sie hohes Ansehen wegen ihrer vielen löblichen Tugenden, vor allem aber, weil sie eine so ansehnliche Familie aufgezogen hatte, wie sich an Alessandra erweist. Mit ihrer Erziehung und der Erziehung der anderen Kinder folgte sie dem Brauch vergangener Zeiten, jener Epochen, welche überall einzigartige Frauen sahen.

Alessandra war von Geburt an von der Natur aufs wundervollste begabt. Sie war von schönster und anmutigster Gestalt, wie nur irgend jemand in Florenz. So groß war sie, daß sie selten Pantoffeln mit hoher Sohle trug, überragte sie doch an Größe und überhaupt alle anderen Florentinerinnen. Von ihrer Geburt an kümmerte sich die Mutter mit aller Sorgfalt um ihre Erziehung. Und als Alessandra in ein verständiges Alter kam, wollte die Mutter die hl. Paula, eine sehr vornehme Römerin aus dem Haus des Scipio Africanus, nachahmen – jene Frau, die eine so bedeutende Familie erzogen, dann ein so erhabenes Ende genommen hatte, der ganzen Welt zum Exempel. In allen christlichen Sitten, in allem, was einem keuschen Mädchen geziemt, unterwies sie die Tochter, und sie brachte ihr Psalmen bei und Gebete, vor allem aber hielt sie Alessandra dazu an, Gott zu lieben und ihn zu fürchten: Das ist das erste, und sie hielt dafür, daß ohne dieses Fundament überhaupt nichts getan werden könne.

So brachte die Mutter sie zu einer höchst sittlichen Lebensführung. Nie gestattete sie, daß Alessandra Zeit vergeudete, unbeschäftigt gewesen wäre, denn sie wußte wohl, daß es für Frauen wie für Männer keine schlimmere Pestilenz gibt als das. Unter anderen guten Gewohnheiten erzog sie sie dazu, nie mit den Mägden des Hauses zu reden, es sei denn, in Anwesenheit der Mutter. Und dies ist ein vorzüglicher Unterricht; sie sollte sich keine Dienstbotengesinnung und auch nicht deren Gewohnheiten aneignen. Darauf sollten die Frauen unserer Zeit Sorgfalt verwenden, denn aus solchem Verhalten ist viel Ungemach entstanden.

Die Mutter unterwies Alessandra in allem, was einer Frau, die sich um ihre Familie kümmern muß, zu wissen wohl ansteht, insbesondere in Arbeiten aller Art, mit Seide und anderem, wie es sich für Frauen gehört. Dabei hatte sie unzählige Vorbilder zur Nachahmung vor Augen; so folgte sie dem Beispiel des Kaisers Augustus, der seine Töchter alle Handarbeiten erlernen ließ, bis hin zur Weberei. Gefragt, warum er dies veranlasse, antwortete er: «Heute bin ich Kaiser; sterbe ich morgen, weiß ich nicht, wo es meinen Töchtern bestimmt ist, zu enden. Ich will, daß sie das, was nötig ist, lernen, damit sie davon leben können – zur Verwirrung vieler in unserer Zeit, die ihre Kinder aufziehen, als ob ihnen die Dinge der Welt niemals würden fehlen können. In lauter Pracht ziehen sie sie groß, ohne jede Tugendhaftigkeit, und so geschieht ihnen, was sie nicht für möglich gehalten hätten.»

Bei ihrem Erziehungswerk ahmte die Mutter Alessandras auch den allerchristlichen Karl den Großen nach, der es auf dieselbe Weise hielt wie Oktavian. Sie schämte sich nicht, sie keineswegs mit Hilfe vieler Zofen großzuziehen, wie es heutzutage Gewohnheit ist; sie führen sich so auf, daß sie zahlreiche Dienerschaft wollen, in der Kammer, im Saal. So bringen sie ihre Männer an den Bettelstab, will doch einer dem anderen nicht nachstehen; unzählige sehr nachteilige Verträge schließen diese ab, um so große Ausgaben bestreiten zu können.

[Sie habe Alessandra so erzogen, daß ihr Hausstand später nicht in die Hände der Dienerschaft falle, wie es in einigen Häusern geschehe, wo die Hausfrau des Morgens als letzte aufstehe. Bisticci nennt vorbildliche Haushalte, darunter jenen der Gattin des Giannozzo Pandolfini.]

Als sie das Haus regierte, [. . .] wurde es zu einem Gott geweihten Tempel des Fastens, der Gebete; auf Anordnung dieser Frau wurden jedermann, der zu jenem Haus kam, Almosen gegeben, ganz zu schweigen von den heimlichen Gaben, die sie verabreichte. Auf lobenswerte Weise verbrachte sie ihre Zeit, neben der emsigen Fürsorge, die sie ihrem Hauswesen angedeihen ließ. Kranke und Arme suchte sie auf und ließ ihnen in ihren Bedürfnissen Hilfe zukommen. Schließlich ging niemals jemand in dieses Haus, dem in seinen Bedürfnissen nicht geholfen worden wäre. Auch werde ich folgendes sagen, um ein Beispiel für die Frauen nicht zu übergehen: daß sie nämlich von ihr lernen, wenig zu reden. Alles, was sie sagte, war voller Ernst und Ehrbarkeit. Ihr Ende war so, wie ihr Leben gewesen war. Wegen ihrer Verdienste befreite Gott ihr Haus von einigen Widrigkeiten; zu ihren Lebzeiten stand es wohl in Blüte.

[Bisticci stellt nun die nicht minder tugendhafte Madonna Cecca – Ehefrau des Donato di Niccolò Acciaiuoli – vor, als Beispiel einer tüchtigen Witwe, die trotz widriger Umstände das ererbte Vermögen und dann auch das des Sohnes zusammenzuhalten versteht; als ihr antikes Vorbild macht er die Römerin Gaia Cirilla, Frau des Tarquinius Priscus, namhaft. Er wendet sich dann wieder Alessandra de' Bardi zu.]

Nichts gab es, was Alessandra nicht hätte lernen wollen: Zu verabscheuen sind demgegenüber viele Mädchen unserer Zeit, die sich schämen, anderes zu tun, als ihre Person zu schmücken, in der Meinung, darin bestehe ihr Ruhm. Alessandras Mutter hielt sich an den Brauch der Alten und der Modernen, damit es der Tochter an nichts fehle, was sich für ein höchst züchtiges Mädchen schickt. Sie lehrte Alessandra lesen; zum ersten, was sie ihr beibrachte, zählte, die Gebete zur Madonna zu sprechen und diese jeden Tag zu verrichten, Gott dem Allmächtigen und der glorreichen Jungfrau Maria sieben Mal, zu den sieben Stunden, zu danken. Sehr selten nur sah man Alessandra an der Tür oder am Fenster, denn sie erfreute sich daran nicht und verbrachte ihre Zeit mit lobenswertem Tun. An den meisten Tagen führte ihre Mutter sie des Morgens, zu sehr früher Stunde, zur Messe; stets gingen sie mit bedecktem Haupt, kaum waren ihre Antlitze zu sehen.

An den Festtagen – damit begann die Mutter, als ihre Tochter noch sehr klein war – führte sie Alessandra zu gewissen Klöstern mit heiligsten Frauen, um ihr gute Beispiele vor Augen zu führen [. . .], und sie machte es nicht so, wie es heutzutage die meisten halten, da Mütter nämlich ihre Töchter – anstatt sie zum Besuch heiliger Frauen zu führen – zu Hochzeitsfesten, zum Tanz und zu Eitelkeiten bringen. Und sie geben sich größte Mühe, Lehrer ins Haus zu holen, die sie im Tanz unterweisen und wie man sich im Takt bewegt – und denken, daß für ehrbare Frauen sich nichts anderes zieme, als die Füße entsprechend Tönen zu setzen! Es geht ihnen nicht um ihren guten Ruf, die sie gedankenlos sind in dieser Eitelkeit, und sie denken nicht an das, was zum ehrbaren und bescheidenen Leben gehört; ihre Art und ihre Sitten sind so, daß ich mich schämte, dergleichen niederzuschreiben.

[Alessandra de' Bardi erreicht das vierzehnte Lebensjahr; man beginnt an ihre Verheiratung zu denken. Die Wahl fällt auf Lorenzo

Strozzi, den ältesten Sohn Palla Strozzis.] Der Älteste der Söhne, die Messer Palla hatte, hieß Lorenzo; er war ein sehr achtbarer junger Mann. Palla wollte ihm eine Frau geben, da die Zeit gekommen war, eine solche zu nehmen. Mit Freunden und Verwandten prüfte er, gemäß dem Herkommen, welche unter den Frauen der Stadt genommen werden sollte. Zu jener Zeit, man schrieb das Jahr 1428, blühte die Stadt in jeder Hinsicht, war sie doch für lange Zeit von jeder tiefgreifenden Neuerung verschont geblieben. Die Bürger wetteiferten nach Kräften, einander in den Tugenden zu übertreffen, wurden diese doch hoch belohnt und sehr geschätzt.

Da nun Alessandra das Alter erreicht hatte, zum heiligsten Sakrament der Ehe zu schreiten, stimmten alle Verwandten und Freunde Messer Pallas darin überein, sie als die achtbarste Frau von Florenz, ja als die würdigste überhaupt, für Lorenzo zu nehmen. Da es Messer Palla zustand, auszuwählen, welche aus der Stadt er wollte, ließ er durch die Verwandtschaft dem Vater der Alessandra, Bardo, seinen Entschluß mitteilen. Da nun beide Seiten übereinstimmten, kam man unter großer Freude der einen wie der anderen Partei sofort zum Abschluß des Ehevertrages, und von der ganzen Stadt wurde dies gelobt und gerühmt. Nachdem so die Ehevereinbarung getroffen war, ging Lorenzo, das Mädchen zu sehen; dabei verhielten sie sich höchst keusch und ehrbar, wie es üblich war zu jener Zeit – und nicht so, wie die meisten es heute gewohnt sind. [. . .]

[Bisticci kommt nun auf den Aufenthalt des späteren Kaisers Sigismund in Siena zu sprechen und auf eine Gesandtschaft, die der Kaiser nach Florenz schickt, das «damals Tugenden und Reichtümer im Überfluß in seinen Mauern hatte, dessen Ruhm über alle Welt verbreitet war». Man veranstaltet zu Ehren der Gesandtschaft einen Ball auf der *Piazza dei Signori*.]

Dort errichteten sie eine Bühne, die von dem Löwen der Piazza bis zum Handelsgericht reichte, und darauf brachte man eine Loge an, einige Stufen stieg man hinauf, und Sitzplätze gab es von der Ecke des Handelsgerichts bis zur Einmündung der Straße zum Garbo, und alles war mit Teppichwerk, kostbaren Draperien und Tapisserien behangen und von üppigen Girlanden umwunden. Man ordnete an, daß sich die vornehmsten jungen Leute der Stadt aufs beste kleiden sollten. Man fertigte prächtigste Livreen aus grünem Tuch, die bis zu den Strümpfen mit Perlen übersät waren. Alle jungen Florentinerinnen – und es gab ihrer eine große Zahl – wurden eingeladen; reich, wunderschön an Körper und mehr noch an Geist, aufs herrlichste geschmückt mit zahllosen Perlen und Edelsteinen – es war zum Staunen, sie zu sehen. Ihre Kleider waren nicht ausgeschnitten, wie das heute der Fall zu sein pflegt, sondern hochgeschlossen, überaus anmutig und zierlich. Unter ihnen war auch Alessandra, als die Schönste und Anmutigste überhaupt.

So erschien jenen Botschaftern die Stadt Florenz eine andere Welt zu sein, angesichts der großen Zahl vornehmer und bedeutender Männer, die es zu jener Zeit dort gab – und nicht weniger der an Körper und ebenso an Verstand überaus schönen Frauen. Denn, mit Verlaub aller Orte Italiens gesagt, Florenz hatte damals die schönsten und züchtigsten Frauen, die es im Lande gab, und ihr Ruhm war verbreitet in aller Welt. Man denke, in welchen Umständen sie jetzt sind!

Als die schönste und geschickteste wurde sie dem ersten der Gesandten an die Seite gegeben. Die andere, die sie begleitete, war Francesca, die Tochter von Antonio di Silvestro Serristori. Und dann waren noch andere dabei. Alessandra hatte in jenem Jahr das Eheversprechen bereits abgelegt, war aber noch nicht zum Traualtar geschritten. Wie nun Alessandra und die anderen so überaus züchtigen Mädchen tanzten, jene Botschafter zum Tanz aufforderten, da staunte jedermann über ihre Geschicklichkeit und auf welche Weise sie es verstand, alles richtig zu machen. Nachdem man lange getanzt hatte, wurde ein vortreffliches Mahl gereicht, obgleich es nicht üblich war, bei dergleichen Festlichkeiten Essen aufzutragen. Wegen ihrer Fertigkeit wurde Alessandra mit der Aufgabe betraut, eine mit Zuckerwerk gefüllte Konfektschale zu nehmen und sie zu den Botschaftern zu bringen, ein Tüchlein von feinem Leinen über der Schulter. Sie nahm die Schale und reichte sie den Gesandten mit unendlicher Artigkeit, stets ihnen Ehrerbietung erweisend, indem sie sich tief verneigte. So natürlich und ungezwungen vollführte sie diese Verbeugungen, daß es den Anschein hatte, als habe sie nie etwas anderes getan. Ihre Art und ihre Sitten fanden bei den Botschaftern und allen Umstehenden Bewunderung. Und nachdem das Konfekt gereicht worden war, nahm sie die Weinbecher und bot sie in gleicher Weise dar; alles vollführte sie so, daß sie sehr geübt darin schien, keineswegs hatte es den Anschein, als sei sie von einer unerfahrenen Frau erzogen worden – vielmehr war zu bemerken, daß sie die Erziehung einer äußerst umsichtigen Mutter genossen hatte, die sie bis in jede kleine Einzelheit unterwiesen hatte.

Nachdem dann das Mahl beendet war und man noch etwas getanzt hatte – zu später Stunde – erhoben sich die Botschafter. Zahlreiche Bürger begleiteten sie, an ihrer Seite war die Jugend, die am Fest teilgenommen hatte, dazu nahmen sie Alessandra mit den schönsten und vornehmsten Mädchen, die da waren, in ihre Mitte. Alessandra hatte ihre Hand auf den rechten Arm eines Gesandten gelegt, während eine andere ihn am linken nahm. So geleiteten sie die Gesandten zu ihrer Herberge. Dort angekommen, streifte der Erste Gesandte einen wunderschönen Ring vom Finger und schenkte ihn Alessandra; dann zog er einen weiteren ab, um ihn ihrer Begleiterin zu geben. [. . .]

[Den Gesandten sei die Zeit lang geworden, so begierig seien sie gewesen, dem Kaiser von den Ehrungen zu erzählen, die ihnen in Florenz entgegengebracht wurden. Sie berichten dann natürlich insbesondere von Alessandra de' Bardis Schicklichkeit und Schönheit; dem Kaiser selbst indes bleibt die Stadt verschlossen, so daß er mit wenig freundlichen Gefühlen für Florenz aus Siena scheidet.]

Alessandra blieb, bevor sie zur Hochzeit schritt, als Verlobte im Haus ihres Vaters, von 1428 bis 1432. Damals grassierte die Pest in Florenz. Wie es höchst züchtigen Mädchen wohl ansteht, hatte sie den festen Vorsatz gefaßt, niemals einen anderen Mann zu lieben als ihren Ehegatten, mit ihm zu leben und zu sterben in allen Wechselfällen, die ihnen begegnen mochten. Sollte er sterben, dann wollte sie keinen anderen als ihren Gemahl ansehen, was sie später mit keuschestem Sinn noch unter Beweis stellte. Hierin ahmte sie die unüberwindlichste Porzia, Tochter des Cato Uticensis und Frau des Marcus Brutus, des Bewahrers der römischen Republik, nach. Alessandra war überaus standhaft – ähnlich wie Porzia –, wie sich in ihren widrigen Schicksalen erweisen wird. Sie war so klug, daß sie das weibliche Geschlecht überwand.

Nun kam das Jahr 1432, in dem Alessandra zur Heirat schritt, wie es Brauch ist in ehrenvollster Begleitung. Im Haus des Vaters feierte man ein großes Fest, entsprechend der Sitte jener Zeit; desgleichen unter dem Dach des Ehemannes. Auch wurde ein öffentliches Hochzeitsfest gefeiert, wobei man mehrere Gastmähler veranstaltete: Und dazu wurden die vornehmsten Bürger der Stadt geladen, alles aber verlief mit größter Bescheidenheit. Nicht zu oft ging das Mädchen außer Hauses, auch, nachdem es geheiratet hatte. Und wenn sie einmal ging, tat sie dies stets mit alten Frauen ihres Hauses – nicht, wie man es heute tut, wo man keine Scheu davor hat, die Jungen in Begleitung von Dienern gehen zu lassen. Das wäre damals als eine höchst unehrbare Sache angesehen worden, und keine rechtschaffene Frau wäre ohne Begleitung ausgegangen, und wenn, dann mit der Schwiegermutter, mit alten Frauen des Hauses oder mit ihrer Mutter.

[Bisticci gibt ein Beispiel für die Tugend und Standhaftigkeit Alessandras: Ein junger Mann verliebt sich in sie und unternimmt alles, um ihre Aufmerksamkeit auf sich zu lenken – sie aber bleibt fest, «als wäre sie aus Diamant».] Jedes Zeichen gab sie, alles, was ihr in den Sinn kam und was sie konnte, unternahm sie, um ihn von dieser seiner Einbildung zu befreien; und je mehr sie ihm vorstellte, um so mehr entzündete er sich in seiner zügellosen Verrücktheit. Ihr Mann, der alles sah und um die Standhaftigkeit seiner Frau wußte, lachte bei sich angesichts der Festigkeit dieser so tapferen Frau.

[Der junge Mann lauert ihr schließlich beim Kloster von S. Giorgio auf, zu dem sie sich in Begleitung zweier alter Frauen begeben hat.] Dort wartete der Jüngling; als sie vorüberkam, kniete er vor ihr nieder, mit einem blanken Messer in der Hand, wollte es ihr darbieten, als sie vorüberging. Sie aber wandte sich ab und übersah es, worauf er zu ihr sagte: «Da du mich nun nicht sehen willst, nimm dieses Messer und töte mich!» Da tat die hochherzige junge Frau, als habe er nicht zu ihr gesprochen, und wandte sich mit unbezwinglichem Herzen voller Verachtung ob seiner Einbildungen ab. Sie antwortete ihm nicht und ging ihres Wegs. Dabei wollte Alessandra nicht nur ihr Geschlecht und die Frauen ihrer Zeit übertreffen, sondern auch ihre Nachgeborenen, die sich rühmen, wenn sie für schön gehalten und von den närrischen Liebhabern des Irdischen betrachtet werden; und sie wollte von der Standhaftigkeit der alten Römerinnen nicht abstehen. Der junge Mann ging, angesichts solcher Festigkeit, nach kurzer Zeit fort.

[Bisticci geht auf die schwierige Lage ein, in der sich Alessandra de' Bardi nach dem Scheitern der Albizzi-Verschwörung befindet. Außer ihrem Schwiegervater Palla Strozzi wird auch ihr Vater in die Verbannung geschickt – sie empfiehlt Gott ihre Seele, legt schwarze Gewänder an und betet unter Tränen; die Ausgestoßenen werden behandelt, als ob sie «Juden oder Exkommunizierte» wären, ja «noch schlimmer». Ausführlich beschreibt Bisticci, wie Alessandra ihrem Ehemann in dieser schwierigen Situation zur Seite steht. Lorenzo wird schließlich ebenfalls verbannt, er geht nach Gubbio. Nach dem Tod ihrer Eltern in der Verbannung folgt ein weiterer Schicksalsschlag.]

Nachdem sie einige Zeit in Florenz zugebracht hatte, reiste Alessandra nach Gubbio, wo Lorenzo war. Diesem war von einem vornehmen Bürger der Stadt dessen Sohn in Obhut gegeben worden, auf daß er sein Vermögen bewahre, der junge Mann es nicht verschwende, wie es die meisten tun. Nun gab sich dieser gottlose Jüngling nicht damit zufrieden, sein Geld mit Maß auszugeben, vielmehr wollte er es fortwerfen. Als Lorenzo sich ihm nach Möglichkeit entgegenstellte, mit Wort und Tat ihn zu hindern suchte, sein Vermögen zu verschwenden, war's der ruchlose Bursche übel zufrieden, wollte Lorenzos Widerspruch nicht dulden und faßte, da er seinen Willen nicht bekam, angestiftet vom Teufel, den Plan,

Lorenzo zu töten. Der – handelte er doch nur zu dessen Bestem – glaubte nicht, daß jener planen könne, eine so abscheuliche Übeltat zu begehen. Der aber setzte sein Vorhaben ins Werk, als sei er blind geworden gegenüber dem Licht der Vernunft, und, da Lorenzo sich nicht vorsah, brachte er ihn in der Stadt Gubbio um.

[Ausführlich schreibt Bisticci nun vom Leiden und von den Klagen Alessandras, bis sie sich mit ihrem Schicksal abfindet, bei Gott um die Rettung der Seele ihres ermordeten Mannes bittend. Sie habe sich dann, gemäß den Vorschriften des hl. Paulus, in ein musterhaftes Witwendasein gefügt.]

Hochgeschlossen trug sie ihr Kleid, wie es einer Witwe wohl ansteht, die Kapuze ohne Bordüren, über der Stirn eine Binde, und der Umhang fiel ihr dergestalt übers Gesicht, daß man ihr Antlitz nicht sehen konnte. Die Witwen unserer Tage sollten von Alessandra lernen, sich nicht schämen, eine so würdevolle Frau wie sie nachzuahmen, ein Beispiel für Schamhaftigkeit und Standhaftigkeit in ihrer Lebensführung. Um das Essen kümmerte sie sich nicht, noch sorgte sie sich, wie es zuzubereiten sei. Sie hielt sich an das am Tag, an dem sie die Ehe einging, abgelegte Versprechen, niemals einen anderen als ihren Mann erkennen zu wollen, außer eben Lorenzo. Und sie verharrte beim Fasten und anderen löblichen Sitten. Wie es die Notwendigkeit erforderte, begab sie sich in verschiedene Orte der Toskana. Im Witwenstand lebte sie vierzehn Jahre lang, obgleich sie schon zuvor, wie gesagt, die meiste Zeit ohne Lorenzo gelebt hatte.

[Bisticci stellt nun Alessandras vorbildlicher Lebensführung als Witwe ausführlich das Beispiel einer anderen Witwe, der Monna Caterina degli Alberti an die Seite.]

Lorenzo war, wie gesagt, 1451 zu Gubbio gestorben. Zu dieser Zeit lebte Alessandra zeitweilig in Florenz und zu Zeiten in Bologna. Dann begab sie sich nach Ferrara, wo Giovanni Francesco mit seinen Kindern lebte; zuletzt wohnte sie an einem Ort, der Badia Polesine genannt wird. Nachdem sie so wegen verschiedener Wechselfälle des Schicksals hierhin und dorthin gegangen war, blieb sie – inzwischen hatte sie fünfzig oder mehr Lebensjahre hinter sich gelassen – dort mit ihren Kindern und kümmerte sich um sie. Insbesondere widmete sie sich einer überaus wohlgeratenen Tochter, die heute in Ferrara lebt, mit einem vornehmen Ritter namens Messer Teofilo, einem rechtschaffenen Edelmann von bestem Geblüt.

Als sie schon im 54. Lebensjahr stand, erkrankte Alessandra an Fieber; es gefiel Gott dem Allmächtigen, sie nach so viel Kummer und großen Mühen zu erquicken und aus diesem Tal des Elends zu holen.

[Der Bericht handelt nun von Alessandras letzter Lebenszeit, wie sie beichtet, betet, die Sterbesakramente nimmt. Bisticci rühmt sie als «Märtyrerin in diesem Leben, aus Liebe zu Gott».]

Mit den Worten «*In manus tuas, Domine, commendo spiritum meum*» [In Deine Hände, o Herr, lege ich meinen Geist] schied sie aus diesem Leben und gab ihren Geist Gott, der sie geschaffen hatte, zurück. Man erwies ihr beim Begräbnis jene Ehren, die sie vor allem wegen ihrer Tugenden verdiente, dann, weil sie von vornehmster Abstammung und Frau von Lorenzo, dem Sohn Messer Pallas aus dem erhabenen Haus der Strozzi, gewesen war. [. . .]

Das Leben dieser keuschesten und rechtschaffensten Frau muß allen Frauen unserer Stadt ein Beispiel sein. Die Mütter, die Töchter haben und sie entsprechend den Geboten Gottes und gemäß den Regeln ehrbaren und sittlichen Lebens erziehen wollen, sollen diese Vita stets vor Augen haben, ihr nachleben und Alessandra im Tun guter Werke nachfolgen, so, wie sie solche getan hat bis an ihr Ende. Und sie sollen lernen, ihre Töchter weder die ‹Hundert Novellen› noch die anderen Bücher des Boccaccio oder die Sonette Petrarcas lesen zu lassen: Denn so gesittet diese auch sein mögen, ist es doch nicht gut, wenn der reine Geist der Mädchen etwas anderes als Gott zu lieben lernt und die eigenen Ehemänner. Vielmehr sollen sie sie heilige Schriften lesen lassen, Lebensbeschreibungen der Heiligen oder Geschichten und dergleichen, damit sie lernen, ihr Leben und ihre Sitten ins rechte Maß zu bringen und sich mit ernsthaften Dingen zu beschäftigen und nicht mit leichtfertigen. Da die Mädchen nun einmal von Natur aus zur Leichtfertigkeit neigen, mögen die Mütter wissen, daß jene Mitgift, die sie ihnen an Tugenden geben, viel wertvoller sein wird als eine Mitgift an Geld. Geld kann man verlieren: Jene aber werden ihnen als ein fester Besitz bis an ihr Ende niemals genommen werden.

ANHANG

NOTIZ DES HERAUSGEBERS

Die Übersetzung wendet sich in erster Linie an Leser, die das Italienische nicht so gut beherrschen, um sich Bisticcis ‹Vite› in der Originalsprache aneignen zu können, auch an solche, die sich einen raschen Überblick über diese Hauptquelle zur italienischen Frührenaissance verschaffen möchten. Lesbarkeit und Verständlichkeit waren wichtige Kriterien der Übersetzung, in Zweifelsfällen wurden Kompromisse zugunsten dieser Erfordernisse geschlossen. Auf weitgehende Interpretationen einiger Textstellen, die dunkel sind und die der Übersetzer aus dem Kontext entwickelt hat, wird in den Anmerkungen unter Referierung des italienischen Originals hingewiesen.

Die Anmerkungen geben nur die nötigsten Informationen zum Verständnis der ‹Vite›. Die Literaturliste enthält neben Hinweisen auf Standardwerke insbesondere möglichst aktuelle Titel, die ihrerseits die Ermittlung der älteren Literatur erleichtern.

KURZBIOGRAPHIEN

Papst Eugen IV.

Gabriele Condulmer, 1383 in Venedig als Sohn eines reichen Kaufmannes geboren; Mönch im venezianischen Kloster S. Giorgio d'Alga, dann Thesaurar Papst Gregors XII. (Angelo Correr, 1406–1409), Bischof von Siena (1407) und Kardinal (1408). 1420 päpstlicher Legat in der Mark Ancona und in Bologna. Am 3. März 1431 zum Nachfolger Martins V. gewählt. Eugen IV. stirbt am 23. Februar 1447. Aufmerksamkeit verdient Bisticcis Schilderung der Feierlichkeiten anläßlich der Union der lateinischen mit der griechischen Kirche. Für seinen Bericht über die Weihe des Doms von Florenz mag Bisticci die Schilderung in Brunis ‹Commentarius› herangezogen haben. Wichtige Quellen zum Leben Eugens IV. sind weiterhin Biondo Flavios Geschichtswerk (vgl. S. 401) S. Antoninos ‹Chronicon› und Enea Silvio Piccolominis ‹Europa›.
Lit.: Pastor, S. 295–368; Viti; Greco I, S. 3, Anm. 1; Stieber.

Papst Nikolaus V.

Tommaso Parentucelli, am 15. November 1397 in Sarzana (Ligurien) als Sohn eines Professors der artes liberales und der Medizin geboren. In Florenz im Dienst des Bischofs von Bologna, des Kardinals Niccolò d'Albergati, dessen Nachfolger im Bischofsamt er wird. 1446 päpstlicher Legat auf dem Frankfurter Reichstag, im selben Jahr von Eugen IV. zum Kardinal erhoben. Am 6. März 1447 als dessen Nachfolger zum Papst gewählt. Am 24. oder 25. März 1455 stirbt Parentucelli. Bisticci stützt sich mit seiner Vita Nikolaus' V. wesentlich auf Giannozzo Manettis ‹Vita Nicolai V›, von der ihm möglicherweise die Kopie Leonardo da Ciriagos vorlag (Cod. Laurenziano 66, 22 in der Biblioteca Laurenziana zu Florenz, vgl. Greco I, S. 35, Anm. 1). Als Vorlage kommt weiterhin das Werk ‹De vitis pontificum Romanorum› des Platina (Bartolomeo Sacchi, 1421–1481) in Frage. Für viele Einzelheiten aber ist Bisticci Primärquelle. Er kannte den Papst persönlich, wohl, weil er für diesen Bücher beschaffte.
Lit.: Pagnotti; Pastor, I, S. 351–370.

Alfons V. von Neapel

Wohl 1396 als Sohn Ferdinands I. von Aragon geboren. Heiratet 1415 Maria, Tochter Heinrichs III. von Kastilien. Nach dem Tod des Vaters (1416) wird er dessen Nachfolger als Alfons V. 1420 in Sardinien, 1421 in Neapel, in dessen endgültigen Besitz er nach wechselhaften Auseinandersetzungen erst 1443 gelangt. Nach dem Waffenstillstand mit Genua und dem Friedensschluß mit Eugen IV. (1443) Engagement im Krieg um die Nachfolge in Mailand (1447–1450) und gegen Francesco Sforza (1450–1453). Danach erneut Krieg gegen Genua und Wiederannäherung an Florenz und Mailand. Alfons stirbt am 27. Juli 1458. Das Königreich geht an seinen Sohn Ferrante über.

Die Vita Bisticcis fußt auf der bis heute wichtigsten Quelle zu Alfons V., nämlich Bartolomeo Fazios ‹De rebus gestis ab Alphonso primo Neapolitanorum rege commentarium libri decem›, daneben dienten Schriften des Panormita (Antonio Beccadelli, ‹De dictis et factis Alphonsi regis Aragonum›) und anderer als Grundlagen dieses commentarius, der auch mündlicher Überlieferung einiges verdankt: Gewährsmann Bisticcis war Giannozzo Manetti, der einige Zeit am neapolitanischen Hof weilte.

Lit.: Greco I, S. 83f.; zuletzt Clough, Federico; Ryder; Bentley; Woods–Marsden.

Kardinal Giuliano Cesarini

1398 in Rom als Sproß einer alten Patrizierfamilie geboren. Studium in Rom, dann in Perugia, Bologna und Padua; Promotion in beiden Rechten, hält Vorlesungen zum Kanonischen Recht. Dann im Dienst des Kardinals Branda da Castiglioni. Mit diesem – 1422 bis 1424 – auf Gesandtschaftsreisen in Deutschland und Polen. Zu dieser Zeit bereits Kanoniker von St. Peter und Auditor an der Kurie, 1424 Beisitzer am päpstlichen Gericht, der Rota. 1425 als päpstlicher Gesandter in Frankreich, dann in England, wo er mit dem Humanistenkreis um den Herzog von Gloucester in Kontakt kommt. Am 24. Mai 1426 Kardinal, 1431 ernennt ihn Martin V. zum päpstlichen Legaten in Böhmen, Mähren und in der Mark Meißen, dann auch im Deutschen Reich, in Ungarn, Polen und beim gegen die Hussiten aufgebotenen Kreuzheer. Entkommt knapp dessen Niederlage bei Taus (14. 8. 1431). Präsident des gerade einberufenen Konzils von Basel. Zunächst Repräsentant der Kurie, widersetzt er sich der von Eugen IV. erstrebten Auflösung der Kirchenversammlung, sucht aber in der Folgezeit den Ausgleich mit dem Heiligen Stuhl. Die sich abzeichnende Kirchenunion mit den Griechen (und wohl auch die unübersehbare Konsolidierung der päpstlichen Macht im Kirchenstaat) bewegen Cesarini zur erneuten Annäherung an Eugen IV. 1438 verläßt er Basel, begibt sich nach Venedig, wo er auf die griechische Delegation einwirkt, zu dem nach Ferrara einberufenen «päpstlichen» Konzil zu reisen. Hier und in Florenz spielt er in den theologisch-juristischen Diskussionen um die Fixierung der Kirchenunion eine zentrale Rolle; Eugen IV. überschüttet ihn mit Ehren und Pfründen. 1442 als päpstlicher Legat in Ungarn und Wien. 1443 Teilnahme am Kreuzzug König Ladislaus' gegen die Türken; kommt in der katastrophalen Niederlage, welche die christlichen Streitkräfte bei Varna am 10. November 1444 erleiden, um.

Vespasiano dürfte für seine Vita Cesarinis u. a. die Leichenrede Poggio Bracciolinis benutzt haben (vgl. *Greco I*, S. 138, Anm. 1). Zweifellos kannte er aber den Kardinal auch persönlich.

Lit.: Becker; Gill; Fechner.

Kardinal Johannes Bessarion

Johannes Bessarion, an einem 2. Januar zwischen 1399 und 1408 als Sohn eines Handwerkers geboren. Sein Taufname war wahrscheinlich Basilios, den Namen Bessarion nimmt er erst viel später, beim Eintritt in den Orden des hl. Basilius an. 1426 Diakon, 1431 Priester. 1433 in Mistra (Peloponnes), wo er bei Gemistos Pletho studiert. Diplomatische Missionen, u. a. im Dienst Kaiser Johannes' VIII. Paläologos. 1437 Metropolit von Nikäa. Mitglied der griechischen Delegation auf dem Konzil von Ferrara/Florenz, auf dem er eine zentrale Rolle spielt. Nach

Abschluß der Kirchenunion erhält er 1439 den Kardinalspurpur. Ab 1443 in Rom. Bemühungen um die Reform seines Ordens (Generalkapitel in Rom, 1446). 1447 wird er Bischof von Siponto, eine Würde, die er 1449 mit jener des Bischofs von Mazzaro (Sizilien) vertauscht. 1449 Kardinalbischof von Tuskulum. 1450 als Legat im Auftrag Nikolaus' V. erfolgreich bei der Befriedung Bolognas und Erneuerer der Bologneser Universität. Im Konklave von 1455 einer der Kandidaten für die Nachfolge Nikolaus' V.; nach der Wahl Calixts III. geht er nach Neapel. Missionen führen ihn nach Deutschland, wo er am Nürnberger Reichstag von 1460 teilnimmt, 1461 nach Wien und Venedig. 1463 Bischof von Negroponte und Patriarch von Konstantinopel. 1468 Übertragung des Bistums Sabina anstelle jenes von Tuskulum. Unter Sixtus IV. Legat für Frankreich, Burgund und England. Nach der Rückkehr von einer ausgedehnten Gesandtschaftsreise nach Frankreich und durch Italien stirbt Bessarion am 18. November 1472.

Hauptquellen zu Bessarions Leben sind die ‹Commentarii› Pius' II. und jene des Ammanati.

Lit.: Mohler; Labowsky; Cammelli; Schmitt/Skinner, S. 809 m. weit. Lit.

Kardinal Giovanni von Gerona

Giovanni de' Margheriti i Pau wird um 1421 in Gerona geboren. Studium der Rechte in Bologna, 1453 von Nikolaus V. zum Bischof von Elna ernannt, 1461 Bischof von Gerona. 1483 durch Sixtus IV. zum Kardinal von S. Vitale erhoben. Staatsmann und Diplomat; verteidigt Gerona während der katalanischen Rebellion, die 1472, nach zehnjähriger Dauer, mit der Unterwerfung Barcelonas und der Katalanen unter Juan II. von Aragon endet. Einfluß auf die Erziehung Ferdinands des Katholischen. Auch als Autor tätig, wegen seines Traktats ‹De corona principum›, eines Fürstenspiegels, der Machiavelli Spaniens genannt. Er stirbt am 21. 11. 1484.

Lit.: Tate.

Erzbischof Antonino von Florenz

Antonino Pierozzi wird 1389 in Florenz geboren. Dominikanermönch; Prior der Konvente von Cortona (1420), S. Pietro Martire in Neapel (1428), von S. Maria sopra Minerva in Rom (1431) und von S. Marco in Florenz (1439). 1445 von Papst Eugen IV. zum Erzbischof von Florenz ernannt. Autor theologischer und moralphilosophischer Werke sowie einer Weltgeschichte (‹Summa historialis›). In diplomatischer Mission für Florenz bei Calixt III. und Pius II. Stirbt am 2. April 1459. 1523 durch Hadrian VI. heiliggesprochen.

Bisticci konnte sich auf eine von Francesco da Castiglione verfaßte Vita stützen, dem Freund und Mitarbeiter des Heiligen (mit Ergänzungen des Leonardo di Ser Uberto). Auch Pius II. gibt in seinen ‹Commentarii› ein Lebensbild.

Lit.: Sanesi.

S. Bernardino

Als Bernardino degli Albizzeschi am 8. September 1380 in Massa Marittima geboren; Sohn der Nera degli Avveduti und des Adeligen Tollo degli Albizzeschi.

Vorzügliche Schulbildung in der Lateinschule des Maestro Onofrio di Loro, dann in der Rhetorikschule des Giovanni da Spoleto. Studium des Kanonischen Rechts. 1400 Tätigkeit in einem Pestspital, dann erste Reise nach Alessandria, wo er Vincenz Ferrer predigen hört. 1402 Eintritt in den Franziskanerorden; 1405 ernennt ihn der Generalvikar des Franziskanerordens zum Prediger. Sein Refugium bleibt ein Kloster, das er bei Siena erbaut (La Capriola, unweit S. Onofrio bei Siena). 1417 in einem Kloster bei Fiesole, wo er seine späteren Schüler und engsten Mitarbeiter, Fra Giovanni da Capistrano und Fra Giacomo della Marca, trifft. Zahlreiche Predigtreisen, vor allem durch Nord- und Mittelitalien. Mehrere Angebote, Bistümer zu übernehmen, weist er zurück. Kontakte zu zahlreichen Humanisten. Ordensreformer; 1421 Vikar der toskanischen Observantenklöster, 1438 Generalvikar aller Observantenklöster Italiens (bis 1442). 1444 stirbt Bernardino in L'Aquila. 1450 durch Nikolaus V. heiliggesprochen. Bisticcis Vita ist weitgehend abhängig von jenen des Maffeo Vegio (1407–1458) und des Giannozzo Manetti.
Lit.: Origo; Facchinetti.

Pannonio, Bischof von Fünfkirchen

Johannes Cszemiczei – er trug den Humanistennamen Janus Pannonius – wird 1434 geboren. 1447 schickt ihn sein Onkel Johannes Vitéz (ca. 1408–1472), Bischof von Esztergom (Strigonia) und erster ungarischer Humanist, nach Italien. Er weilt bei Guarino Guarini in Ferrara, in Padua Promotion in kanonischem Recht. Nach kurzer Abwesenheit 1451 Rückkehr nach Italien, wo er bis 1458 bleibt, zeitweilig Aufenthalte in Florenz. Am 16. Februar 1460 überträgt ihm Pius II. das Bistum Fünfkirchen. Im Türkenkrieg an der Seite des Königs Matthias Corvinus (Matthias Hunyadi, 1440–1490), für den er 1465 als Gesandter zu Papst Paul II. geht. Wegen seiner Beteiligung an einer Erhebung gegen König Matthias kompromittiert, flieht er nach Kroatien, wo er 1472 stirbt. Begraben in der Kathedrale von Fünfkirchen.

Narciso, Bischof von Mileto

Narciso von Verdun wird von Papst Sixtus IV. am 25. Juni 1473 zum Bischof von Mileto ernannt. Kenner Platons, Beziehungen zu Johannes Argiropoulos. Karriere am neapolitanischen Hof; nach Bisticci als Gesandter Ferdinands I. auf einem (nicht näher identifizierbaren) deutschen Reichstag. Er stirbt am 26. 2. 1476 oder 1477.
Lit.: Greco I, S. 343, Anm. 1.

Federico da Montefeltro

Federico da Montefeltro, Graf, seit 1474 Herzog von Urbino, Condottiere, einer der bedeutendsten Kunstauftraggeber und Büchersammler aller Zeiten, wird 1422 in Gubbio als illegitimer Sproß der Verbindung Guidantonios da Montefeltro mit einer Zofe seiner Frau geboren. Jugendjahre (als Geisel) am Hof der Gonzaga von Mantua, Erziehung durch Vittorino da Feltre. 1422 zum päpstlichen Vikar ernannt und 1437 von Kaiser Sigismund zum Ritter geschlagen, regiert – seit 1443 auch mit dem Grafentitel versehen – die Lehen des Hauses in Massa Trabaria. Ausgebildet im Heer des Condottiere Niccolò Piccinino, hat er militärische Erfolge im Dienst Francesco Sforzas. Als sein Bruder Oddantonio (1427–1444) einem Mordanschlag zum Opfer fällt, übernimmt er die Herrschaft in Urbino. Kern seiner Außenpolitik ist das Bündnis mit Neapel, an dem er von 1451 bis zu seinem Tod 1482 festhält. 1449 Generalkapitän der italienischen Liga, 1474 Gonfaloniere der Kirche. 1460 heiratet Federico Battista Sforza, die Tochter des Alessandro Sforza, Signore von Pesaro. 1472 Geburt des einzigen (legitimen) Sohnes und Nachfolgers Guidabaldo (1472–1508). Ab 1465 Bau des mächtigen Palastes von Urbino. Weitere Bauunternehmungen u. a. in Gubbio und Fossombrone. Ab 1474 Neubau des Klosters S. Chiara und Beginn des Dombaus in Urbino. Zu den von ihm beschäftigten Malern zählen Piero della Francesca, Paolo Uccello, Justus von Gent und Pedro Berruguete. Federico da Montefeltro stirbt 1482 während des Ferrara-Krieges an Malaria. Er ist in S. Bernardino zu Urbino beigesetzt.

Bisticci war Federicos Bücherlieferant. (Seine Bibliothek, eine der bedeutendsten der Epoche, befindet sich heute weitgehend im Vatikan.) Bisticcis Lebensbeschreibung hat so über weite Strecken den Charakter einer Primärquelle und ist wesentliche Grundlage für die Schilderung der Welt von Urbino, wie sie Jacob Burckhardt in seiner ‹Kultur der Renaissance in Italien› gibt. Vespasiano dürfte neben der ‹Cronaca di Ser Guerriero da Gubbio› und den ‹Commentari della vita et gesti dell'illustrissimo Federico Duca d'Urbino› des Pierangelo Paltroni auch die ‹Commentarii› des Francesco Filelfo gekannt und für seinen Text verwendet haben.

Lit.: Tommasoli, Federico da Montefeltro; *Clough; Franceschini; Chittolini/Cerboni Baiardi/Floriani.*

Constanzo Sforza

Constanzo Sforza wird am 5. 7. 1447 als Sohn des Alessandro, Signore von Pesaro (1409–1473), geboren. Erhält Unterricht bei Martino Filetico in Pesaro; 1475 Heirat mit Camilla von Aragon (seine Schwester Battista ist mit Federico von Montefeltro verheiratet). Kommandeur des florentinischen Heeres im Ferrara-Krieg. Constanzo stirbt 1483.

Nugno de Guzman

Nugno de Guzman (Lebensdaten unbekannt); Reisen in Europa und im Orient, zeitweilig in Florenz, wo ihn Bisticci kennenlernt. Die Vita schöpft wesentlich aus Giannozzo Manettis ‹Apologia Nunnii equitis Hispani per Iannotium Manettum dictata ad dominum Ludovicum Gusmannum patrem et dominum suum› (Vatikan, mss. Pal. lat. 1601, fol. 94 ff. und Urb. lat. 5, fol. 274 ff.).
Lit.: Greco I, S. 435 Anm. 1.

Matteo Malferito

Matteo Malferito, geboren wohl im ersten Viertel des 15. Jahrhunderts auf der Insel Mallorca. Doktor beider Rechte, Diplomat im Dienst König Alfonsos von Aragon, für den er zahlreiche Missionen – so im Krieg von 1443 gegen die aufständischen Barone des Königreichs – durchführt. 1474, unter Alfonsos Nach-

folger Ferrante, als Delegierter Neapels Teilnehmer an den Friedensverhandlungen zu Ferrara. Insofern trifft nicht zu, daß er noch von Alfonso seine Entlassung erhalten habe, wie Bisticci in seiner Vita schreibt.
Lit.: Greco I, S. 443, Anm. 1.

Frate Ambrogio Traversari

Ambrogio Traversari (1386–1439), Mönch, bedeutender Graecist bis 1431 in Klausur im Kloster S. Maria degli Angeli, in diesem Jahr von Papst Eugen IV. zum General der Camaldulenser ernannt. Übersetzer zahlreicher theologischer Schriften und Heiligenviten.
Lit.: Greco, S. 449–461; *Dini Traversari; Somigli; Martines,* Social World, S. 311f.; *Mehus; Ricci.*

Leonardo Bruni

Leonardo Bruni, auch genannt Leonardo d'Arezzo oder Aretino, wird als Sohn eines Francesco Bruni um 1370 in Arezzo geboren. Noch sehr jung übersiedelt er nach Florenz, dort Studium der Rhetorik (bei Malpaghini) und vielleicht auch der Rechte. Freundschaft mit dem Kanzler Coluccio Salutati und seinem Kreis, so mit Niccolò Niccoli. Erste Schrift: ‹Carmen de adventu imperatoris›, nach Baron um 1397/98. Zu dieser Zeit Griechischstudien bei Manuel Chrysoloras. Vermutlich zu Beginn des 15. Jahrhunderts liegt sein vielleicht berühmtestes Werk vor, die ‹Laudatio florentinae urbis›, ein hervorragendes Dokument des Florentiner «Bürgerhumanismus»; etwa gleichzeitig entstehen die ‹Dialogi ad Petrum Paulum Istrum›. 1405 geht Bruni nach Rom, wo er – Paolo di Angelo nach einem «Schreibwettbewerb» vorgezogen – apostolischer Sekretär wird. In diplomatischen Missionen für den Heiligen Stuhl tätig. Ab 1409 in Diensten des vom Pisaner Konzil gewählten Gegenpapstes Alexander V. Trotz seiner Wahl zum Kanzler von Florenz kehrt er schon bald an den Papsthof zurück (Mitte bis Ende 1411). 1412 Ehe mit einer gewissen Tommasa aus einer vornehmen und wohlhabenden Florentiner Familie. Im selben Jahr Geburt des Sohnes Donato. 1414 Reise zum Konzil von Konstanz, 1415 Rückkehr nach Florenz. Dort Arbeit an der ‹Historia florentini populi› und diplomatische Tätigkeit für Florenz. Weitere literarisch-wissenschaftliche Tätigkeit (‹Vita Ciceronis›; Übersetzung der ‹Nikomachischen Ethik› des Aristoteles). Vielleicht im Sommer 1423 liegt mit seinem ‹Isagogicon moralis disciplinae› ein weiteres Hauptwerk vor; zwischen 1423 und 1426(?) entsteht ‹De studiis et litteris tractatus›. Intensive philologische Tätigkeit (u.a. Entdeckung und Edition von Ciceros ‹Orator›, Übersetzung von Platons ‹Phaidros›, ‹De recta interpretatione›). Seine ‹Leichenrede auf Nanni Strozzi› (Herbst 1427–1428) bedeutet eine Rückkehr zur Beschäftigung mit den Werten des «Bürgerhumanismus». Sein Amt als Kanzler von Florenz (seit 1427) behält er über den Umbruch des Albizzi-Putschversuches hinaus. 1436 schreibt er – in *volgare* – Viten Dantes und Petrarcas. Wird 1440 zu einem der Mitglieder der *Dieci di balìa* ernannt. In seine letzte Lebenszeit fällt u. a. die Ausarbeitung einer Übersetzung der ‹Politik› des Aristoteles. Seine Florentiner Geschichte führt er bis zum Tod Gian Galeazzo Viscontis (1402). Zu seinen letzten Werken zählen die ‹Rerum suo tempore gestarum commentaria›, die gelegentlich autobiographischen Charakter haben und eine wichtige Grundlage der Vita Bisticcis darstellen. Bruni stirbt am 9. März 1444.

Weitere Informationen über Brunis Leben gewann Vespasiano aus Giannozzo Manettis und Poggio Bracciolinis Leichenreden.

Lit.: Cesare *Vasoli* in DBI 14, S. 618–633, mit reichen Lit.-Angaben; *Baron*, Crisis; *Martines*, Social World, passim; *Ullman*, Bruni; *Vasoli*, Considerazioni; *Garin*, Cancellieri; *Zaccaria*; *Wilcox*; *Viti*, Bruni.

Giannozzo Manetti

Giannozzo Manetti wird in Florenz am 15. Juni 1396 geboren. Lernt Griechisch und Hebräisch bei Manuel Chrysoloras und Ambrogio Traversari, hört Vorlesungen über den ‹Gottesstaat› bei Fra Girolamo da Napoli. Verschiedene Gesandtschaften führen ihn nach Neapel (1433, 1446) und Genua (1437). 1439 *ufficiale di vendite* in Florenz, 1440 Vikar der Republik in Pescia, wo die Viten Sokrates' und Senecas entstehen. Mitglied des *collegio* (um 1443), 1444 Leichenrede auf Leonardo Bruni, 1446 Capitano von Pistoia, wo er eine Stadtgeschichte verfaßt. Weitere Gesandtschaften, so nach Rom, wo er bei Nikolaus V. das Amt eines Sekretärs erhält und 1447 zum Ritter erhoben wird, nach Neapel, Rimini, Venedig und Siena. 1449 Mitglied des Rates der Acht. 1452 hält er in Rom bei der Kaiserkrönung Friedrichs III. eine Rede. Im selben Jahr (oder 1453?) Vikar von Scarperia. Hier entsteht Manettis wohl berühmteste Schrift ‹De dignitate et excellentia hominis›. 1453 Kriegskommissar der Republik in den Auseinandersetzungen mit Alfons von Neapel. Im selben Jahr geht er nach Rom und wird von Papst Nikolaus V. mit einer hohen Pension ausgestattet. Nach Nikolaus' Tod (1455) begibt er sich an den Hof König Alfonsos nach Neapel, wo er am 27. Oktober 1459 stirbt.

Manetti zählt, mit Salutati und Bruni, zu den hervorragendsten Vertretern des «Bürgerhumanismus». Von ihm ist eine Reihe lateinischer Reden erhalten, außerdem – neben den oben erwähnten Schriften – Lebensbeschreibungen Dantes, Petrarcas, Boccaccios und Papst Nikolaus' V. Er verfaßte weiterhin theologische und moralphilosophische Literatur, darunter wichtige Übersetzungen aus dem Griechischen (so der ‹Nikomachischen Ethik›) und Hebräischen (‹Nova Iannotii Manetti totius psalterii translatio de Hebraica veritate ad Alphonsum clarissimum regem›).

Bisticci kannte den Humanisten persönlich, viele Einzelheiten aus dessen Lebensgeschichte sind nur durch seinen Text überliefert. Wichtig für das Verständnis der hier wiedergegebenen Fassung ist, daß Bisticci eine weitere, wesentlich umfangreichere Vita Manettis geschrieben hat (abgedruckt bei *Greco* II, S. 514–627), die um 1476/77 fertiggestellt worden sein mag. Dieser *commentario* ist besser ausgearbeitet, folgt einer exakteren Chronologie und mag in mancher Hinsicht erkennen lassen, wie sich Bisticci die «Endprodukte» seiner Bemühungen vorstellte.

Lit.: *Schmitt/Skinner*, S. 825 f.

Poggio Braccciolini

Poggio Bracciolini wird am 11. Februar 1380 in Terranova (Valdarno) geboren; Studium der lateinischen Sprache bei Giovanni Malpaghini (Giovanni da Ravenna). 1403 in Rom als Privatsekretär des Kardinals Landolfo Maramaldo, des Erzbischofs von Bari. 1404 apostolischer Sekretär bei Bonifaz XI. Teilnehmer am Konzil von Konstanz (1414–1418); dabei erfolgreiche Suche nach Abschriften

antiker Texte, so im Kloster St. Gallen. Dort fand Poggio u. a. den wichtigen
‹Codex Harleianus›, die vielleicht wichtigste Abschrift des Archetypus des berühmten Architektur-Traktats des Vitruv. Nach dem Konzil geht Poggio mit
Martin V. nach Mantua und begibt sich von dort in Begleitung des Kardinals
von Winchester, Henry of Beaufort, nach England, wo er bis 1423 bleibt. Literarische Fehden und reiche schriftstellerische Tätigkeit (vgl. *Greco* I, S. 550–
552). 1435 Heirat mit Vaggia di Ghino Manente de' Buondelmonti, mit der er
sechs Kinder hat. 1453 als Nachfolger Carlo Marsuppinis Kanzler von Florenz
und zeitweilig Mitglied der *Signoria*. Abschluß der von Bruni begonnen ‹Geschichte von Florenz›. Er stirbt am 30. Oktober 1459 in seinem Landhaus in
Pian di Ripoli als reicher Mann.
Bisticci hat Poggio persönlich gekannt. Seine Informationen dürfte er aber vor
allem aus dessen Briefen geschöpft haben; wie häufig, ist seine Chronologie
nicht immer korrekt.
Lit.: Walser; Ullman, Scripture, S. 21–57; *Sabbadini*, Scoperte, S. 77ff.

Zomino

Zomino da Pistoia (Humanistenname: Sozomenus) wird am 3. Juni 1387 geboren. Studium des Kanonischen Rechts in Florenz, dazu des Griechischen und
Lateinischen; Priester ab 1407. Teilnehmer des Konzils von Konstanz, wo auch
er auf «Manuskriptjagd» geht. Erteilt dann Griechischunterricht im Florentiner
Studium. Erzieher bedeutender Florentiner, Verfasser einer unvollendet geblie-
benen Weltgeschichte. Zomino stirbt am 11. Oktober 1458. Er hinterläßt Pistoia
seine bedeutende Bibliothek.
Lit.: Zaccagnini; Sabbadini, Scoperte, passim; *ders.*, Biblioteca.

Matteo Palmieri

Matteo Palmieri, geboren am 13. Januar 1406 in Florenz, Historiker, Dichter und
Staatsmann. Ausbildung durch Zomino da Pistoia, Ambrogio Traversari und
Carlo Marsuppini, wo er sich Kenntnisse in Latein und Griechisch erwirbt.
Gesandtschaften zu Papst Calixt III., Kaiser Friedrich III., König Alfonso und zu
dem späteren Papst Paul II. Hohe Ämter im Dienst der Republik. Sein bekann-
testes Werk ist ‹La vita civile›. Durch seine Schrift ‹La città di vita› gerät er
wegen Aussagen über die Natur der Seele in Häresieverdacht. Leichenrede auf
Carlo Marsuppini 1453. Palmieri stirbt am 13. April 1475.
Lit.: Giustiniani, In funere M. Palmieri; *Saitta*, S. 381–390; *Rooke; Martines*,
Social World, passim; *Boffito; Finzi; Messeri*, Palmieri.

Vittorino da Feltre

Vittorino da Feltre – eigentlich Vittor di Ser Bruto de' Rambaldoni – wird als
Sohn eines Notars oder Schreibers und einer aus wohlhabender Familie stam-
menden Mutter um 1378 in Feltre (bei Belluno) geboren. Bescheidene Schulaus-
bildung, 1396 Privatunterricht bei Conversino da Ravenna in Padua; dann Studium an der Universität (Dialektik, Metaphysik, Naturphilosophie, Astronomie), 1406 Magister artium, Besuch der öffentlichen Rhetorikvorlesungen des
Gasparino Barzizza. Studium der Theologie, Beschäftigung mit Mathematik,

dann Griechischstudien bei Guarino Guarini in Venedig (1415/16). 1419 geht Vittorino nach Padua und richtet in seinem Haus eine Schule für auswärtige Scholaren ein. 1421 Nachfolger Barzizzas auf dem Rhetorik-Lehrstuhl der Paduaner Universität, Weiterführung der Heimschule. Ab 1422 in Venedig, 1423 in Mantua, wo er seine *Casa giocosa* eröffnet, eine später berühmte Unterrichtsstätte (Gymnasium und Internat mit klösterlichen Zügen). Treffen mit Traversari (1433 und 1435); 1443 Reise nach Florenz mit seinem Schüler Gregorio Correr, dem späteren Apostolischen Protonotar und Patriarchen von Venedig. Treffen mit Erzbischof Antonino und Papst Eugen IV. 1444 besucht ihn Bernardino da Siena in Mantua. 1446 Tod nach einer Malariaerkrankung.

Vittorino hat selbst kaum Schriftliches hinterlassen. Die wichtigsten Lebensbeschreibungen stammen von Francesco Prendilacqua, Sassolo da Prato, Francesco da Castiglione und Bartolomeo Sacchi (genannt Platina), denen Bisticcis Vita nichts wesentlich Neues hinzufügt.

Lit.: Müller, Mensch und Bildung, S. 73ff.; *Giannetto; Woodward.*

Carlo von Arezzo

Carlo Marsuppini (Carlo d'Arezzo) wird 1398 in Arezzo geboren. Im Haus Cosimo de' Medicis Lehrer von dessen Bruder Lorenzo und von dessen Sohn Giovanni. 1420 mit den Medici, auf der Flucht vor der Pest, in Verona. Als *maestro* des Florentiner Studiums hält er ab 1431 öffentliche Vorlesungen. Sekretär Papst Eugens IV., 1444 als Nachfolger Leonardo Brunis Kanzler von Florenz. Übersetzer der ‹Batrachomyomachia›, eines Kleinepos', das eine Parodie auf ‹Ilias› und ‹Odyssee› darstellt; weiterhin Autor einer Teilübersetzung von ‹Ilias› und ‹Odyssee› und, neben anderem, einer Lebensbeschreibung des Benedetto Accolti. Carlo stirbt am 24. April 1453.

Lit.: Zippel; Martines, Social World, S. 127–131, passim.

Donato Acciaiuoli

Donato di Neri Acciaiuoli wird am 15. März 1429 als Sohn des Neri Acciaiuoli und der Maddalena, einer Tochter Palla Strozzis, geboren. Schüler Jacopo Ammanatis, Brunis und Carlo Marsuppinis; später, vielleicht ab 1454, lernt er Griechisch bei Johannes Argyropulos, über den er wichtige Quellenzeugnisse hinterlassen hat. Übersetzt und kommentiert Texte des Argyropulos und trägt so zur Verbreitung und Vertiefung der Kenntnisse in der griechischen Philosophie bei. Seit 1455 im Umkreis des Poggio Bracciolini. 1461 Heirat mit Maria, Tochter des Piero de' Pazzi, mit der er neun Kinder haben wird. Zahlreiche diplomatische Missionen nach Mailand (1452, 1475, 1478), Rimini und Cesena (1465), zum König von Frankreich (1475/76, 1478) und nach Rom (1470, 1471 – anläßlich der Wahl Sixtus' IV. – und 1478); 1462 ist er Vikar von Poppi (Casentino), 1463 Mitglied des *ufficio dei signori*, 1469 und 1477 *Capitano* von Volterrra, Vikar von San Miniato und 1470 *Podestà* von Montepulciano; 1473/74 als *ufficiale dello studio* für die öffentliche Lehre am Florentiner Studium zuständig. 1474 *Gonfaloniere* der Justiz, 1476 *Podestà* von Pisa. Acciaiuoli stirbt am 28. August 1478 in Mailand.

Acciaiuolis wissenschaftliche Arbeit kreist zunächst um das alte Thema der Balance zwischen aktivem und kontemplativen Leben; Kommentare zur ‹Nikomachischen Ethik›, zu ‹De anima›, zur ‹Physik› und zur ‹Politik› des Aristoteles, Übersetzungen nach Plutarch (Viten Hannibals, Scipios), Verfasser einer Vita Karls des Großen (nach Einhard). Sein Ruhm gründet vor allem auf der Übertragung von Brunis ‹Geschichte des Volkes von Florenz› ins Italienische. Unter den Quellen zu seinem Leben (vgl. *Greco* II, S. 21) nimmt Bisticcis Vita eine hervorragende Stellung ein. Bisticci kannte Acciaiuoli persönlich. Vieles, was er – allerdings wieder in nicht immer korrekter Chronologie – berichtet, ist nur durch seinen Text bekannt.

Lit.: Garin, Donato A.; *ders.,* Giovionezza; *Giovanni Silvano* in: *Reinhardt,* S. 3 f.; *Schmitt/Skinner,* S. 806.

Francesco Filelfo

Francesco Filelfo wird 1398 in Tolentino geboren. Schüler Gasparino Barzizzas in Padua; dann, als venezianischer Geschäftsträger, in Konstantinopel, um bei Johannes Chrysoloras Griechisch zu lernen (1421–1427); heiratet dessen Tochter Theodora. Erteilt Unterricht in verschiedenen Städten Italiens, 1428 in Bologna, 1429 in Florenz. Durch sein Verhalten während des Albizzi-Putsches kompromittiert, muß er die Stadt 1434, bei Cosimo de' Medicis Rückkehr, verlassen. Er wendet sich zuerst nach Siena; 1439–1481 vorwiegend in Mailand, bei Filippo Maria Visconti und Francesco Sforza, dessen Sohn Ludovico (il Moro) er unterrichtet. Abfassung der ‹Sfortias›. Kurzer Aufenthalt in Rom (1475/76), wo ihn Nikolaus V. mit 500 Dukaten beschenkt. Dann am Hof König Alfonsos in Neapel; diplomatische Missionen, die ihn u. a. nach Polen führen. Seine letzte Lebenszeit verbringt Filelfo in Florenz, nachdem Lorenzo der Prächtige seine Verbannung aufgehoben hat. Er stirbt dort 1481. Bedeutender Humanist, Kommentator der Sonette Petrarcas, Verfasser moralphilosophischer Werke und Übersetzer, u. a. der Lebensbeschreibungen Plutarchs und der Kaiserviten Suetons (1454) sowie der ‹Kyrupädie› des Xenophon.

Lit.: Greco II, S. 53, Anm. 1 (mit weiterer Lit.); *Schmitt/Skinner,* S. 817 f.

Biondo Flavio

Biondo Flavio wird 1392 in Forlì als Sohn «mittelständischer» Eltern geboren. Studien bei Giovanni Balestreri aus Cremona. Zwanzigjährig geht er als Kanzler und Sekretär Attendolo Sforzas nach Apulien; politische und administrative Tätigkeit. 1420 Begegnung mit Guarino Guarini. 1423 Heirat mit Paola di Iacopo Maldenti aus Forlì, mit der er zehn Kinder haben wird. Aufenthalte in der Romagna, Kontakte zum Kreis Guarinos. Wohl im selben Jahr Verbannung aus Forlì; Sekretär Francesco Barabaros, *Podestà* von Vicenza. 1424 erhält er das venezianische Bürgerrecht. 1425 im Dienst des *Capitano* von Padua. 1427 Sekretär des *Provveditore* von Brescia; im selben Jahr wieder in Forlì. 1430 Beginn der kurialen Karriere. 1432 Sekretär des Kardinals Vitelleschi in der Mark Ancona und dann Notar der Apostolischen Kammer, dazu (1434) auch Sekretär Eugens IV. Diplomatische Tätigkeit, präsent auf dem Konzil von Florenz. Etwa ab 1435 Arbeit an einer Geschichte seiner Zeit, beginnend mit dem Tod Martins V., dann auch an den ‹Historiarum ab inclinatione Imperii Romani decades III›, deren erste acht Bücher er 1443 Alfonso von Neapel übersendet (1453 abgeschlossen). Wohl im Auftrag des Königs entsteht ab 1447 sein bekanntestes Werk, die ‹Italia illustrata›. Aufenthalte u. a. in der Romagna, in Mailand, wo ihn Filelfo fördert, und in Venedig. Um 1456 Aufenthalt in Urbino; zu dieser

Zeit Arbeit an seinem letzten großen Werk, ‹*Roma triumphans*›. Ökonomische Schwierigkeiten. Pläne für eine Geschichte der portugiesischen Entdeckungsfahrten und einer Geschichte Venedigs. Biondo stirbt am 4. Juni 1463.
Lit.: Hay, Biondo; Cochrane; Fubini in: Dizionario biografico degli Italiani, Bd. 10, S. 536–559; *Clavuot*.

Velasco aus Portugal

Über Velasco (Lopo Velasco aus Alemtejo am Guadiana) aus Portugal weiß man nicht viel mehr als das, was Bisticci in seiner Vita überliefert. Er war Doktor der Rechte. Außerdem liegt ein Briefwechsel zwischen ihm und Poggio Bracciolini vor; 1436 erbat Velasco sich dessen Ratschläge zur Kunst der Rhetorik. 1437 ist er in diplomatischer Mission bei König Don Duarte von Portugal. Zur Zeit Eugens IV. (Papst 1431–1447) wirkt Velasco an der Kurie und war nach 1443 für den Erzbischof von Florenz als Jurist tätig. Bisticci überliefert seine Freundschaft mit dem Rechtsgelehrten Guglielmo Tenaglia, der in Padua studierte und 1419 dort «Rektor der Juristen» war. Als Freund des Barzizza findet Velasco sich unter den Testamentsvollstreckern des Niccolò Niccoli. Diese Beziehungen mögen auch seine Kontakte zur Welt der Bücher und damit zu Bisticci erklären. Er stirbt vor 1453 in einem Kloster, dem «Paradiso», an der Via Ciantigiana.
Lit.: Battelli.

Antonio Cincinello

Antonio Cincinello wird als Sohn des Bufardo Cincinello wohl im zweiten Viertel des 15. Jahrhunderts geboren. (*Greco* II, S. 111). Er zählt zu den wichtigen Diplomaten im Dienst des aragonesischen Königs Ferdinando und wird u. a. als dessen Botschafter bei Borso d'Este, bei Papst Paul II., in Mailand und in Florenz faßbar. 1471 weilt er – laut Bisticci – auf dem Regensburger Reichstag. Auch wirkt er als Erzieher Ferrandinos (1467–1496), des Fürsten von Capua und späteren Königs von Neapel. Antonio wird am 26. September 1485 in L'Aquila während einer Militäraktion gegen die rebellierende Bürgerschaft erschlagen.
Bisticcis Vita ist wahrscheinlich der einzige zusammenhängende Text über Antonio Cincinello. Ansonsten finden sich nur verstreute Hinweise in den Quellen (vgl. insbesondere Paltronis ‹Kommentare› zum Leben Federicos von Montefeltro, aus denen auch Bisticci geschöpft haben könnte).

Palla Strozzi

Palla Strozzi wird als Sohn des Noferi Strozzi um 1373 in Florenz geboren. Staatsmann, Handelsherr; nach Ausweis des Katasters von 1427 der reichste Mann der Stadt. Bedeutend als Kunstauftraggeber (Capella Strozzi in S. Trinità in Florenz) und als Förderer der Studien. Als *Ufficiale* reformiert er das Florentiner Studium. Plant Einrichtung einer öffentlichen Bibliothek. Er fördert Chrysoloras, beschäftigt sich selbst mit der griechischen Sprache. Obwohl nicht zum Kern der Albizzi-Partei zählend, wird er nach dem Scheitern des Umsturzversuches (1434) exiliert. Strozzi geht nach Padua, wo er sich bis zu seinem Tod 1462 mit Studien insbesondere des Griechischen beschäftigt.

Lit.: L. *Pandimiglio*, in: *Reinhardt* 1992, S. 516f.; *Brucker*, Civic World, S. 461 u. passim; *Sabbadini*, Scoperte, passim; *Müntz*, S. 169–172; *Greco* II, S. 139, Anm. 1; *Rossi*, S. 34f.; *Martines*, Social World, S. 317f.

Cosimo de' Medici

Cosimo de' Medici wird 1389 als Sohn des Giovanni di Bicci-Medici (1360–1428) und der Piccarda Bueri geboren. Der Vater, ein reicher Bankier, hatte zahlreiche Ämter im Dienst der Republik inne (u. a. wird er 1421 *Gonfaloniere* der Justiz). Cosimo wird ausgebildet durch Roberto de Rossi (* um 1355), früh hat er Beziehungen zu den führenden Vertretern des Florentiner Humanismus. Geht laut Bisticci – 1414 oder später – nach Konstanz, wohl, um auf dem Konzil die Verbindungen der Bank zur Kurie zu pflegen. 1420 Geschäftsführer des väterlichen Bankhauses; Aufbau eines Klientelnetzes, das die Medici zur mächtigsten Familie der Stadt machen wird. Nach dem Umsturzversuch der Gruppe um Rinaldo degli Albizzi (September 1433) geht Cosimo nach Venedig ins Exil, aus dem er bereits 1434 zurückkehrt. Bis zu seinem Tod am 1. 8. 1464 bestimmt er die Hauptlinien der Florentiner Politik. Cosimo war Büchersammler und einer der bedeutendsten Kunstauftraggeber aller Zeiten. Aus seiner Ehe mit Contessina Bardi (di Vernio, 1391/92–1473) gehen zwei legitime Söhne hervor, nämlich Piero (der Gichtbrüchige, 1416–1469) und Giovanni (1421–1463). Sein Sohn Carlo, der eine erfolgreiche kirchliche Karriere absolviert, entstammt der Verbindung mit einer tscherkessischen Sklavin, die in Cosimos Haus diente. Bisticci kannte Cosimo als dessen Buchhändler persönlich. Viele der Anekdoten und Episoden, die mit Cosimo verbunden werden, sind seinem Zeugnis zu verdanken.

Lit.: L. *Pandimiglio* in: *Reinhardt*, S. 341–344, 359 (Lit.-hinweise); *Hale*; *Rubinstein*, Government; *Gutkind*; *de Roover*; *Kent*; *Brucker*, Civic World; *Ames Lewis*.

Franco Sacchetti

Franco Sacchetti wird 1400 (lt. *Greco* 1397) als Sohn des Novellisten Niccolò di Franco geboren. Schüler des Filelfo; macht eine beachtliche Ämterkarriere. 1438 ist er *Podestà* von Prato, 1443 wird er Mitglied der *Dieci della libertà*, 1444 *Gonfaloniere di compagnia*, 1450 und 1461 *Gonfaloniere* der Justiz, 1454 Vikar des Casentino. Auch wird er mit diplomatischen Missionen (1450 nach Neapel, mehrmals – so 1455 – nach Venedig, 1459 zum Kongreß von Mantua) betraut. Förderer der Humanisten, insbesondere des Argyropulos, und selbst Mitglied des Kreises, der sich im Kloster S. Maria degli Angeli zusammenfindet. Er stirbt 1473.

Lit.: *Greco* II, S. 213, Anm. 1; *Cammelli*, S. 110f; *Martines*, Social World, S. 336f.

Niccolò Niccoli

Niccolò Niccoli wird 1364 wohl in Florenz geboren. Er gilt als einer der bedeutendsten Vertreter des frühen Humanismus. Ausbildung bei Manuel Chrysoloras und Luigi Marsilli. Förderer u. a. des Carlo Marsuppini und des Ambrogio Tra-

versari, befreundet mit Cosimo und Lorenzo de' Medici, Paolo dal Pozzo Toscanelli und Künstlern wie Brunelleschi, Donatello, Luca della Robbia und Lorenzo
Ghiberti. Einer der frühesten Kunstsammler der Florentiner Renaissance; zählt
zu den Begründern der ersten öffentlichen Bibliothek in Florenz, der Bibliothek
von S. Marco, der er seine bedeutende Sammlung von Manuskripten hinterläßt.
Niccolò stirbt 1437.
Bisticcis Vita kann auf eine kurze Lebensbeschreibung rekurrieren, die Giannozzo Manetti verfaßte, daneben auch auf Poggio Bracciolinis Leichenrede.
Lit.: Ullmann/Stadter; Zippel; Baron, Crisis, passim; Brucker, Civic World.

Filippo di Ser Ugolino

Filippo wurde 1388 vielleicht als Sohn eines armen Bauern zu Vertine im Chi-
anti geboren und von Ser Ugolino Pieruzzi adoptiert. Ausbildung in den Freien
Künsten und klassischen Sprachen, u. a. bei Manuel Chrysoloras; möglicherweise Studium der Rechte. 1429 Notar im *ufficio delle reformagioni.* Befreundet
mit Giannozzo Manetti und Donato Acciaiuoli; im Briefwechsel mit Ambrogio
Traversari. 1444 aus Florenz verbannt, begibt er sich nach Vertine. Nach einigen
Jahren wird ihm erlaubt, sich Florenz bis zu den Stadttoren zu nähern; seinen
Lebensabend verbringt er unter den Mönchen der Badia von Settimo, denen er
auch seine Büchersammlung hinterläßt. Er stirbt am 11. 7. 1462. Zu den Schülern des Filippo zählen u. a. Pier Filippo und Pandolfo Pandolfini.
Lit.: Martines, Social World, S. 69f.

Agnolo di Filippo Pandolfini

Agnolo di Filippo di Giovanni Pandolfini wird 1360 als Abkömmling einer reichen Florentiner Kaufmannsfamilie geboren. Er durchläuft eine bedeutende Karriere im Dienst von Florenz: 1397–1408 Mitglied der Regierung, der *Dieci di Balìa*
und *Gonfaloniere* der Justiz 1414, 1420 und 1431. Wiederholt auf diplomatischer
Mission, so bei Ladislaus von Neapel (1411), Papst Martin V. (1425) und Kaiser
Sigismund in Siena (1433). Obwohl Anhänger Cosimo de' Medicis, gelingt ihm
1434 die Rückkehr in politische Ämter nicht, und er zieht sich in seine Villa in
Gargalandi zurück. Er stirbt 1446. Agnolo steht in engem Kontakt mit dem Florentiner Humanistenkreis. U. a. ist er mit Leonardo Bruni befreundet. Er begegnet
als einer der Diskutanten in Matteo Palmieris Dialog ‹La vita civile› sowie in
Leon Battista Albertis ‹Della tranquillità dell'animo›.
Bisticcis Vita folgt bei der Darstellung der politischen Zusammenhänge gelegentlich Poggio Bracciolinis ‹Historiae Florentinae›; möglicherweise sind Erzäh-
lungen Giannozzo Manettis weitere Quellen.
Lit.: Greco II, S. 261, Anm. 1; Martines, Social World, S. 313 f.

Agnolo Acciaiuoli

Agnolo wird um 1400 als Sohn des Iacopo di Donato Acciaiuoli und der Costanza di Beltrame de' Bardi geboren. 1420 Heirat mit Saracina di Tommaso di
Giacomino Tebalducci, deren Schwester 1427 Giannozzo Manetti ehelicht. Mit
seinem Schwager Manetti steht Agnolo in freundschaftlicher Beziehung, einige
von dessen Schriften sind ihm gewidmet. Bruni dediziert ihm seinen Traktat

‹De militia›. Auch Beziehungen zu Guarino Guarini und Francesco Barbaro sind verbürgt. Seine Karriere im Dienst der Republik führt ihn auf zahlreiche diplomatische Missionen und bringt ihn in hohe Ämter. 1433 wird er im Zusammenhang mit dem Umsturzversuch der Albizzi-Partei exiliert; er geht nach Kefallinia in Griechenland, wo die Familie Besitzungen hat. Nach der Rückkehr Cosimo de' Medicis wird er mehrmals – 1438, 1440 und 1441 – unter die Dieci di balìa gewählt; zweimal, 1448 und 1454, ist er Gonfaloniere der Justiz. Nach dem gescheiterten «Putsch» der Gruppe um Luca Pitti von 1466 wird er nach Barletta verbannt. Agnolo stirbt nach 1467.
Lit.: Greco II, S. 285, Anm. 1, S. 299, Anm. 1; Cagni, S. 129, Anm. 1; über die Familie A.: Silvano in: Reinhardt, S. 1–6.

Piero de' Pazzi

Piero de' Pazzi, geboren 1416, war Sohn des reichen Kaufmanns Andrea de' Pazzi und Vater der Hauptbeteiligten an der Pazzi-Verschwörung von 1478 (während der er nicht mehr am Leben war). 1447 Mitglied der Signoria, später in den meisten wichtigen Ämtern der Republik. Eng befreundet mit Donato Acciaiuoli, auch mit Piero di Cosimo («dem Gichtbrüchigen»), dessen Tochter Bianca einem Pazzi – Guglielmo – verheiratet wird. Bisticci kannte Piero persönlich und belieferte ihn wohl mit Büchern.
Lit.: Greco II, S. 309, Anm. 1; Martines, Social World, S. 342 f.

Domenico Buoninsegni

Domenico di Leonardo di Buoninsegni, 1384 (?) – März 1466; Sohn des Leonardo di Domenico Buoninsegna und der Piera da Lapaccina del Toso. Buoninsegni wird 1384 in Florenz geboren; 1404 in der arte della lana Unternehmer, Handelsherr; bis 1430 einer der reichsten Männer von Florenz, danach in wirtschaftlichen Schwierigkeiten. Zahlreiche Ämter, insbesondere in der Finanzverwaltung von Florenz. Bisticci überliefert, daß er seine Ausbildung bei Roberto de Rossi erfuhr, den Palla Strozzi förderte und bei dem auch Cosimo de' Medici in die Schule ging. Auch ist bekannt, daß Domenico zum Kreis um Niccolò Niccoli zählte und Giovanni di Cosimo de' Medici verbunden war. 1425 Heirat mit Piera di Filippo di Messer Ruberto. Da seine ‹Istoria fiorentina› bis 1460 reicht, bezeichnet dies den terminus post quem seines Todes.
Lit.: Greco II, S. 405, Anm. 1; Cagni, S. 56 f.

Benedetto Strozzi

Benedetto Strozzi wird 1387 als Sohn des Pieraccione Strozzi und der Lena di Iacopo Pilli geboren. 1416 Heirat mit Ginevra di Rinaldo Peruzzi, mit der er viele Kinder hat. Um 1430 hört er bei Giannozzo Manetti die ‹Ethik› des Aristoteles. 1431 Podestà von Empoli, stirbt 1458. Zählt vielleicht zum Kreis der Kopisten Bisticcis. Dessen kurze Vita ist Primärquelle und dient der Lebensbeschreibung, die Lorenzo Strozzi im 16. Jahrhundert über seinen Vorfahren verfaßte, als Grundlage.
Lit.: Greco II, S. 423, Anm. 1; Martines, Social World, S. 327, 335; Ullmann; S. 98 f. de la Mare, Cosimo and his Books, S. 118, 132.

Alessandra de' Bardi

Alessandra de' Bardi wird 1412 als Tochter des Bernardo de' Bardi und der Nera di Cino Rinuccini geboren. 1432 Heirat mit Lorenzo, einem Sohn Palla Strozzis, der 1434, zusammen mit dem Vater, verbannt wird. Sie folgt ihm ins Exil nach Gubbio, wo Lorenzo 1451 einem Mordanschlag zum Opfer fällt. Alessandra begibt sich dann nach Ferrara zu ihrem Sohn Gianfrancesco, wo sie 1465 stirbt. *Lit.: Greco* II, S. 461, Anm. 2; *F. W. Kent* in: *Reinhardt*, S. 55.

ANMERKUNGEN

Seite 9
Die Kinder ...: Das Folgende nach Landucci, S. 36.

Seite 10
... *andere Kriterien des Staunens:* Roeck, Wahrnehmungsgeschichtliche Aspekte. – «*Führerin unseres Weltalters*»: Burckhardt, Kultur der Renaissance, S. 406. – ... *Entstehung von Bisticcis Werk:* Grundlegend Albinia de la Mares leider unveröffentlichte Dissertation. Vgl. ansonsten Aulo Grecos Einleitung und seine teilweise recht ausführlichen Kommentare zu der von ihm besorgten italienischen Ausgabe der Viten und Cagnis ausführliche Einleitung zu seiner Edition der Briefe Bisticcis; weiterhin Guidotti, Nuovi documenti und ders., Indagini. *Der Tote* ...: Lit. zur Pazzi-Verschwörung in den Anm. zu S. 51.

Seite 11
Wohl zum Jahresende: Cagni, S. 36–40, 48–50; nach Guidotti, Nuovi documenti, S. 103, Anm. 13, bezahlt Bisticci noch bis Okt. 1480 die Miete für den Buchladen, den seit dem 1. November 1478 Andrea di Lorenzo d'Antonio führt. – ... *Glanz der Bücher:* Beispiele bei Alexander (Bibliographie!); Sesti; Garzelli. – ... *karmesinroter Goldbrokat* ...: Unten, S. 221 ff. – *Nikolaus V.:* Unten, S. 131 f. – ... *jenes genialen Condottiere:* Vgl. die Lit.-Hinweise zu S. 86–90. – *Bücherwerkstatt:* Neben de la Mare auch Cagni, S. 47 ff., und die Aufsätze von Guidotti. –

Seite 12
Leonardo Bruni ...: Unten, S. 255. – ... *gegenüber der Florentiner Badia:* Die nicht ganz sichere Identifikation des Gebäudes in: Francesco Lumachi, Firenze. Nuova Guida illustrata storica – artistica – aneddotica della città e diutorni, Firenze 1928, S. 395. – *Manche meinen* ...: Zusammenfassend Cagni, S. 85. – Bisticcis Skepsis gegenüber dem «neuen Medium»: Unten, S. 224. – ... *eines der frühesten Zeugnisse:* Lowry/Jenson S. 110f. (über Filippo Strata: «Est virgo haec penna, meretrix est stampificata»). – ... *die berühmte Bibel:* Vgl. Garzelli.

Seite 13
...*was er über die Pazzi-Verschwörung schreibt:* S. 295 f.; Bisticci hebt allerdings die Klugheit gerade Pieros hervor, der seiner Auffassung nach eine Verstrickung des Hauses in eine Verschwörung verhindert hätte. Pazzi begegnet in seiner Darstellung als typischer Repräsentant des «Bürgerhumanismus» (vgl. unten, S. 94–98).

Seite 14
Beziehung zu den Strozzi: Vgl. unten, S. 311–319, den Briefwechsel mit Alfonso Strozzi (bei Cagni, S. 172–174) und die Widmung der Vita Pallas an Filippo Strozzi (ebd., S. 195–199). – *Briefwechsel mit Jacopo Acciaiuoli:* Ebd., S. 147–150. Über Vespasianos enge Beziehung zum Hof von Neapel, insbesondere zu König Ferrante: de la Mare, Bisticci, S. 330 ff. – ... *optime vir et amice* ...: Cagni, S. 147 (Brief vom 2. Juni 1463). – Zum politischen Stilwandel im Florenz des 15. Jahr-

hunderts Rubinstein, Lorenzo de' Medici; ders., Oligarchy and Democracy; ders., Politics and Constitution. – ... *keinen Kontakt mehr gehabt:* Erst 1490 scheint er zusammen mit Pico della Mirandola und Angelo Poliziano eine Klosterbibliothek – wohl auf Veranlassung des Magnifico – inspiziert zu haben: de la Mare, Bisticci, S. 36. – ... *ganz beiläufig erwähnt:* Greco, Register (I, S. 38 f., II, S. 58, 113, 233). – *Einmal berichtet er* ...: Unten, S. 349.

Seite 15
Der Inhalt des ersten Briefes: Cagni, S. 161 f. – *Ser Leonardo:* Ebd., S. 37 f., Anm. 5. - *Verfolgungen:* Ebd., S. 163. Möglich, daß Vespasiano auch durch seine neapolitanischen Verbindungen in Schwierigkeiten geraten ist; während des Pazzi-Krieges befindet er sich aus unklaren Gründen in Siena, wo sich zu dieser Zeit auch die Herzöge von Urbino und Kalabrien aufhalten (vgl. de la Mare, Bisticci, S. 34). – «... *ich trat in ein Labyrinth»:* Cagni, S. 162.

Seite 16
Libro delle lode ...: Vgl. Blank. – *Im Vorwort meint Vespasiano* ...: Cagni, S. 106, Anm. 2. – *Brief vom 10. Juli 1493:* Widmung an Lorenzo Carducci, ebd., S. 201.

Seite 17
... *Spuren des Alltags:* Vgl. etwa Herlihy/Klapisch-Zuber oder die Arbeiten Trexlers; auch Brucker, Florenz; King; Ady.

Seite 18
Vorrede zur Vita Nikolaus' V.: Unten, S. 122–124. – *Vespasianos Lateinkenntnisse:* Einige seiner Briefe in lateinischer Sprache sind erhalten.

Seite 19
... *bis an sein Lebensende:* Die Datierung der Arbeiten an den ‹Vite› ist umstritten, die Reihenfolge, in der sie erstellt wurden, unsicher. Gelegentlich finden sich in den Texten selbst oder in Briefen Vespasianos Hinweise. 1493 etwa schreibt er, es sei «nicht viel Zeit» vergangen, daß er Lebensbeschreibungen einzigartiger Männer verfaßt habe; intensive Arbeit an den Texten und Widmungsvorreden lassen sich für die Jahre 1494–1496 vermuten. Vgl. Greco I, S. V–VII. – *Enzyklopädie des Humanismus:* Ebd., S. 185, Anm. 1.

Seite 20
Ein spanischer Kardinal: Juan de Mella, Bischof von Zamora, 1456 durch Calixt III. zum Kardinal von Zamora erhoben. Gestorben am 12. 10. 1467.

Seite 21
Zu Unrecht verblaßt Cosimos Ruhm ...: Vgl. Ames-Lewis. – *So erinnert er sich daran* ...: Vgl. unten, S. 349. – ... *ein merkwürdiges Schreiben:* Ediert bei Cagni, S. 159–161. – *Das wenige, was über seine Jugend* ... *bekannt ist:* Grundlegend die Quellennachweise und -interpretationen in der Dissertation Albinia de la Mares. Zum Folgenden auch Cagni (S. 11–46) und Guidotti, Nuovi documenti (dort jeweils die ältere Lit.).

Seite 22
... *noch die neuere Forschung:* Cagni, S. 18. – ... *die gängige Vorstellung* ...: Vgl. de la Mare, Bisticci, S. 10 des Typoskripts; Cagni, S. 17 ff. – ... *ein gewisser Niccolò di Piero di Donato:* Mattea war Tochter eines Piero di Donato Balduccci.

Es spricht wenig dagegen, in diesem «Nicholò di Piero di Donatto» einen Bruder Matteas (und mithin Pippos Schwager) zu identifizieren. Cagni (S. 18) meint dagegen, er sei «probabilmente un socio di Pippo» gewesen. Auch Niccolò war nach Aussage des Katasters «stamaiuolo».

Seite 23
Die Erträge des Besitzes in Antella: Cagni, S. 16 f., de la Mare, S. 10. – *Jenseits der Alpen* ...: Bach, S. 40. Einige Jahrzehnte später wimmelt es in Rom von Leuten mit «klassischen» Namen, vgl. Esch, Importe, S. 406. – ... *nach der Biographie Suetons:* Vgl. Vesp. 12. – *Wichtiger* ... *ist ein Zusammenhang:* Nachweise zum Folgenden bei de Roover, Rise and Decline, S. 178.

Seite 24
Wie sich diese Zusammenarbeit ...: Zur Stellung und Funktion der «stamaiuoli» und zur ‹protoindustriellen› Garnproduktion im Florentiner Umland: Doren, S. 150, 245–248. – *Vielleicht wird es überraschen* ...: de Roover, S. 178.

Seite 25
Statuten von 1351 ...: Vgl. Doren, S. 250 f., 252 Anm. 1. – *Seine Verflechtung* ...: Vgl. de Roover, Rise and Decline, S. 183. – *Taddeo di Filippo* ... *übernimmt die Tilgung:* Cagni, S. 19 (in Unkenntnis der Stellung Taddeos, über die sich bei de Roover [S. 182 f.] nachlesen läßt). – *Von einer frühen Chance* ...: Vgl. unten, S. 166.

Seite 26
«Era in Firenze ...»: Greco I, S. 149. – *Wiederholt begegnet er* ...: Vgl. etwa ebd. Bd. II, S. 230 f. und ad indicem. – ... *erlauchten Humanistenzirkels:* Vgl. Martines, Social World, S. 295, 332 f. – *Beziehung zu Poggio Braccolini,* ... *Leonardo Bruni* ... *und Francesco Filelfo:* Ebd., S. 125, 333. – *«Wahrer und guter Freund»:* Greco I, S. 149.

Seite 27
Bemerkenswerter Bücherbesitz: Guidotti, Nuovi documenti, S. 109, Anm. 33 («... il donadelli col Cato ...»). – *Vespasianos Laufbahn* ...: Zur sozialen Stellung der Humanisten grundlegend Martines, Social World. – *In den ersten Jahrzehnten des 16. Jahrhunderts:* Vgl. Greco I, S. 145 f., Anm. 4. Über Bruderschaften in Florenz: Zuletzt Henderson und D. Kent, Buonomini, mit der älteren Lit. (vgl. insbesondere Ronald Weissmans dort zitiertes Buch); Bruderschaften für Knaben: auch Trexler, Public Life, S. 370–378.

Seite 28
Antonio di Mariano: Er war Vorsteher der Bruderschaft der «Natività». Zweifelsfrei ist seine Identität nicht zu klären. In den Florentiner Notariatsakten wird zwischen 1445 und 1480 ein Antonio di Mariano Cecchi, der zeitweilig Mitglied der Kanzlei war (vgl. Marzi, S. 501, 503; vgl. auch Staatsarchiv Florenz, Notarile antecos., 21 471, fol. 6v.) faßbar. De la Mare bezieht sich auf Briefe des Kardinals Jacopo Piccolomini (vgl. Epistolae et Commentarii Jacobi Piccolomini Cardinalis Papiensis, Mailand 1506; Florenz, Nationalbibliothek, Rinasc. A. 99). Tatsächlich ist hier – fol. 4 – ein Brief an «Antonio de Mariano Florentino" abgedruckt, in dem von einem gemeinsamen Schulprojekt gesprochen wird; der Kardinal versichert dem Empfänger seine Unterstützung («Tu pie agis Antoni: non deferens quod coepisti et continuasti cum laude ...»).

Dieser Brief ist aber nicht datiert. Ob der Angesprochene mit dem Kanzler Antonio di Mario Muzi identisch ist, an den der zweite – 1470 verfaßte – Brief gerichtet ist (fol. 193), muß offenbleiben. Der Humanist Girolamo Aliotti erwähnt in einem Schreiben von 1445 einen Antonio di Mario (Hieronymi Alliotti Aretini ... epistolae et opuscula I, Arezzo 1769, S. 113), ohne daß die Stelle weitere Aufschlüsse über den Genannten geben würde. Dasselbe gilt für eine Erwähnung bei Leonardo Dati (Epistolae, S. 25). – *Antonio di Mario:* Über ihn Martines, Social World, 327 f.; Ullmann, Humanistic Script, S. 98–109; Marzi, S. 500; Baron, Crisis, S. 405; zuletzt de la Mare, Cosimo and his Books, passim; und die Arbeiten von Garzelli (m. weiterer Lit.). – *William Gray:* de la Mare, Bisticci and Gray.

Seite 29
Guarducci: de la Mare, Bisticci, S. 12 f.; de la Mare hält es für möglich, daß C. ihn in Lesen und Schreiben unterrichtet habe; weiterhin Guidotti, Nuovi documenti, S. 99 f. – *Über die weitere Laufbahn ...:* Das Wesentliche bei de la Mare und Cagni. – *Seine Tätigkeit ...:* Aus der reichen Literatur vgl. etwa Sesti; D'Ancona; Levi d'Ancona; Reidy. – *Strozzi:* Vgl. dessen Vita, S. 379–381; de la Mare, Copisti fiorentini, S. 84.

Seite 30
So rühmt er sich ...: Vgl. S. 329; auch Ullmann, Humanistic Script, S. 131–133. – *«Er ließ es herstellen ...»:* Cagni, S. 81. – *... erwähnt ... Rinuccini:* Ebd., S. 83. – *Mitglied der Florentiner Akademie:* Belege – auch zum Folgenden – bei Cagni, S. 83 f. – *Bankette Franco Sacchettis:* Vgl. dessen Vita, S. 344–346. – *Giannozzo Manettis Übersiedlung nach Neapel:* Baron, Crisis, S. 400. – *Buchhändler des Grafen von Montefeltro:* de la Mare, Bisticci e i copisti, S. 81, Anm. 2, S. 92 f. – *«glühender Republikaner»:* Martines, Social Word, S. 327. – *Nachschrift zu Aulus Gellius ...:* Baron, S. 405. – Jacob Burckhardts berühmte Worte: Kultur der Renaissance, S. 53.

Seite 31
Eine Beschreibung der Florentiner Gesellschaft: Zum Folgenden Brucker, Florenz; Hale. Vgl. auch die Einleitung Reinhardts zu ‹Die großen Familien Italiens›. Unverzichtbar sind die Werke Nicolai Rubinsteins, daneben auch das Standardwerk von Herlihy/Klapisch-Zuber, auch de Roover, Labour Conditions. Vgl. weiterhin die Arbeiten von Trexler, Public Life, Celibat; Ugolini; Kent, Household; Kent/Kent, Neighbourhood.

Seite 32
«... pulsierende urbanistische Zone»: Guidotti, Indagini, S. 476. – *Der Chronist Benedetto Dei:* Chronica, S. 82 f. – *Arte della lana:* Grundlegend Doren, auch Hoshino.

Seite 33
«Treibhausklima»: Situation der Künstler im Florenz der Renaissance Wackernagel, auch Burke und Baxandall. Zu Beziehungen zwischen Kunst und Wirtschaft Esch. – *Arte dei maestri di pietra ...:* Wackernagel, S. 307–309; Cole. – *... Keineswegs ... genialische Olympier:* zur Stellung des Künstlers im 15. Jahrhundert neben dem Standardwerk von Kris/Kurz grundlegend Burke und Baxandall. Neuere Lit. zitiert bei Roeck, Artisti veneziani.

Seite 34
Anekdote ... über Donatello: Unten, S. 334. – *Arte di Calimala:* Zum Folgenden
Doren I, S. 422 f. – *Benedetto Dei zählt ... auf:* Ebd., S. 103 f.

Seite 35
Tabelle: nach de Roover, Rise and Decline, S. 29. Vergleichswerte für 1427: Her-
lihy/Klapisch-Zuber, S. 251. 1% der Reichsten verfügten nach den Aussagen des
Katasters über 25% der Vermögen. Und: Die 3000 wohlhabendsten Florentiner
Familien hatten mehr Besitz als 57 000 Familien in Stadt und ‹contado›. – *Humanisten ... in der wohlhabenden Mittel- und Oberschicht:* Ein Hauptergebnis
der meisterlichen Studie von Martines (Social World). – *Was «Haus» und Familie ... bedeuten:* Reinhardt, Einleitung; Herlihy/Klapisch-Zuber; Kent, Household; King.

Seite 36
Niccolò di Piero: vgl. Anm. zu S. 22. – *Oder man lese:* Unten, S. 312. – *Rucellai:*
Vgl. die Literaturhinweise Kents in Reinhardt, S. 461.

Seite 37
... in der Vorrede zu ... ‹Della famiglia›: Zit. nach der Übersetzung von Kraus.
– *... das Bisticci so eindrucksvoll schildert:* Vgl. unten, S. 354. – *... klagt ...
der Alte:* Machiavelli VII, 6.

Seite 38
Wir wissen heute ...: Vgl. Herlihy/Klapisch-Zuber; Kent, Household. – *Das fünf-
hundertköpfige «Haus» Montefeltros:* Unten, S. 227. – *Peter Burke spricht ...
vom Dörflichen ...:* Burke, S. 238.

Seite 39
Florenz ... war eine Kleinstadt: Vgl. die Literaturhinweise zu S. 31 f.; ein knap-
per statistischer Überblick bei Brucker, Florenz, S. 88 f., weiterhin Martines,
Power and Imagination. – *... eher in der zweiten Reihe ...:* Vgl. von Beloch mit
Vergleichszahlen. – *Im contado mögen ...:* Molho, Public Finances, S. 26.

Seite 41
... zu einer ... urbanistischen Struktur ... gefunden hatte: Zur urbanistischen
Entwicklung von Florenz vgl. Braunfels; Goldthwaite; Martines, Power and Imagination.

Seite 42
... daß auch unser Vespasiano da Bisticci: Cagni, S. 29. – *Giovanni Rucellai:*
Vgl. die Lit.-hinweise zu S. 36. – *Bisticci erwähnt ihn ...:* Greco II, S. 143. –
‹Zibaldone›: Vgl. Rucellai (Quellenverzeichnis) – *Gott, so schreibt er ...:* Ebd.,
S. 117 f.

Seite 43
Und er kam zu dem Schluß: S. 123. – *... die schönste ... Stadt der Welt:* Ebd.,
S. 66. – *Freilich hatte die Patronage:* Vgl. Fraser Jenkins; Kent, Palaces.

Seite 44
«Kreditkarte» der Elite: Lopez. – *Nach dem Zeugnis Marco Parentis:* Phillips,
S. 101. – *... mit denen auch Bisticci bekannt war:* Greco II, S. 572. – *... eine*

schöne Anekdote: Kent, Courtly and family interest. *Was die Medici ... errichteten:* Aus der reichen Lit. vgl. Gombrich; Fraser Jenkins; Paoletti; Elam. – *Ein Drittel mehr als die jährlichen Nettogewinne:* Esch, Zusammenhang S. 202.

Seite 46
S. Francesco al Bosco: Robinson. – *Badia:* Wackernagel, S. 240. – *S. Lorenzo ... als Kirche Cosimos:* Gombrich, S. 287. – ... *schreibt Bisticci:* Vgl. unten, S. 330f. – ... *außer den Wappen der Kanoniker:* Unten, S. 297. – *Bisticcis Aussagen:* Unten, S. 325; vgl. Fremantle. – *Machiavelli trifft ... Wesentliches:* Vgl. dessen ‹Istorie fiorentine›, Buch VII, 5–7. – ‹*magnificenza*›: Fraser Jenkins.

Seite 47
Daß Cosimo de' Medici das politische Spiel ... beherrschte: Zu Cosimos Machttechnik grundlegend die Studien von Rubinstein. Die neueste Lit. bei Ames-Lewis und Brown. – *1434 ...:* Vgl. unten, S. 324. – *Wohl in die nächste Nähe ...:* Unten, S. 341.

Seite 48
Giovanni Rucellai meinte ...: ‹Storie fiorentine›, S. 26. – *pater patriae:* Molho, Cosimo de' Medici; Rubinstein, ‹optimus cives›. – *Netzwerk:* Brucker, Civic World, S. 47. – *Verfassungsrechtliche Gegebenheiten:* Vgl. die Arbeiten Rubinsteins und Bruckers. Eine Synthese bietet Hale, Medici, S. 18–25. – ... *urteilte ein venezianischer Diplomat:* Zit. nach Burke, S. 224. – Das Folgende nach der oben zitierten Lit.

Seite 49
Otto di Guardia: Antonelli.

Seite 50
Wie Cosimo ... seine Autorität einsetzte: Vgl. unten, S. 293 f.

Seite 51
Umsturzbestrebungen Rinaldo degli Albizzis: Die Vorgänge der Jahre 1433/34 sind natürlich Gegenstand aller Darstellungen, die sich mit dem Florenz der Zeit Cosimos beschäftigen. Vgl. außerdem Belle; Brosch; Kent, Medici in esilio. – ... *des unterschätzten Piero de' Medici:* Neue Perspektiven bietet Beyer/Bouchers Sammelband. – *Luca Pitti:* Zuletzt Philips, S. 93, 102 f.; F. W. Kent in Reinhardt, S. 460 f.; ders., Palaces. – *Pazzi-Verschwörung:* Fubini, mit der älteren Lit.; vgl. auch die populäre Darstellung Actons. – *Die spürbarste Konsequenz ...:* Wiederum neben den großen Studien Rubinsteins, Bruckers, de Roovers und anderer – die dieses Grundproblem der florentinischen Geschichte natürlich behandeln – Molho, Florentine Public Finances; Conti; Marks. – *Naldo Naldi berichtet ...:* Martines, Social World, S. 131.

Seite 52
Selbst Matteo Palmieri ...: Molho, Public Finances, S. 95–98. – *Die Klagen auch der Reichsten ...:* Vgl. Strozzis Petition von 1431, nach Molho, S. 157f. – *Was war so kostspielig ...:* Zum Folgenden grundlegend Mallett, Mercenaries; die wichtigen Arbeiten John Hales zu diesem Thema sind in dessen Festschrift (Chambers/Clough/Mallett) bibliographisch erfaßt. Aus der unüberschaubaren Fülle der einschlägigen Arbeiten zum Thema sei die bedeutende Studie von Blastenbrei hervorgehoben, eine methodisch reflektierte Arbeit zur Organisation

und zur Finanzierung bzw. den Kosten des «Renaissancekrieges». Dort auch die
ältere Litertur. – ... *nicht weniger als eine Million:* Molho, S. 20. – *Federico von
Montefeltro:* Tommasoli, S. 64 f., Anm. 59; dort auch weiteres wichtiges Zahlen-
material. ... *was die Medici-Bank erwirtschaftete:* de Roover, S. 53–76.

Seite 53
Piccolomini ... *meinte:* Burckhardt, S. 18, nach ‹De dictis et factis Alphonsi›
(Opera, Basel 1538), S. 251. – *Braccio da Montone:* Vgl. Braccio da Montone. –
König Ferrante: Pontieri; Abulafia.

Seite 54
Dominierende Macht ...: Die folgende Skizze stützt sich auf die verfügbaren
Gesamtdarstellungen, vgl. insbesondere Procacci; Lutz; Hay/Law; Rossi; Pastor;
Gregorovius; Pullan; Caravale/Caracciolo; Ady; Lane; Tommasoli (mit der älte-
ren Lit.). – *Fermente eines tiefgreifenden Wandels:* Vgl. Hartt. – *«Bürgerhuma-
nismus»:* Vgl. die Arbeiten Hans Barons. – *«atmosphärische Wirkung»:* Esch,
Zusammenhang, S. 188.

Seite 55
Das Lucca-Unternehmen: Vgl. unten, S. 316.

Seite 56
«Die Klügsten und die Besten ...«: Ebd. – *Niccolò d'Uzzano:* Vgl. Greco II,
S. 150 (dort auch Nachweis des Guicciardini-Zitates); auch Danielli. – *An Ma-
chiavellis Lobpreis* ... *ist soviel richtig* ...: Brucker, Civic World, S. 484. – *Für
den Historiker* ...: Er ist Hauptquelle etwa für das Werk von Herlihy/Klapisch-
Zuber. – *Finanzkrise:* Molho, Public Finances, S. 153 ff.

Seite 57
... *daß die Gegensätze eskalierten:* Ebd., S. 7 f. – ... *doch hatte Cosimo* ...
Vorkehrungen getroffen: de Roover, S. 54 f.

Seite 58
Folgen wir Bisticci ...: Unten, S. 108 f. – *seines «Hausbankiers»:* Holmes, How
the Medici. – *Schlacht von Angliari:* Vgl. unten, S. 255. – *Nach Machiavelli,*
‹Istorie fiorentine› V, 33. – ... *eigenwillige süditalienische Variante:* Bentley;
Woods-Marsden.

Seite 59
Am Anfang der Konsolidierung: Außer der Lit. der Anm. zu S. 54 (insbesondere
Caravale/Caracciolo) auch Thomson und Strnad. – *Schon in dieser Zeit* ...: de
Roover, Rise and Decline, S. 202 f.; Holmes, How the Medici ... – *«Quod scripsi,
scripsi»:* Die zumindest gut erfundene Anekdote bei Young, S. 34 (Anm.). – *Bi-
sticci verdanken wir den Hinweis* ...: Vgl. unten, S. 321 und de Roover, S. 203.

Seite 60
... *die der Position eines «Finanzagenten» gleichkam* ...: Ebd., S. 197. – ... *sehr
anschaulich nachzulesen* ...: Unten, S. 134 – *62,8 Prozent der Gewinne:* de
Roover, Rise and Decline, S. 55. – *Man hat zutreffend bemerkt* ...: Esch, Zusammenhang, S. 101. – *Spottverse auf Papst Martin:* S. unten, S. 252. – *Dort
glückte es ihm erstaunlich rasch:* Kennedy; Corbo.

Seite 61
Condulmer: u. a. Gill, S. 35–44; aus römischer Perspektive Infessura, S. 23–38.
– *Bisticci schildert ...:* Vgl. unten, S. 106f. – ... *noch 1446:* Esch, Zusammenhang, S. 212 (mit Nachweisen); Mietreduzierungen bei Abwesenheit des Papstes: Ders., Florentiner, S. 490f.

Seite 62
«Platz für Kuhhirten»: Vgl. unten, S. 119. – ... *die noch sichtbaren Ruinen ...:* Zum Wandel des Rom-Mythos (und damit zur «Metamorphose» der Ruinen Roms) umfassende literarische Belege bei Rehm; vgl. auch Weiss.. – *Als Petrarca sie betrat ...:* Mommsen; zum Folgenden unten, S. 162–164.

Seite 63
... *eine im weitesten Sinne politische Qualität:* War es nicht auch eine moralische, eine ethische Qualität, die sich im historischen «Erfolg» Roms manifestiert hatte und auf welche die Überreste verwiesen, «Zeichen» darstellend, zur Nachahmung der «Römertugenden» mahnend? – *Zusammenhang zwischen politischer Verfassung und kultureller Blüte ...:* Baron, Bürgersinn, S. 31. Vgl. auch dessen weitere Untersuchungen: Crisis; Cicero; From Petrarch. Der zeitgeschichtliche Kontext der Entstehung dieser Studien darf nicht ganz übersehen werden. – *«etruskische» Tradition von Florenz:* Cipriani.

Seite 64
Etwas naiv ...: Vgl. unten, S. 301; über Biondo Flavio zuletzt Clavuot und Hay.

Seite 65
Eugen IV. weiß von Anfang an ...: Vgl. unten, S. 106. – *Nikolaus V. erfährt ... besondere Gnade:* S. 142. – ... *nach dem glaubwürdigen Bericht...:* S. 133f. – ... *nämlich des Konzils, das sich 1439 in seiner Vaterstadt zusammenfand:* Vgl. neben allgemeinen Darstellungen (z. B. Pastor): Becker; Gill; Fechner; Stieber; zuletzt Viti, ein opulentes Sammelwerk, das über viele Aspekte der Kirchenversammlung informiert und die neueste Lit. mitteilt.

Seite 66
... *weit grundsätzlichere Dinge:* Bäumer; Alberigo; zu den Voraussetzungen der konziliaren Ideen vgl. die Arbeiten von Tierney, A. Black und Wilks. – *Vitelleschi:* Noch immer eindrucksvoll Gregorovius III, S. 24–29 und 35, zuletzt Rolfi, in Viti (S. 221, 121, 146).

Seite 67
... *in der Vita Giuliano Cesarinis ...:* Vgl. unten, S.163. – ... *schreibt er nicht ganz ohne Berechtigung...:* Unten, S. 113. – *Im Vordergrund stehen ...:* Unten, S. 114ff.

Seite 68
Priesterkönig Johannes: U. a. Dennison Ross. – *Reflex der Weltsicht einer fernen Gesellschaft ...:* Grundlage der hier angedeuteten Überlegungen ist Roeck, Wahrnehmungsgeschichtliche Aspekte. – *Öffentliches Leben des Florentiner Quattrocento:* Trexler, Public Life; Lazzi, in Viti, S. 389–407. – ... *gut zu tanzen verstand:* Vgl. unten, S. 386f.; Ady.

Seite 70
... *seine ... Sammlung griechischer Codices:* Labowsky; Miscellanea Marciana.

– *... das Interesse der Humanisten für die griechische Antike ...:* Kristeller, Humanismus und Byzanz; vgl. die Abteilung ‹Umanesimo greco› in Vitis Sammelwerk. – *Bisticci bestaunte ...:* Vgl. unten, S. 115. – *Was ein Papst ... noch galt:* Unten, S. 116 f.

Seite 71
Klosterreform: Unten, S. 108–112; vgl. Robinson mit der älteren Lit.; vgl. vor allem Nimmo und Fisher.

Seite 72
... das Schlüsselwort des Zeitalters: Unten, S. 193.

Seite 73
an einer interessanten Stelle: Unten, S. 308. – *Vittorino da Feltres «Casa giocosa» ...:* Über Vittorinos Erziehungssystem Müller; Woodword. – *Wein aus Granatäpfeln ...:* Unten, S. 230. – *... gemäß der Empfehlung des hl. Bernardino ...:* In dessen ‹Interpretazione della regola di S. Francesco›, vgl. Origo, S. 178. – *... entsprach freilich völlig der Auffassung mancher Humanisten:* Vgl. Quiñones. – *... in der Vita Giannozzo Manettis:* Unten, S. 260.

Seite 74
Manetti habe ... das Spiel gehaßt: Unten, S. 260. – *Erzbischof Antonino geht nach der Predigt ...:* Unten, S. 186. – *... ganz zu schweigen von den Donnerworten:* Origo, S. 123–126. – *... meint man, ... die Stimme Petrarcas zu vernehmen:* Vgl. Baron, Bürgersinn, S. 51–53 (mit Nachweisen). – *Papst Nikolaus V., im Verdacht, dem Trunk ergeben zu sein:* Vgl. unten, S. 132. – *... einen offenkundigen Choleriker ...:* Unten, S. 303–305. – *... negative Sicht der Leidenschaften, die ... nicht von allen Humanisten geteilt wurde:* Vgl. Baron, Bürgersinn, 30 f.; demgegenüber Kristeller, Das moralische Denken, S. 47. Überblick: Schmitt/Skinner (ad indicem, «emotions»), außerdem Lentzen und Vikkers. – *... neapolitanische Eifersuchtstragödie ...:* Unten, S. 152 f. – *So läßt er König Alfonso ...:* Unten, S. 155 f.

Seite 76
... mit dem berühmtesten Meister des Zeitalters: Unten, S. 335, das Folgende ebd. – *... mit zeitgenössischen gemalten oder gemeißelten Porträts:* Vgl. Pope-Hennessy; Castelnuovo. – *‹gravità›:* Vgl. Drexler, Hiltbrunner und Weische, S. 38–52; zur Bedeutung des Begriffs im ‹Cortegiano›: Loos, S. 115–119. – *Ein Lexikon des 18. Jahrhunderts:* Romani/Jäger, Sp. 508.

Seite 77
... schreibt er über Vittorino da Feltre: Unten, S. 286. – *... in der Vita Filippo di Ser Ugolinos:* Unten, S. 358.

Seite 79
selbst die geringste Gebärde ...: Unten, S. 227. – *«dreißig oder vierzig junge Leute»:* Unten, S. 230. – *Dann die Vita Niccolò Niccolis:* Unten, S. 347–356. Lit. über ihn S. 405. – *«... er war heiter»:* Unten, S. 354. – *«Er war von größter Manierlichkeit» ...:* Ebd.

Seite 80
Eine merkwürdige Anekdote ...: Unten, S. 156 f. – *... man hat das als Anzei-*

chen einer allgemeinen Abkehr von der Goldpracht gedeutet: Baxandall, S. 24–26. – *Die Frauen schließlich:* Zum Thema «Frau in der Renaissance» vgl. King; Heißler/Blastenbrei; Klapisch/Zuber, Women; Ganz, Paying the Price; Trexler, Le celibat. – ... *eine eingestreute kleine Frauenvita:* Unten, S. 283–286. – *Seinem Freund Pierfilippo Pandolfini schreibt er ...:* Cagni, S. 179.

Seite 81
Die Kinder des ... Palla Strozzi ...: Unten, S. 312. – *Alessandra de'Vaggia ... Buondelmonti:* Auch Selvaggia genannt, Tochter des Ghino Manente und der Papera di Niccolò di Lorenzo Sassolini; sie heiratet Poggio 1434 und bringt 600 fl. Mitgift in die Ehe ein.

Seite 82
Stöckelschuhe: Unten, S. 382. – ... *die christlichen Bildthemen ...:* Aufschlußreiche Zahlen bei Burke, S. 152 f.

Seite 83
Dies dichtete Lorenzo der Prächtige: Seine ‹Canzona die Baccho›, in: Opere, hrsg. von A. del Monte, ²Napoli 1969, S. 583. – *Gleichgewichte:* Das Folgende nach den Übersichtsdarstellungen (vgl. Anm. zu S. 54, 58 und 59).

Seite 84
... *zum wahren Märtyrer wurde:* Unten, S. 167. – ... *Ordnung des Gleichgewichts:* Zum System der «lega italica» zuletzt Mallett, Ambassadors, S. 230 f. (dort die ältere Lit., aus der Soranzo als grundlegend hervorzuheben ist). – *Ferrante von Aragon:* Abulafia; Clough, Federico da Montefeltro and the kings of Naples; Pontieri.. – *Mailand:* Ady, History of Milan; Blastenbrei; Santoro; Grassi/Bologna. – *Venedig:* Lane.

Seite 85
«Ein Wald auf dem Meere ...»: Zit. nach Lane, S. 546. – *Überfall auf ... Otranto:* Bisticci hat darüber eine Klage verfaßt: ‹Lamento d' Italia per la presa d'Otranto fatta dai Turchi nel 1480› (vgl. Cagni, S. 110 f.).

Seite 86
... *sich selbst Freudenfeuer ... bereitet:* Unten, S. 178 f. – ... *war die Einrichtung einer Bankfiliale:* de Roover, Rise and Decline, S. 261–274. – ... *so charakterisiert Burckhardt ... die Situation:* Kultur der Renaissance, S. 11.

Seite 87
Den Höhepunkt der Viten ...: S. 205–235. Die wichtigste Lit. über Montefeltro unter seiner Kurzvita, S. 396 f.; grundlegend Tommasoli und nach wie vor Dennistoun, daneben die Studien von Clough, auch Isaaks. – *Schlacht von S. Fabiano:* Dennistoun I, S. 118–120. – ... *Belagerung und Einnahme der Stadt Fano:* Ebd., S. 134 f. – *So meinte Venedig ...:* Lane, S. 389.

Seite 89
Montefeltro wurde erneut in Sold genommen: Tommasoli, S. 188. – *Die Operationen ...:* Einzelheiten bei Dennistoun I, S. 177. – *Obwohl dies sehr hohe Summen waren ...:* Vgl. Clough, Towards an Economic History of the Duchy of Urbino, in: Ders., The Duchy of Urbino.

Seite 90
... *ließ sich von diesem Geld:* Tommasoli, S. 137 f. Zur Kriegsfinanzierung im
15. Jahrhundert grundlegend Blastenbrei, zur Organisation der Söldnertruppen
Mallett. – *Machiavelli kritisiert* ...: Il principe, Kap. XII. – *Schlacht von La
Molinella:* Dennistoun I, S. 178. – *Verteidigung Riminis:* Ebd., S. 187–190. – ...
noch in seinem letzten Feldzug: Mallett, War of Ferrara. – *Federicos Porträtmedaille:* Vgl. Wind, S. 115 f.

Seite 91
Krieg um Volterra: Tommasoli, S. 231–234; Fiumi; Zannoni; Clough, Duchy,
S. 130; Frati. – ... *die Konsolidierung des Kirchenstaates:* Vgl. die Lit. zu S. 59.

Seite 92
... *urbanistische Umgestaltung Roms:* Harcel; Bering; Ramsay; auch Esch, Zusammenhang, S. 213. – *Wie schon Paul II.* ...: Das Folgende nach den Gesamtdarstellungen; vgl. auch Rubinstein, Lorenzo de' Medici; Garfagnini, Lorenzo de
Medici; Acidini Luchinat; Hale, S. 92 ff.; Mallett, Diplomacy. – Zur Pazzi-Verschwörung vgl. die Literaturhinweise zu S. 51.

Seite 93
... *berichtet ein Augenzeuge:* nach Reumont, S. 397.

Seite 94
Im Hintergrund der Pazzi-Verschwörung ...: Vgl. Fubini; Mallett, Diplomacy
and War, S. 145. – *Das Florenz Lorenzos des Prächtigen:* Zuletzt Garfagnini. –
... *hellsichtige Bemerkungen:* Vgl. etwa unten, S. 325.

Seite 95
So, wenn er von der Bibliothek Herzog Federicos ... schreibt: Unten, S. 221. –
... *in der Vorrede zur Vita Papst Nikolaus' V.:* Unten, S. 124.

Seite 96
«*Hymne auf die Werte bürgerlichen Lebens*»: Zit. nach Martines, Social World,
S. 5. – *Bürgerhumanismus:* Vgl. unter den im Literaturverzeichnis zitierten Wer-
ken Barons insbesondere dessen ‹The Crisis of the Early Italian Renaissance›. –
Kritik und Differenzierung: Kristeller, Das moralische Denken, S. 60 f.; Seigel.

Seite 97
Vita des ... Buoninsegni: Unten, S. 376–378. – ... *die Erzählung von seinem
tränenreichen Abschied:* Unten, S. 267 f. – ... *schreibt Bisticci in der Vita Alessandra de' Bardis:* Greco II., S. 484 (in unserer Auswahl ist diese Passage nicht
enthalten).

Seite 98
In der Vorrede zur Vita Nikolaus' V.: Unten, S. 122. – ... *das Vorbild der Lorbeerkrönung des toten Coluccio Salutati:* Martines, Social World, S. 241. – «*secondo la consuetudine degli antichi*»: Greco I, S. 498. – *Die Geschichte der
italienischen Renaissance hat eine Schlüsselszene:* Machiavelli, Lettere (hrsg.
v. F. Gaeta), ²Milano 1981, S. 301–306.

Seite 99
«*Wieder angemessen bekleidet ...*»: Ebd., S. 304.

Seite 100
Bisticcis Landgut: Die relevanten Quellen bei Cagni, S. 15 f. – ... *lyrische Worte:*
Ebd., S. 179.

Seite 101
«Von dort aus ...»: Ebd. – *Der letzte Brief* ...: Ebd., S. 175.

Seite 102
Man hat diesen Brief ... *als Bisticcis «politisches Testament» bezeichnet:* Ebd.,
S. 42. – *«Mann eines flüchtigen historischen Moments»:* Rossi, S. 37.

Seite 105
Messer Antonio: Antonio Correr (Venedig 1359–1445 Padua). 1407 Bischof von
Bologna, 1408 durch Gregor XII. – seinen Onkel – zum Kardinal erhoben. Abt
von S. Zeno in Verona. Bischof von Porto (1430) und Ostia (1431). – *S. Giorgio
d'Alga:* In der venezianischen Lagune – an algenreichen Gewässern – gelegenes
Kloster (heute nicht mehr bestehend); von Bonifaz IX. als Kongregation der
Säkularkanoniker bestätigt. – *blaue Kutten:* Vgl. Anm. zu S. 119. Mitglied war
neben Marino Quirini auch Antonio Correr, der spätere Papst Gregor XII.

Seite 106
«... und dann Papst werden»: Die Prophezeiung kursiert in verschiedenen Va-
rianten in den Quellen, so bei Enea Silvio Piccolomini und Francesco Filelfo. –
... *da wurde Gregor zum Papst gewählt:* 30. 11. 1406. – *Es kamen Papst Alexander:* Alexander (V.) 25. 3. 1409; stirbt am 3. Mai 1410. – *Papst Johannes:* Johannes (XXIII.): 14. 5. 1410, 1415 abgesetzt, stirbt im Dez. 1419. – ... *folgte
Martin:* Martin V.; geb. 1368, gewählt am 11. Nov. 1417, stirbt am 20. Februar
1431. – ... *das Votum fiel auf Eugen:* 3. März 1431. – *Er hatte Auseinandersetzungen:* Hierzu und zum Folgenden Einleitung, S. 65–70. – *Hafen, den man Ripa
nennt:* ‹Ripa grande› im römischen Stadtteil Trastevere. – *Seinen Neffen, den
Vizekanzler:* Francesco Condulmer (Kardinal seit 1431, Vizekanzler 1437–1447).
Zur Flucht Eugens auch Infessura, S. 28.

Seite 108
... *Landgut des Agnolo di Filippo Pandolfini:* Vgl. unten, S. 364 f. – ... *der Monat
September 1434:* Vgl. Einleitung, S. 57 f. – *Kardinal Vitelleschi:* Oben, S. 66. –
Rinaldo degli Albizzi: 1370–1442. Zentralfigur der Opposition gegen Cosimo
Medici. – *Rodolfo Peruzzi:* Mehrfach Botschafter, 1418 bei der Krönung Martins
V. in Rom; 1434 verbannt. Über ihn: Brucker, Civic World, passim.

Seite 109
... *der Kongregation von S. Giustina:* Reformkloster in Padua. – ... *Kloster S.
Salvi:* bei Florenz, unweit der Porta S. Croce. – *Alamanno Salviati:* Parteigänger
Cosimo de' Medicis; 1429 und 1432 Mitglied der «Dieci di balía», Kommissar
im Lucca-Krieg. Bei Bisticci mehrmals erwähnt. – *Settimo* ...: Das Kloster SS.
Salvatore e Lorenzo in Badia a Settimo, 1004 als Benediktinerkloster gegründet,
war seit 1236 zisterziensisch (es gehörte also zum Orden des hl. Bernhard von
Clairvaux). – ... *übertrug er die Abtei dem Kardinal von Fermo:* Domenico
Capranica (1400 – 14. 7. 1458); Eugen IV. gab ihm 1437 die Abtei von Settimo
als Kommende. Der Kardinal reformierte dann auch die Klöster von Cestello,
S. Donato und S. Martino alla Palma. Weitere Einzelheiten: Celso Calzolai,
S. 81–94.

Seite 110
... sandte er ... die Kardinäle von Fermo und Piacenza ...: Capranica (s. o.) und Branda Castiglione (1350 – 3. 2. 1443; deren Viten: Greco I, S. 159–167 und 119–123); die Szene dürfte sich 1442 ereignet haben.

Seite 111
Vernia: Bisticci meint das Franziskanerkloster La Verna bei Chiusi della Verna (unweit von Bibbiena), an einem Ort, wo der heilige Franziskus die Stigmata empfangen haben soll. Eugen IV. übertrug Aufsichts- und Schutzpflichten am 1. 3. 1434 an Florenz, im speziellen der «Arte della lana», der Wollweberzunft.

Seite 112
S. Giovanni in Laterano: Eugen IV. nahm S. Giovanni den (seit 1299) dort residierenden Säkularkanonikern von S. Maria Frigionara und setzte am 8. 2. 1439 Augustinerchorherren dort ein. – *... weihte er ... S. Maria del Fiore:* Am 25. März 1436, dem Jahresbeginn in Florenz. Bisticci erzählt hier in Kenntnis von Brunis ‹Commentarius rerum suo tempore gestarum›: Vgl. Greco I, S. 14, Anm. 2.

Seite 113
... weihte Eugen IV. auch S. Marco: Am 6. 1. 1443. – *Da seit langer Zeit ...:* Zum Folgenden Einleitung, S. 65–70. – *... der Kardinal von S. Angelo:* Vgl. dessen Vita S. 162–168. – *... jenes von Piacenza:* Branda Castiglione (vgl. Anm. zu S. 110). – *Papst Felix:* Als Herzog von Savoyen Amedeo VIII.; am 25. 1. 1439 wird er – der nach seiner Abdankung 1435 ein Leben als Eremit geführt hatte – vom Basler Konzil zum Papst gewählt. 1449 verzichtet er auf die Tiara. Er stirbt 1451.

Seite 114
... Gesandte des Priesterkönigs Johannes: Vgl. Anm. zu S. 68. – *Niccolò Secondino:* Wird von Bisticci mehrfach erwähnt, vgl. Greco, ad indicem.

Seite 115
... es war ein feierlicher Tag: 6 Juli 1439. – *... doch war ihr Patriarch nicht anwesend:* Joseph II., seit 1416 Patriarch von Konstantinopel (geb. 1360), war am 10. (16.?) Juni 1439 gestorben. Sein Grab befindet sich in S. Maria Novella, neben der Kapelle der Rucellai. – *Der griechische Kaiser:* Johannes VIII. Paläologos (16. 12. 1392–31. 10. 1448).

Seite 116
«Felder von Filippi»: Nicht klar, welche Gegend Bisticci hier meint; welche Kenntnis sollte er von den «philippinischen Feldern» in Ostmakedonien – dem Ort der berühmten Schlacht – haben? – *Palast der Signori:* der Palazzo Vecchio. – *... ernannte Papst Eugen ... achtzehn Kardinäle:* Diese Information wird auch durch andere Quellen (so den Bericht Flavios Biondo) bestätigt. – *Nicenus:* Johannes Bessarion. – *Rutenus:* Isidor, Metropolit von Kiev (1380/90 – 23. 4. 1463; Metropolit seit 1437). – *... und Papst Paul:* Bisticci meint natürlich den späteren Papst Paul II. – *Alberto degli Alberti:* Apostolischer Notar, Bischof von Camerino 1437–1445. – *... ob sie den Papst ziehen lassen sollten:* Hintergrund der Überlegungen, den Papst festzuhalten, war die Option der Florentiner – bzw. Cosimo de' Medicis – für Francesco Sforza, während der Papst eine Allianz mit

dessen Hauptgegner Filippo Maria Visconti (und Alfonso von Aragon) anstrebte. Bisticcis Erzählung bezieht sich auf die Jahre 1442/43; vgl. auch unten, S. 248.

Seite 117
Agnolo Acciaiuoli: Vgl. unten, S. 367–371. – *Ich erinnere mich daran* ...: Vgl. Einleitung, S. 70 f. – «*Auditorium nostrum in nomine Domini*»: So der Text bei Greco I, S. 22. Es handelt sich wohl um einen Lesefehler – die gewöhnliche Formel lautet nämlich «*adiutorium* nostrum in nomine Domini» («unsere Hilfe ist im Namen des Herrn»).

Seite 118
Felice Brancacci: 1382 – vor 1449. Führender Exponent der Florentiner Plutokratie, im Seidenhandel engagiert. Mitglied der «Dieci di Balìa» während des Luccakrieges, in diplomatischer Mission u. a. in Kairo. Kunstauftraggeber (Fresken Massaccios und Masolinos in S. Maria del Carmine!). 1434 als Gegner der Medici exiliert. – ... *vier- oder fünftausend Fiorini:* Eine enorme Summe wäre das gewesen. Der Fiorino war ein Goldstück von 3,54 Gramm Gewicht. Sein Name kam von fiore del giglio (Lilienblüte), die auf eine Seite der Münze geprägt war. Die andere Seite zeigte den Stadtpatron von Florenz, Johannes den Täufer. Ein Fiorino entsprach ursprünglich genau der (schwereren) Silberlira; bis zum Ende des 15. Jahrhunderts sank der Wert der Lira gegenüber dem Fiorino auf das Verhältnis 1 : 6,7. Ein Haus im Zentrum von Florenz konnte man um 1460 für 500 fiorini erwerben; Bisticcis Vater bezahlte eine Monatsmiete von etwas mehr als 1 fior., ein «staio» (ca. 33 kg). Korn kam in normalen Zeiten auf $^1/_4$ fior., 1 «coppia» Land (14 Hektar) konnte 15–20 fior. kosten. – *Bartolomeo Roverella:* 1406–1461, seit 1444 Bischof von Adria.

Seite 119
Azzurini: Auch Coelestini genannt (von Erzbischof Antonino). Nicht zu verwechseln mit dem gleichnamigen benediktinischen Reformorden: Die kleine Kongregation der Säkularkanoniker von S. Giorgio d'Alga hatte kurz nach ihrer Bestätigung durch Gregor XII. (der ihr selbst angehört hatte), im Jahre 1407 das Recht erhalten, einen veilchenblauen Habit zu tragen. – ... *einen Weltpriester:* Andrea di Palenzago. – *So wollte der König von Frankreich* ...: Anspielung auf die Pragmatische Sanktion von Bourges (1438). – ... *zu einem Platz für Kuhhirten geworden:* Vgl. Einleitung, S. 62; die Rückkehr Eugens nach Rom erfolgte am 28. 9. 1443. Sehr anschaulich Gregorovius III, 1, S. 41 f.

Seite 120
Tommaso da Sarzana: der spätere Papst Nikolaus V. (vgl. die folgende Vita); *Giovanni Carvaialle:* Juan Carvajal (1399 – 6. 12. 1469, Kardinal seit 1446). – *So war er im achtzehnten Jahr seines Pontifikats angelangt* ...: Bisticci folgt dem Wortlaut der eingangs geschilderten Prophezeiung (vgl. S. 106). In Wirklichkeit war Eugen IV. nur 16 Jahre lang Papst. – «*Hier, neben diesem Grab* ...»: Nach dem Abbruch der alten Peterskirche wurde Eugens Grabmal nach S. Salvatore in Lauro gebracht (ein Werk des Isaia da Pisa).

Seite 122
Vorwort: Eigentlich als Vorrede zum Gesamtwerk konzipiert; nach einer Handschrift richtet es sich an Luca d'Antonio degli Albizzi, Parteigänger Savonarolas und Gegner der Medici (Greco I, S. 29, Anm. 1). – ... *Messer Leonardo:* Leonardo Bruni; vgl. dessen Vita, S. 250–256, insbesondere S. 253 f. Auf Brunis ‹Geschichte

des Volkes von Florenz› greift das Folgende wiederholt zurück; weitere Gewährsleute sind Biondo Flavio und Poggio Bracciolini. – *S. Giovanni:* Das Baptisterium
von Florenz.

Seite 123
Messer Coluccio: Coluccio Salutati (1331–1406). – *Luigi Marsilli:* Ludovico M.,
Augustinermönch, Theologe (1342–1394), im Konvent von S. Spirito in Flo-
renz.

Seite 124
Messer Filippo: Filippo Calandrini de Sarzana wurde am 6. 1. 1448 Bischof von
Bologna (vgl. L. A. Muratori, Rerum italicarum scriptores, Neudruck Città di
Castello 1905, Bd. XVIII, 1, S. 155, 163). Er war – entgegen Bisticcis Bericht – ein
Halbbruder Parentucellis, aus der zweiten Ehe der Mutter Andreola (1403 – 24.
[18.?] 7. 1476).

Seite 126
... *in allen Sieben Freien Künsten:* Der Kanon der Artes liberales umfaßte seit
der Spätantike Grammatik, Dialektik, Rhetorik (= Trivium), dazu Arithmetik,
Geometrie, Musik, Astronomie (= Quadrivium). In der unteren, der «Artistenfakultät», wurden die Sieben Freien Künste vollständig gelehrt, deren Studium mit dem «Magister artium liberalium» abgeschlossen. – ... *begegnet er
Messer Rinaldo...*: Manetti erwähnt in seiner für Bisticci grundlegenden ‹Vita
Nicolai V› weder Albizzi noch Palla Strozzi namentlich. – *wurden doch auch
dort ... Vorlesungen gehalten:* Verde. – *Niccolò degli Albergati:* 1375 – 9. 5.
1443; seit 1407 General der Kartäuser, 1417 Bischof von Bologna, 1426 Kardinal.

Seite 127
Entschluß, einen Ausgleich ... zu vermitteln: Es geht um den Frieden von Arras
zwischen Karl VII. von Frankreich und Philipp dem Guten von Burgund (21. 9.
1435). Auch England in den Frieden miteinzubeziehen, gelang nicht.

Seite 128
... *wurde der Kardinal nach Ferrara gesandt:* Episode aus der Vorgeschichte des
Friedens von Cremona (1441) zwischen Filippo Maria Visconti, Florenz und
Venedig. – ... *wegen gewisser Hinterhältigkeiten:* Vgl. oben, S. 106f. – *Messer
Giovanni Aurispa:* 1396–1460; Gelehrter aus Noto (Sizilien), von Niccolò Nic-
coli nach Florenz berufen; Beziehungen u. a. zu Poggio Bracciolini und Lionello
III. d'Este. – *Maestro Gaspare:* Gaspare Sighicelli, Theologe, Bischof von Imola
seit 27. 3. 1450; gest. 1457.

Seite 129
... *gleichermaßen die Werke der alten und der modernen Gelehrten:* Bisticci
mag hier im exakten Sinne auf Gelehrte, welche der ‹via antiqua› bzw. solche,
die der ‹via moderna› zuzurechnen sind, anspielen; es scheint indes, daß er
‹modern› auch ganz allgemein mit Autoren seiner Zeit bzw. des Mittelalters
(z. B. Dante, Petrarca, Boccaccio) beginnen läßt, während die «antichi» für ihn
tatsächlich ‹antike› Autoren im modernen Sinn des Wortes darstellen: Vgl.
etwa unten, S. 224. – ... *ihr Stil stand zwischen der alten und neuen Weise:*
Also zwischen dem ‹humanistischen›, auf die karolingische Minuskel zurück-
greifenden Stil («lettera antiqua», eigentlich aber der großen Neuerung des 15.

Jahrhunderts) und der gotischen Schreibart. – *Bibliothek «des Boccaccio»*: Vgl. Mazza.

Seite 130
... *deshalb schrieb Cosimo de' Medici:* Vgl. unten, S. 329. – *Alessandro Sforza:* 1409 – 3. 4. 1473, Signore von Camerino und Pesaro.

Seite 131
... *er war von cholerischem Temperament:* Vgl. S. 75. – *Kategorie der numerarii:* Vgl. die Parallele der Kammerkleriker, Anm. zu S. 174.

Seite 132
... *die ihn als Trinker verleumdet haben:* Vgl. Einleitung, S. 74. – ... *wandte er sich nach Deutschland:* Er weilte 1446 als päpstlicher Legat auf dem Frankfurter Reichstag.

Seite 133
Als er ... auf den Thron gehoben wurde: 6. 3. 1447. – ... *ungefähr um die erste Nachtstunde:* vgl. Anm. zu S. 213.

Seite 134
... *wie viele Wohltaten mir Cosimo ... erwiesen hat:* Er wurde «depositarius generalis camere apostolice»; vgl. oben, S. 59 f. – *100 000 Fiorini:* Vgl. Gutkind, S. 236. – *Piero degli Strozzi:* 1416 – nach 1492; Sohn von Bisticcis «Geschäftspartner» Benedetto di Pieraccione Strozzi. – *Pfarrei von Ripoli:* südöstlich von Florenz. Bisticcis Landgut lag unweit von Ripoli. – *Messer Piero da Noceto:* Sekretär des Kardinals Domenico Capranica, dann Nikolaus' V.; Beziehungen zu Pius II. und Poggio Bracciolini.

Seite 135
Messer Giannozzo Pitti: Bei Bisticci mehrmals erwähnt; bisher nicht näher identifiziert. – *Alessandro degli Alesandri:* 1372–1460; u. a. 1441 Gonfaloniere der Justiz, Schüler Rossis; Verbindungen zu Matteo Palmieri. – *Neri di Gino:* Neri di Gino Capponi (vgl. Anm. zu S. 265). – *Piero di Cosimo de' Medici:* 1416 – 13. 12. 1469; über ihn Beyer/Boucher. – *Messer Giannozzo hielt eine ... Rede:* Santini, S. 173–175. – ... *es schien, als schliefe er:* Derselbe Topos S. 186.

Seite 136
Nikolaus von Kues: Eigentlich Nikolaus Krebs (1400–1464), Kardinal seit 1455; einer der bedeutendsten Theologen und Philosophen des 15. Jahrhunderts. – *Rom war voller Menschen:* Sehr plastisch auch Infessura, S. 41 f.; Esch, Importe, S. 369, 376 mit der älteren Lit. Bisticcis Text geht auf Manettis Vorlage zurück. – ... *ließ er zwei kleine Kirchen errichten:* S. Maria Maddalena und SS. Innocenti, zur Zeit Clemens' VII. (1523–1534) wieder abgebrochen.

Seite 137
... *600 Dukaten:* Ein sehr hoher Betrag; 1 «ducato da camera» entsprach etwa 1 Goldflorin (vgl. Anm. zu S. 134). – ... *Contra Judaeos et Gentes:* Diese und viele der anderen von Bisticci zitierten Texte sind bei Greco identifiziert. Aus Platzgründen wird hier auf eine Wiedergabe dieser Identifikationen verzichtet. – *Giovanni Tortello:* Lit. über ihn bei Greco I, S. 65, Anm. 4. – ... *ließ er von Guarino übersetzen:* Guarino Guarini, 1370–1460, bedeutender Pädagoge. – *Lo-*

renzo Valla: 1407–1457; Humanist, Professor der Eloquenz in Pavia, 1437–1448 Sekretär Alfonsos von Aragon, dann päpstlicher Sekretär. Schriften über Logik, über den freien Willen und das ‹wahre Gute›, vor allem aber einer der größten Philologen der Epoche. – *Niccolò Perotti:* 1429 – 14. 12. 1480, Bischof von Siponto. Über ihn Kristeller, Perotti; seine Vita: Greco I, S. 301–305.

Seite 138
Theodor: Theodoros Gazes Gaza (1400–1476), byzantinischer Humanist. Bleibt nach 1438 in Italien, 1442–1446 Schüler Vittorinos da Feltre, 1446/49 Professor für Griechisch in Ferrara, dann in Rom, Neapel und Kalabrien; Übersetzungen (Aristoteles, Theophrast), Verfasser einer griechischen Grammatik. – *Trabisonda:* Georgios von Trapezunt (1395–1484), byzantinischer Humanist. Früh nach Italien ausgewandert, berät er Rom hinsichtlich der Kirchenunion; 1416 in Venedig, dann bei Vittorino de Feltre in Padua und Mantua (1430/32). Professor in Vicenza und Rom, Dolmetscher u. a. auf dem Konzil von Florenz, 1450 Sekretär Nikolaus' V. Zahlreiche theologische und philosophische Werke, Übersetzungen; Vertreter des Aristotelismus, Gegner der platonischen Philosophie (vgl. auch Anm. zu S. 169). – *Oronzius:* Bisticci meint Orosius (lateinischer Kirchenschriftsteller, Anfang 5. Jh. – nach 418). – *Papst Nikolaus ließ ... mehrere Kirchen bauen:* Vgl. die Literaturhinweise zu S. 92.

Seite 139
... kanonisierte er S. Bernardino: Vgl. unten, S. 196. – *... eine grauenvolle Pest:* Vgl. Manettis Text (Sp. 928); die Epidemie von 1448 ist vielfach überliefert. – *Brief an die Korinther:* Kor. II, 12, 7–10. – *Maestro Bavera:* Bei Manetti Baverius aus Imola (Sp. 917). – *Als er wieder in Rom war ...:* Die nachstehend geschilderte Krönung Friedrichs III. fand am 19. 3. 1452 statt.

Seite 140
... der ... König von Ungarn: Ladislaus Postumus, 1440–1457. – *... der Herzog von Bayern:* Ludwig IX., der Reiche (1417–1479), Herzog von Bayern-Landshut seit 1450. – *Lionora:* Eleonora von Portugal (18. 9. 1414 – 3. 9. 1467), seit 1452 mit Friedrich III. verheiratet. – *Zur Kaiserkrönung Friedrichs III.:* Gregorovius III, 1, S. 57–60. Hauptquelle ist Enea Silvio Piccolominis Historia Friderici III.

Seite 141
«Allmächtiger, ewiger Gott ...»: Die Worte des Papstes und die Antwort Friedrichs im Original lateinisch. – *... verschworen sich gegen den Papst:* Vgl. Einleitung, S. 91 f. Vorbild der Schilderung Bisticcis sind wieder die Ausführungen Manettis.

Seite 142
Niccolò da Cortona: Prior der Kartause von Florenz, gest. am 24. 7. 1459 (Lit. bei Greco I, S. 75, Anm. 1). – *Lorenzo da Mantova:* Nicht näher identifizierbar.

Seite 143
Kardinal Giovanni: Vgl. Greco I, S. 77, Anm. 2. – *Bischof von Arras:* Jean Jouffroy (1412 – 24. 11. 1478), Kardinal 1461.

Seite 144
Als der Papst seine Todesstunde nahen sah ...: Die berühmte Sterbeszene nach Manettis Bericht.

Seite 146
Bartolomeo Fazio: Historiker; um 1400 – nach 1455; ab 1445 am Hof von Neapel; vgl. unten, S. 394. – ... *Vitelleschi begehe Verrat:* Die Episode (auch bei Panormita erwähnt) spielt vermutlich um die Jahreswende 1437/38, als der Kardinal mit Alfonso einen Waffenstillstand geschlossen, diesen aber gleich wieder gebrochen hatte. Eugen IV. hatte auf Alfonsos Konkurrenten um die neapolitanische Krone, René von Anjou, gesetzt. Vitelleschi erreichte über die Adria Venedig und begab sich nach Ferrara zum Papst.

Seite 149
... *Antonio Panormita:* Antonio Beccadelli (1394 – 19. 1. 1471), Jurist, Philologe, Historiker. Nach unstetem Wanderleben (u. a. ‹poeta aulico› in Parma, 1429–1434) am Hof von Neapel, enge Beziehungen zu vielen Humanisten (Pontano, Fazio). Ferrante schenkt ihm ein Haus des Fürsten von Rossano (vgl. Anm. zu S. 374). Beccadellis Geschichtswerk über König Alfonso ist eine Hauptquelle für Bisticci. – ... *die genuesische Flotte:* Hintergrund der Episode könnte die Seeschlacht von Ponza (5. 8. 1435) sein, in der eine genuesische, auf der Seite Mailands kämpfende Flotte die aragonesische Seemacht vernichtete.

Seite 150
10000 Fiorini: Vgl. die Anm. zu S. 118.

Seite 151
Zur Zeit Papst Calixts: Calixt III. (1378 – 6. 8. 1458) war ab 8. 4. 1455 Papst.

Seite 154
So war er mit seinem Heer in den Marken...: 1442/43; vgl. Dennistoun, S. 74–78.

Seite 155
Niccolò Piccinino: Condottiere; 1386–1444. Der Papst hatte die Unterstützung Piccininos, Filippo Maria Viscontis und Alfonsos von Aragon gegen Sforza gewonnen (vgl. Anm. zu S. 116). – *Maestro Soler:* Juan Soler, Bischof von Barcelona vom 4. 10. 1458 – Februar 1464 (gest. vor dem 16. 2.). – *Ferrando:* Ferdinando di Valenza, Theologe, Philosoph; lehrte Logik in Neapel; in Florenz im Kreis von Bruni.

Seite 156
... *sagte er lachend:* Zur folgenden Anekdote vgl. oben, S. 80 (eine ähnliche Geschichte berichtet Notker der Stammler: Monumenta Germaniae historica, Scriptores, XII N. S. Bd. II, c. 17, S. 86f.).

Seite 158
Es folgt eine politische Episode...: Vgl. unten, S. 175. – ... *von seinem triumphalen Einzug:* Am 26. Februar 1443; vgl. Abb. 13. – ... *Aufenthalt des Kaisers:* Nach seiner Krönung in Rom; er verließ Rom am 26. April 1452. Am 22. war er wieder in der Ewigen Stadt, um von dort nach Norden aufzubrechen.

Seite 159
... *das Wappen der Banda:* Spanischer Ritterorden, 1332 eingerichtet von Alfons XI., König von Kastilien.

Seite 160
... in zierlichem ... Latein und nicht in der Volkssprache ...: Zu Debatten um diese Frage: Grayson; Kristeller, Latein.

Seite 161
Werke, die König Alfonso übersetzen ließ: Vgl. Greco I, S. 115–117. Aufzählungen wie diese, für die Forschung von großer Bedeutung, finden sich oft am Ende der Viten. Sie mußten in unserer Übersetzung aus Platzgründen weitgehend weggelassen werden.

Seite 162
Er war von geringer Herkunft ...: Der italienische Text ist hier unklar; die Formulierung lautet «inane di nascità». «Inane» wäre eigentlich als «leer», «eitel» zu übersetzen. Vielleicht ist gemeint, daß Cesarini von Geburt an von zwergenhafter Gestalt war («nano»). – *Braccio di Montone:* Vgl. Braccio di Montone e i Fortebracci. Er herrschte in Perugia von 1416 bis zum 2. 6. 1424, als er vor l'Aquila den Schlachtentod erlitt. Die Buonitempi sind eine vornehme Peruginer Familie. – *Über ‹d'umanità›:* Die ‹studia humanitatis›, nach denen die Humanisten seit dem frühen 19. Jahrhundert ihren Namen erhielten, waren erst um die Mitte des Quattrocento als Zyklus von Studien in Grammatik, Rhetorik, Poesie und Moralphilosophie etabliert. Sie umfaßten, anders als der traditionelle Kanon der Sieben Freien Künste (vgl. Anm. zu S.126), weder Logik noch das Quadrivium (Arithmetik, Geometrie, Astronomie und Musik). Auch andere «Hauptfächer» im mittelalterlichen Bildungswesen – Theologie, Jurisprudenz, Medizin, Metaphysik etc. – zählten nicht zu den ‹studia humanitatis›, die somit keineswegs das ‹Ganze› des Denkens der Renaissance umfaßten, sondern nur einen klar umschriebenen Sektor daraus (Kristeller in Schmitt/Skinner, S. 113 f.). Nikolaus V. war also ein ‹Humanistenpapst› nur insofern, als er jene Kultur förderte, die man einige Jahrhunderte später als ‹humanistisch› identifizieren wird.

Seite 163
... ein ... bedeutendes studio ...: Florenz hatte keine Universität, sondern ein «Studio» (mit ‹Schule› nur ungenau zu übersetzen), das 1473 nach Pisa verlegt wurde (vgl. Verde, auch unten, S. 291).

Seite 164
... für jene Sapienza: Alte Bezeichnung für ‹Universität› (ein Beiname, welchen die römische Universität noch trägt). – *... das Bistum Grosseto:* Seit 1439 (F. Ughelli, Italia sacra ..., Bd. III, Venedig 1718, Sp. 671).

Seite 165
... wenn er ... zum Palazzo ... ging: Gemeint ist hier, wie auch sonst, der Palast der Regierung, der heutige «Palazzo Vecchio». – *zu den Servi ...:* Der Konvent der ‹Servi› an der Via S. Sebastiano in Florenz. – *... und auch die Juden:* Über die Juden im Florenz der Renaissance Cassuto; der bei Bisticci geschilderte Vorgang: Unten, S. 276. – *... ein Spanier:* Also ein sephardischer Jude.

Seite 166
... Bruderschaft von S. Girolamo: Vgl. oben, S. 27 f. – *... das Hermaphroditus hieß:* ‹Antonii Beccadelli Panormitae ad clarissimum virum Cosmum Medicem Hermaphroditus› (1426). Das Werk verursachte, weil «obszön», einen Skandal;

während des Konzils von Ferrara wurde es öffentlich verbrannt, Cesarini ließ alle Abschriften, die sich finden ließen, ins Feuer werfen.

Seite 167
«Ihr habt euch darüber gewundert ...»: Vgl. Einleitung, S. 75. – ... *dem Bruder Cosimo de' Medicis, Lorenzo:* Vgl. Einleitung, S. 26. – *1444 wird Kardinal Cesarini nach Ungarn geschickt ...:* Vgl. oben, S. 84.

Seite 169
... *des griechischen Kaisers:* Johannes VIII. Paläologos. – ... *Bischof von Tusculum:* Nach dem Tod des Ruteno. – *Legat in Bologna:* Vom 16. 3. 1450 bis 24. 3. 1455. – *Er ging als Legat nach Frankreich ...:* 1472, im Auftrag Sixtus' IV., um Ludwig XI. von der Notwendigkeit eines Kreuzzugs gegen die Türken zu überzeugen. – ... *verfaßte ... ein hochbedeutendes ... Buch:* Vgl. Greco I, S. 170, Anm. 5 (Anm. 6 zum Folgenden). Bessarion hatte die Philosophie Platons beim Studium in Mistra kennengelernt; seine Verteidigung Platons ist gegen Georgios von Trapezunt gerichtet; zur Thematik vgl. Hankins. – ... *für eine Nacht Papst:* Piccolomini bestätigt Bisticcis Darstellung in ihrer prinzipiellen Richtigkeit – nur, daß es sich nicht um das Konklave nach dem Hinscheiden Pius II., sondern um das nach Nikolaus' V. Tod handelte. Calixt III. wurde am 8. 4. 1455 gewählt.

Seite 170
... *war er darauf bedacht, Bücher ... abschreiben zu lassen:* Vgl. Labowsky; Miscellanea Marciana.

Seite 172
Gelehrte Männer begünstigte ... Bessarion: Zuletzt Bianca. – *Lauro Quirino:* L. Quirini, um 1420–1480; Gelehrter, 1440 in Padua promoviert, unterrichtet 1449 in Venedig, 1451 in Padua. Seine Vita: Greco II, S. 65–67. – *Niccolò Perotti:* Anm. zu S. 137. – *William Grey (oder Gray):* Studium in Oxford, Kanzler der Universität Oxford 1440 oder 1441; 1442 in Köln, 1445 in Ferrara und an der Kurie. Bischof von Ely am 21. 6. 1454. Stirbt am 4. August 1478. Seine Vita: Greco II, S. 307–310; über ihn de la Mare, Bisticci and Gray. – ... *der spätere Papst Sixtus:* Sixtus IV. (Francesco della Rovere, 21. 7. 1414 – 12. 8. 1484, Papst 25. 8. 1471). – ... *über Scotus:* Johannes Duns Scotus (um 1266-1308), scholastischer Theologe und Philosoph. – ... *bei Papst Paul II.:* (Pietro Barbo), 26. 2. 1418 – 26. 7. 1474, Papst seit 30. 8. 1464.

Seite 173
... *zum Legaten in Frankreich:* Vgl. Anm. zu S. 169.

Seite 174
Eine der ersten Würden ...: Es gab in der päpstlichen Kammer, der wichtigsten kurialen Behörde, sieben Kammerkleriker. Zusätzlich wurden sogenannte «supernumerarii» ernannt, die gewöhnlich um Zugang zu den Geschäften drängten. – *Maestro Luigi:* Lodovico Sacarampi Mediorota (gest. 22./23. 3. 1465), Patriarch von Aquileia ab 18. 12. 1435, päpstlicher Thesaurar (Haupt der Kammer), als Nachfolger Vitelleschis trieb er die Konsolidierung des Kirchenstaats weiter voran. Bekämpfte an der Kurie den Einfluß Aragons.

Seite 175
... *daß König Alfonso sich nicht an sein Versprechen hielt:* Hintergrund dieser

Episode müßte, nach Bisticcis Erzählung, die Situation nach Abschluß der ‹lega italica› (vgl. Einleitung, S. 84) sein; vgl. die entsprechende Geschichte in der Vita König Alfonsos: Greco I, S. 105 (nicht in unserer Übersetzung enthalten).

Seite 176
Nach seiner Ankunft in Florenz traf ich ihn ...: Zum Folgenden vgl. die Lit. zu S. 160 (Grayson, Kristeller). – *richiesti:* Fachleute; die «Signoria» hatte das Recht, zur Debatte um bestimmte Fragen solche Experten heranzuziehen. – *... und den König zu unterstützen:* Nämlich Johann von Anjou, der sich nach dem Tod Alfonsos von Aragon (1458), unterstützt von aufständischen Baronen, im Krieg um die neapolitanische Krone mit Ferrante befand (vgl. Einleitung, S. 84). – *... und dann nach Katalonien:* Hier war eine Revolte gegen Johann II. von Aragon ausgebrochen. Erst 1472 war der Widerstand Barcelonas und der Katalanen gebrochen. – *... zu jener Zeit, als der König Otranto verloren hatte:* Vgl. Einleitung, S. 85.

Seite 177
König Ferdinand: Ferdinand (Ferrante) von Aragon, geb. um 1431, 1443 Herzog von Kalabrien, 1458 König von Neapel; stirbt 1494. – *... dem die Türken Otranto genommen hatten:* Otranto fiel am 8. 8. 1480. – *... indem er dem Türken das Leben nahm:* Mahomet (Mehmet) der Eroberer starb am 3. 5. 1481 (geb. 1430).

Seite 178
... zum Dogen: Giovanni Mocenigo (1408 – 5. 11. 1485, Doge seit 18. Mai 1478). Zu den geschilderten Vorgängen vgl. H. Kretschmayer, Geschichte von Venedig, 3 Bde., Stuttgart 1905–1934, hier Bd. 2, S. 383. – *Es war der Tag vor ... Himmelfahrt:* Tate, S. 90. – *Da gefiel es dem allmächtigen Gott ...:* Es ist unklar, ob Vespasiano hier nicht das Datum des Brandes des Dogenpalastes (14. 9. 1483) vorverlegt.

Seite 179
... um den Vertrag ... zu bestätigen: Auch hier ist Bisticcis Text tendenziös. Venedig bemühte sich in wohl zutreffender Einschätzung der Kräfteverhältnisse im Mittelmeer um Neutralität. Ein förmlicher Vertrag war mit Mehmet dem Eroberer nicht geschlossen worden. – *... um Ferrara in Besitz zu nehmen:* Zum Ferrara-Krieg s. Einleitung, S. 90.

Seite 180
Den Bischof erhob der Papst ... zum Kardinal: Am 15. 11. 1481. Im Jahr darauf starb er; Bisticcis Formulierung «... *was er bis heute ist ...*» gibt einen wichtigen Hinweis auf die Datierung dieser Vita (= 1481/82). – *So verfaßte er ein Buch ...:* Vgl. Tate, S. 146 f. – *... eine Geschichte des Königreiches Spanien:* ‹Episcopi Gerundensis paralipomenon Hispaniae libri decem›, Granada 1545. – *Sein Tod war so ...:* Vgl. aber die Anmerkung oben zu dieser Seite: Bisticci muß diesen Schluß an einen zuvor diktierten Text angefügt haben.

Seite 181
... zu einem Theologen der Summa: Der ‹Summa theologiae› des hl. Thomas von Aquin (ca. 1220 – 7. 3. 1274). – *... ein Büchlein über die Beichte:* Nachweise bei Greco I, S. 224, Anm. 4. – *... eine Vakanz eintrat:* Erzbischof Bartolomeo Zabarella starb am 21. 12. 1445. – *Cosimo de' Medici ...:* Der Bericht Francesco

da Castigliones, des wichtigsten zeitgenössischen Biographen Antoninos, ist detailreicher. Seine Angaben weichen von denen Bisticcis gelegentlich ab (vgl. Greco I, S. 225, Anm. 2 und passim).

Seite 182
... *in die Wälder von Corneto:* Das heutige Tarquinia.

Seite 183
... *als er noch Bischof von Bologna war:* Vgl. oben, S. 131. – ... *der Patriarch von Venedig:* Gemeint ist wahrscheinlich S. Lorenzo Giustiniani (1381 – 8. 1. 1456). – ... *der Bischof von Ferrara:* Wohl Francesco de Legname (auch de Lignamine oder di Padova): Bischof ab 8. 8. 1446, gest. 26. 3. 1460. Seine Vita: Greco I, S. 257–259.

Seite 185
... *die noch heute bestehende Bruderschaft:* Bisticci meint die Dodici Buonomini oder Buonomini di San Martino, deren Gründung (1442) Erzbischof Antonino kurz nach seinem Tod (und angesichts der in Aussicht stehenden Heiligsprechung) zugeschrieben wurde. Vgl. Kent, Buonomini, S. 50; Henderson, S. 44 (mit der älteren Lit.).

Seite 186
... *das für die Mitgiften bestimmte Kapital:* Der Monte delle doti wurde 1425 eingerichtet (zum Begriff monte Anm. zu S. 352); die Bürger wurden aufgefordert, im Namen ihrer Töchter Einlagen zu machen. Nach deren Verheiratung erfolgten Zinszahlungen und Tilgungsleistungen als Mitgiften; vgl. Molho, Marriage Alliance, S. 27–79; Henderson. – ... *um die frühe achte Stunde:* ca. 3 Uhr morgens. – *Am Tag des hl. Stefan:* 3. August. – ... *zur Loggia der Buondelmonti:* Via Borgo SS. Apostoli 6; dieser Palast der Buondelmonti mit seiner Loggia wurde 1840 abgebrochen.

Seite 187
Wahlbohnen: Man stimmte in Florenz mit schwarzen und weißen Wahlbohnen ab; schwarz hieß ‹ja› (vgl. auch unten, S. 297), weiß demgemäß ‹nein›. – *Um das Jahr 1458* ...: Zu diesen Andeutungen Bisticcis läßt sich wenig Konkretes ermitteln, außer, daß 1458 ein innenpolitisch unruhiges Jahr gewesen zu sein scheint; Guicciardini schreibt von der Exilierung einer «grande numero di cittadini» (S. 24). – ... *hätten mächtige Florentiner auf den Erzbischof Druck ausgeübt:* Im Original ist davon die Rede, «jene, die zu jener Zeit an der Regierung waren», hätten einige der Vornehmsten geschickt, ihn zu bedrohen («... mandarvi alcuni de' principali a minacciarlo»): Meint er hier tatsächlich Cosimo de' Medici und sein Netz (jene, «chi governavano in questo tempo»), oder bezieht sich seine kryptische Formulierung auf Luca Pitti, der gerade 1458 Gonfaloniere der Justiz war und nach Guicciardinis Worten «doppo Cosimo», nach Cosimo, der absolut erste Bürger von Florenz gewesen sei?

Seite 188
... *Wahl Papst Pius' II:* Am 19. August 1458 (Enea Silvio Piccolomini, 19. 10. 1405 – 15. 8. 1461). – ... *120 Lira Wert:* Vgl. die Anmerkung zu S. 118. – ... *was der hl. Hieronymus ... gesagt hat:* Vgl. Migne, Patrol. lat., I, Sp. 18–30 (nach Greco I, S. 241, Anm. 1).

Seite 189
... *Antonino endete sein Leben:* Über seine Heiligsprechung vgl. Polizotto.

Seite 190
S. *Bernardino:* Hinweise auf das Verhältnis der Vita Bisticcis zu möglichen Vorlagen (insbesondere den Lebensbeschreibungen Manettis und Maffeo Vegios) bei Greco, S. 243 ff.

Seite 193
... *die Sünde der Sodomie* ...: Auf homosexuelle Praktiken stand im spätmittelalterlichen und frühneuzeitlichen Europa die Todesstrafe; über S. Bernardinos Predigten darüber: Rocke. – ... *wiedergeboren werden ließ:* Vgl. Einleitung, S. 72. – ... *ließ Bernardino einen Scheiterhaufen* ... *aufrichten:* Dasselbe tat er am 25. Juni 1424 auf dem Kapitol in Rom; vgl. Gregorovius III, 1, S. 4 f.

Seite 194
... *abgelehnt, Bistümer zu übernehmen:* Bernardino wurde für drei Bistümer erwählt: für Siena, Ferrara und Urbino. Ein Fresko in der ehemaligen Kirche von S. Francesco in Montefalco (Umbrien) zeigt den Heiligen mit drei verschmähten Bischofsmitren zu Füßen. – ... *verfaßte er ein bedeutendes Buch* ...: Bibliographische Nachweise der wichtigsten Schriften des hl. Bernardino bei Origo, S. 250 f. (dort auch Druckort des «Ewigen Evangeliums»).

Seite 196
... *welche Maffeo Vegio in Latein verfaßt hat:* Vgl. Anm. zu S. 190; Maffeo Vegio lebte von 1407 bis 1458. – *Giannozzo Manetti:* Vgl. dessen Vita, S. 257–268.

Seite 197
Guarino Guarini: Vita: Greco I, S. 585–589. – ... *der Erzbischof von Gran:* Johann Vitéz (1408 – nach 11. 8. 1472); dessen Vita: Greco I, S. 319–326.

Seite 198
Johannes Argyropulos: Byzantinischer Philosoph, um 1415–1487. Er war schon beim Konzil von Ferrara – Florenz anwesend und reiste nach dem Fall Konstantinopels durch Europa. – ... *sondern in Careggi:* Eines von Cosimos Landgütern, vgl. unten, S. 331, 335.

Seite 199
... *da wurde das Bistum Fünfkirchen* ... *frei:* Vgl. Kurzvita, S. 396.

Seite 200
... *den Platoniker Plotin:* 205 n. Chr. – 270.

Seite 202
... *die Autorität des Hl. Epiphanius von Zypern:* Vespasiano hat dies direkt aus einer für Federico von Montefeltro bestimmten Handschrift; er gibt sie nur ungenau wieder. Vgl. Greco I, S. 344, Anm. 1. Die Textstelle ist ein hochinteressanter Beleg für eine vorreformatorische bilderkritische Position im Florenz der Frührenaissance. Sie gehört in eine Tradition, in der beispielsweise auch der hl. Bernhard von Clairvaux steht; die Messer Narciso zugeschriebene Haltung reflektiert wohl zugleich die asketische Welt eines S. Bernardino, dessen be-

rühmtes Christusmonogramm, das er beim Predigen zu zeigen pflegte, bereits eine symbolische Kondensation des Gottesbildes darstellt. Auch hierüber meinte er, man solle nicht das Zeichen anbeten, sondern das, was es bedeute.

Seite 203
... die so zahlreichen Gräber: Mit weiterer Lit.: Stocchia. – *... einen Text des Hl. Augustinus:* Patrologia latina, 32, Sp. 914 f.; vgl. Greco I, S. 345, Anm. 1.

Seite 204
Der Lizenziat: Vgl. Greco I, S. 346, Anm. 1.

Seite 205
Messer Federigo: Vgl. auch oben, S. 87–91.

Seite 206
... die Fabius Maximus gegen Hannibal einsetzte: Quintus Fabius Maximus Verrucosus «Cunctator» («der Zauderer»), so genannt wegen seiner vorsichtigen, große Feldschlachten vermeidenden und so höchst erfolgreichen Kriegführung: 217 v. Chr. Diktator, gest. 203. – *Gefecht von S. Fabiano:* Dennistoun I, S. 118–120 (vgl. auch oben, S. 87). – *... die bracceschi:* So genannt nach dem Condottiere Braccio da Montone, einer beherrschenden Gestalt der mittelitalienischen Politik (vgl. Anm. zu S. 162); seiner taktischen Schule stand jene der «sforzeschi» gegenüber (nach Braccios Zeitgenossen Francesco Sforza benannt). – *... Belagerung Fanos:* Juli 1463.

Seite 207
Roberto Malatesta: 1440–1482, Signore von Rimini – nach dem Tod Sigismondo Malatestas (19. 6. 1417 – 9. 10. 1468); über die Malatesta vgl. Fleetwood; Jones. – *Papst Pius II.:* Vgl. Anm. zu S. 188.

Seite 208
Bartolomeo da Bergamo: Der berühmte Bartolomeo Colleoni (ca. 1400 – 2. 11. 1475). Die Vorgänge, von denen Vespasiano berichtet, spielen im Jahr 1467, gleich nach der Krise der mediceischen Macht in Florenz, die durch die Pitti-Verschwörung entstanden war. Die von Piero dem Gichtbrüchigen nach dem gescheiterten Putsch Exilierten waren an den Versuchen Venedigs, die vermeintliche Florentiner Schwächeperiode auszunutzen, beteiligt. – *... er bot ihnen 100 000 Dukaten:* Vgl. Anm. zu S. 118; die hier genannten Zahlen entsprachen den in Federicos condotte üblichen Summen. Er selbst erhielt ein Honorar von 6000 Dukaten. Von den 100 000 Dukaten mußte er die erforderlichen Truppen unterhalten.

Seite 209
... der Frontwechsel Faenzas: Vgl. Guicciardini, S. 31. – *... der Signore Faenzas:* Astorre II. Manfredi, 8. 12. 1412 – 12. 3. 1468.

Seite 210
... den Herrn von Imola: Taddeo Manfredi (ca. 1420/25 – nach 1482). – *... in einem ... Ort namens La Molinella:* Vgl. oben, S. 90. – *Piero de' Felici:* Botschafter Federicos; 1472 in Florenz, 1478/80 in Rom. – *... um ... 500 Söldner zu erbitten:* Der Rat der 16 «riformatori» wurde 1376 eingerichtet; die Institution stabilisierte sich seit 1394, vor dem Hintergrund des Aufstiegs der Familie Bentivoglio. Vertragliche Abmachungen mit Nikolaus V. (1447) dokumentieren de-

ren Sieg: Bologna erhielt keine fremde Signorie, der Einfluß des Papstes blieb sehr begrenzt. So kann Bologna es sich erlauben, dem Feldherrn des Papstes bzw. der Liga seine Unterstützung zu verweigern.

Seite 211
... daß darauf ganz Italien ... ihrer Willkür ausgeliefert gewesen wäre: Das Gespenst eines venezianischen Imperialismus in Italien begann zu dieser Zeit die frühere Befürchtung mailändischer Dominanz zu verdrängen. Vgl. Rubinstein, Terraferma reactions. – *... eine Ansprache:* Hier folgt Bisticci zweifellos dem Muster antiker Schriftsteller, wo Ansprachen von Heerführern vor der Schlacht zum Standardrepertoire gehören.

Seite 212
Borso d'Este: 1413–1471; Herzog von Ferrara seit 1450. – *... von der neunzehnten Stunde ...:* Von der Mittagszeit bis gegen Abend (die erste Stunde der Nacht lag zwischen 17 und 21 Uhr).

Seite 214
... Verteidigung Riminis: 1469; vgl. oben, S. 90. – *... Schilderung der Eroberung Volterras:* Vgl. oben, S. 91.

Seite 215
Bongianni Gianfigliazzi: Vgl. Paltroni, S. 269. – *Jacopo Guicciardini:* 1397–1490; häufig in führenden Stellungen faßbar. Mehrfach ist er Prior, 1477 amtiert er wie schon 1469 als Gonfaloniere. 1467 und 1485 bis 1487 Mitglied der «dieci di balía».

Seite 216
... den Palazzo in Rusciano: Heute Firenze-Ricorboli. Der ursprünglich im Besitz Luca di Buonaccorso Pittis befindliche Palast wurde von Brunelleschi umgebaut.

Seite 217
Die Venezianer ...: Vgl. oben, S. 209. – *Niccolò Piccinino:* Vgl. oben, S. 206.

Seite 218
Lazzaro Raccanelli: Dominikanermönch aus Gubbio; 14. 8. 1478 Bischof von Urbino, gest. vor dem 20. 9. 1484. – *Summa theologica:* Vgl. oben, S. 181. – *... und in den modernen Doktoren:* Vgl. Anm. zu S. 129. – *... von den antiken Gelehrten:* Vgl. die Einzelnachweise zu den Werken dieser und anderer Autoren bei Greco I, S. 386 ff.

Seite 219
... gilt das für seinen Palast: Der berühmte Palazzo Ducale von Urbino, um 1455 (vielleicht unter Maso di Bartolomeo begonnen). – *... Architekten um sich hatte:* So insbesondere Luciano Laurana (1468–1472 in Urbino), dann Francesco di Giorgio Martini. Diese Passage der Vita Federicos ist von größtem Interesse, weil sie eine Beteiligung des Grafen bzw. Herzogs von Urbino an den Bauunternehmungen andeutet, ihn zum «Architekturdilettanten» stilisiert. – *... mehrere Festungen in seinem Lande:* Vielleicht am eindrucksvollsten die noch heute erhaltene von S. Leo (Francesco di Giorgio). Wichtig sein Hinweis auf die auch in der zeitgenössischen Architekturtheorie reflektierten neuen militärtechnischen Erfordernisse. – *Auch in Geometrie und Arithmetik ...:* Man bemerke,

wie Bisticci jetzt auf die Fächer des Quadrivium (Arithmetik, Geometrie, Astronomie, Musik) schwenkt. – ... *einen gewissen Maestro Paolo:* Paulus von Middelburg (1445 oder 1455 – 15. 12. 1534).

Seite 220
... *die in canto und tenore sangen:* In verschiedenen Kompositionsweisen (Discantus – Satz, Tenor – Satz). – ... *an Trompeten und anderen großen Instrumenten delektierte er sich nicht so sehr* ...: Auch dies könnte man als Aspekt des verfeinerten, «zivilisierten» Charakters der urbinatischen Hofkultur werten. –
... *zur Bildhauerei:* In der Tat beschäftigte der Herzog neben anderen Francesco Laurana, wie die Porträtbüste von Federicos Gemahlin Battista Sforza belegt; ob Laurana auch in Urbino weilte, ist unsicher. – ... *um einen erhabenen Meister zu finden:* Auch diese Bemerkung Bisticcis ist hochinteressant, obwohl seine Behauptung nicht zutrifft. Sie zeigt aber, als wie neu die Technik des Ölmalens im Italien des späteren Quattrocento noch empfunden wurde, und erinnert an die nicht nur in dieser Hinsicht bedeutende Funktion der niederländischen Malerei für die Entwicklung der Renaissancekunst. Mit dem «erhabenen Meister» («maestro solenne») ist wahrscheinlich Justus von Ghent (Joos van Wassenhove, tätig um 1460/80) gemeint, neben Pedro Berruguete und nach Piero della Francesca einer der wichtigen urbinatischen ‹Hofkünstler›. – ... *insbesondere in seinem studiolo:* vgl. Abb. 28 und unten, S. 221. – *Tapisserien:* Eine Teppichserie mit Szenen aus dem Trojanischen Krieg ist in den Quellen – samt dem Preis – dokumentiert; vgl. Clough, Towards an Economic History of the Duchy of Urbino, in: Ders., Duchy, Nr. III, S. 503 f.

Seite 221
... *dann hatte er ein studiolo:* Das «studiolo» des Herzogspalasts in Urbino; vgl. Cheles. – *Seit Papst Nikolaus* ...: Vgl. oben, S. 123 f. – *Campano:* Giovanni Antonio Campano (1429–1477), Dichter, Historiker; Verfasser u. a. einer Vita Federicos. – ... *wäre er nicht für den Bischof von Siponto eingetreten:* Niccolò Perrotti wurde wohl eher wegen seiner hohen Schulden verfolgt (vgl. Greco I, S. 304 f.). – ... *daß er begonnen hat:* Zur Bibliothek Herzog Federicos zuletzt de la Mare, Copisti fiorentini di Federico.

Seite 223
... *das Gesamtwerk Tullios:* gemeint ist Marcus Tullius Cicero. Nachweise zum Folgenden bei Greco I, S. 387 ff. – *Die Bibel* ...: Die berühmte Bibel von Urbino, vgl. Garzelli.

Seite 224
... *mit Ausgaben von mehr als 30000 Dukaten:* Eine, darin ist sich die Forschung einig, trotz ihrer Höhe nicht ganz unglaubwürdige Summe; Bisticci kannte sich hier aus. Sie entspricht etwa den Baukosten des gewaltigen Palazzo Strozzi in Florenz. – *Es ist dort kein einziges gedrucktes Werk:* Wieder einer jener Sätze, welchen die Lebensbeschreibungen Bisticcis ihren Ruhm verdanken, obwohl seine Aussage falsch ist; vgl. oben, S. 11 f.

Seite 225
... *der Herr Ottaviano:* Ottaviano Ubaldini della Carda (1423/24–1498).

Seite 226
... *schenkte er den verschämten Armen:* Arme, die ihre Almosen nicht mit

«öffentlicher Lizenz» empfingen, nicht öffentlich bettelten. – ... *Brüder der Observanz:* Vgl. oben, S. 76 f., mit Lit.

Seite 227
Es gab in Urbino ein Kloster ...: S. Chiara (vgl. unten, S. 230). ... *wie er sein Haus regierte:* Vgl. Ermini; Peruzzi. Die eindrucksvollste Spiegelung der urbinatischen Zivilisation der Zeit Federicos ist Castigliones «Cortegiano». – ... *einem Edelmann aus der Lombardei:* Bisher nicht identifiziert. – *Die geringste Gebärde...:* Vgl. Einleitung, S. 79. – ... *den Grafen Guido:* Federicos Nachfolger, Guidobaldo da Montefeltro (1472–1508). – ... *mehrere legitime Töchter:* Elisabetta (geb. 1461, heiratet 1475 Roberto Malatesta); Giovanna (heiratet 1474 Giovanni della Rovere); Agnesina (heiratet ebenfalls 1474 Fabrizio Colonna, Herrn von Marino); Costanza (heiratet Antonello Sanseverino, den Fürsten von Salerno); Violante (heiratet Galeotto Malatesta); Chiara (wird Nonne); alles nach Dennistoun, Stammbaum zu S. 20. – ... *Frau Battista:* Battista Sforza (1446–1472); heiratet Federico 1460. – ... *des Herrn Alessandro von Pesaro:* Alessandro Sforza (1409 – 3. 4. 1473), seine Vita in Greco I, S. 421–427.

Seite 228
... *wenn ihm ... Ottaviano den Ptolemäus vorlegte:* Aus der Bibliothek Federicos ist eine Ptolemäus-Ausgabe des 11. Jahrhunderts erhalten. ... *hatte noch einen weiteren Sohn:* Antonio; dieser heiratet Emilia Pia da Carpi. Kämpft 1469 an der Seite des Vaters; gest. vor April 1508. Federico hatte noch (mindestens) drei weitere illegitime Söhne: Bonconte (gest. 1458), Bernardino (gest. 1458) und Agostino Fregoso.

Seite 230
Historien des Livius: Titus Livius (59 v. Ch. – 17 n. Chr.), Römische Geschichte (‹ab urbe condita›). – ... *weder Bartolus noch Baldus:* Anspielung auf die beiden berühmtesten Rechtsgelehrten des Mittelalters, Bartolus de Sassoferrato (Ende 1313–1357) und Baldus de Ubaldis (1319 oder 1327 – 28. 4. 1400). – *Pomespiel:* Vom Zentrum des Spielfeldes aus («mezzo pome») mußte eine «Freiung» (genannt «pompa» oder «bomba») erreicht werden. Die Gegner suchten das durch Stoßen und Rangeln zu verhindern – also eine Mischung aus Rugby und Fangspiel.

Seite 232
... *als er sonst keinen gefunden hätte:* In der Tat scheint sich Federico da Montefeltro zu Beginn seiner Herrschaft zeitweilig in finanziellen Schwierigkeiten befunden zu haben: vgl. Tommasoli, S. 26, 60–62.

Seite 233
Ferrara-Krieg: Vgl. oben, S. 90.

Seite 234
... *S. Donato:* östlich vor den Toren Urbinos; die Kirche beherbergte bis 1810 Piero della Francescas Pala mit Maria, Heiligen und dem knienden Herzog Federico (jetzt in der Mailänder Brera).

Seite 236
... *den Bau einer sehr schönen Festung:* Die Rocca Costanza in Pesaro, von Luciano Laurana 1474–83 begonnen, 1505 fertiggestellt.

Seite 237
... *der Ausspruch von Papst Nikolaus:* Vgl. oben, S. 142. – *Und Papst Pius sagte:*
Wohl Anspielung auf den Frieden von Lodi (1454). Der Schlußabschnitt der Vita
Sforzas ist etwas kryptisch; möglicherweise dachte Bisticci an Sforzas kurzzei-
tiges Engagement als florentinischer Heerführer (1481) im Krieg gegen den Papst,
seinen eigenen Lehnsherrn, der ihm darauf seine Lehen entzog. Schon am 26.
April 1481 war Sforza aber wieder restituiert worden. Die Zeremonie der Kom-
mandoübergabe an ihn: Trexler, Libro ceremoniale, S. 94.

Seite 239
... *dem er den Titel «Apologia» gab:* Vgl. Greco I, S. 436 f., 439 (Anmerkungen).
– ... *der Meister zu Calatrava war:* Bei Bisticci «ch'era maestro a Callatrava».
Ob Bisticci damit eine politische Stellung von Nugnos Vater bezeichnen will
oder auf eine Mitgliedschaft im Calatrava-Ritterorden (1158 durch Sancho von
Kastilien begründet) meint, ist unklar.

Seite 243
... *war Seine Majestät im Krieg mit den Genuesen:* Eine genaue Datierung ist
nicht möglich; Alfonso befand sich von den Anfängen seiner Herrschaft an bis
1453 immer wieder mit Genua im Krieg.

Seite 245
... *Kloster der Angeli:* S. Maria degli Angeli, nachmals ein Zentrum humanistischer Gelehrsamkeit (vgl. oben, S. 38). – *Manuel Chrysoloras:* Um 1350–1414;
byzantinischer Humanist. Reisen in Europa im Auftrag Kaiser Manuels II. Paläologos, um Hilfe gegen die Türken zu gewinnen. 1397 in Florenz, unterrichtet
u. a. Bruni in Griechisch. Wirkt an der Vorbereitung des Konstanzer Konzils mit;
Verfasser u. a. theologischer Texte und einer griechischen Grammatik. – *Antonio
Corbinelli:* Florentiner Gelehrter und Büchersammler (1376/77–1425).

Seite 246
Maestro Paolo: Paolo dal Pozzo Toscanelli (1397–1482), Astronom, Mathema-
tiker, Geograph und Arzt. Vita: Greco II, S. 73–76. – ... *dieser übersetzte die
Schrift des hl. Johannes Chrysostomus:* Vgl. Greco I, S. 451, Anm. 8. – ... *in
Kursivschrift:* Vgl. Anm. zu S. 348. – ... *zum General seines Ordens:* 1431. –
Jacopo Tornaquinci: Camaldulensermönch; geb. wohl 1400/1410. – *Michele:*
Fra Michele war Mönch in S. Maria degli Angeli; er bereitete die Kopien von
Traversaris Übersetzungen vor, etwa, indem er das Pergament linierte (vgl.
Greco I, S. 452, Anm. 2). – ... *wurde zu Basel Konzil gehalten:* Vgl. oben,
S. 65.

Seite 247
... *durch verschiedene ... Übersetzungen:* Nachweise bei Greco I, S. 453–461.

Seite 248
Obwohl Petrarca: Francesco Petrarca (20. 7. 1304 – 19. 7. 1374).

Seite 249
... *daß die Stelle, an der sein Leichnam lag, von Blumen überzogen sei:* So auch
Girolamo Aleotti in einem Brief vom 17. Februar 1441 (zit. bei Greco I, S. 458 f.,
Anm. 2).

Seite 250
... *ging er nach Rom zu Papst Innozenz:* Aus einem Brief Brunis vom Februar 1404 (an Poggio Bracciolini) geht hervor, daß er zuerst bei Bonifaz IX. (Papst in Rom 1389–1404) eine Stelle als Schreiber bekam; in seiner Leichenrede auf Bruni erwähnt derselbe Poggio, aufgrund seiner Empfehlung habe Bruni dann die Position als Sekretär des Papstes erhalten. – *Jacopo Angeli da Scarperia:* Um 1360–1411; Schüler Giovanni Malpaghinis, Graecist, mit Chrysoloras in Konstantinopel. Freund Salutatis. Sekretär Alexanders V. (1409/10 Papst in Pisa). – *Papst Giovanni Cossa:* Johannes (XXIII.).

Seite 251
... *ließ ihn eine Bulle ausfertigen:* Bisticci spielt hier auf das System der «expeditio per cameram» an, eine gebräuchliche Methode, Humanisten zu entlohnen. Urkunden, die wegen Suppliken ausgefertigt wurden und für welche die Kanzlei zuständig gewesen wäre, wurden von den Sekretären expediert, als ob es sich um Briefe politischen Inhalts gehandelt hätte. Der Sekretär erhielt dafür eine weitere Taxe in der Höhe der vier normalen, die «taxa quinta».

Seite 252
... *rostfarbene Birnen:* Bei Bisticci «pere rugine».

Seite 253
... *Papst Eugen IV. ... festzuhalten:* Vgl. Anm. zu S. 116. – ... *schon achtzigjährig:* Brunis Geburtsdatum ist nicht ganz sicher bekannt (um 1369 oder 1370); hat Bisticci recht, müßte es «vorverlegt» werden.

Seite 254
... *indem ich ihre Geschichte schrieb:* Er meint die ‹Historia florentini populi›. – ... *bis zum Krieg des Gian Galeazzo Visconti:* Herzog von Mailand, Mitregent dort ab 1354; stirbt 51jährig am 3. 9. 1402. Über die tödliche Bedrohung von Florenz durch ihn vgl. oben, S. 54.

Seite 255
... *des Grafen von Poppi:* Francesco da Battifolle (um 1390 – nach 1440). – ... *zwischen Borgo und Anghiari:* Zur «Schlacht» von Anghiari auch oben, S. 58. Viscontis Condottiere Piccinino war 1438 in die Romagna eingefallen und hatte Bologna genommen, andere Städte (darunter Forlì, Imola und das venezianische Ravenna) schlossen sich daraufhin Mailand an. Gegen die anwachsende mailändische Macht verbündete sich Eugen IV. mit Florenz. Die Alliierten (unter Scarampi, dem Nachfolger Vitelleschis, und den Condottieri Micheletto d'Attendolo und Gianpaolo Orsini) behielten in der unblutigen Schlacht die Oberhand; die Toskana und der Kirchenstaat waren fürs erste von mailändischen Truppen befreit. Der Erfolg bot die Grundlage für Scarampis Aufstieg (vgl. auch oben, S. 174). – ... *beim Herzog von Worcester:* John Tiptof, Count (nicht Herzog) of Worcester, 1426–1470; dessen Vita: Greco I, S. 415–418.

Seite 256
foggia: Bezeichnung für einen Tuchstreifen, der von der Kapuze links bis zur Wange herunterhängend getragen wurde.

Seite 257
... *Nachdem ich bereits einen Kommentar über sein Leben verfaßt habe:* Bi-

sticci hat eine Lebensbeschreibung geschrieben, die weit umfangreicher ist als die folgende Vita: Einen ‹Commentario della vita di Messer Giannozzo Manetti› (Greco II, S. 515–621), auf den er sich in der hier (stark gekürzt wiedergegebenen) Vita der Sammlung des Bologneser Manuskripts wiederholt bezieht. Vielleicht handelt es sich bei diesem kurz nach 1476/77 entstandenen ‹commentario› überhaupt um die erste Vita, die Bisticci verfaßt hat. Briefe Manettis an Bisticci bei Cagni. – ... *ein Werk gegen sie, in zehn Büchern:* ‹Adversus Iudaeos et gentes› (Bibl. Vat., ms. Urb. lat. 154; vgl. Greco I, S. 65, Anm. 2).

Seite 258
... übersetzte Messer Giannozzo ihn: Nachweise hierzu und zu den folgenden Texten wiederum bei Greco (I, S. 486 ff.). – *... der eine war Manuello:* Manuel Chrysoloras. – *Evangelista aus Pisa:* Der Augustinermönch Fra Evangelista war Theologe und lehrte zeitweilig im Konvent von S. Niccolò; seine Vita: Greco II, S. 393 f. – *Maestro Girolamo:* Ebenfalls Augustinermönch; lehrte wie Evangelista im Kloster S. Spirito. Nikolaus V. ernennt ihn am 1. September 1449 zum Bischof von Oppido Mamertino. – *... in der einen wie der anderen Philosophie:* Bisticci meint ‹philosophia moralis› (Ethik) und ‹naturalis› (Naturphilosophie bzw. Physik).

Seite 260
... pflegte er zu sagen ...: Vgl. oben, S. 73.

Seite 261
... stützte er sich auf den Text des Evangeliums: Wohl Luc. 12, 59.

Seite 262
Er ging zu einer Zeit ...: 1440.

Seite 263
... damit ... eine Leichenrede gehalten werden könne: Vgl. oben, S. 98; über die Leichenrede für Bruni vgl. Stocchia, S. 280–284.

Seite 264
Capitano von Pistoia: Manetti wurde 1446 florentinischer «Stadtkommandant» in Pistoia. – *... die Geschichte der Stadt in vier Büchern:* Manettis ‹Chronicon Pistoriense a condita urbe usque ad annum MCCCCXLVI Iannoctio Florentino› (RIS, XIX, S. 985–1076). – *... er wäre wegen seiner Unkosten nicht mehr zahlungsfähig gewesen:* Sinn zweifelhaft; «... tenevi uno istato di natura che poca diferenza fu dal fallare alle ispese», so das italienische Original, dessen Sinn sich auch auf üppige Repräsentation beziehen könnte, was aber nicht in den Tenor der Vita paßt. Es wird hier eine Interpretation, keine Übersetzung im strengen Sinn angeboten. – *... den König Renato:* René I. d'Anjou, Herzog von Lothringen (16. 1. 1409 – 10. 7. 1480). Folgen wir Bisticcis Chronologie – einige Absätze weiter unten erwähnt er die Schlacht von Caravaggio (1448) –, sind die Verhandlungen in Venedig entgegen der Anmerkung bei Greco (S. 504, Anm. 1) nicht auf 1453, sondern auf 1447 – Ausgleich des Papstes mit Francesco Sforza (15. 7. 1401 – 8. 3. 1466) – zu datieren. Bisticci schreibt (Greco I, S. 503) auch von einem «Frieden», den der Papst «in Rom» geschlossen habe. Florenz, das sich auf Initiative Cosimo de' Medicis für Sforza entschieden hatte und auch deshalb mit König Alfonso immer wieder in Konflikt kam, mochte gute Gründe haben, dem Prätendenten René von Anjou den Weg nach Italien zu ebnen (vgl. auch Guicciardini, S. 21). – *Messer Francesco Foscari:* 1373–1454; Doge seit 1423. – *... im*

Rat der Pregadi: Der Chronist Sanudo sagt, dies sei ein Rat, welcher «unseren Staat regiert». Dem vielköpfigen Gremium (neben 60 «pregadi», weiteren 60 Räten – der «zonta al consejo de pregadi» – den «40 criminal» und dem Dogen gehörten dem Gremium zahlreiche weitere Mitglieder an) oblag es, die Besetzung der wichtigsten Behörden, Friedensschlüsse und Verträge zu sanktionieren, «die großen Sachen» («le gran cosse») zu behandeln. Die eigentlichen Richtungsentscheidungen fielen freilich in anderen Gremien Venedigs, im «Rat der Zehn» oder im Senat.

Seite 265
Neri antwortete: Neri di Gino Capponi (3. 7. 1388 – 27. 11. 1457); er war in der Tat 1446 als Orator in Venedig. – ... *und sie [in ihrer Politik] bestärken:* Übersetzung nicht sicher. Die italienische Fassung lautet: «Il Doge rispose altro se none che salutasino et confortasino quela Signoria per loro parte ...».

Seite 266
... *wurde Messer Giannozzo in den Rat der Acht gewählt:* 1449. Über die «Otto di guardia» und den Rat der Zehn oben, S. 49. – ... *grassierte die Pest in Florenz:* 1448; auch in Rom herrschte im Herbst 1448 die Pest: Eindrucksvoll Infessura, S. 40. – ... *der Herzog von Urbino:* Federico da Montefeltro. – *Napoleone Orsini:* Graf von Anguillara, Condottiere; 1452 auf seiten des Herzogs von Kalabrien gegen Florenz; 1461 Condottiere Pius' II.; stirbt am 3. 9. 1480. Die von Bisticci erwähnten Auseinandersetzungen fanden 1449 statt (Paltroni, S. 89 f.). – ... *zur Kaiserkrönung nach Rom:* Vgl. oben, S. 139 f.

Seite 267
... *regelt seine Vermögensverhältnisse:* vgl. Martines, Social World, S. 189 f. Hintergrund der von Bisticci mit dunklen Worten wiedergegebenen Affäre war vermutlich, daß Manetti sich für eine innenpolitische Parteiung entschieden hatte (für den Kreis um Neri di Gino Capponi), die sich in einem gewissen Gegensatz zu Cosimo de' Medici befand. Dabei mögen Differenzen über die florentinische Außenpolitik eine Rolle gespielt haben (vgl. oben, S. 259 f.).

Seite 268
Da starb König Alfonso: 27. Juli 1458. – ... *wobei ich mich auf den Kommentar zu seinem Leben beziehe* ...: Vgl. Anm. zu S. 257.

Seite 269
... *und so verdingte sich Poggio als Repetitor:* Über seine Vermögensverhältnisse Martines, Social World, S. 123–127. In der Tat war Bracciolini zunächst nicht allzu wohlhabend, wenngleich keineswegs arm (1427 bezahlt er 2 fl. Steuern). – ... *sehr schön in antiker Schrift:* Poggio gilt als Begründer der von den Humanisten dann bevorzugten Schreibart; vgl. Ullmann, Origin, S. 21–57; de la Mare, Handwriting. – ... *begab er sich dorthin:* 1403; apostolischer Sekretär wurde er 1404. – ... *aus der Familie der Buondelmonti:* Vaggia di Ghino Manente de' Buondelmonti. Er hatte nicht fünf, sondern sechs Kinder von ihr. – ... *jenes alten Kardinals:* Henry of Beaufort, Kardinal von Winchester (1377–1447), den er während des Konstanzer Konzils kennengelernt hatte.

Seite 270
Antonio de' Pazzi: Podestà 1398 und 1402; 1434 in der Balía, die Cosimo de' Medici verbannt.

Seite 271
Als das Konzil von Konstanz stattfand ...: Bisticci hält sich in seinem Bericht
nicht an die Chronologie. – *... in den Klöstern dieser Gegend:* St. Gallen, wo er
den nachstehend erwähnten Quintilian-Text fand. Die Reden Ciceros entdeckte
er in Cluny; zum Folgenden, mit Nachweisen und Präzisierungen, Greco I, S. 541 ff.;
grundlegend Sabbadini und Gordan. – *... in heroischen Versen:* Daktylischer He-
xameter, oft «versus heroicus» genannt, da er oft in Epen verwendet wird.

Seite 272
Als ... Messer Carlo starb: 24. 4. 1453. – *... fügte sich in seinen Rücktritt:* 1458;
Nachfolger wurde Benedetto Accolti.

Seite 273
... hatte er es zu großem Reichtum gebracht: Vgl. Martines, Social World. Danach versteuerte Bracciolini 1458 ein Vermögen von über 8500 Fiorini; nur 137
Haushalte bezahlten höhere Steuern.

Seite 274
Filippo Maria: Filippo Maria Visconti, Herzog von Mailand, 1382 – 13. 8. 1447.
– *... die Florentiner Messer Leonardos:* Vgl. Anm. zu S. 253. – *Giovanni Villani:*
Autor der ‹Nuova Cronica›, der ‹Neuen Chronik› von Florenz; um 1280 geboren,
stirbt er 1348 an der Pest. – *Filippo Villani:* Erwähnt als magistrato di priori
(1324). Stirbt vor 1332.

Seite 275
Er vermachte sie der Kommune von Pistoia: Hierzu Piattoli.

Seite 276
... schrieb ein hochbedeutendes Buch: ‹Sozomeni Pistoriensis presbyteri Chronicon universale›. – *Eusebius:* Theologe und Historiker (265–339). – *Papst Coelestin:* Coelestin V. (Pietro Angeleri da Morrone) war im Jahre 1294 Papst. Das
Werk reicht bis in die Zeit des Konzils von Konstanz.

Seite 278
‹Libro della vita civile›: Vgl. Finzi.

Seite 279
... er irrt darin hinsichtlich der Religion: Bottito; Palmieri vertrat in seiner ‹Città
di vita› u. a. die häretische Auffassung, die menschlichen Seelen seien beim Sturz
Luzifers neutral gebliebene Engel. – *... wie der hl. Paulus sagt:* Wahrscheinlich
Kontraktion aus Röm. 1,22 und 1. Kor. 1,19–21.

Seite 281
... blieb das Buch beim Prokonsul in Verwahrung: Der Prokonsul der Richter
und Notare war nach Aussage des Chronisten Goro Dati Haupt der acht Konsuln
dieser Zunft, eine Persönlichkeit von großer Autorität in der vornehmen Gilde.
Die Florentiner Notare hielten sich für die «Quelle» des Notariats der Christenheit überhaupt; ihre Konsuln waren für Ermittlungen in Rechtsfällen zuständig.

Seite 282
... zur Zeit der Dame Paola Malatesta: Tochter des Galeotto Malatesta und der

Elisabetta di Ridolfo di Bernardo di Varano; seit 1410 mit Francesco da Gonzaga verheiratet. Gründet 1420 das Kloster Corpus domini, später S. Paola. Gest. 1449.

Seite 284

Cecilia Gonzaga: 1425–1451 (Greco I, S. 577: 1474). Ordensname: Chiara; vgl. unten, S. 286. – *... einem Herrn aus Urbino:* Oddantonio da Montefeltro (1426–1444), Halbbruder des späteren (unehelich geborenen) Herzogs. – *begab sich in ein Kloster ...*: 1444 trat sie in das Kloster Corpus domini in Mantua ein. Oddantonio da Montefeltro, dem sie die Verlobung aufgekündigt hatte, war daraufhin mit Isotta, einer illegitimen Tochter des Niccolò d'Este, die Ehe eingegangen. Im Jahr von Cecilias Profeß wurde Oddantonio unter unklaren Umständen ermordet; Bisticci schweigt sich darüber aus, wohl, weil dieser Mord für einen Verehrer des Mannes, für den nun der Weg zur Macht frei war, ein heikles Thema darstellen mußte.

Seite 286

foggia: Vgl. Anm. zu S. 256. – *becchetto:* Ein mehr oder weniger langer Tuchstreifen, der von der Kopfbedeckung lang nach unten hängend getragen wurde; manchmal umwickelte man den Hut auch damit. – *Carlo Gonzaga:* gest. 21. 12. 1456, 1437 heiratet er Lucia d'Este. Condottiere, 1433 Ritter; Schüler des Niccolò Piccinino.

Seite 287

Messer Carlo: Kurzvita unten, S. 401. – *... in Diensten Bucicaults:* Jean II. Le Meingre, genannt Bucicault (Bisticci schreibt: «Bucicaldo»), Sohn des gleichnamigen Marschalls von Frankreich; Gouverneur von Genua 1403; in Friedensverhandlungen mit Florenz 1413. Gest. 1421. – *Niccolò Niccoli:* Seine Vita unten, S. 347–356. – *... Lorenzo, dessen Bruder:* Vgl. oben, unten, S. 26.

Seite 288

... nach dem Tod Messer Leonardos: Leonardo Bruni starb am 9. März 1444.

Seite 289

Er übersetzte die ‹Batrachomyomachia› ...: 1429; ‹Homeri poetae clarissimi Batracomyomachia per Karolum Aretinum traducta; ad Marrasium Siculum poetam clarissimum›, Parma 1492. – *... durch die Hand Matteo Palmieris ... zum Dichter gekrönt:* Vgl. die Anm. zu Brunis Dichterkrönung, S. 263.

Seite 290

Messer Jacopo da Luca: Jacopo Ammanati Piccolomini (8. 3. 1422 – 17. 9. 1479), seit 23. 7. 1469 Bischof von Lucca, Kardinal von S. Crisogono 18. 12. 1461. – *... sein Bruder Piero:* Piero di Neri Acciaiuoli (24. 11. 1426 – nach 1460); seine Vita bei Greco II, S. 1–19; ein Brief Acciaiuolis an Bisticci bei Cagni, S. 144–147. – *... den Vater verloren:* Neri Acciaiuoli starb kurz vor Donatos Geburt.

Seite 291

... trat er in eine «Nachtgesellschaft» ein: Vgl. Anm. zu S. 166. – *... eine sehr bedeutende Schule:* Vgl. Anm. zu S. 163. – *... der römische Hof in der Stadt [Florenz]:* 1434 bis – mit Unterbrechungen – 1443. – *Francesco da Castiglione:* Erwähnt auch in der Vita Piero Acciaiuolis, S. 11; Francesco Castiglione war Schüler Vittorino da Feltres; er starb 1484.

Seite 292
Frate Agnolo da Lecco: Greco II, S. 10 f., Anm. 2: Er ist in einem Dokument des
«studio» von 1451 erwähnt. – ... *die Logik des Maestro Paolo:* Paolo Veneto
(Paolo Nicoletti, 1369/72–1429), einer der Hauptvertreter der spätmittelalterlichen Logik. Seine ‹Logica parva› (1395/96) zählte zu den wichtigsten Logik-Werken des 15. Jahrhunderts, sie wurde noch im 17. gelesen.

Seite 293
Pest über Florenz: 1457, 1465. – «*Der da ist Donato* ...»: Derselbe Topos unten,
S. 312. – *Als Cosimo de' Medici* ...: Vgl. oben, S. 50 f.

Seite 294
Messer Dietisalvi: Dietisalvi di Neroni (3. 6. 1403 – 28. 7. 1482), florentinischer
Kaufmann, Politiker, Bibliophiler. Zum Kreis um Luca Pitti zählend, wurde er
nach dessen Umsturzversuch 1466 verbannt. Vgl. Philips, S. 101 f., 202. – *In
Mailand* ...: Die hier geschilderte Episode spielt wohl 1474, zur Zeit der Verhandlungen um eine Liga zwischen Mailand, Venedig und Florenz (die am 2. 11.
1474 zustande kam). Der Herzog, von dem hier die Rede ist, war Galeazzo Maria
Sforza (1476 ermordet).

Seite 295
Über Florenz nun kam eine Geißel ...: Über die Pazzi-Verschwörung: Einleitung, S. 9–15, 91–94. – *Der Kardinal von S. Giorgio:* Raffaele Riario Sansoni
(1460 – 9. 7. 1521). – ... *mit dem Erzbischof von Pisa:* Francesco Salviati (Erzbischof von Pisa 14. 10. 1474, 1478 wegen seiner Beteiligung an der Verschwörung mit dem Strang hingerichtet). – *Francesco de' Pazzi:* 1444–1478. – *Jacopo
de' Pazzi:* Vgl. Einleitung, S. 9 f. Hauptquelle für die Vorgänge des Jahres 1478
ist der Bericht Polizianos.

Seite 296
... *in S. Reparata:* Der alte Name des Domes von Florenz, S. Maria del Fiore. –
Giuliano de' Medici: 1453–1478. – *Lorenzo:* Lorenzo de' Medici, «der Prächtige»:
1. 1. 1449 – 8. 4. 1494.

Seite 297
Christoforo Landino: 1424–1498; bedeutender Humanist; Platoniker, Mitglied
des Kreises um Ficino und Lorenzo den Prächtigen. In seinen ‹disputationes Camaldulenses› betont er den Vorzug des kontemplativen vor dem aktiven Leben.

Seite 299
... *in S. Reparata:* Im Dom; Bisticci benützt wieder die alte Bezeichnung der
1296 in S. Maria del Fiore umbenannten Kathedrale. – ... *versuchte er, sich in
Staatsangelegenheiten zu mischen:* Er scheint Kontakte zur medicifeindlichen
Albizzi-Partei unterhalten zu haben (vgl. Bisticcis folgende Bemerkungen).

Seite 300
... *er wandte sich Messer Rinaldo degli Albizzi* ... *zu:* Vgl. Einleitung, S. 56–58.
– *Herzog Francesco:* Francesco Sforza: Vgl. Anm. zu S. 264. – ... *das er ‹la Sfortias›
nannte:* Wie die Ilias auf 24 Bücher projektiert; elf davon schloß Filelfo ab. Vgl.
u. a. Rossi, S. 345 ff. – ... *faßte er einen seltsamen Plan:* Interpretation des Übersetzers aus dem Kontext; im italienischen Original: «prese una bella fantasia».
Nachweise zu den bei Bisticci erwähnten Schriften bei Greco II, S. 56–58.

Seite 301
Er war apostolischer Sekretär ...: 1434–1440; als secretarius domesticus hatte er eine besondere Vertrauensstellung. Durch seine Hände gingen etwa die päpstlichen Breven. – ... *Licht in die vergangenen Jahrhunderte:* Das Folgende bezieht sich auf ein Hauptwerk Flavios, die ‹Historiarum ab inclinatione romani imperii decades› (1453 oder kurz zuvor fertiggestellt). Es beginnt mit der Zeit 410 (Verwüstung Roms durch Alarich) und wird bis 1441 geführt. Gleich nach der Schilderung des Niedergangs des Römischen Reiches kommt er auf Alexander d. Gr. zu sprechen und auf dessen Feldzüge; das mag Vespasiano da Bisticcis jeder Chronologie Hohn sprechenden Ausführungen erklären. Vgl. auch Hay, Flavio Biondo. – ... *der Palast des Nero:* Die berühmte domus aurea (Bisticci wird Suetons Beschreibung – Nero 31 – gekannt haben).

Seite 302
... *‹Die erneuerte Roma›:* ‹De Roma instaurata›, enstanden zwischen 1444 und 1446. – *‹Italia illustrata›:* Vgl. Clavuot.

Seite 303
Zur Zeit Papst Eugens: Also zwischen 1431 und 1447.

Seite 304
Er besaß Bücher ...: Battelli; Levi d'Ancona, S. 102. 1425 erwarb er um 10 fiorini eine Terenz-Ausgabe und Übersetzungen Leonardo Brunis. – ... *als Papst Eugen sich in Florenz aufhielt:* 4. Juni 1434–April 1436, Januar 1439–Mai 1443. – ... *zu der Zeit des Todes von Papst Martin:* Martin V. starb am 20. Februar 1431. – ... *der Bischof von Tivoli:* Bischof von Tivoli war seit 1427 Niccolò de' Cesari de Caeciliano), gest. 1450.

Seite 305
Beredsamkeit des Tullius: M. Tullius Cicero (106–43 v. Chr.), Demosthenes (366?–322 v. Chr.), zwei der größten Redner der Antike. Derselbe Topos unten, S. 354. – *Dort lebte noch* ..: Das Brigittinnenkloster befand sich auf einem einst im Besitz der Familie Alberti befindlichen Landgut. – ... *ein Monument aus Marmor:* Nicht mehr erhalten.

Seite 306
... *zur Zeit des Marchese Borso:* Regiert in Ferrara 1450–1471. – *Botschafter des Herzogs Giovanni:* Jean d'Anjou, Herzog von Kalabrien (1427–1470); Sohn Renés, kämpft mit Unterstützung Karls VII. von Frankreich gegen Ferdinand um die neapolitanische Krone (1458–1462). Er gewinnt in der Tat Piccinino als Condottiere. – *Jacopo Piccinino:* Der Sohn Niccolòs. König Ferdinand wird ihn 1465 im Castel nuovo erdrosseln lassen.

Seite 308
... *der Graf von Montoro:* Pietro Lalle Camponesco (Camponeschi), Graf von Montorio (1440/50 – 7. 10. 1490); vgl. auch Greco II, S. 119, Anm. 2.

Seite 311
Manuel Chrysoloras: Jacopo Angeli da Scarperia und Niccolò Niccoli waren von Strozzi ermächtigt worden, Chrysoloras einzuladen. – *Die Kosmographie* ...: Nachweise zu diesem und den im folgenden genannten Werken bei Greco II, S. 140. – *Roberto de' Rossi:* Roberto di Francesco de' Rossi (um 1355–1417), Ge-

lehrter und Erzieher (u. a. Cosimo de' Medicis, vgl. unten, S. 320). – *Leonardo Giustiniani:* 1388–1454, venezianischer Gelehrter. – *Francesco Barbaro:* Um 1395–1454, auch er war Venezianer. – *Pietro Paolo Vergerio:* 1370–1444. Bedeutender humanistischer Gelehrter; Verfasser des Traktats ‹De ingenuis moribus›, eines einflußreichen Textes über Erziehung, und u. a. der Schrift ‹De republica veneta›.

Seite 312
Madonna Marietta: Maria di Felice Brancacci (gest. in Padua, 20. Mai 1462). Palla Strozzi war in erster Ehe mit Maria di Carlo Strozzi verheiratet. – ... *Gemahlin des Neri Acciaiuoli:* Maddalena Strozzi. – ... *eine andere des Francesco Soderini:* Margherita (Soderini, der 1438 exiliert wird). – ... *heiratete Giovanni Rucellai:* Jacopa heiratete 1428 Giovanni Rucellai (1403–1481); über ihn vgl. oben, S. 42 f.. – ... *eine vierte Tommaso Sacchetti:* Tancia. Kann Sacchetti mit dem bei Guicciardini und Bruni für die Zeit um 1400 bezeugten florentinischen Botschafter identisch sein (vgl. Greco II, S.143, Anm. 2)?. – ... *die jüngste:* Ginevra; Castellani war 1434 Botschafter in Rom und bot ihm angesichts der rebellischen Römer Asyl. Palla Strozzi hatte noch mindestens sechs Söhne: Bartolomeo (gest. 1426, vgl. S. 307); Lorenzo (1404–1451/52); Noferi (1411–1452/62?); Nicola («Tita»), geb. und gest. 1412; Gianfrancesco (1418 – nach 1467) und Carlo. – ... *nannte* ... *ein außerordentliches Vermögen sein eigen:* 1403 bezahlte er 121 fiorini Steuern; schon damals zählte er zur Spitzengruppe der Florentiner Reichen. 1427 war er der reichste Mann der Stadt. – *Giovanni Lamola:* (1407–um 1449), Schüler Guarinis. – ... *das Florentiner Studium:* Lit. zu S. 163.

Seite 313
Maestro Tommaso da Sarzana: Tommaso Parentucelli, der spätere Papst Nikolaus V. (vgl. dessen Vita oben, S. 124). – *Rinaldo degli Albizzi:* Vgl. Anm. zu S. 108 und Einleitung, S. 56–58. – *Messer Carlo:* Über dessen literarische Tätigkeit: Lorenzo di Filippo Strozzi, Le vite degli uomini illustri della casa Strozzi, Florenz 1892, S. 25.

Seite 314
... *mit der Absicht,* ... *eine* ... *Bibliothek einzurichten:* Zu Strozzis mäzenatischer Seite zuletzt Gregory. – ... *den Tod dieses seines Sohnes:* 1426; die Inschrift seines Epitaphs lautete: «Spes patris ac patriae, luctus patris ac patriae, Stroctius hac situs Bartholomeus humo ...» (nach Greco II, S. 561, Anm. 3).

Seite 316
... *den Feldzug gegen Lucca:* Vgl. Einleitung, S. 55; zum Folgenden oben, S. 55–58, auch 314 f. – *Niccolò da Uzzano:* Einer der einflußreichsten florentinischen Staatsmänner im ersten Drittel des 15. Jahrhunderts; er lebte von 1359 bis zum 20. 4. 1431. Über ihn: Brucker, Civic World, passim.

Seite 317
... *einen weiteren überaus gelehrten Griechen:* Nach Perosa (in Rinascimento 4 [1953], I, S. 8) als Andronico Callisto zu identifizieren.

Seite 318
Sein Sohn Lorenzo wird ermordet ...: Vgl. unten, S. 389.

Seite 320
Bartolo Tedaldi (oder della Vitella): Schüler Rossis; das Wenige, was über ihn

bekannt ist, bei Gutkind, S. 6. – *Luca di Maso degli Albizzi:* 19. 3. 1382 – 5. 8.
1458; florentinischer Staatsmann, u. a. 1425 Capitano von Livorno. – *Mahl nach
Philosophenart:* Ein Symposion, bei dem gelehrte Gespräche geführt wurden.

Seite 322
... *tagte in Konstanz das Konzil:* 1414–1417. Bisticcis Vita bietet den einzigen
Quellenbeleg für einen Aufenthalt Cosimos in Konstanz. – ... *seine Gegner:* Vgl.
Einleitung, S. 55–58. – *Gonfaloniere der Justiz:* Vgl. oben, S. 48 f.

Seite 323
... *das la Berghetina hieß:* Auch Alberghettino genannt; im Turm des Palazzo
Vecchio, mit Fenster zum Arno hin. – *500 Dukaten:* Im Text «ducati cinquecento
larghi» = «breite» Dukaten. Vgl. Anm. zu S. 137. – *Puccio Pucci:* schon um
1420/30 führende Figur in der florentinischen Politik, Exponent der «arti minori»;
nach Rückkehr der Medici 1434 bleibt er einflußreich. 1425 heiratet er Bartolom-
mea di Tommaso Spinelli. – ... *dessen Bruder:* Giovanni Pucci war 1429 Mitglied
der «Dieci di balía». Er wurde 1434 für zehn Jahre nach L'Aquila verbannt.

Seite 324
Wahl eines Priors: Vgl. oben, S. 49. – *Papst Eugen ... trat ins Mittel:* Vgl. oben,
S. 106 ff.

Seite 325
Weil er sich nun diese Last von seinen Schultern nehmen wollte ...: Zu Cosimos Bauunternehmungen vgl. Einleitung, S. 39 ff., mit Literaturhinweisen. – ...
das Kloster von S. Marco: Die Arbeiten daran setzen 1437 ein, am Chor der
Kirche wird ab 1439 gearbeitet (bis um 1443?); die Errichtung der Bibliothek
wird auf die Zeit um 1442/44 datiert.

Seite 326
Wie in der Vita Niccolò Niccolis gesagt wird: Vgl. unten, S. 353; zum Folgenden
mit weiterer Lit. de la Mare, Cosimo and his books.

Seite 327
Giuliano Lapaccini: Gest. 1457; seine Vita bei Greco II, S. 417–420. Er war Prior
von S. Marco, Verfasser einer Klosterchronik. – *Zur selben Zeit, als er S. Marco
vollendet hatte:* Diese Aussage Bisticcis wird von der Forschung bezweifelt, vgl.
Robinson, S. 187 f. Die Arbeiten an Bosco ai Frati waren wohl um 1436 abgeschlossen. – ... *Mönche aus Jerusalem:* Auch Vasari erwähnt dies in seiner Vita
Michelozzos; ist seine Quelle Bisticci? Von dem Bau in Jerusalem ist ebensowenig etwas erhalten geblieben wie von dem gleich erwähnten Gebäude in Paris.
– ... *neben den Häusern von Bernardetto de' Medici:* Bernardetto di Giuliano
de' Medici, 1393–1465; u. a. 1447 und 1454/55 Gonfaloniere der Justiz.

Seite 328
S. Lorenzo: Die Bauarbeiten an der Sakristei begannen bereits um 1421/1422;
Cosimos formelle Zusage, die Kosten für die Capella maggiore und die Vierungs-
zone zu übernehmen, erfolgte 1442 (Elam, S. 163, 158). – ... *da Lorenzo vom
Tod ereilt wurde:* 1440. – *Badia in Fiesole:* 1456–1462; die Kirche wurde 1461
begonnen, 1464 war sie nahezu vollendet.

Seite 329
... *eine ansehnliche Bibliothek einzurichten:* Vgl. de la Mare, Cosimo and his
books. – ... *indem man jener der Bibliothek von Papst Nikolaus folgte:* Vgl.
oben, S. 129 f. – ... *nämlich Origenes:* Nachweise zum Folgenden bei Greco II,
S. 184–189, und de la Mare, S. 139–156.

Seite 330
... *bei S. Croce erbaute er den Novizentrakt:* Um 1445, nach Vasari war Michelozzo der Architekt. – *Palazzo in Florenz:* Errichtet ab 1477, vor 1459 fertiggestellt (durch Michelozzo).

Seite 331
In Careggi ...: Das Landgut wurde 1417 von Giovanni de' Medici erworben
und ging 1451 in Cosimos Besitz über. Ab 1457, vielleicht schon sehr viel
früher, durch Michelozzo (Michelozzo di Bartolomeo di Gherardo, 1396 – vor
7. 10. 1472) umgebaut; die Zuschreibung ist unsicher. – *Caffaggiuolo:* 1451 in
Cosimos Besitz, danach durch Michelozzo (?) umgestaltet. – *15 000 oder 16 000
Fiorini fürs Bauen:* Vgl. oben, S. 44 ff. – ... *er hieß Lorenzo:* Bisher nicht identifiziert.

Seite 333
... *ein altes Pandektenwerk:* Die von Justinian 533 publizierte Kodifikation des
römischen Juristenrechts, vorwiegend Privatrecht. Hauptquelle für die Kenntnis
der klassischen römischen Jurisprudenz. – *So umfassend war seine Kenntnis:*
Vgl. Vespasianos stereotype Lobpreisungen Federico da Montefeltros.

Seite 334
Donatello: Der berühmte Bildhauer; eigentlich Donato di Niccolò di Betto Bardi,
1386 ? – 13. 12. 1466. – *Bronzekanzeln für S. Lorenzo:* In Donatellos letzter
Lebenszeit entstanden; ein Relief trägt das Datum 1465. – ... *bestimmte Portale:*
Die Portale der Domsakristei entstanden 1437. – *Weil Donatello nicht so ge-
kleidet ging ...:* Vgl. oben, S. 34.

Seite 335
... *darin ahmte er Papst Bonifaz IX. nach:* Vgl. oben, S. 76; Bonifaz IX. war Papst
(in Rom) von 1389 bis 1404. – *Lektüre der ‹Moralia›:* Die um 595 vollendeten
35 Bücher S. Gregors (ca. 540 – 12. 3. 604), ein Job-Kommentar, zählten zu den
meistgelesenen moraltheologischen Schriften des Mittelalters.

Seite 336
... *den Sohn zu entmachten:* Piero «den Gichtbrüchigen»; vgl. oben, S. 135.

Seite 337
Der Observantenbruder Roberto: Vgl. Greco II, S. 198, Anm. 1.

Seite 338
So waren eines Tages ...: Otto Niccolini (26. 12. 1410 – 27. 9. 1470), Anwalt,
1458 Gonfaloniere der Justiz, auch einer der Dodici Buonomini. Mehrmals war
er Botschafter, so bei Kaiser Friedrich III. In der hier angesprochenen Diskussion
ging es um die schon vom hl. Augustinus aufgeworfene Frage, ob das Recht
gegenüber der Ethik Eigenständigkeit besitze.

Seite 339
Messer Marsilio: Der bedeutende neoplatonische Philosoph Marsilio Ficino (1433–1499), Zentralfigur des Kreises um Lorenzo den Prächtigen.

Seite 340
... *für zwölf Jahre Frieden:* Anspielung auf den Frieden von Lodi 1454 (es waren also nur zehn Jahre, denn Cosimo starb 1464). – *Bartolomeo da Bergamo:* Colleoni führte 1467/68 Krieg gegen die Florentiner.

Seite 341
... *am monte:* Vgl. Anm. zu S. 360.

Seite 342
Bartolomeo da Colle: Greco II, S. 210, Anm. 2.

Seite 344
Franco Sacchetti: Kurzvita unten, S. 404. – *Giannozzo Pandolfini:* 1396–1452; Sohn Agnolo Pandolfinis, des Capitano von Livorno. – ... *Frieden zwischen Seiner Majestät und den Florentinern:* 1455. – *Papst Pius:* Vgl. Anm. zu S. 188. – *Kongreß von Mantua:* 1459/60; Zweck der von Pius II. initiierten Versammlung war es, die Mächte Europas zu einem Kreuzzug gegen die Türken zusammenzuschließen. Der Versuch mißlang völlig.

Seite 345
Pandolfo Pandolfini: 3. 5. 1424 – Oktober 1465. – *Alamanno Rinuccini:* 1426–1504. – *Marco Parenti:* Um 1422 – 9. Juni 1497, Florentiner Kaufmann, Chronist (vgl. Phillips). – *Domenico di Carlo Pandolfini:* Schüler des Argyropulos, 1492 Gonfaloniere der Justiz. – *Carlo d'Antonio di Silvestro* (Salvestro): Freund Piero de' Pazzis, Mitglied – wie andere Persönlichkeiten des Kreises um Sacchetti – der Florentiner Akademie. – *Pierfilippo Pandolfini:* 1. 6. 1437 – 5. 9. 1497, Cousin Domenico Pandolfinis. Akademiemitglied, Besitzer einer großen Bibliothek, Briefpartner und Freund Bisticcis (dessen Briefe an ihn bei Cagni). – *Banco di Casavecchia:* Sproß einer alten Ghibellinenfamilie deutschen Ursprungs. Gelehrter, Akademiemitglied; Inhaber öffentlicher Ämter (1456 Podestà, 1460 Prior).

Seite 348
... *entweder in fließender oder stehender Schrift:* «di lettera corsiva o ferma» im Original; Niccolò Niccoli war, was Bisticci nicht schreibt, der «Erfinder» der humanistischen «Kursive», die, u. a. mit Rechtsneigung der Buchstaben und Ligatur, italienischen Kanzleischriften verwandt ist; sie wird erstmals 1423 nachweisbar (Frenz, S. 336; de la Mare, Cosimo and his books, Abb. 4; Ullmann, Humanistic script). – *Werke Tertullians:* Zum Folgenden Sabbadini, Scoperte; Gordan.

Seite 349
... *reichte sein Vermögen nicht hin:* Niccoli war keineswegs arm, obwohl er gegenüber der Steuerbehörde leidenschaftlich das Gegenteil beteuerte. 1430 schuldete er den Medici-Brüdern 355 fiorini – ohne deren Hilfe, so betonte er, wäre er schon lange am Bettelstab. Damit bestätigt er Bisticcis Erzählung, freilich in einer Situation, die Schwarzmalerei nur allzusehr nahelegt. Die Fakten bei Martines, Social World, S. 115 f. – ... *als Cosimo dann nach Venedig ver-*

bannt wurde: 1433, nach dem «Albizzi-Putsch». – *Francesco da Pietrapane:* Auch in der Vita Cosimo de' Medicis erwähnt (S. 322).

Seite 350
... *der einen Chalzedon um den Hals trug:* Dieser «calcidonio intagliato» ist nicht erhalten; Ghiberti erwähnt das kostbare Stück – die ovale Gemme oder Kamee zeigte Diomedes beim Raub des Palladions – als im Besitz Niccolis befindlich und beschreibt es genau. Lorenzo der Prächtige erwarb den «Chalzedon» aus dem Nachlaß Pauls II. 1472, als er als Mitglied einer Florentiner Gesandtschaft in Rom weilte. Der Papst hatte sich das Kunstwerk mit der Hinterlassenschaft des Kardinals Scarampi angeeignet. Einzelheiten bei Massinelli/Tuena, S. 24 f.

Seite 351
Maestro Luigi: Lodovico Scarampi (vgl. oben, S. 174). Scarampi, der «Cardinale Lucullo», war ein leidenschaftlicher Kunstsammler, dem man durchaus zutraut, daß er Niccoli den «Chalzedon» mit mehr oder weniger sanftem Druck abnötigte. Er soll Schätze im Wert von 20000 Goldgulden hinterlassen haben. – *Gregorio Correr:* 1411 – 19. 11. 1464, apostolischer Protonotar, kurz vor seinem Tod noch Patriarch von Venedig. Neffe Gregors XII. Seine Vita: Greco I, S. 175–179.

Seite 352
... *wären nicht Niccolò und Messer Palla Strozzi gewesen:* Vgl. oben, S. 311. – *Pippo di Ser Brunellesco:* Filippo Brunelleschi, der berühmte Architekt (1377 – 15. 4. 1446). – *Luca della Robbia:* Der Bildhauer und Keramiker, 1400 – 10. 2. 1482. – *Lorenzo di Bartoluccio:* Der Bildhauer und Kunsttheoretiker Lorenzo Ghiberti, 1378 – 1. 12. 1455.

Seite 353
Die vierzig Bürger veranlaßten: Vgl. oben, S. 326. – ... *sein Buch ‹De longaevis›:* ‹De illustribus longaevis libri VI›. – *Als ... Giovanni Boccaccio gestorben war:* Vgl. oben, S. 129.

Seite 354
... *Niccolòs Eigenschaften:* Vgl. oben, S. 79 f.

Seite 357
... *dem Kloster in Settimo:* SS. Lorenzo e Salvatore (nicht S. Silvestro, wie Greco II, S. 244, Anm. 1 schreibt). In der Tat sind Bücher aus Pieruzzis Bibliothek im Besitz der Badia von Settimo nachweisbar.

Seite 358
Die zwei Kreuzgänge der Florentiner Badia: Wohl der Chiostro degli Aranci (um 1436). – ... *bei den Campora:* Vor der Porta S. Pietro Gattolini im Konvent von SS. Cosma e Damiano (Greco II, S. 246, Anm. 1).

Seite 359
... *ging er zum Angeli-Kloster:* Vgl. oben, S. 38.

Seite 360
... *daß der monte:* Der Begriff steht für Ansammeln, Anhäufen von Geld oder die Institution dafür. Im 12. Jahrhundert gab es einen mons profanus in Venedig,

der zur Organisation der besseren Verteilung der bürgerlichen Lasten eingerichtet worden war, anderswo war der monte eine Art Versicherung. Gebräuchlich ist die Übersetzung als «Leihhaus». Grundlegend Henderson; Molho, Marriage Alliance, S. 27–79. – *Jesuaten:* Der Konvent der «Gesuati», außerhalb von Florenz, rechts der «Porta fiesolana» (oder «a' Pinti»).

Seite 362
Messer Torello: Niccolò Torelli aus Prato; Jurist, Florentiner Botschafter bei König Ladislaus 1410.

Seite 363
... gegen Lucca zu ziehen: Vgl. Einleitung, S. 55 f. – *Messer Rinaldo degli Albizzi:* Vgl. Anm. zu S. 108.

Seite 364
... und hielt doch jene Mitte ...: Vgl. Einleitung, S. 77 f.

Seite 365
Marchese Niccolò: Niccolò III. d'Este (9. 11.1393 – 26. 12. 1441), Signore von Ferrara.

Seite 366
Zwei Schwiegertöchter hatte er ...: Agnolos Sohn Carlo (1420 – 1. 7. 1454) war mit Giovanna Giugni verheiratet; über die Verhältnisse des anderen Sohnes ist nichts bekannt.

Seite 367
Manetti ... und Messer Agnolo waren miteinander verschwägert: Agnolo war mit Saracina di Tommaso di Giacomo Tebalducci verheiratet (seit 1420); deren Schwester Alessandra ehelichte sieben Jahre später Giannozzo Manetti; vgl. Cagni, S. 129, Anm. 1. – *... als der mazziere kam:* Von «mazza» = «Streitkolben», auch «Kommandostab»; Diener der Florentiner Regierung, der zum Zeichen seiner Amtsgewalt eine «mazza» aus Silber oder Eisen trägt, Verhaftungen durchführt und andere polizeiliche Aufgaben erledigt.

Seite 368
Nach Cefalonia wurde er exiliert ...: Niccolò Acciaiuoli (1310–1365) hatte einige Gebiete des Fürstentums Achäa erworben (1338–1341); sie waren Lehen der angiovinischen Krone, der sie dank Accaiuolis Engagement zurückgewonnen worden waren. Es war also nicht erst der nachstehend erwähnte Sohn Niccolòs, Donato (gest. nach 1400) – der Großvater des gleichnamigen Helden einer unserer Viten (S. 290–298) –, der diese Lehen innehatte.

Seite 372
Dank Messer Piero ...: Guglielmo di Antonio di Andrea de' Pazzi (6. 8. 1437 – 6. 7. 1516) heiratete 1460 Bianca di Piero di Cosimo. Er wurde nach der Verschwörung von 1478 zusammen mit seinen Kindern verbannt, die Ehe wurde annulliert.

Seite 373
Wie nun König Ludwig von Frankreich den Thron bestieg: 1461. – *Messer Filippo de' Medici:* 1456 Bischof von Arezzo; Cosimo versuchte vergeblich, ihm einen

Kardinalshut zu verschaffen. Er stirbt 1474. – *Piero de' Pazzi:* Inhaber hoher
Ämter, u. a. ist er 1462 Gonfaloniere der Justiz; gest. nach 1464. – *Bonacorso Pitti:*
18. 5. 1416 – nach 1464; heiratet 1435 Fiammetta di Bernardo di Domenico
Giugni; u. a. Botschafter bei René von Anjou und Mitglied der Florentiner Gesandtschaft, die 1458 Pius II. zu seiner Wahl gratulierte. – ... *ging er hinauf* ...,
um die Fahne zu nehmen: Da Piero von einem auswärtigen König zum Ritter
geschlagen worden war, hatte er auf diese Weise seine Treue zur Republik Florenz
und seine Unterordnung unter ihre Regierung zu bezeugen. – ... *ging zur Parte
guelfa:* Der Palast der «Capitani», der traditionell ritterfreundlichen Guelfenpar-
tei (vgl. deren Statuten von 1335), war neben der Kirche S. Maria sopra porta
unweit des Ponte Vecchio, ein Gebäude vom Anfang des 14. Jahrhunderts, das
dann von Brunelleschi und Francesco della Luna umgebaut wurde. Das Wappen
der «Parte guelfa» zeigt einen zinnoberroten Adler, der einen grünen Drachen
hält. Es ist dasselbe wie dasjenige Papst Clemens' IV., der es den Guelfen von
Florenz nach der Schlacht von Montaperti (1260) verliehen hatte.

Seite 374
... *auf seinem «Trebio» genannten Besitz:* Im Mugello, 15 Meilen von Florenz,
unweit einer Medici-Villa (Greco II, S. 315, Anm. 2). – *Nachdem sie diese 15 Tage
abgewartet hatten* ...: Zum historischen Zusammenhang oben, S. 84 f. – ... *der
Fürst von Rossano:* Heerführer Ferdinands von Aragon; Zentralfigur der Verschwörung. – *Jacopo da Gaviano:* Jacopo da Montagnano. – *Deifobo d'Anguillara:*
Sohn des Everso, geb. in der ersten Hälfte des 15. Jahrhunderts; gest. 1490.

Seite 375
Giovanni Ventimiglia: Condottiere Papst Calixts III.; zieht 1455 gegen Piccinino
und gerät in Gefangenschaft; vgl. auch Greco II, S. 318 f. – *Die Verräter flohen:*
Dennoch wurde für den Aragonesen nach den Niederlagen von Sarno (7. Juli
1460) und S. Fabiano (22. Juli 1460, vgl. oben, S. 86, 203) die Lage kritisch. Erst
im Jahr darauf war seine Herrschaft gesichert.

Seite 378
Er selbst verfaßte eine Chronik ...: ‹Istoria fiorentina›, zuerst 1581 als Werk
eines «Piero» Buoninsegni gedruckt. Die Chronik behandelt Ereignisse zwischen
1334 und 1460; wichtige Quelle für Guicciardini.

Seite 379
... *Giovanni d'Abaco:* 1417 und 1420 als Mitglied der Domopera faßbar, 1421
als Professor des Florentiner «studio»; vgl. Greco II, S. 423, Anm. 2, mit Hinweis
auf Giovannis Erwähnung bei Vasari. – ... *so lernte Meister Antonio ... von
Benedetto noch mancherlei:* Der berühmte Antonio Squarcialupi (Antonio degli
Organi), 1425–1490; seit 1436 in Florenz, wo er bis 1469 bleibt. – *Ser Piero degli
Organi:* Mitglied eines musikalischen Zirkels, einer «Harmonieschule» mit
fünfzehn Mitgliedern, um Lorenzo den Prächtigen.

Seite 380
... *von allen bedeutenden Werken ... besorgte er sich eine Kopie* ...: Vgl. de la
Mare, Cosimo and his books, S. 132, Anm. 65. – *Messer Piero:* Piero di Benedetto
Strozzi, 1416–1492. Die Vita muß also vor 1492 entstanden sein. – *Nachdem er
die Pfarrei Ripoli von Papst Nikolaus erhalten hatte* ...: Vgl. oben, S. 134.

Seite 381
Messer Marcello und Messer Matteo Strozzi: Deren Viten in Greco II, S. 397–400
bzw. 221–224. Marcello war Jurist, las 1402 im Florentiner «studio»; mehrfach
fungierte er als Botschafter, und er war zusammen mit Cosimo de' Medici auf
dem Konzil von Konstanz. Er wird außerdem als «Capitano» von Livorno und
als Mitglied der «Dieci di balía» faßbar. Er stirbt am 3. 4. 1454. Matteo degli
Strozzi (1397–1439) war ein reicher Bankier, verheiratet mit Alessandra di Filippo Mazzinghi. Botschafter u. a. bei Francesco Sforza. Nach der Rückkehr der
Medici wird er, Vetter Pallas, nach Pesaro verbannt. Vgl. auch Greco II, S. 221,
Anm. 1. – Arrighi und Barbadoro sind auch in der Vita Matteo Strozzis (Greco
II, S. 221) erwähnt.

Seite 382
S. Paola: Römische Heilige (5. 5. 347 – 26. 6. 406); ihre Abstammung von Scipio
Africanus ist legendär. Nach dem Tod des Ehemannes führte sie auf dem Aven-
tin ein klösterliches Leben. Nach dem Tod einer Tochter (386) Reise ins Heilige
Land, in Bethlehem gründet sie zwei Klöster.

Seite 383
... so folgte sie dem Beispiel des Kaisers Augustus: Vgl. Sueton, Aug. 64; Bisticci
referiert hier einen in antiken Quellen häufigen Topos «idealer» Weiblichkeit.

Seite 385
Der Älteste der Söhne, die Messer Palla hatte: Vgl. oben, S. 312. – *Aufenthalt*
Sigismunds in Siena: Sein Einzug fand am 11. 7. 1432 statt. – *... von den Löwen*
der Piazza: Also von dem berühmten Marzocco, dem Löwen mit dem Lilien-
schild, der vor dem Palazzo Vecchio thronte, bis zum die Piazza della Signoria
nach Osten abschließenden Gebäude der Mercatanzia.

Seite 386
Francesca di Antonio di Silvestro Serristori: Ihr Vater war ein reicher Kaufmann,
1428 Prior und 1443 Gonfaloniere der Justiz. – *Wegen ihrer Fertigkeit wurde*
Alexandra mit der Aufgabe betraut ...: Vgl. unten, S. 68 f.

Seite 387
... ahmte sie ... Porzia ... nach: Sie nahm sich das Leben (indem sie glühende
Kohlen verschluckte), als sie erfuhr, daß Marcus Brutus – ihr Mann – bei Philippi
gefallen war. Bisticci mag Boccaccios Lebensbeschreibung Porzias (in dessen ‹De
mulieribus claris›) gekannt haben.

Seite 389
... brachte er ihn um: Nach Bisticci im Jahr 1451 (s. weiter unten auf der Seite).
Nach anderen Quellen starb Lorenzo erst 1452.

BIBLIOGRAPHIE

I. Quellen

Alberti, L. B., Vom Hauswesen (Della famiglia), übers. v. W. Kraus, eingel. v. F. Schalk, Zürich 1962 (TB-Ausg. München 1986)

Bisticci, V. da, Vite di Uomini illustri del secolo XV., hrsg. v. P. D'Ancona u. E. Aeschlimann, Mailand 1951

–, Le vite. Edizione critica con introduzione e commento di Aulo Greco, 2 Bde., Florenz 1970/1976

Bracciolini, P., Lettere. Edizione critica a cura di H. Harth, 3 Bde., Florenz 1984/1987

Buoninsegni, D., Storie della città di Firenze dall' anno 1410 al 1460, Firenze 1637

Dei, B., La Cronica dall'anno 1400 all'anno 1500, hrsg. v. R. Barducci, Florenz 1984

Fazio, B., De viris illustribus, Florenz 1745

Frati, L. (Hrsg.), Il sacco di Volterra nel 1472. Poesie storiche contemporanee e commentario inedito di Biagio Lisci Volterrano tratto dal cod. vaticano-urbinate 1202, Bologna 1886 (ND 1969)

Guicciardini, F., Storie fiorentine. Ricordi, Novara 1977

Infessura, S., Römisches Tagebuch. Übers. u. eingel. v. H. Hefele, Jena 1913 (ND Düsseldorf/Köln 1979)

Landucci, L., Ein florentinisches Tagebuch, 1450–1516. Nebst einer anonymen Fortsetzung 1516–1542. Übersetzt, eingeleitet und erklärt v. M. Herzfeld, Jena 1912/13

Machiavelli, N., Istorie Fiorentine e altre opere storiche e politiche, Torino 1971

–, Der Fürst. ‹Il principe.› Übersetzt und hrsg. von Rudolf Zorn, Stuttgart 1955

Macinghi degli Strozzi, A., Tempo di affetti e di mercanti: lettere ai figli esuli, Milano 1987

Palmieri, M., Della vita civile di Matteo Palmieri (hg. F. Battaglia), Bologna 1944

Paltroni, P., Commentarii della vita et gestis dell' illustrissimo Federico Duca d'Urbino, hrsg. v. W. Tommasoli, Urbino 1966

Platina, B., De vitis Pontificorum Romanorum, Köln 1573

Poliziano, A., Coniurationis commentarium, hrsg. v. A. Perosa, Padua 1958

Rinuccini, A., Dialogus de libertate, hrsg. v. Francesco Adorno, in: Atti e memorie dell' Accademia toscana di scienze e lettere La Colombaria 22 (1957), S. 270–303

Rinuccini di Cino, F., Ricordi storici dal 1282 al 1460, con la continuazione di Alamanno e Neri suoi figli fino al 1506, hrsg. v. G. Aiazzi, Florenz 1840

[Rucellai], Giovanni Rucellai ed il suo zibaldone, Bd. I: Il zibaldone quaresimale, hrsg. von A. Perosa, London 1961

II. Literatur

Abulafia, D., The Crown and the Economy under Ferrante I of Naples, in: City and Countryside in Late Medieval and Renaissance Italy. Essays presented to Philip Jones, hrsg. v. T. Dean u. C. Wickham, London 1990, 138–139

Acidini Luchinat, C. (Hrsg.), Renaissance Florence. The Age of Lorenzo de' Medici, 1449–1492 (Ausstellungskatalog), London 1993

Acton, H., The Pazzi Conspiracy: The Plot against the Medici, Hampshire 1979

Adam, R. G., Francesco Filelfo at the Court of Milan, Rome

Ady, C. M., A History of Milan under the Sforza, London 1907

–, Morals and Manners of the Quattrocento, in: Holmes (Hrsg.), Art and Politics, S. 1–18

Alberigo, G., Chiesa conciliare. Identità e significato del conciliarismo, Brescia 1981

Alexander, J. G. (Hrsg.), The Painted Page. Italian Renaissance Book Illumination, München/New York 1994

Ames-Lewis, F., Cosimo ‹il Vecchio› de' Medici 1389–1464. Essays in Commemoration of the 600th Anniversary of Cosimo de' Medici's Birth, Oxford 1992

Antonelli, G., La magistratura degli Otto di Guardia a Firenze, in: Archivio Storico Italiano 112 (1954), S. 3–39

Bach, A., Deutsche Namenskunde. Die deutschen Personennamen, Bd. 1, Heidelberg 1953

Bäumer, R. (Hrsg.), Die Entwicklung des Konziliarismus. Werden und Nachwirken der konziliaren Idee, Darmstadt 1976

Baron, H., Bürgersinn und Humanismus im Florenz der Renaissance, Berlin 1992 (engl. 1988)

–, Cicero and the Roman Civic Spirit in the Middle Ages and the Early Renaissance, in: Bulletin of the John Rylands Library XXII (1938), S. 3–28

–, The Crisis of the Early Italian Renaissance. Civic Humanism and Republican Liberty in an Age of Classicism and Tyranny, Princeton 1966

–, From Petrarch to Leonardo Bruni, Chicago 1968

Battelli, G., Due celebri monaci portoghesi in Firenze. L'abate Gomes e Velasco di Portogallo, in: Archivio storico italiano 96 (1938), S. 218–227

Baxandall, M., Die Wirklichkeit der Bilder. Malerei und Erfahrung im Italien des 15. Jahrhunderts, Frankfurt a. M. 1977 (engl. 1972)

Bec, C., Une librairie florentine de la fin du XVe siècle, in: Bibliothèque d'Humanisme et Renaissance XXXI (1969), S. 321–332

Beck, F., Studien zu Leonardo Bruni, in: Abhandlungen zur mittleren und neueren Geschichte 36 (1912), S. 1–83

Becker, P., Giuliano Cesarini (1398–1444), Diss. Münster 1935

Belle, L., A Renaissance Patrician: Palla di Nofri Strozzi, unveröffentl. Diss. Rochester 1973

Beloch, G. v., Bevölkerungsgeschichte Italiens, Berlin/Leipzig 1937–39

Bentley, J. H., Politics and Culture in Renaissance Naples, Princeton 1987

Bering, K., Baupropaganda und Bildprogrammatik der Frührenaissance in Florenz – Rom – Pienza, Frankfurt a. M. 1984

Bertelli, S., Florence and Venice: Comparisons and Relations, Florenz 1980

Beyer, A./*Boucher*, B. (Hrsg.), Piero de' Medici ‹il gottoso› (1416–1469). Kunst im Dienste der Mediceer, Berlin 1993

Bianca, C., L'Accademia del Bessarione tra Roma e Urbino, in: Cerboni Baiardi, Bd. III, S. 61–80

Black, A., Monarchy and Community. Political Ideas in the Later Controversy 1430–1450, Cambridge 1970

Black, R., Florence, in: Porter/Teich, S. 21–41

Blank, U., Studien zu Vespasiano da Bisticcis «Libro delle lodi e commendazioni delle donne», in: QFIAB 74 (1994), S. 454–477

Blastenbrei, P., Die Sforza und ihr Heer. Studien zur Struktur-, Wirtschafts- und Sozialgeschichte des Söldnerwesens in der italienischen Frührenaissance, Heidelberg 1987

Bottito, G., L'eresia di Matteo Palmieri, in: Giornale storico della letteratura italiana 37 (1901), S. 1–69

Braccio da Montone e i Fortebracci. Atti del Convegno internazionale di studi Montone 23–25 marzo 1990, Narni 1993

Braunfels, W., Mittelalterliche Stadtbaukunst in der Toskana, Berlin 1953 (5. Aufl. 1982)

Brown, A., Cosimo de' Medici's Wit and Wisdom, in: Ames-Lewis, S. 95–114

–, The Medici in Florence. The Exercise and Language of Power, Florenz/Perth 1992

Brosch, M., Albizzi and Medici, Leipzig 1908

Brucker, G. A., The Civic World of Early Renaissance Florence, Princeton 1977

–, Humanism, Politics and the Social Order in Early Renaissance Florence, in: Florence and Venice: Comparisons and Relations I, Florenz 1979, S. 3 f.

–, Florenz. Stadtstaat – Kulturzentrum – Wirtschaftsmacht, München 1984 (ital. Mailand 1983)

–, Monasteries, Friaries, and Nunneries in Quattrocento, in: Verdon/Henderson, S. 41–62

Buck, A. (Hrsg.), Zu Begriff und Problem der Renaissance, Darmstadt 1969

Burckhardt, J., Die Kultur der Renaissance in Italien. Ein Versuch, Berlin/Leipzig 1930

Burke, P., Die Renaissance in Italien. Sozialgeschichte einer Kultur zwischen Tradition und Erfindung, Berlin 1982 (engl. London 1972)

Cagni, G. M., Vespasiano da Bisticci e il suo epistolario, Roma 1969

–, Agnolo Manetti e Vespasiano da Bisticci, in: Italia medioevale e umanistica 14 (1971), S. 293 ff.

Cammelli, G., I dotti bizantini e le origini dell'umanesimo, 3 Bde., Florenz 1941–54

Caravale, M./*Caracciolo*, A., Lo stato pontificio da Martino V a Pio IX. (Storia d'Italia 14), Turin 1978

Cassuto, U., Gli ebrei a Firenze nell'età del Rinascimento, Firenze 1965

Castelnuovo, E., Das künstlerische Portrait in der Gesellschaft. Das Bildnis und seine Geschichte in Italien von 1300 bis heute, Berlin 1988 (ital. 1973)

Celso Calzolai, C., La storia della Badia a Settimo, Firenze 1958

Cerboni Baiardi, G./*Chittolini*, G./*Floriani*, P. (Hrsg.), Federico da Montefeltro. Lo stato, le arti, la cultura, 3 Bde., Rom 1986

Chambers, D. S./*Clough*, C. H./*Mallett*, M. (Hrsg.), War, Culture, and Society in Renaissance Venice. Essays in Honour of John Hale, London/Rio Grande 1993

Cheles, L., The Studiolo of Urbino. An Iconographic Investigation, Wiesbaden 1986

Cipriani, G., Republican Ideology and Humanistic Tradition: The Florentine Example, in: H. G. Koenigsberger (Hrsg.), Republiken und Republikanismus, München 1988, S. 19–25

Clavuot, O., Biondos ‹Italia Illustrata› – Summa oder Neuschöpfung? Über die Arbeitsmethoden eines Humanisten, Tübingen 1990

Clough, C. H., The Duchy of Urbino in the Renaissance, London 1981
–, Federico da Montefeltro and the Kings of Naples: a Study in Fifteenth-Century Survival, in: Renaissance Studies 6,2 (1992), S. 113–172
Cole, B., The Renaissance Artist at Work. From Pisano to Titian, New York u. a. 1983
Conti, E., L'imposta diretta a Firenze nel Quattrocento 1427–1494, Rom 1984
Corbo, A. M., Artisti e artigiani in Roma al tempo di Martino V e di Eugenio IV, Roma 1969
D'Ancona, P., La miniatura fiorentina, secoli XI–XVI, 2 Bde., Florenz 1914
Danielli, A., Niccolò da Uzzano nella vita politica dei suoi tempi, in: Archivio storico italiano 90 (1932), S. 53–86, 186–216
Davidsohn, R., Geschichte von Florenz, 4 Bde., Berlin 1896–1927
de la Mare, A. C., Vespasiano da Bisticci and Gray, in: Journal of the Warburg and Courtauld Institutes 20 (1957), S. 174–176
–, Messer Piero Strozzi, a Florentine priest and scribe, in: Calligraphy and Paleography. Essays presented to Alfred Fairbank on his seventieth birthday, hrsg. v. A. S. Osley, London 1965, S. 55–68
–, Vespasiano da Bisticci, Historian and Bookseller, 2 Bde., University of London 1965–66 (unpubliziert)
–, The Handwriting of Italian Humanists I, 12, Oxford 1973, S. 62–84
–, Vespasiano da Bisticci e i copisti fiorentini di Federico, in: Cerboni Baiardi Bd. III, S. 81–96
–, Cosimo and his Books, in: Ames-Lewis, S. 115–156
Dennison Ross, E., Prester John and the Empire of Ethiopia, in: A. P. Newton, Travel and Travellers at the Middle Ages, London 1926, S. 174–194
Dennistoun, J., Memoires of the Dukes of Urbino, Illustrating the Arms, Arts and Literature of Italy from 1440 to 1630, Bd. 1, London 1851
de Roover, R., The Rise and Decline of the Medici Bank, Cambridge/Mass. 1963
–, Labour Conditions in Florence around 1400: Theory, Policy and Reality, in: Rubinstein (Hg.), Florentine Studies, London 1968
Dini-Traversari, A., Ambrogio Traversari e i suoi tempi, Firenze 1912
Doren, A., Die Florentiner Wollentuchindustrie vom vierzehnten bis zum sechzehnten Jahrhundert. Ein Beitrag zur Geschichte des modernen Kapitalismus, 2 Bde., Stuttgart/Berlin 1908
Drexler, H., Gravitas, in: Aevum XXX (1956), S. 291–306
Elam, C., Cosimo de' Medici and San Lorenzo, in: Ames-Lewis, S. 157–180
Ermini, G. (Hrsg.), Ordini et offitii alla Corte del Serenissimo Duca d'Urbino, Urbino 1932
Esch, A., Vom Mittelalter zur Renaissance: Menschen in Rom 1350–1450, in: Jahrbuch der Akademie der Wissenschaften in Göttingen 1970, S. 26 ff.
–, Florentiner in Rom um 1400. Namensverzeichnis der ersten Quattrocento-Generation, in: QFIAB 52 (1972), S. 476–525
–, Über den Zusammenhang von Kunst und Wirtschaft in der italienischen Renaissance. Ein Forschungsbericht, in: Zeitschrift für Historische Forschung 8 (1981), S. 179–222
–, Art. Medici, in: M. North (Hrsg.), Von Aktie bis Zoll. Ein historisches Lexikon des Geldes, München 1995, S. 236–239
–, Importe in das Rom der Renaissance. Die Zollregister der Jahre 1470 bis 1480, in: QFIAB 74 (1994), S. 360–453
Eubel, C., Hierarchia Catholica Medii Aevi, Bd. 1 u. 2., Münster 1913–14
Facchinetti, V., San Bernardino da Siena, mistico sole del secolo XV, Mailand 1933

Fechner, H., Giuliano Cesarini bis zu seiner Ankunft in Basel, Diss. Marburg 1908

Fiaccadori, G., Bessarione e l'Umanesimo, Napoli 1994

Finzi, C., Matteo Palmieri. Dalla ‹vita civile› alla ‹città di vita›, Varese 1984

Fisher, A. L., The Franciscan Observants of Fifteenth Century Tuscany, Diss. Berkeley 1978

Fiumi, E., L'impresa di Lorenzo de' Medici contro Volterra, Firenze 1948

Fleetwood, F., L'elefante e la rosa. Storia della famiglia Malatesta, Imola 1983

Folts, J. D., In Search of ‹Civil Life›: an Intellectual Biography of Poggio Bracciolini (1380–1459), Diss. 1979 University of Rochester

Fraser Jenkins, A. A., Cosimo de' Medici's Patronage of Architecture and the Theory of Magnificence, in: Journal of the Warburg and Courtauld Institutes 33 (1970), S. 162–170

Fremantle, R., God and Money. Florence and the Medici in the Renaissance. Including Cosimo I's Uffizi and its Collections, Firenze 1992

Frenz, T., Das Eindringen der humanistischen Schriftformen in den Urkunden und Akten der päpstlichen Kurie im 15. Jahrhundert (Archiv für Diplomatik und Urkundenwesen 19), Köln/Wien 1973

Fubini, R., Federico da Montefeltro e la congiura dei Pazzi: politica e propaganda alla luce di nuovi documenti, in: Cerboni Baiardi Bd. I, S. 255–470

Ganz, M. A., Ambition and Accomodation in Medicean Florence: Agnolo and Donato Acciaiuoli, in: Stanford Italian Review 4 (1984), S. 41–54

–, Paying the Price for Political Failure: Florentine Women in the Aftermath of 1466, in: Rinascimento 34 (1994) S. 237–257

Garfagnini, G. C. (Hrsg.), Ambrogio Traversari nel VI centenario della nascita. Convegno internazionale di studi, Firenze 1988

–, (Hrsg.), Lorenzo de' Medici. Studi, Firenze 1992

Garin, E., Prosatori Latini del Quattrocento, Mailand/Neapel 1952

–, Donato Acciaiuoli cittadino fiorentino, in: Ders., Medioevo e rinascimento, Bari 1954, S. 211–287

Garzelli, A., La Bibbia di Federico da Montefeltro, Rom 1977

–, I miniatori fiorentini di Federico, in: Cerboni Baiardi Bd. III, S. 113–130

–, Miniatura fiorentina del Rinascimento. 1440–1525. Un primo censimento, in: Sesti, S. 465–472

Giannetto, N. (Hrsg.), Vittorino da Feltre e la sua scuola. Umanesimo, pedagogia, arti, Firenze 1981

Gill, J., Personalities of the Council of Florence and other Essays, Oxford 1964

Goldthwaite, R. A., Private Wealth in Renaissance Florence. A Study of Four Families, Princeton 1968

–, The Building of Renaissance Florence. An Economic and Social History, Baltimore/London 1980

Gombrich, E. H., The Early Medici as Patrons of Art: A Survey of Primary Sources, in: Jacobs, S. 279–311

Gori Sassoli, M., Michelozzo e l'architettura di villa nel primo Rinascimento, in: Storia dell'arte 24/25 (1975) S. 5–52

Gordan, P. W. G., Two Renaissance Book Hunters: The Letters of Poggius Bracciolini to Nicolaus de Niccolis, New York 1974

Grassi, L./Bologna, G. (Hrsg.), Gli Sforza a Milano, Mailand 1978

Grayson, C., A Renaissance Controversy: Latin or Italian?, Oxford 1960

Gregorovius, F., Geschichte der Stadt Rom, hrsg. v. W. Kampf, München 1988[2]

Gregory, H., Palla Strozzi's Patronage and Pre-Medicean Florence, in: Kent, F.

W./Simons, P., Patronage, Art and Society in Renaissance Italy, Oxford 1987, S. 201–220

Guidotti, A., Nuovi documenti su Vespasiano da Bisticci, la sua bottega e la sua famiglia, in: Cerboni Baiardi Bd. III, S. 97–111

–, Indagini su botteghe di cartolai e miniatori a Firenze nel XV secolo, in: Sesti, S. 473–507

Gutkind, C. S., Cosimo de' Medici, Pater Patriae 1389–1464, Oxford 1938

Hale, J. R., Die Medici und Florenz. Die Kunst der Macht, Stuttgart/Zürich 1979

Hankins, J., Platon in the Renaissance, 2 Bde., Leiden u. a. 1990

–, Cosimo de' Medici as a Patron of Humanistic Literature, in: Ames-Lewis, S. 69–94

Harcel, R., Builders and Humanists. The Renaissance Popes as Patrons of Arts, Houston 1966

Hartt, F., Art and Freedom in Quattrocento Florence, in: Essays in Memory of K. Lehmann, New York 1964, S. 112–131

Hausmann, F.-R., Die Benefizien des Kardinals Jacopo Ammanati-Piccolomini. Ein Beitrag zur ökonomischen Situation des Kardinalats im Quattrocento, in: Römische Historische Mitteilungen 13 (1971), S. 13 ff.

Hay, D., Flavio Biondo and the Middle Ages, in: Holmes, Art and Politics, S. 59–90

– /Law, J., Italy in the Age of Renaissance, 1380–1530, London 1989

Heißler, A./Blastenbrei, P., Frauen in der italienischen Renaissance. Heilige – Kriegerinnen – Opfer, Pfaffenweiler 1990

Henderson, J., Piety and Charity in Late Medieval Florence, Oxford 1994

Herlihy, D./Klapisch-Zuber, C., Les Toscans et leurs familles. Une étude du catasto florentin de 1427, Paris 1978

Hiltbrunner, O., Vir Gravis, in: Oppermann, H. (Hrsg.), Römische Wertbegriffe, Darmstadt 1967, S. 402–419

Holmes, G., How the Medici Became the Pope's Bankers, in: N. Rubinstein (Hrsg.), Florentine Studies, London 1968, S. 357–380

–, The Florentine Enlightenment 1400–1450, London 1969

–, Florence and the Great Schism, in: Ders., Art and Politics, S. 19–40

–, Florence, Rome and the Origins of the Renaissance, Oxford 1986

–, (Hrsg.), Art and Politics in Renaissance Italy, Oxford u. a. 1993

Hoshino, H., Per la storia dell'arte della lana in Firenze nel Trecento e nel Quattrocento: un riesame, in: Istituto Giapponese di cultura in Roma, Annuario 10 (1972/73), S. 33 ff.

Ianziti, G., Humanistic Historiography under the Sforzas. Politics and propaganda in fifteenth-century Milan, Oxford 1988

Isaacs, K. A., Condottieri, stati e territori nell' Italia centrale, in: Cerboni Baiardi Bd. I, S. 23–60

Jacob, E. F., Italian Renaissance Studies, London 1960

Jones, P. J., The Malatesta of Rimini and the Papal State, Cambridge 1974

Kennedy, R. W., The Contribution of Martin V to the Rebuilding of Rome, 1420–1431, in: The Renaissance Reconsidered. A Symposium (Smith College Studies in History 44 [1964]), S. 27 ff.

Kent, D., I Medici in esilio: una vittoria di famiglia ed una disfatta personale, in: Archivio storico italiano 132 (1974), S. 3–63

–, Household and Lineage in Renaissance Florence. The Family Life of the Capponi, Ginori and Rucellai, Princeton 1977

–, Più superba de quella de Lorenzo: Courtly and Family Interest in the Building of Filippo Strozzi's Palace, in: Renaissance Quarterly 30 (1977), S. 311–323

–, The Rise of the Medici, Oxford 1978

– /Kent, F. W., Neighbours and Neighbourhood in Renaissance Florence, Locust Valley 1982

Kent, F. W., The Dynamic of Power in Cosimo de' Medici's Florence, in: Kent, F. W./Simons, P., Patronage, Art and Society in Renaissance Italy, Oxford 1987, S. 63–78

–, Palaces, Politics and Society in Fifteenth Century Florence, in: I Tatti Studies. Essays in the Renaissance II (1987), S. 41–70

–, The Buonuomini di San Martino: Charity for the glory of God, the honour of the city, and the commemoration of myself, in: Ames-Lewis, S. 49–67

King, M. L., Le donne del Rinascimento, Roma/Bari 1991

Kirshner, J., Pursuing Honor While Avoiding Sin. The Monte delle Doti of Florence, Milano 1978

Klapisch-Zuber, Chr., Women, Family and Ritual in Renaissance Italy, Chicago/London 1985

Klibansky, R./Panofsky, E./Saxl, F., Saturn and Melancholy. Studies in the History of Natural Philosophy, Religion and Art, Cambridge 1964

Kraye, J., Francesco Filelfo on Emotions, Virtus and Vices: A Re-Examination of his Sources, in: Bibliothèque d'Humanisme et Renaissance 43 (1981), S. 129–140

Kris, E./Kurz, O., Die Legende vom Künstler. Ein geschichtlicher Versuch, Frankfurt a. M. 1980

Kristeller, P. O., Studies in Renaissance Thought and Letters, Rom 1956

–, Humanismus und Renaissance; hrsg. v. Eckhard Keßler, Bd. I: Die antiken und mittelalterlichen Quellen, München 1974; Bd. II: Philosophie, Bildung und Kunst, München 1976

–, Das moralische Denken des Renaissance-Humanismus, in: Ders., Humanismus und Renaissance Bd. II, S. 30–84

–, Der italienische Humanismus und Byzanz, in: Ders., Humanismus und Renaissance Bd. I, S. 145–160

–, Renaissance Thought and Its Sources, New York 1979

–, Latein und Vulgärsprache im Italien des 14. und 15. Jahrhunderts, in: Deutsches Dante-Jahrbuch 59 (1984), S. 7–35

–, Niccolò Perotti ed i suoi contributi alla storia dell'umanesimo, in: Res publica litterarum 4 (1981), S. 7–25

Labowsky, L., Bessarion Studies, in: Medieval and Renaissance Studies V (1961), S. 108–162

–, Il Cardinale Bessarion e gli inizi della Biblioteca Marciana, in: Pertusi, A., Venezia e l'Oriente fra tardo Medio Evo e Rinascimento, Venedig 1966, S. 159–182

Lane, F. C., Seerepublik Venedig, München 1980 (engl. Baltimore 1973)

Lanza, A., Firenze contro Milano. Gli intellettuali fiorentini nelle guerre con i Visconti (1390–1440), Anzio 1991

Lentzen, M., Zur Problematik von ‹vita activa› und ‹vita contemplativa› in den ‹Disputationes Camaldulenses› von Cristoforo Landino, in: Wolfenbütteler Renaissance-Mitteilungen 14 (1990), S. 57–64

Levi d'Ancona, M., Miniatura e miniatori a Firenze dal XIV al XVI secolo. Documenti per la storia della miniatura, Firenze 1962

Litta, P., Famiglie celebri in Italia, 13 Bde., Mailand 1819–1902

Loos, E., Baldassare Castigliones ‹Libro del Cortegiano›. Studien zur Tugendauffassung des Cinquecento, Frankfurt a. M. 1955

Lopez, R. S., Hard Times and Investment in Culture, in: Ferguson, W. K. (Hrsg.), The Renaissance: A Symposium, New York 1952, S. 29–54

458   BIBLIOGRAPHIE

Lowry, M./Jenson, N., The Raise of the Venetian publishing in Renaissance Europe, Oxford 1991

Lutz, H., Italien vom Frieden von Lodi bis zum Spanischen Erbfolgekrieg, in: Th. Schieder (Hrsg.), Handbuch der Europäischen Geschichte, Stuttgart 1971, S. 852–901

Mallett, M. E., Mercenaries and their masters. Warfare in Renaissance Italy, London 1974

–, Diplomacy and War in Later Fifteenth Century, in: Holmes, Art and Politics, S. 137–158

–, Venice and the War of Ferrara 1482–1484, in: Chambers/Clough/Mallett, S. 57–72

–, Ambassadors and their audiences in Renaissance Italy, in: Renaissance Studies 8 (1994), S. 229–243

Manetti, A., Roberto de' Rossi, in: Rinascimento II (1951), S. 33–56

Martin, A. v., Das Kulturbild des Quattrocento nach den Viten des Vespasiano da Bisticci, in: Festgabe H. Finke, Münster 1925, S. 316–355

Martines, L., The Social World of the Florentine Humanists 1390–1460, Princeton 1963

– (Hrsg.), Violence and Civil Disorder in Italian Cities, 1200–1500, Berkeley – Los Angeles – London 1972

–, Power and Imagination. City-States in Renaissance Italy, New York 1979

Marzi, D., La cancelleria della repubblica fiorentina, 2 Bde. Firenze 1987 (zuerst 1910)

Massinelli, A. M./Tuena, F., Il tesoro dei Medici, Milano 1992

Mazza, A., L'inventario della «Parva liberia» di Santo Spirito e la Biblioteca del Boccaccio, in: Italia medioevale ed umanistica 9 (1966) S. 1–74

Menning, C. B., Charity and State in Late Renaissance Italy: The Monte di Pietà of Florence, Ithaka/London 1993

Messeri, A., Matteo Palmieri cittadino di Firenze del secolo XV, in: Archivio storico italiano XIII,2 (1894), S. 257–340

Miscellanea Marciana di studi Bessarionei, (Medioevo e umanesimo 24), Padua 1976

Mohler, L., Kardinal Bessarion als Theologe, Humanist und Staatsmann, Bd. 1 (Darstellung), Paderborn 1923; Bd. 2: Bessarionis in calumniatorem Platonis (Edition), ebd. 1927; Bd. 3: Aus Bessarions Gelehrtenkreis (Edition unpublizierter Texte), ebd. 1942

Molho, A., Florentine Public Finances in the Early Renaissance, 1400–1433, Cambridge/Mass. 1971

–, Cosimo de' Medici: Pater patriae or Padrino?, in: Stanford Italian Review 1 (1979), S. 5–33

–, Marriage Alliance in Late Medieval Florence, Cambridge/Mass./London, 1994

Mommsen, Th. E., Der Begriff des «Finsteren Zeitalters» bei Petrarca, in: Buck, S. 151–179 (engl. Orig. in: Speculum 17 [1942], S. 226–242)

Moranti, M., Organizzazione della biblioteca di Federico da Montefeltro, in: Cerboni Baiardi Bd. III, S. 19–50

Müller, G., Mensch und Bildung im italienischen Renaissance-Humanismus. Vittorino da Feltre und die humanistischen Erziehungsdenker, Baden-Baden 1984

Nimmo, D., The Franciscan Regular Observance, 1368–1447, and the Divisions of the Order, Diss. Edinburgh 1974

Origo, I., Der Heilige der Toskana. Leben und Zeit des Bernadino von Siena, München 1989 (engl. London 1963)

Pagnotti, F., La vita di Niccolò V scritta da G. Manetti, in: Archivio d. r. soc. rom. d. stor. patr. XIV (1891), S. 429–436

Paoletti, J., Fraternal Piety and Family Power: The Artistic Patronage of Cosimo and Lorenzo de' Medici, in: Ames-Lewis, S. 195–220

Partner, P., The ‹Budget› of the Roman Church in the Renaissance Period, in: Jacobs, S. 256–278

Pastor, L. v., Geschichte der Päpste seit dem Ausgang des Mittelalters, Bd. 1, Freiburg 1891

Peruzzi, P., Lavorare a Corte: «ordine et officii». Domestici, familiari, cortigiani e funzionari al servizio del Duca d'Urbino, in: Cerboni Baiardi Bd. I, S. 225–294

Phillips, M., The ‹Memoir› of Marco Parenti. A Life in Medici Florence, Princeton 1987

Piattoli, R., Ricerche intorno alla biblioteca dell'umanista Sozomeno, in: Bibliofila XXX (1934), S. 261–308

Pillinini, G., Il sistema degli stati italiani, 1454–1494, Venezia 1970

Poliziotto, L., The Making of a Saint: The Canonization of St. Antonino, in: Journal of Medieval and Renaissance Studies 22 (1992), S. 353–381

Pontieri, E., Ferrante d'Aragona, re di Napoli, Napoli [2]1969

Pope-Hennessy, J., The Portrait in the Renaissance, Princeton 1966

Porter, R./Teich, M. (Hrsgg.), The Renaissance in National Context, Cambridge 1992

Procacci, G., A History of Early Renaissance Italy, London 1973

Quiñones, R. J., The Renaissance Discovery of Time, Harvard 1972

Ramsey, P. A. (Hrsg.), Rome in the Renaissance. The City and the Myth, Bringhamton 1982

Rehm, W., Der Untergang Roms im abendländischen Denken, Leipzig 1930

Reidy, D. V. (Hrsg.), The Italian Book, 1465–1800. Studies Presented to Dennis E. Rhodes on his 70th Birthday, London 1993

Reinhardt, V. (Hrsg.), Die großen Familien Italiens, Stuttgart 1992

Reumont, A. v., Lorenzo de' Medici il Magnifico, 2. Aufl. Leipzig 1883

Ricci, P. G., Ambrogio Traversari, in: Rinascità (1939), S. 578–612

Robinson, C., Cosimo de' Medici and the Franciscan Observants at Bosco ai Frati, in: Ames-Lewis, S. 181–194

Rocke, M., Sodomites in Fifteenth-Century Tuscany: The Views of Bernadino of Siena, in: K. Gerard/G. Hekma, The Pursuit of Sodomy. Male Homosexuality in Renaissance and Enlightenment Europe (Journal of Homosexuality 16, 1/2), New York 1989

Roeck, B., Wahrnehmungsgeschichtliche Aspekte des Hexenwahns. Ein Versuch, in: Historisches Jahrbuch 112 (1992), S. 72–103

–, La collocazione economica e sociale di artisti veneziani e della Germania meridionale attorno ad 1600. Un confronto, in: Ders. (Hrsg. u. d. Mitarb. v. A. J. Martin u. K. Bergdolt), Venedig und Oberdeutschland in der Renaissance. Beziehungen zwischen Kunst und Wirtschaft (Studi, Schriftenreihe des Deutschen Studienzentrums in Venedig, Bd. 9), Sigmaringen 1993, S. 53–76

Romani, C./Jäger, W., Nuovo Dizionario italiano-tedesco, Nürnberg 1764

Rossi, V., Il Quattrocento, hrsg. v. A. Vallone, Mailand 1956

Rubinstein, N., Poggio Bracciolini: Cancelliere e storico di Firenze, in: Atti e memorie dell'Accademia Petrarca di lettere, arti e scienze di Arezzo 37 (1958/64), S. 215–239

–, The Government of Florence under the Medici, 1434 to 1494, Oxford 1966

–, Politics and Constitution in Florence at the End of the Fifteenth Century, in: Jacobs, S. 148–183

–, Oligarchy and Democracy in Fifteenth Century Florence, in: Florence and Venice. Comparisons and relations Bd. 1, Florenz 1979, S. 99 ff.

–, Lay Patronage and Observant Reform in Fifteenth Century Florence, in: Verdon/Henderson, S. 63–82

–, Cosimo optimus civis, in: Ames-Lewis, S. 5–20

–, Lorenzo de' Medici: The Formation of his Statecraft, in: Holmes, Art and Politics, S. 113–136

–, Italien Reactions to Terra Ferma Expansion in the 15th Century, in: Hale, J. R. (Hrsg.), Renaissance Venice, London 1973, S. 197–217

Ryder, A., Alfonso the Magnanimous, King of Aragon, Naples and Sicily, 1396–1458, Oxford 1990

Sabbadini, R., La scuola e gli studi di G. Guarini Veronese, Catania 1896

–, Le scoperte dei codici latini e greci ne' secoli XIV e XV, Florenz 1905/14

Sanesi, E., Firenze e i suoi ‹oratori› nel Quattrocento, Milano 1922

Santoro, C., Gli Sforza, Mailand 1968

Sapori, A., Studi di Storia Economica, 3 Bde., Firenze 1955

Schimmelpfennig, B., Das Papsttum. Grundzüge seiner Geschichte von der Antike bis zur Renaissance, Darmstadt 1984

Schmitt, C. B./Skinner, Q., The Cambridge History of Renaissance Philosophy, Cambridge 1984

Schubring, P., Vespasiano da Bisticci, in: Mitteilungen des Kunsthistorischen Instituts in Florenz III (1919), S. 64–70

Seigel, J. E., Civic Humanism or Ciceronian Rhetoric? The Culture of Petrarca and Bruni, in: Past and Present 14 (1966), S. 3–48

–, Rhetoric and Philosophy in Renaissance Humanism, Princeton 1968

Sesti, E., La miniatura italiana tra Gotico e Rinascimento. Atti del II Congresso di Storia della Miniatura Italiana, 2 Bde., Florenz 1985

Soranzo, G., La lega italica (1454–5), Milano 1924

Soudek, J., Leonardo Bruni and his Public. A Statistical and Interpretative Study of his Annotated Latin version of the (Pseudo-)Aristotelian Economics, in: Studies in Medieval and Renaissance History V (1968), 49–136

Starn, R., Contrary Commonwealth. The Theme of Exile in Medieval and Renaissance Italy, Berkeley 1982

Stieber, J. W., Pope Eugenius IV, the Council of Basel and the Secular and Ecclesiastical Authorities of the Empire, Leiden 1978

Stocchia, S. T., Burials in Renaissance Florence, 1350–1500, Berkeley 1981

Strnad, A., Papsttum, Kirchenstaat und Europa in der Renaissance, in: Elze, R./Schmidinger, H./Schulte-Nordholt, H. (Hrsg.), Rom in der Neuzeit. Politische, kirchliche und kulturelle Aspekte, Wien/Rom 1976, S. 19–52

Struever, N. S., The Language of History in the Renaissance. Rhetoric and Historical Consciousness in Florentine Humanism, Princeton 1970

Struik, D. J., Paulus van Middelburg (1445–1433), in: Mededelingen van het Nederlands Historisch Instituut te Rome 5 (1925), S. 79–118

Tate, R. B., Joan Margarit i Pau Cardinal. Bishop of Gerona, Manchester 1935

Thomson, J. A. F., Popes and Princes 1417–1517. Politics and Policy in the Late Medieval Church, London 1980

Tierney, B., Foundations of the Conciliar Theory. The Contribution of the Medieval Canonists from Gratian to the Great Schism, Cambridge 1955

–, Church Law and Constitutional Thought in the Middle Ages, London 1979

Tommasoli, W., La vita di Federico da Montefeltro 1422–1482, Urbino 1978

Trexler, R., Le célibat à la fin de Moyen Age: Les religieuses de Florence, in: Annales E. S. C. 27 (1972), S. 1329–1350

–, The libro ceremoniale of the Florentine Republic by Francesco Filarete and Angelo Manfredi, Genf 1978

–, Public Life in Renaissance Florence, New York 1980

Ugolini, P., u. a. (Hrsgg.), Un' altra Firenze. L'epoca di Cosimo il Vecchio. Riscontro tra cultura e società nella storia fiorentina, Firenze 1971

Ullmann, B. L., Leonardo Bruni and Humanistic Historiography, in: Medievalia et Humanistica XV (1946), S. 45–61

–, The Origin and Development of Humanistic Script, Rom 1960

– /Stadter, P. A., The Public Library of Renaissance Florence – Niccolò Niccoli, Cosimo de' Medici and the Library of San Marco, Padua 1972

Ullmann, W., Medieval Foundations of Renaissance Humanism, Ithaca 1977

Verde, A. F., Lo Studio Fiorentino (1473–1503). Ricerche e documenti, 4 Bde., Florenz 1973/85 (5. Bd. angekündigt).

Verdon, T./Henderson, J., Christianity and the Renaissance. Image and Religious Imagination in the Quattrocento, Syracuse 1990

Vickers, B., Arbeit, Muße, Meditation. Betrachtungen zur ‹Vita activa› und ‹vita contemplativa›, Zürich 1985

Viti, P. (Hrsg.), Leonardo Bruni cancelliere della Repubblica di Firenze. Atti del Convegno di Studi, Florenz 1990

–, Firenze e il concilio del 1439. Atti del convegno di studi, Florenz 1994

Wackernagel, M., Der Lebensraum des Künstlers in der florentinischen Renaissance, Leipzig 1938

Weische, A., Studien zur politischen Sprache der römischen Republik, Münster 1966

Weiss, R., The Renaissance Discovery of Classical Antiquity, Oxford 1969

–, Medieval and Humanist Greek, Padua 1977

Wilcox, D. J., The Development of Florentine Humanist Historiography in the Fifteenth Century, Cambridge/Mass. 1969

Wilks, M., The Problem of Sovereignty in the Later Middle Ages. The Papal Monarchy with Augustinus Triumphus and the Publicists, Cambridge 1963

Wind, E., Heidnische Mysterien in der Renaissance, Frankfurt a. M. 1981 (engl. London 1958/1968)

Winner, M., Cosimo il Vecchio als Cicero, in: Zeitschrift für Kunstgeschichte 33 (1970), S. 261–297

Woodword, W. H., Vittorino da Feltre and Other Humanist Educators, Cambridge 1987

Woods-Marsden, J., Art and Political Identity in Fifteenth Century Naples: Pisanello, Cristoforo di Geremia and King Alfonso's Imperial Fantasies, in: Rosenberg, C. M., Art and Politics in Late Medieval and Early Renaissance Italy: 1250–1500, Notre Dame/London 1990, S. 11–37

Young, G. F., Die Medici, München 1950 (engl. London 1910)

Zannoni, G., Il sacco di Volterra: un poema di Naldo Naldi e l'orazione de Bartolomeo Scala, in: Rendiconti della R. Accademia dei Lincei, S. V, III, 1894

Zimmermann, M., Eine toskanische Frauendidaxe aus dem XIV. Jahrhundert: Francesco da Barberinos ‹Reggimento e costumi di Donna›, in: H. J. Bachoriki (Hrsg.), Ordnung und Lust. Bilder von Liebe, Ehe und Sexualität in Spätmittelalter und Früher Neuzeit, Trier 1991, S. 25–45

Zippel, G., Niccolò Niccoli, Florenz 1890

–, Carlo Marsuppini, Trient 1897

–, Il Filelfo a Firenze, Rom 1899

PERSONENREGISTER

Bearbeitet von Ruth Grütters

Die *kursiven* Seitenangaben verweisen auf die von Bisticci verfaßten Viten sowie auf die Kurzbiographien im Anhang. Autoren von Sekundärliteratur erscheinen in *kursiver* Schrift.

BILDNACHWEIS